UNE FRANCE SOUS INFLUENCE

ŒUVRES DE PIERRE PÉAN

Pétrole, la troisième guerre mondiale, Calmann-Lévy, 1974.

Après Mao, les managers, Fayolle, 1977.

Bokassa Iᵉʳ, Alain Moreau, 1977.

Les Émirs de la République, en collaboration avec Jean-Pierre Séréni, Seuil, 1982.

Les Deux Bombes, Fayard, 1982 ; nouvelle édition, 1991.

Affaires africaines, Fayard, 1983.

V, enquête sur l'affaire des « avions renifleurs »…, Fayard, 1984.

Les Chapellières, Albin Michel, 1987.

La Menace, Fayard, 1988.

L'Argent noir, Fayard, 1988.

L'Homme de l'ombre, Fayard, 1990.

Vol UT 772, Stock, 1992.

Le Mystérieux Docteur Martin, Fayard, 1993.

Une jeunesse française, François Mitterrand, 1934-1947, Fayard, 1994.

L'Extrémiste, François Genoud, de Hitler à Carlos, Fayard, 1996.

TF1, un pouvoir, avec Christophe Nick, Fayard, 1997.

Vies et morts de Jean Moulin, Fayard, 1999.

La Diabolique de Caluire, Fayard, 1999.

Bethléem en Palestine, avec Richard Labévière, Fayard, 1999.

Manipulations africaines, Plon, 2001.

Dernières volontés, derniers combats, dernières souffrances, Plon, 2002.

Marcel Dassault ou les ailes du pouvoir, avec Guy Vadepied, Fayard, 2003.

La Face cachée du Monde. Du contre-pouvoir aux abus de pouvoir, avec Philippe Cohen, Mille et une nuits, 2003.

Main basse sur Alger : enquête sur un pillage, juillet 1830, Plon, 2004.

Noires fureurs, blancs menteurs : Rwanda 1990-1994, Mille et une nuits, 2005.

L'Accordéon de mon père, Fayard, 2006.

L'Inconnu de l'Élysée, Fayard, 2007.

Le Monde selon K., Fayard, 2009.

Carnages. Les guerres secrètes des grandes puissances en Afrique, Fayard, 2010.

La République des mallettes. Enquête sur la principauté française de non-droit, Fayard, 2011.

Le Pen. Une histoire française, avec Philippe Cohen, Robert Laffont, 2012.

Kosovo. Une guerre « juste » pour un État mafieux, Fayard, 2013.

Vanessa Ratignier

avec la collaboration de
Pierre Péan

Une France sous influence

*Quand le Qatar
fait de notre pays son terrain de jeu*

Fayard

Couverture : Antoine Du Payrat,
photo © Xavier Rossi/Gamma-Rapho via Getty Images

ISBN : 978-2-213-67826-9

1.

« C'est moi qui ai financé son divorce... »

Été 2008. Palais du Diwan, à Doha. « Sarkozy pleurait presque. Il m'a raconté que sa femme Cécilia lui demandait 3 millions d'euros pour divorcer. C'est moi qui ai payé[1]... » Qui fait ces confidences ? Cheikh Hamad bin Khalifa al-Thani[2], l'émir du Qatar. À qui ? À Anis Naccache qu'il traite depuis quelques mois comme l'un de ses proches amis. Faut-il le croire ?

Par son histoire, Naccache est devenu une véritable personnalité au Proche-Orient. Ancien activiste déçu par le Fatah[3], il a rejoint la résistance iranienne en 1978 et célébré l'instauration du régime des mollahs à Téhéran en février 1979. Le 18 juillet 1980, Naccache dirigeait le commando qui a tenté d'assassiner Chapour Bakhtiar, dernier Premier ministre du shah d'Iran réfugié en France depuis avril 1979. Deux personnes sont tuées, dont un

---

1. Confidences recueillies par Pierre Péan à Beyrouth, avril 2013.

2. En juin 2013, l'émir du Qatar a transmis le pouvoir à son fils, cheikh Tamim bin Hamad al-Thani.

3. Mouvement terroriste palestinien fondé en 1959 par Yasser Arafat. Naccache s'en est détourné après l'acceptation par Arafat d'un cessez-le-feu avec Israël qui occupait alors le Sud-Liban. L'organisation a depuis renoncé au terrorisme.

policier, et trois gardiens de la paix sont grièvement blessés. Arrêté à Paris et condamné à la réclusion criminelle à perpétuité le 10 mai 1982, Naccache a servi de monnaie d'échange pour la libération, le 4 mai 1988, de Jean-Paul Kauffmann, Marcel Carton et Marcel Fontaine, otages français alors retenus au Liban. François Mitterrand l'a gracié et libéré le 27 juillet 1990. Depuis, ce Libanais de confession chiite a ses entrées à Beyrouth, Damas et Téhéran. Il a l'oreille de Mahmoud Ahmadinejad[1] et de Bachar el-Assad. Son influence lui vaut d'être courtisé par Hamad al-Thani qui compte sur lui pour l'aider à influencer le dictateur syrien.

L'« amitié » entre l'émir et Naccache aura brutalement cessé peu de temps avant que le Qatar décide de renverser le dictateur syrien. « Je vous aime beaucoup, je vous protège… », déclare alors, enamouré, Hamad al-Thani à son « ami » à qui il enjoint de laisser tomber Assad. L'émir lui offre même de l'indemniser pour sa trahison, offre que Naccache juge inacceptable et humiliante.

Mais revenons au temps de l'amitié entre l'émir du Qatar et Naccache, plus précisément à l'été 2008. Selon Anis Naccache, l'émir n'aurait pas borné ses confidences aux seules concernant le financement du divorce de Sarkozy. « Je vais à Paris la semaine prochaine faire pression sur Nicolas Sarkozy pour qu'il aille à Damas », aurait-il poursuivi. Aux yeux de Hamad al-Thani, la réconciliation entre le président français et le dictateur syrien est cruciale dans la stratégie qu'il mène alors dans la région. Une stratégie visant *in fine* à installer le Qatar comme un acteur diplomatique de premier plan – ambition dans laquelle, nous le verrons, la France va jouer un rôle considérable. Une stratégie qui passe par la réconciliation franco-syrienne et

---

1. Président de la République islamique d'Iran de 2005 à 2013.

requiert de la diplomatie française qu'elle opère un total revirement par rapport à la ligne imprimée par Jacques Chirac à la politique arabe de la France.

La rupture entre Paris et Damas avait fait suite à l'assassinat, le 14 février 2005, du Premier ministre du Liban, Rafic Hariri. Celui-ci était plus qu'un proche de Chirac : les deux hommes étaient amis intimes. Aujourd'hui encore, les deux familles restent très liées. Ainsi l'appartement dans lequel vit l'ancien président depuis qu'il a quitté le pouvoir, quai Voltaire, à Paris, appartient à la famille Hariri. Accusant le dictateur syrien d'être le commanditaire de l'assassinat, Chirac avait aussitôt coupé toutes relations avec le régime de Bachar el-Assad.

Quand Sarkozy a remporté la présidentielle en 2007, Chirac choisit de garder le silence sur les choix de son successeur. Sauf à propos du Liban et de la Syrie. Dès le 10 mai 2007, il conseille à Sarkozy de rencontrer Saad Hariri, fils de son ami assassiné et chef de la majorité soutenant le gouvernement libanais. Le 16 mai, lors de la passation des pouvoirs, à l'Élysée, il met sur la table la question du Liban qui domine leur entretien. Dans le même temps, Sarkozy charge Claude Guéant, désormais promu secrétaire général de l'Élysée, de reprendre langue en catimini avec le régime syrien, *via* notamment l'intermédiaire libanais Ziad Takieddine.

Sur le dossier syrien, Sarkozy entend marquer une rupture brutale avec son prédécesseur, lequel a bien pressenti ses intentions. Le 6 mai 2008, Chirac reçoit quai Voltaire la fille de son ami défunt. C'est là, chez les Hariri-Chirac, qu'elle a choisi de procéder à la présentation officielle de son fiancé. C'est l'occasion de parler des affaires brûlantes du pays. Informé par la famille Hariri dont il est, de fait, devenu le patriarche, le vieux lion a vite compris que l'émir du Qatar et son Premier ministre et diplomate en chef, Hamad bin Jassem bin Jaber al-Thani, dit HBJ, sont à la manœuvre du rapprochement entre la France et la Syrie.

Une conversation avec Jacques Chirac nous fournit un éclairage intéressant sur le rôle du Qatar dans cette surprenante réconciliation.

12 juillet 2008 : entouré de l'émir du Qatar, du dictateur syrien et du président libanais, Nicolas Sarkozy annonce triomphalement l'ouverture prochaine de relations diplomatiques entre la Syrie et le Liban. Une annonce qui intervient à la veille du lancement de l'Union pour la Méditerranée (UPM), voulue par le président français : « Je voudrais dire combien, pour la France, c'est un progrès historique que la volonté du président Bachar el-Assad d'ouvrir une représentation diplomatique au Liban et que le Liban ouvre une représentation diplomatique en Syrie », déclare-t-il. Et d'insister sur le qualificatif « historique » : « Vous comprendrez que, pour nous, Bernard Kouchner [ministre des Affaires étrangères] et moi, cette annonce, cette confirmation, cette volonté est absolument historique. » Chirac sait désormais que son successeur va dérouler le tapis rouge devant l'homme de Damas. Deux jours plus tard, au bas des Champs-Élysées, avant le défilé du 14-Juillet, Bachar el-Assad et Hamad bin Khalifa al-Thani sont tout sourire ; les deux hommes sont chaleureusement salués par Nicolas Sarkozy. Pour Chirac, jusque-là resté très discret sur la politique de son prédécesseur, c'en est trop.

Le 13 août 2008, en fin d'après-midi, il délaisse, le temps d'un dîner, la résidence tropézienne de son ami François Pinault pour se rendre chez Carla Bruni et Nicolas Sarkozy, au Cap Nègre. L'endroit, que l'on appelait naguère le château Faraghi, lui est familier. Pendant quatre ans, du temps de l'Occupation, alors que la guerre tonnait, il a vécu à quelques kilomètres de là, au Rayol où s'était replié le célèbre avionneur Henry Potez. Faraghi, un ami de Potez, vivait tout près, sur la route menant au Lavandou. L'endroit lui rappelle la fin de son enfance, cette période bénie de grande liberté où il vivait en rebelle avec les petits « voyous » du coin, Darius Zunino en tête ; où il courait pieds nus, entraînant sa bande de copains dans une opération destinée à libérer des lapins de leurs clapiers... Il connaît encore comme sa poche[1] le maquis, y compris le domaine Faraghi. Surplombant la mer, le château est devenu depuis la propriété des Bruni-Tedeschi.

C'est là qu'il a « prévenu » Sarkozy qu'il faisait fausse route, ainsi qu'il le confie quelque trois semaines plus tard[2]. Ce 4 septembre, Chirac a l'air fatigué malgré ses vacances récentes, il est plus voûté que lors de la précédente rencontre d'avant l'été. Après un tour de piste sur le Congo, sur le Rwanda et le rapport Mucyo[3], sur son amitié avec François Pinault et sur l'« affaire des diamants » de Bokassa, Chirac parle pour la première fois de la politique étrangère menée par Nicolas Sarkozy, plus précisément de son voyage programmé à Damas pour la mi-septembre. Il

---

1. Lire à ce sujet Pierre Péan, *L'Inconnu de l'Élysée*, Fayard, 2007.

2. À Pierre Péan dans son bureau près de l'Assemblée nationale.

3. Le rapport Mucyo, du nom du président de la commission créée par Paul Kagame, est rendu public le 5 août 2008 : il met gravement – et faussement – en cause l'État français dans la préparation du génocide au Rwanda en 1994, et annonce la mise en examen d'une cinquantaine d'hommes politiques, de hauts fonctionnaires et d'officiers français...

raconte ce qu'il a dit à son successeur, mais ne dit mot de ce que ce dernier lui a répondu.

« La France a tout à perdre à aller à Damas. Tous nos amis libanais sont furieux... Qu'est-ce que tu feras quand Bachar el-Assad sera désigné officiellement comme le commanditaire du meurtre de mon ami Rafic Hariri ? Il ne connaît rien. Il n'a rien à voir avec son père qui disait : "Le Liban, c'est la Syrie et la France." Il me demandait de lui fournir cinq noms parmi lesquels il choisirait le président du Liban. Manque de chance, j'avais mis le nom d'Émile Lahoud[1], qui n'est pas un type bien... mais il n'avait rien à y redire. Bachar n'est pas intelligent, il est très riche. Il est très lié à HBJ [Premier ministre et ministre des Affaires étrangères du Qatar]... Tu sais, Nicolas, que celui-ci a tenté de me corrompre. Il a osé amener une valise de billets à l'Élysée à l'occasion d'une audience que je lui avais accordée ! Je te préviens, Nicolas, fais attention. Des rumeurs de corruption fomentée par le Premier ministre qatari et te concernant circulent dans Paris... Fais vraiment attention... »

Et Chirac d'achever par un dégagement plus général sur la conduite de la politique étrangère de son successeur : « J'étais moins bon que lui en politique intérieure, mais je connaissais mieux la politique étrangère que lui... »

Lors de l'enquête destinée au livre *La République des mallettes*[2], plusieurs personnes se sont interrogées sur les modalités de financement du divorce prononcé en octobre 2007 entre Nicolas Sarkozy et Cécilia Ciganer-Albéniz. Aurait-il,

---

1. Émile Lahoud a été président du Liban du 24 novembre 1998 au 23 novembre 2007.
2. Pierre Péan, *La République des mallettes*, Fayard, 2011.

comme le prétendent certains, été assuré par un prélève-
ment effectué sur l'argent versé par le Qatar à la Libye en
échange de la libération, en juillet 2007, des infirmières
bulgares et du médecin palestinien accusés – à tort – d'avoir
inoculé le sida à des centaines d'enfants libyens ? Le versement du Qatar à la Libye avait intrigué beaucoup de monde,
d'autant plus qu'il serait intervenu alors que les familles
des contaminés avaient déjà été indemnisées ; il avait profondément troublé le négociateur de l'Union européenne à
Tripoli en charge du dossier des infirmières, Marc Pierini.
Celui-ci s'était interrogé sur la « mystérieuse médiation du
Qatar » : « De quel type d'intervention s'agit-il ? Difficile à
dire tant le mystère est soigneusement préservé[1]. » Devant
la commission d'enquête parlementaire chargée d'examiner les conditions de cette libération, Bernard Kouchner,
alors ministre des Affaires étrangères, laissa prospérer le
doute. Aux députés évoquant l'« hypothèse d'une transaction financière », il répondit : « Mon sentiment est que
nous ne sommes pas à l'abri de l'évocation de certaines
transactions financières [*sourire*]. Mais je n'en sais rien ! »

S'il est à ce jour impossible d'établir qu'il a, tel qu'il le
prétend lui-même, financièrement contribué au divorce du
couple élyséen, Hamad al-Thani n'aurait pas réservé ses
chuchotements sur le financement du divorce de Sarkozy
aux seules oreilles d'Anis Naccache. Il les aurait distillés
ici et là, comme lors de sa visite officielle en Algérie les
18 et 19 octobre 2009. À la résidence d'État de Zeralda,
située à l'ouest d'Alger, les discussions allaient bon train
avec quelques éminences algériennes quand la France et
son président, Nicolas Sarkozy, ont surgi au détour de la
conversation :

---

1. Marc Pierini, *Le Prix de la liberté*, Actes Sud, 2008.

« Son divorce lui a coûté très cher, lance un responsable algérien.

– Vous voulez dire que ça *m'*a coûté très cher ! », interrompt l'émir.

Et l'homme qui nous a rapporté cette confidence de commenter : « L'émir a casqué. Le Qatar est la pompe à fric de Sarko… »

Est-ce pour autant vrai ? Rien ne le garantit à ce jour.

Avant d'approfondir les relations entre les dirigeants du Qatar et les élites françaises, évoquons une information publiée par le *Financial Times*[1], intervenant après l'entrée de l'émirat au capital de firmes françaises, qui va semer davantage encore le trouble dans la mesure où elle fait peser le soupçon sur le rôle du Qatar dans les nouvelles orientations de la politique étrangère de la France. Les Qataris étaient en effet disposés à investir 250 millions d'euros dans un fonds d'investissement – nom de code : Columbia Investments – qu'aurait piloté Nicolas Sarkozy après sa défaite face à François Hollande, à l'élection présidentielle en mai 2012. Lequel aurait reçu une lettre d'intention du fonds souverain qatari Qatar Investment Authority lui promettant d'engager cette somme dans un fonds d'investissement, basé à Londres. Nicolas Sarkozy s'y serait rendu une à deux fois par semaine. L'ancien chef de l'État et son équipe auraient reçu dans ce cadre une rémunération de plus de 3 millions d'euros par an, estime le journal économique. Affirmation qui soulève de nombreuses questions…

---

1. « Nicolas Sarkozy's road from the Élysée to private equity », *Financial Times*, 28 mars 2013.

2.

La Qatar-France,
ou les dérives de nos élites

Ce livre raconte l'histoire d'un échec, celui de la France, de ses dirigeants et de ses élites, à braver les affres de la mondialisation sans y sacrifier le bien commun. L'histoire de la relation trouble, aventureuse et parfois compromettante entre notre pays et le Qatar est celle du dévoiement d'un système tout acquis à la cause d'une famille : les Al-Thani.

Au-delà de la corruption de quelques-uns, c'est tout un système qui est perverti. La domination croissante des marchés, instaurée par les dérégulations décidées à l'aube des années 1980, a progressivement déplacé le pouvoir du politique vers la finance. Des principes de gouvernance à la spéculation. Des idéaux au billet vert. Le Qatar n'est rien d'autre que le fruit de cette nouvelle donne ultralibérale. En ce sens, le Qatar est l'un des cribles les plus pertinents pour décrypter l'exercice et le fonctionnement actuels du pouvoir.

S'intéresser au pouvoir, c'est identifier ses failles et ses carences, attirer l'attention sur ce qui dysfonctionne et risque, à terme, de menacer la société. Permettre au citoyen de pénétrer dans ses arcanes, donc de mieux comprendre la politique et ses errances. De tenter ainsi de contribuer à un meilleur exercice de sa part de souveraineté.

Car la mécanique concrète du pouvoir ne s'offre pas au tout-venant. Pierre Péan m'en a fourni les premières clés. De notre collaboration qui débuta devant un hareng-pommes à l'huile est issue l'enquête retracée dans *Manipulations, une histoire française*[1]. En parallèle, Pierre Péan publiait *La République des mallettes*[2], fruit de son enquête au cœur de la « zone grise » au sommet de l'État français. Une enquête dont les premières lignes voyaient surgir le Qatar, qui réapparaît tout au long de son livre de manière fugace, comme subliminale.

Je suivais le Qatar de loin. Mes contacts prirent soin de m'y faire plonger. D'une rencontre à l'autre, le petit émirat revenait sans cesse au détour des conversations. Un premier me parlait de cet ancien politique reconverti dans les affaires avec le Qatar ; un deuxième s'interrogeait sur des prises de participations massives au cœur de l'industrie française ; un troisième s'alertait de l'influence nouvelle d'Al Jazeera au sortir des « printemps arabes » et des ambitions géopolitiques de l'émirat.

« Allo, Pierre ? Je m'intéresse au Qatar... Tu n'aurais rien sous la main ?

– Si, ça fait des mois que je m'y intéresse. Et d'ailleurs... »

Voilà. Nous étions repartis...

---

1. *Manipulations, une histoire française*, documentaire en six épisodes de 52 minutes réalisé par Jean-Robert Viallet, produit par Yami2 pour France 5, 2011.

2. Pierre Péan, *La République des mallettes*, *op. cit.*

Au fil de l'enquête à visée géopolitique que nous menions dans le cadre du documentaire *Qatar*[1], une évidence nous est soudain apparue, qui ne nous a plus jamais quittés. À examiner la France au prisme de l'émirat, nous devinions une autre réalité. Singulière. Inquiétante. Le Qatar est le miroir de nos élites. Ce révélateur photographique nous donne à voir des choses que nous ne distinguions pas jusque-là. Avec un effet d'ensemble dont l'accumulation est ici retracée.

Le Qatar nous en apprend beaucoup sur nous-mêmes, sur la façon dont nous regardons cet ovni politique, sur la façon dont nos élites se sont engouffrées dans la mondialisation, sur leur fascination pour l'argent facile, sur la nouvelle prégnance de l'argent roi – de l'argent émir, en l'occurrence. Le Qatar nous en apprend beaucoup sur la façon dont nos dirigeants politiques – de droite comme de gauche – en viennent à voir éclore dans ce micro-pays les bourgeons de la démocratie alors que l'émir est un potentat absolu, qu'il pratique de manière institutionnelle la préférence nationale et que sa machine économique tourne avec une main-d'œuvre étrangère exploitée et privée de droits.

Nos élites adorent le Qatar : invitations et remises de prix divers assortis d'un petit chèque, réceptions au très chic Pavillon Dauphine, ou encore agapes aux meilleures tables de Paris ; le Qatar n'est pas avare. Rien que pour 2010, 66 personnalités françaises ont été décorées par l'émirat[2] ! Parmi elles, l'historien André Miquel, les poètes

---

1. *Qatar*, documentaire en deux épisodes de 52 minutes réalisé par Christophe Bouquet et Clarisse Feletin, produit par Yami2 pour France 5, 2014.
2. « L'offensive culturelle du Qatar », *Le Figaro*, 20 décembre 2010.

Bernard Noël et Adonis, l'éditorialiste Jean Daniel, les politiques Dominique Baudis et Renaud Donnedieu de Vabres, l'écrivaine Edmonde Charles-Roux ou encore l'humoriste Anne Roumanoff.

Chaque année, nos dirigeants se pressent au Forum de Doha pour discuter démocratie... dans le cadre d'une monarchie où tous les pouvoirs sont concentrés entre les mains du seul émir. L'édition 2008 a ainsi attiré 14 parlementaires, d'après la liste officielle. Parmi eux, les députés Éric Raoult, Pierre Lellouche, Bernard Carayon ou encore Élisabeth Guigou, les sénateurs Jean-Marc Juilhard et Roland du Luart, les anciens Premiers ministres Édith Cresson et Dominique de Villepin – venu avec son fils –, ou encore la candidate malheureuse à la présidentielle de 2007, Ségolène Royal, accompagnée de sa garde rapprochée (la future ministre des Droits des femmes, de la Ville, de la Jeunesse et des Sports, Najat Vallaud-Belkacem, l'actuel président de l'Observatoire de la laïcité, Jean-Louis Bianco, l'homme d'affaires Éric Ghebali, et son fils Thomas Hollande). En tout, la délégation française comptait 57 membres... sur un total de 494 participants ! L'émirat a invité une cinquantaine de parlementaires pour l'édition 2013 du même Forum. Si quelques-uns se sont questionnés sur l'éthique d'une telle démarche, d'autres ont aussitôt accepté l'invitation. Pourtant, comme le souligne le député socialiste François Loncle, membre de la commission des Affaires étrangères de l'Assemblée nationale, l'enjeu n'est pas mince : « Convier une cinquantaine de parlementaires, dont le rôle consiste à écrire et voter les lois de la République, n'est pas anodin, confie-t-il[1]. Quelle intention se cache derrière

1. Interview du 14 mai 2013, avec Pierre Péan.

cette invitation ? Le Qatar est un sujet sensible en France. Nous avons donc saisi la déontologue de l'Assemblée qui a estimé qu'une délégation de 6 à 8 députés pouvait partir dans ce cadre. Nous verrons, à Doha, ce qu'il en est... » Au final, la délégation française a compté 83 membres, dont 21 députés[1]. François Loncle a, pour sa part, refusé de s'y joindre.

Chaque année, politiques de tous bords, hommes d'affaires, universitaires et dirigeants industriels du monde entier se côtoient au Forum de Doha. Tous y célèbrent dans une enceinte feutrée les bienfaits de la démocratie, occultant comme par magie les cohortes de travailleurs immigrés qui, formant près de 94 % de la main-d'œuvre du pays[2], sont traités comme des esclaves alors qu'ils créent la richesse nationale. Mais de cela aucun des dirigeants qui a fréquenté Doha ne parle.

Ces travailleurs sont pourtant omniprésents. Doha est un chantier à ciel ouvert. Pour apercevoir ces sacrifiés du miracle qatari, il suffit de détourner les yeux des gigantesques buildings qui, scintillant au soleil, attirent de manière irrépressible le regard. Ils sont à quelques mètres de l'entrée d'un grand hôtel, sur les hauteurs d'un immeuble en construction, à l'horizon des routes qui traversent le pays. Ils sont au cœur de la ville même, à quelques pas du souk Waqif, rebâti à l'ancienne, où se retrouvent Qataris, touristes et expatriés. Il suffit d'emprunter les rues adjacentes pour les voir et deviner leurs misérables conditions d'existence.

---

1. Le Forum de Doha se tient en mai. D'après la liste officielle, l'édition 2013 comptait 632 participants.

2. « Traitez-nous comme des êtres humains », rapport sur les travailleurs migrants au Qatar, Amnesty International, 17 novembre 2013.

C'est ce que nous avons constaté sur place. Nous y avons passé près d'un mois en tout. Cette enquête a ajouté à la matière de ce livre et, par ailleurs, à celle du documentaire.

Lors de nos deux voyages, nous avons rencontré une quarantaine de personnes. Parmi elles, un proche de la famille Al-Thani, personnage-clé dans la politique de l'émirat dont il fait office de joker médiatique, politique et religieux : Youssef al-Qaradawi. Président de l'Union mondiale des Oulémas, idéologue des Frères musulmans et prédicateur star de la fameuse chaîne qatarie Al Jazeera, il accorde très peu d'interviews, notamment aux médias français. La condition *sine qua non* à l'examen de toute demande : lui transmettre les questions à l'avance[1]. Dans l'émirat, la parole n'est pas libre. La plupart des personnes rencontrées n'ont accepté de s'exprimer que sous couvert du *off*, témoignant d'un climat de peur quant aux conséquences qu'un témoignage risquait de leur valoir. Parmi eux, les Français n'étaient pas les derniers à requérir l'anonymat. Dans l'Hexagone aussi, nombre de personnes sollicitées n'ont pas souhaité s'exprimer publiquement. Encore fallait-il qu'elles acceptent de parler, ce qui fut loin d'être toujours le cas. Preuve de l'extrême sensibilité du sujet – et de leur inquiétude de déplaire ?

Depuis notre dernier voyage[2], enquêter au Qatar est devenu encore plus difficile. Deux journalistes français et un photographe américain s'y sont fait arrêter[3].

---

1. Une contrainte à l'image de toutes celles qu'il nous a fallu remplir, avec l'équipe du documentaire, pour tourner au Qatar.

2. En avril 2013.

3. Les motifs de l'arrestation étaient « prise de photos sans consentement des personnes – plainte de la société industrielle

Copies des passeports, horaires et numéros de vols, mails et courriers officiels confirmant les rendez-vous organisés sont désormais requis pour obtenir les autorisations nécessaires. Il est dorénavant formellement imposé aux journalistes de « se limiter à la couverture de l'événement pour lequel l'accès leur a été accordé et [ils] ne devront en aucun cas, sans autorisation préalable délivrée par la QNA (Qatar News Agency), tourner d'autres sujets en extérieurs ou interroger des résidents dans la rue[1] ». Une pratique démocratique ?

Un poète, Mohamed al-Ajami, est condamné à quinze ans de prison[2] pour avoir composé une ode aux printemps arabes ? Les proviseurs des deux lycées français implantés à Doha sont, à moins de deux ans d'intervalle, exfiltrés en urgence du Qatar, le premier pour « non-conformité des programmes avec la loi locale » – en creux, avec l'islam –, le second pour s'être prétendument rendu coupable d'une « atteinte à la religion musulmane » ? Des ressortissants français sont retenus dans l'émirat pour avoir eu le malheur de résister à leur associé qatari ? Des travailleurs immigrés crèvent chaque jour sur les chantiers ? En France, nul n'y trouve rien à redire. Et, comme si cela ne suffisait pas,

---

dont dépend le camp où ils sont entrés – et pratique illégale du journalisme ». Ils ont été retenus pendant douze heures avant d'être finalement libérés. « Journalistes indésirables au campement », *L'Humanité*, 14 octobre 2013.

1. « Qatar : un État de non-droit pour les journalistes », communiqué du SNJ-CGT, 4 décembre 2013.

2. Arrêté en novembre 2011, Mohamed al-Ajami est inculpé d'incitation au renversement du régime et d'outrage à l'émir du Qatar. Il a été condamné à la perpétuité en novembre 2012. Sa peine a depuis été réduite à quinze ans de prison en février 2013 et confirmée par la Cour de cassation de Doha en octobre 2013.

nos élites vantent à longueur d'interviews le miracle du modernisme qatari. Ont-elles succombé pour de bon aux sirènes de Doha ?

L'argent constitue la pierre angulaire de la philosophie qatarie. C'est simple : tout s'achète, y compris les gens ! Comme me le résume cet industriel qui connaît bien le Golfe, « chez nous il y a des bureaux d'achats ; au Qatar, c'est la même chose. Le Qatar a très bien compris qu'il tient les gens par l'argent, que c'est l'investissement le plus rentable pour perpétuer sa puissance ». Et de l'argent, le Qatar en a. Son pétrole et surtout son fabuleux gisement gazier – le Qatar détient les troisièmes réserves mondiales, situées sous les eaux du Golfe – lui assurent des recettes annuelles qui ont avoisiné ou dépassé les 100 milliards de dollars dans les dernières années, précise Francis Perrin, président de Stratégies et Politiques énergétiques et directeur de la rédaction de *Pétrole et gaz arabes*. Cette rente a permis à l'émirat de multiplier par quatre les réserves de sa banque centrale entre 2007 et 2012 ! Entre 2000 et 2012, le PIB de l'émirat est passé de 35 à 185 milliards de dollars[1], tandis que le revenu moyen par habitant était, toujours en 2012, de 104 756 dollars[2]. Un véritable tour de force accompli par l'émir Hamad al-Thani qui a parié sur le gaz pour se donner les moyens de projeter son pays au-delà de ses frontières étriquées. En quelques années

---

1. Christopher M. Blanchard, « Qatar : Background and US Relations », Congressional Research Service, CRS Report for Congress, prepared for Members and Committees of Congress, 30 janvier 2014.

2. « Qatar – 2014 Article IV Consultation Concluding Statement of the IMF Mission », FMI, 19-20 février 2014.

seulement, la famille Al-Thani s'est dotée de tous les réseaux et leviers d'influence en n'hésitant pas à mettre sur la table son très épais carnet de chèques.

Le mélange des genres n'est pas récent. Aux débuts de la Ve République, la politique et les affaires s'entremêlaient déjà, au sommet de l'État. Choisi par le général de Gaulle pour devenir son directeur de cabinet en 1958, Georges Pompidou n'aura quitté définitivement la banque Rothschild, dont il est alors le fondé de pouvoir[1], que pour rejoindre Matignon en 1962. Les élus ont pris pour habitude de se replier sur l'accueillant monde des affaires quand les élections ne leur sont pas favorables. Si elle se banalise, la confusion des genres entre affaires et politique, intérêt général et intérêts particuliers n'avait pourtant jamais donné lieu à l'octroi de tels privilèges à un pays étranger.

En 2007, alors qu'éclate le scandale des « biens mal acquis » visant les chefs d'État africains qui détournent l'argent public pour arrondir leur patrimoine personnel, pas un mot sur les Al-Thani. Leur situation est-elle si différente de celles de leurs homologues mis en cause par la justice française ? Notre compétence universelle à juger les chefs d'État qui ponctionnent la richesse de leur pays ne s'appliquerait donc pas au Qatar ?

La France n'a de cesse de faire la leçon à ses partenaires africains : « Il nous faut parler démocratie », lançait hier François Mitterrand lors du 16e sommet franco-africain réuni à La Baule en juin 1990. Si ce discours, si

---

1. « Tout au long des six mois qu'il va passer à Matignon, il se tiendra du reste constamment au courant des affaires de la banque par l'intermédiaire de Gérard Froment-Meurice » : Éric Roussel, *Georges Pompidou*, Perrin/Tempus, nouvelle édition, 2004.

« spectaculaire[1] » soit-il, pour reprendre le terme d'Abdou Diouf, n'a pas suffi à convertir l'Afrique à la démocratie, il eut au moins le mérite d'être prononcé. Que s'est-il passé en 2011 quand les dictatures tunisienne et égyptienne ont été balayées par le souffle des printemps arabes ? La France a-t-elle appelé celui qui était alors son principal partenaire dans le golfe Arabo-Persique, petite dictature s'il en est, à faire évoluer son régime ? A-t-on invité, ne serait-ce qu'à mots feutrés, le Qatar à progresser vers la démocratie ? Loin s'en faut.

Pire, même. Lors des printemps arabes, le Qatar a largement outrepassé son rôle et fait preuve d'ingérence dans les révoltes et l'émergence de nouveaux dirigeants. C'est l'opinion que défend notamment Naoufel Brahimi el-Mili[2]. Ironie de l'histoire : alors que le Qatar est désigné par de nombreux acteurs comme ayant spolié les révolutions, alors que Doha abrite depuis mars 2011 l'ancien chef des services secrets de Kadhafi, Moussa

---

1. « L'hommage d'Abdou Diouf », Institut François-Mitterrand, 20 juin 2005.

2. « Dans les eaux troubles de ce formidable bouillonnement, l'émir qatari Hamad bin Khalifa al-Thani œuvre pour tirer profit de cette dynamique printanière. Grâce à son soutien à la rue arabe, ce monarque éclairé va recevoir un brevet de civilité de la part de ses amis occidentaux. Promouvoir la démocratie chez la plupart de ses voisins sans l'appliquer sur son propre territoire, telle est toute l'ambiguïté de la politique qatarie. Cette duplicité du Qatar est la pierre angulaire d'un printemps arabe qui ne doit pas tout à la ferveur des peuples et au sacrifice de la jeunesse révoltée au Caire, à Tunis, et à Damas. [...] Le paradoxe, le voici : dépourvu d'institutions démocratiques, le Qatar va être le bras armé de la formidable remise en cause de l'ordre ancien ». *In* Naoufel Brahimi el-Mili, *Le Printemps arabe, une manipulation ?*, Max Milo, 2012.

Koussa, et que l'émir a notamment protégé plusieurs mois durant le « gendre préféré de Ben Ali » et potentiel dauphin de l'ancien dictateur Sakher el-Materi, c'est au Qatar, plus précisément au procureur général Ali bin Fetais al-Marri – quatrième personnage de l'État – qu'il revient de traquer et restituer les biens mal acquis par les anciens dictateurs Ben Ali, Moubarak et Kadhafi[1] !

Retournons la figure et apposons le calque à la relation récente entre Paris et Doha. La France vient alors en lieu et place des pays africains et le Qatar dans le rôle de l'ancienne puissance coloniale... Troublant, n'est-ce pas ?

Pendant son quinquennat, Nicolas Sarkozy a tout fait pour combler les espérances du petit émirat, souvent au détriment de l'intérêt général de son pays. Le Qatar veut-il investir ? Le secrétaire général de l'Élysée et le président jouent les chargés d'affaires. Le Qatar veut-il échapper à l'impôt ? Le président pulvérise la convention fiscale signée entre les deux pays et exempte l'émirat de la taxation sur les plus-values immobilières, privant d'autant de recettes fiscales un budget national plus que mal en point. Et même, la diplomatie française aurait-elle été instrumentalisée au profit des ambitions de la famille Al-Thani ?

---

1. Époux de la fille aînée de Ben Ali, Sakher el-Materi a dû quitter la péninsule en septembre 2012, préalable nécessaire demandé par Moncef Marzouki, le président tunisien, à la veille de sa visite à Doha, au cours de laquelle il devait assister à une conférence sur la « restitution des biens spoliés dans les pays du printemps arabe », à l'invitation de l'émir du Qatar. Ali bin Fetais al-Marri, procureur général de l'émirat, a été nommé avocat spécial des Nations unies pour le recouvrement des biens mal acquis. Parmi les dossiers dont il a la charge se trouve celui de Sakher el-Materi, condamné par contumace à seize années de prison pour faits de corruption. « Le Qatar, arbitre des biens mal acquis arabes », *Le Monde*, 14 décembre 2012.

Encore aujourd'hui, à l'écart de l'Élysée, Sarkozy reste un bon placement. Exemple parmi d'autres : ces paroles prononcées par lui le 11 décembre 2012. L'ex-président effectue alors son retour sur la scène publique. C'est à Doha qu'il a réservé cet honneur, plus particulièrement à la première édition du Doha Goals que l'émir rêve de voir devenir le « Davos du sport ». Sarkozy y célèbre le sport, « élément de complémentarité entre identité et modernité », et la conciliation nécessaire entre l'islam et le XXIe siècle. Au pied de la tribune, Cécilia, accompagnée de son mari Richard Attias, l'homme pour qui elle a quitté Nicolas. Singulières retrouvailles. L'ancien président et son ex-première dame n'échangent pas un mot ni même un regard. Voilà ce que le public retiendra de la venue de Sarkozy à Doha. Pourtant, l'essentiel est ailleurs : au détour d'une phrase *a priori* banale mais qui témoigne de ses ambitions pour l'émirat – une place de choix dans le saint des saints de la communauté internationale, à l'ONU : « Qui peut comprendre que pas un pays arabe, un milliard de musulmans dans le monde, ne soit membre permanent du Conseil de sécurité ? »

Sarkozy n'a pas découvert le Qatar. Avant lui, ses prédécesseurs, de Georges Pompidou à Jacques Chirac, avaient déjà compris que cette étendue de sable serait, au pire, un bon client pour la défense française – la France fait partie des cinq premiers exportateurs mondiaux d'armement –, au mieux un partenaire intéressant au cœur du Golfe. Mais aucun avant lui n'avait à ce point privilégié les intérêts d'un pays au détriment, souvent, du bien commun.

En l'espace d'un quinquennat, la France est devenue la vitrine du Qatar. Si les investissements réalisés par l'émirat dans l'Hexagone sont inférieurs en valeur à ceux destinés au Royaume-Uni, ancienne puissance mandataire, le Qatar peut s'enorgueillir d'être présent chez nous dans l'industrie, les médias, le sport, l'immobilier de prestige, l'hôtellerie de luxe... Il s'est invité dans tous les secteurs marchands. Il a pris des positions dans tous les secteurs d'influence.

À regarder la France du point de vue qatari, l'image qui se dégage n'a rien de gratifiante. Elle s'apparente par beaucoup de traits à la France houellebecquienne[1], sorte de paradis touristique pour étrangers argentés dans lequel ils peuvent s'adonner à toutes les dépenses, facilitées, voire orchestrées, par une élite qui ne s'étrangle pas de scrupules.

La volonté de l'émirat de devenir la nouvelle puissance qui compte au Moyen-Orient ne fait plus mystère ; sa redoutable puissance financière non plus. Mais que savons-nous au juste des réelles motivations de ceux de nos gouvernants qui semblent se plier à tous les désirs du prince, quand ils ne les devancent pas, souvent, en contradiction avec les intérêts du pays ?

La France semble désormais sous influence, comme si elle était devenue la « chasse gardée » de l'émirat et devait s'inscrire dans sa stratégie pour conforter sa position. Il n'est que de feuilleter les journaux pour constater que les richesses qataries agissent comme un aimant. Les dirigeants politiques, économiques et financiers regardent vers Doha comme leurs courtisés se tournent vers La Mecque. Auraient-ils l'esprit à ce point obnubilé qu'ils en auraient perdu le sens commun et celui des valeurs qui portent notre République ?

---

1. Allusion au roman de Michel Houellebecq, *La Carte et le Territoire*, Flammarion, 2010.

François Hollande élu président de la République en mai 2012, le Qatar s'inquiète de la ligne qu'il va suivre. La lune de miel entre Paris et Doha va-t-elle ou non se poursuivre ? L'enjeu est de taille pour l'émirat. L'Élysée a alors annoncé le retour à une relation plus raisonnée, à une diplomatie plus équilibrée. Résultat : au bout de deux ans de mandat, la diplomatie française s'est certes redéployée, renforçant des liens distendus avec l'Arabie saoudite, les Émirats arabes unis – où la France dispose d'une base militaire depuis 2009 – et les pays du Maghreb. Mais qu'en est-il des relations entre Paris et Doha ? Ont-elles été affectées ?

Au-delà de nos élites, c'est tout l'appareil d'État qui s'est mis au service des intérêts de la famille Al-Thani. La France est devenue leur immense Meccano où diplomatie, alliance militaire, investissements industriels, acquisitions prestigieuses et symboliques s'entrelacent dans une funeste confusion des genres. En 1966, de Gaulle lançait : « La politique de la France ne se fait pas à la corbeille. » Faut-il actualiser son propos en ces termes : « La politique de la France ne se fait pas en fonction des ambitions qataries » ?

3.

Une histoire ancienne
qui a mal tourné

À quand remonte l'intrication des intérêts français et qataris ? Les prémices de notre histoire croisée contiennent-elles en germe sa dérive ? Pour ce qui concerne la France, inutile d'encombrer le lecteur de tout ce qu'il voit et entend à longueur de journées sur sa crise, voire sur son déclin. Mais, concernant le Qatar, il était tentant, pour mener à bien cette enquête, de l'inscrire dans le temps long de l'histoire. Or il a fallu nous rendre à l'évidence : l'irruption brutale de sa richesse gazière à l'aube des années 2000 a fait voler en éclats tous les repères antérieurs de l'émirat. Le Qatar est indépendant depuis une quarantaine d'années et l'histoire qui permet de comprendre cette irruption unique d'un micro-État dans le concert des nations n'en compte qu'une vingtaine. La compréhension de la relation entre le Qatar et la France doit tenir compte de cette rupture entre temps présent et temps long[1].

Contentons-nous néanmoins de raconter le début de cette relation qui prend racine dans l'ère des empires, de la

---

1. Allusion au livre de Henry Rousso, *La Dernière Catastrophe : l'histoire, le présent, le contemporain*, Gallimard, 2012.

découverte du pétrole et de l'apogée des colonisations. Elle s'est consolidée avec le mouvement des indépendances. Elle s'est inscrite dans le cadre de la politique arabe façonnée par le général de Gaulle. Permettant, à l'instar d'autres pays de la région, d'assurer une présence française dans le Golfe, et contribuant à la politique énergétique française, le Qatar était un allié comme les autres. La famille Al-Thani ne pouvait s'enorgueillir de bénéficier, de la part de la France, d'un traitement privilégié par rapport à celui accordé aux autres dirigeants moyen-orientaux.

L'histoire aurait pu commencer dès le XIXe siècle, quand « cheikh Jassem bin Mohammed al-Thani reçoit Hyacinthe Chapuis, capitaine au long cours, mais surtout agent consulaire français à Mascate (Oman), et lui confie que la France pourrait contrebalancer les féroces appétits des Turcs et la gloutonnerie des Anglais[1] », écrit le journaliste Olivier Da Lage. Nous sommes en 1882. La péninsule du golfe Arabo-Persique est incluse dans le vaste Empire ottoman ; les mers, elles, sont dominées par la flotte britannique qui sillonne le Golfe et la route des Indes.

Originaires d'Arabie, les Al-Thani se sont installés dans cette larme de terre, située à l'est du continent, qui mord sur le Golfe, au sud de l'île de Barheïn et face à la Perse. Terre désertique, elle deviendra le Qatar au milieu du XIXe siècle. Ce n'était alors qu'une tribu parmi d'autres, toutes placées sous la domination des Al-Khalifa, la famille bahreïnie régnant sur cette contrée jusqu'en 1868. Un an plus tôt, une violente querelle a éclaté entre les Al-Khalifa et les Al-Thani. L'affrontement aurait pu rester l'affaire des deux tribus, mais c'était sans compter avec

---

1. « Le Qatar et la France », in *Qatar, les nouveaux maîtres du jeu*, Démopolis, 2013.

Londres qui entendait protéger les intérêts commerciaux de la Compagnie des Indes orientales. Pour sécuriser le transit de ses navires dans le Golfe, la Grande-Bretagne a déjà lancé de nombreuses expéditions punitives, signé des accords avec différents cheikhs de la région et conclu avec eux un traité général de paix. Signé en 1820, celui-ci scelle l'engagement des chefs locaux à s'abstenir de tout acte de pillage ou de piraterie. Aussi, quand les Al-Khalifa attaquent Doha et Al-Wakrah en 1867, Londres voit rouge. D'autant plus que la Couronne britannique a consacré quelques années plus tôt le cheikh Mahomed bin Khalifa souverain indépendant de Bahreïn, et signé avec lui un « traité perpétuel de paix et d'amitié ». La formule était pourtant limpide : sécurité contre non-agression. Mandaté par la Couronne, le colonel Lewis Pelly est chargé de mettre fin aux hostilités. Il s'en va parlementer avec le cheikh Mohamed al-Thani et le cheikh Ali bin Khalifa, nouveau souverain bahreïni. Mi-septembre 1868, Pelly conclut l'accord. Ali, le Bahreïni, accuse son prédécesseur, Mahomed bin Khalifa, d'être à l'origine des attaques, tandis que Mohamed al-Thani s'engage à vivre pacifiquement à Doha. En cas de litige, les deux hommes devront immédiatement en informer l'envoyé de Londres, qui tranchera[1]. À bien y regarder, l'accord tient plus de la liste des devoirs à accomplir que d'une reconnaissance formelle de

---

1. Si, pour les Al-Khalifa, cet accord entérine la dépendance du Qatar vis-à-vis de Bahreïn, pour les Al-Thani, elle assoit leur domination sur le Qatar. L'affaire peut sembler secondaire, elle ne l'est pas. Plus d'un siècle plus tard, elle sera à l'origine d'une lutte de souveraineté entre les deux pays. Voir à ce sujet « Affaire de la délimitation maritime et des questions territoriales entre Qatar et Bahreïn », Cour internationale de justice, 16 mars 2001.

souveraineté. Sauf que le colonel Pelly promet un traitement analogue à celui infligé aux Al-Khalifa à quiconque s'en prendrait aux Al-Thani ou briserait la paix dans la région. Ce faisant, relève l'historien américain Allen J. Fromherz, « Pelly a expressément assuré l'autorité et la stabilité de la domination des Al-Thani[1] ». Et l'ancien professeur d'histoire du Moyen-Orient à la Qatar University d'exhumer cet extrait du journal tenu par l'assistant du vice-roi indien en voyage dans le Golfe : « On ne sait rien de la manière par laquelle les Al-Thani ont obtenu en 1868 une influence prédominante sur le Qatar. »

Mohamed al-Thani a bien manœuvré. Le traité de 1868 proclame la suprématie de sa tribu sur toutes les autres. Serait-ce parce que avant eux la désignation d'un chef ne figurait pas parmi les priorités de Londres ? Ou parce que les Al-Thani ont unifié différents villages et érigé Doha en 1862 ? Ou, plus pragmatiquement, parce que les Anglais avaient désormais besoin d'un interlocuteur avec lequel discuter dans la péninsule, et qu'à ce moment-là le pouvoir était entre les mains d'Al-Thani ? Seule certitude : Mohamed al-Thani est considéré par Londres comme le chef, et le traité de 1868 reconnaît le Qatar comme une entité politique distincte. Désormais, le pouvoir est tout entier entre les mains des Al-Thani. Loin de Constantinople, ils vont jouer les empires les uns contre les autres pour préserver leurs intérêts et consolider leur pouvoir.

Des empires, il y en a ! À côté de l'Empire ottoman, Paris et Londres dominent la région. « La France est la puissance dominante en "Syrie naturelle" grâce à

---

1. *In* Allen J. Fromherz, *Qatar, A Modern History*, Georgetown University Press, 2012.

ses investissements économiques et à son rayonnement scolaire et culturel, écrit Henry Laurens, professeur au Collège de France. On en arrivait à parler d'une "France du Levant". Les Britanniques, qui occupaient l'Égypte depuis 1882, avaient fini par reconnaître – de mauvaise grâce – cette primauté[1]. » Dès leur entrée en guerre en 1914, les Ottomans appellent à combattre les deux puissances coloniales au nom de la guerre sainte. Face à cette menace, Paris et Londres se partagent les terres menacées. Alors que la Première Guerre mondiale bat son plein, la France et le Royaume-Uni esquissent sur un coin de table – et dans le plus grand secret – le démantèlement de l'Empire ottoman. « La négociation est confiée au Français François Georges-Picot et à l'Anglais Mark Sykes. [...] Les Français administreront directement une zone allant du littoral syrien jusqu'à l'Anatolie ; la Palestine sera internationalisée (condominium franco-britannique de fait) ; la province irakienne de Basra et une enclave palestinienne autour de Haïfa seront placées sous administration directe des Britanniques ; les États arabes indépendants confiés aux Hachémites seront partagés en deux zones d'influence et de tutelle, l'une au nord confiée aux Français, l'autre au sud aux Britanniques... » Connues sous le nom d'« accords Sykes-Picot », ces dispositions redessinent le Proche et le Moyen-Orient selon une cartographie d'influence qui, aujourd'hui encore, sous-tend la région. À la faveur de ce grand Meccano, la péninsule qatarie bascule dans l'escarcelle britannique. Le 3 novembre 1916, Abdallah bin Jassim al-Thani et le lieutenant-colonel sir Percy Cox signent un traité

---

1. « Comment l'Empire ottoman fut dépecé », *Le Monde diplomatique*, avril 2003.

confirmant la domination des Al-Thani, et leur promettant la protection de Londres.

Organisée dans le prolongement des accords Sykes-Picot, la conférence de San Remo (1920) attribue à la France une fraction des réserves de pétrole équivalente à celle destinée aux Britanniques. C'est dans ce contexte qu'est créée l'Iraq Petroleum Company qui associe l'anglais British Petroleum, le néerlandais Royal Dutch Shell, l'américain Near East Development Corporation et la Compagnie française des pétroles (CFP), fondée en 1924.

La découverte du pétrole signe le début de l'histoire entre Paris et la famille Al-Thani. Nous sommes au cœur des années 1930. En France, Raymond Poincaré, président du Conseil de la IIIᵉ République, est à l'initiative de la création de la CFP, destinée à « développer une production de pétrole à contrôle français dans les différentes régions productrices ». Actionnaire de l'Iraq Petroleum Company, la CFP installe un bureau sur place dès 1935. La société, désormais connue sous le nom de Total, est le plus ancien partenaire du Qatar en matière d'hydrocarbures. À compter d'alors, sa présence dans l'émirat sera continue. En 1939 débutent les forages pétroliers, un an après la découverte du champ de Dukhan à l'ouest de la péninsule. Mais la production, ralentie par la Seconde Guerre mondiale, n'est relancée qu'en 1949. En témoignage de l'importance de la France dans la conquête de l'or noir qatari, la première cargaison de brut est transportée par le pétrolier *Président Mény*, du nom du deuxième président de la Compagnie française des pétroles, Jules Mény.

La CFP est également de la partie quand le fabuleux gisement gazier est découvert sous les eaux du golfe. Des partenariats vont être établis notamment avec le pétrolier français sur les projets de développement du gaz, soutenu par celui de l'industrie pétrochimique, qui feront du Qatar le cœur de l'industrie gazière de la région. Ce gisement est considérable : il recèle, on l'a vu, les troisièmes réserves mondiales de gaz après celles d'Iran et de Russie. Problème : il est situé à cheval sur la frontière maritime entre le Qatar et l'Iran ; chacun en détient donc une partie. Il aura fallu attendre vingt ans pour que l'exploration du gisement commence. Pied de nez de l'Histoire : la découverte du gisement coïncide avec le désengagement des Britanniques au Qatar.

3 septembre 1971 : le Qatar devient indépendant. C'est l'un des derniers pays du Golfe à se libérer du joug colonial. Il témoigne déjà d'une certaine francophilie. Ainsi, c'est en français qu'est formulée, devant les membres de l'ONU, la demande d'adhésion de l'émirat à l'organisation internationale. Hassan Kamel, intellectuel égyptien proche de la famille Al-Thani, en fait officiellement la demande[1]. L'homme a fait ses études à Paris, il est francophone, francophile, très en cour à Doha. Quelques mois plus tard, il prend officieusement en charge les affaires étrangères qataries. Il doit son ascension au changement d'émir intervenu en février 1972. Prince héritier, Khalifa bin Hamad al-Thani a profité d'un voyage en Iran de l'émir en titre, son cousin Ahmad bin Ali al-Thani, pour prendre le pouvoir. Afin de garantir sa réussite, il a passé un accord avec le grand voisin saoudien qui envoie des troupes à la frontière s'assurer qu'Ahmad ne tentera pas de reconquérir son trône. L'émir Khalifa règne désormais sur le Qatar à la faveur d'un putsch perpétré sans effusion de sang – quelque vingt ans plus tard, son fils procédera

---

1. « Le Qatar, un émirat francophile », *L'Express*, 27 février 2009.

de même contre son père pour s'emparer à son tour du pouvoir. Il aura bien retenu la leçon...

La France est l'un des premiers pays à ouvrir une ambassade à Doha, sa capitale : « Le Qatar, qui avait refusé de rejoindre la fédération des Émirats arabes unis, se sentait un peu à l'étroit entre ses deux gigantesques voisins proaméricains, l'Iran du shah et l'Arabie saoudite, analyse un diplomate français dans *Le Monde*. On était dans les années 1970, au faîte de la politique arabe de la France. C'est comme cela qu'on s'est trouvés[1]. »

Depuis qu'elle s'est désolidarisée d'Israël, la France du général de Gaulle est en pleine reconquête des cœurs arabes. Le tournant se produit dans le contexte de la guerre des Six-Jours en juin 1967. Jusqu'alors, Paris était l'un des principaux – sinon le principal – soutiens de l'État hébreu, et ce depuis sa création en 1948, qu'il se soit agi de le fournir en armes conventionnelles ou de l'aider à se doter du nucléaire. Mais, en 1967, de Gaulle change de cap. En juin, Israël finalise ses préparatifs militaires en vue de ce qui deviendra la guerre des Six-Jours. Fermement opposé à cette initiative, le président français décide d'un embargo sur les armes à destination d'Israël[2] et met fin au programme nucléaire par lequel la France a aidé celui-ci à se doter de l'arme atomique. Cet engagement crucial de Paris remonte à 1956[3]. De Gaulle n'y était pas du tout favorable, il l'avait refusé. C'est cette année-là, lors de la

---

1. « Notre ami l'émir », *Le Monde*, 22 mars 2013.

2. L'embargo concerne en fait Israël et sept pays arabes, mais l'État hébreu étant le principal bénéficiaire des ventes de matériels français, il est de loin le plus touché par la mesure.

3. Lire Pierre Péan, *Les Deux Bombes*, Fayard, 1982, réédition 1991.

crise de Suez, que la proximité entre Paris et Tel-Aviv avait paru au grand jour, lorsque la France et le Royaume-Uni étaient intervenus aux côtés de l'armée israélienne contre l'Égypte. La coopération nucléaire alors lancée entre Paris et Tel-Aviv s'était poursuivie dans la plus grande opacité, y compris aux yeux du Général qui en stoppa les traductions officielles. Ce qui n'a pas empêché Israël de se doter de la bombe dès 1966. À la veille de la guerre des Six-Jours, Paris lâche donc Tel-Aviv. Et, tandis que leurs relations se dégradent, les États-Unis prennent la relève, se substituant aussitôt aux Français. Leur soutien sera désormais indéfectible.

Quelques mois plus tard, la France vote à l'ONU la résolution 242 qui exige le « retrait des forces armées israéliennes des territoires occupés », la « cessation de toute assertion de belligérance », « [le] respect et [la] reconnaissance de la souveraineté, de l'intégrité territoriale et de l'indépendance politique de chaque État de la région et de leur droit de vivre en paix ».

Entamé au sortir de la guerre d'Algérie, le rééquilibrage des alliances françaises est désormais acté. La réaction du général de Gaulle lui confère un fabuleux passeport auprès des pays arabes. Et la France va désormais consolider sa présence dans le Golfe. Paris noue des contacts avec l'Irak. Les Français se rapprochent de Riyad avec qui ils renouent après plusieurs années de rupture. Certes, les liens entre les deux pays sont anciens. La France, qui avait ouvert un consulat à Djeddah en 1841, a été l'une des premières puissances à reconnaître le nouvel État saoudien[1]. Pour autant, les relations sont plus que fraîches. « La politique de la France en Algérie à partir

---

1. En 1932.

de 1954 indisposait le roi Saoud, et, à la suite de l'intervention franco-britannique de Suez en 1956, Ryad a rompu ses relations diplomatiques avec Paris. Elles sont rétablies par le gouvernement Fayçal en novembre 1962 alors que vient de prendre fin la guerre d'Algérie. Le vrai point de départ des rapports franco-saoudiens est la décision du général de Gaulle d'imposer un embargo sur les armes à destination des pays du champ de bataille au Proche-Orient. Pour Paris, l'Arabie saoudite n'en fait pas partie, et c'est le début d'une longue liste de "grands contrats", notamment militaires. La France commence à apparaître comme une alternative, certes secondaire, à la dépendance exclusive envers les États-Unis[1] ». L'Arabie saoudite leur est étroitement liée depuis la signature en 1945[2] du pacte Quincy, du nom du destroyer américain à bord duquel il fut signé, au sortir de la conférence de Yalta, entre le président américain Franklin Delano Roosevelt et le roi saoudien Abdelaziz Ibn Saoud. Cet acte constitue la pierre angulaire de l'engagement américain au Moyen-Orient. Le deal : pétrole saoudien contre protection américaine.

Alain Chouet connaît très bien la région. Diplômé en droit, science politique et langues orientales, il a fait toute sa carrière à la DGSE (Direction générale de la Sécurité extérieure) de 1972 à 2002, alternant affectations à l'étranger (Liban, Syrie, Maroc, ONU) et postes de responsabilité à l'administration centrale, notamment celui de chef du

1. Olivier Da Lage, *Géopolitique de l'Arabie Saoudite*, Éditions Complexe, 2006.

2. Signé en 1945 pour une durée de soixante ans, il est arrivé à échéance en 2005. L'administration Bush l'a alors renouvelé pour soixante nouvelles années, soit jusqu'en 2065.

service de **renseignement** de sécurité. Devant le café qu'il m'offre sur sa terrasse baignée par la douce lumière de l'été indien, il m'explique la singularité de cette alliance : « Le pacte conclu par les Américains consistait à assurer la protection militaire américaine non pas à l'État d'Arabie, mais à la famille Saoud – ce qui n'est pas dans les habitudes diplomatiques – en échange du monopole sur l'exploitation du pétrole saoudien à travers une société qui s'appelait l'Aramco – avant de changer de nom – et de la garantie que la famille Saoud accepterait que son pétrole soit toujours payé en dollars[1]. » De la sorte, la famille régnante a scellé sa domination sur le royaume. Un particularisme monarchique que partagent nombre d'États du Golfe...

Dans ce **contexte**, la France mise sur les Émirats arabes unis fondés par Zayed bin Sultan al-Nahyan le 2 décembre 1971, et sur le Qatar. Professeur des universités, Mathieu Guidère est détaché de l'université de Lyon, où il enseigne la civilisation arabo-musulmane, pour rejoindre l'École spéciale militaire de Saint-Cyr en 2003. Pendant quatre ans il y sera le tuteur académique du prince Joaan[2], l'un des fils de l'émir Hamad al-Thani et de sa deuxième épouse, la cheikha Moza bint Nasser al-Misnad. « Sortant d'un mandat britannique, le Qatar voulait s'éloigner un peu de l'ancienne puissance coloniale, me raconte-t-il. British Petroleum était la compagnie de l'ancien mandataire colonial. Khalifa ne voulait pas tomber sous la domination des États-Unis comme son voisin saoudien. Khalifa était assez méfiant. Son choix s'est naturellement

---

1. Interview, 30 septembre 2013. Lire Alain Chouet, entretiens avec Jean Guisnel, *Au cœur des services spéciaux. La menace islamiste*, La Découverte/Poche, 2013.

2. Voir chapitre 6, p. 75 et suivantes.

porté sur Total pour exploiter ses hydrocarbures[1]. » Le désir de l'ancien protectorat de distendre ses liens avec Londres constitue une belle opportunité pour Paris. Le Qatar tient à s'assurer que son indépendance ne sera pas de courte durée ; la France, elle, est en quête de marchés, de nouveaux partenaires dans le Golfe, et, surtout, d'une garantie pour ses approvisionnements pétroliers. D'emblée, la relation est stratégique.

C'est l'époque où sont signés les premiers grands contrats entre Paris et Doha. Conscient du potentiel que représente le Qatar, Georges Pompidou a ouvert la voie sans avoir le temps de formaliser. Valéry Giscard d'Estaing s'en charge et conclut un premier accord de coopération économique et financière le 16 décembre 1974. « Actuellement, des perspectives prometteuses existent dans les domaines suivants, recense l'accord : l'exploitation, la valorisation et le transport des hydrocarbures, notamment dans les domaines du gaz naturel et de la pétrochimie ; le dessalement de l'eau de mer ; la production d'énergie nucléaire destinée soit à la production d'électricité, soit au dessalement de l'eau de mer ; la sidérurgie et la métallurgie ; l'organisation des pêcheries ; et le développement des services publics. » Surtout, Paris en profite pour obtenir un prêt de 100 millions de dollars, d'une durée de dix ans, dont le taux d'intérêt est fixé à 10 % et dont le remboursement est prévu durant les cinq dernières années du prêt, étant précisé que les conditions du remboursement feront l'objet d'un « accord spécial à conclure en temps utile ». Dans le même temps, le Qatar s'engage à ouvrir un compte de dépôt libellé en dollars auprès de la Banque de France pour un montant de 50 millions de dollars.

----

1. Interview, 27 mars 2013.

« L'émir Khalifa avait un attachement personnel pour la France », me raconte Marwan Iskandar, l'un de ses anciens conseillers entre 1978 et 1983. Je le rencontre dans un troquet du 17e arrondissement parisien. L'homme n'est pas facile à joindre. Je parviens néanmoins à le rencontrer lors d'un de ses passages à Paris. Devant une menthe à l'eau, l'économiste libanais se remémore : « Les principaux collaborateurs de Khalifa étaient libanais et vivaient en France. Parmi eux, il y avait notamment William Kazan. Khalifa n'était encore que prince héritier quand ils se sont rencontrés au Liban. Entre eux s'est nouée une relation de confiance. Et quand Khalifa a pris le pouvoir, il a demandé à Kazan de le représenter en Europe. Ce fut son ambassadeur auprès des autorités françaises. Kazan représentait les intérêts de l'émir, discutait les contrats. Je me souviens encore de son immense bureau au 8 de l'avenue Montaigne[1]... »

William Kazan : le nom résonne familièrement aux oreilles d'un industriel qui connaît bien la région du Golfe pour y avoir longtemps officié. Dans un bistrot à l'ambiance agréablement surannée, celui-ci me raconte : « Khalifa venait souvent à Paris. À l'époque, il était accompagné de William Kazan. C'est lui qui s'occupait de tous ses séjours à Paris. Kazan est vite devenu l'intermédiaire de l'émir sur tous les grands projets, mais les relations entre la France et le Qatar étaient encore balbutiantes. Kazan a occupé ce rôle du début des années 1970 jusqu'à

---

1. Entretien, 26 juillet 2013. Par la suite, Marwan Iskandar a notamment participé à des comités conseillant les gouvernements en matière d'économie. Parmi eux, celui du Premier ministre Rafic Hariri, assassiné en 2005. Iskandar lui a consacré un livre : *Rafic Hariri and the Fate of Lebanon*, Saqi Book, 2006.

la deuxième moitié des années 1980, Jean-Paul Soulié a ensuite pris le relai. » Et ce fin connaisseur du Golfe de souligner qu'« il y avait de grosses affaires à réaliser dans la région »...

L'émirat est un pays neuf : tout y est à construire. Détenant du pétrole et de vastes réserves de gaz encore inexploitées, le pays promet d'importants débouchés pour les industries françaises, au premier rang desquelles celle de l'armement. « Jacques Chirac, Premier ministre, effectue un voyage à Doha à la fin des années 1970 et signe les premiers contrats qui nous ont permis de faire en sorte que l'équipement militaire du Qatar soit à 80 % d'origine française », me précise un homme du Quai. Une première escadrille de Mirage 2000 est vendue à l'émirat en 1980. Viennent ensuite des commandes d'hélicoptères (Gazelle ou Puma), des chars (AMX) et des vedettes lance-missiles[1].

Parallèlement, l'émir Khalifa achète des villas sur la Côte d'Azur. La première, il l'acquiert lors de son premier voyage en France en 1974. Il y passera dorénavant à chaque occasion, pendant ses vacances, partageant son temps entre la Riviera et Genève. Il investit également dans la pierre parisienne. Sa première acquisition a lieu en 1975 et porte sur un bloc d'immeubles situé dans le prestigieux « triangle d'or » parisien. L'amour de Khalifa pour la France est tel qu'il veut que ses enfants en apprennent la langue. Aussi contacte-t-il le ministère des Affaires étrangères pour trouver un professeur de lettres prêt à venir leur enseigner le français. Quand Pierre Larrieu arrive dans l'émirat en 1976, le pays n'est

---

1. Renaud Lecadre, « Une alliance militaire symbolique », in *Qatar, les nouveaux maîtres du jeu*, op. cit.

encore qu'une vaste étendue de sable. Son premier élève sera Hamad bin Jassem bin Jaber al-Thani – surnommé HBJ –, l'un des neveux de l'émir Khalifa, qui, quelques années plus tard, fomentera avec son cousin Hamad le putsch contre l'émir. Il enseigne également la langue de Molière à Hamad et deviendra plus tard le professeur particulier de ses enfants, dont Tamim, Mayassa ou encore Hind, tous trois issus de son union avec sa deuxième épouse, la cheikha Moza.

Mai 1981 : Mitterrand est élu président. À l'époque, les investisseurs redoutent que les chars soviétiques défilent sur les Champs-Élysées et que l'État s'approprie les biens privés. L'émir Khalifa est inquiet. Mitterrand envoie dans le Golfe son ami Claude de Kemoularia, conseiller pour les affaires internationales de Paribas, qui dispose de bonnes relations au Moyen-Orient. Cet envoyé spécial se rend notamment au Qatar en juillet tandis qu'une visite de l'émir à Paris est organisée pour la fin août 1981. L'objectif est atteint : Khalifa est désormais rassuré. À tel point que, chaque été, il ne manque pas de rendre visite à Mitterrand avant de descendre dans sa villégiature de la Côte d'Azur. La France bénéficie alors d'une sorte de quasi-exclusivité au Qatar. L'émir prend ses distances avec le Royaume-Uni tandis que ses relations – balbutiantes – avec les États-Unis sont affectées par un différend qui va s'envenimer au fil des années 1980. Désireux de se doter de missiles antiaériens Stinger, le Qatar s'était tourné vers le Pentagone pour s'en procurer. Mais la Maison-Blanche a refusé. Doha en a donc acheté au marché noir. Furieux, Washington a gelé les plans de coopération militaire et économique entre les deux pays, le Congrès allant jusqu'à approuver un embargo sur les ventes d'armes au Qatar[1]. Ce qui a laissé d'autant plus de champ à la France qui a saisi toutes les occasions de resserrer ses liens avec l'émirat. Ainsi, quand les tensions s'aggravent entre le Qatar et son voisin Bahreïn à propos des îles Hawar dont les deux pays revendiquent la possession, Paris soutient Doha. « En 1986, les forces armées du Qatar occupent même brièvement l'îlot de Fasht el-Dibel, et les escarmouches qui les accompagnent donnent lieu à quelques échanges de tirs. Le gouvernement bahreïni affirme alors que des pilotes français étaient aux commandes des hélicoptères qataris. Paris ne dément pas[2]. »

---

1. L'embargo sera levé dans les mois précédant la guerre du Golfe, en 1991.

2. O. Da Lage, « Le Qatar et la France », in *Qatar, les nouveaux maîtres du jeu, op. cit.*

4.

Batailles franco-françaises
pour le trésor de North Dome...
ou du moins en obtenir une part

Mars 1986 : Chirac à peine arrivé à Matignon, le dossier Qatar a été déposé sur son bureau par Michel Roussin, son nouveau chef de cabinet chargé des affaires secrètes, de la gestion de la diplomatie parallèle et du financement du RPR. Michel Roussin est son « homme de l'ombre ». Après avoir été directeur de cabinet d'Alexandre de Marenches, à la tête du Sdece[1] de 1970 à 1981, il est devenu le principal collaborateur du maire de Paris. Il y a le feu ! Sans l'intervention du patron, aucune « dérivation » de la future manne financière découlant de la mise en exploitation du gisement sous-marin gazier de North Dome ne va pouvoir être aménagée à destination du parti gaulliste...

Le 15 mars 1986, soit cinq jours avant l'installation de Chirac à Matignon, la société française Technip, spécialisée dans le management de projets, l'ingénierie et la construction industrielle, associée à son alter ego américain Bechtel,

---

1. Ancien Service de documentation extérieure et de contre-espionnage, devenu Direction générale de la Sécurité extérieure (DGSE).

a appris qu'elle avait toutes les chances de remporter le contrat d'études qui préparera le choix de la compagnie pétrolière chargée de l'exploitation. Il faut dire qu'Édith Cresson, ministre du Redéveloppement industriel et du Commerce extérieur dans le gouvernement précédent, n'a pas ménagé sa peine – et ses pressions – pour imposer la société française. Les dirigeants de Technip projettent de signer le contrat début mai. Si Technip est choisie, il y a de fortes chances que la Compagnie française des pétroles, c'est-à-dire Total, soit l'exploitant du plus grand gisement gazier découvert dans le Golfe. Mais ce montage présente un « petit » inconvénient : il est l'œuvre des socialistes... Roussin va en chercher un autre et s'appuyer à cette fin sur Jean-Yves Ollivier, « homme de l'ombre » devenu depuis quelques années un de ses proches.

Peu connu du grand public, Jean-Yves Ollivier est un homme d'affaires familier de différents services secrets de plusieurs pays. Il s'est imposé comme le passage obligé, mais évidemment clandestin, des relations entre Chirac et l'Afrique du Sud, pays de l'apartheid placé sous embargo. Il a en effet noué des liens étroits avec « Pik » Botha, ministre des Affaires étrangères... Il soutient à Chirac que sa proximité avec Botha pourrait lui permettre d'envisager de faire libérer Nelson Mandela de sa prison de Pollsmoor... Précisons qu'Ollivier est également très proche de Robert Pandraud, qui s'apprête à devenir l'acolyte de Charles Pasqua Place Beauvau. Jean-Yves Ollivier est par ailleurs membre du conseil de surveillance de CDF-Chimie et représentant en France du groupe qatari Mannai – groupe qui est associé avec les Charbonnages de France (CDF) dans des sociétés de négoce charbonnier.

Michel Roussin demande donc à Ollivier de tout mettre en œuvre pour casser le contrat Technip et lui substituer un consortium français conduit par CDF-Chimie. Pour qu'Ollivier ait plus de poids dans la conduite de cette affaire aux côtés du groupe Mannai, Roussin le fait nommer au conseil d'administration de Charbonnages de France à la grande surprise de Serge Tchuruk, nouveau patron de CDF-Chimie. Lors de la première séance du conseil d'administration, ce dernier lui demande :

« Qui êtes-vous ? Quel cursus vous a permis d'atterrir dans mon conseil ?

– La prison », lui répond Ollivier.

Il avait en effet été condamné, dans ses jeunes années, pour son engagement aux côtés de l'OAS à la fin de la guerre d'Algérie.

Enfin, pour compléter le dispositif, il est décidé d'attribuer la Légion d'honneur à Ahmed Mannai...

Le 16 avril 1986, après consultations intenses avec Mannai et Imad Saffarini, son adjoint, Ollivier adresse une note à Michel Roussin affirmant que Mannai « pense être en mesure de promouvoir avec succès l'offre d'un consortium français conduit par le groupe CDF ». Il détaille un projet plus appétissant que celui de Technip, puisqu'il englobera l'engineering, le forage, les pipelines, les utilités et terminaux, et deux usines d'ammoniac dans le cadre de l'exploitation du gisement gazier. « L'essentiel des travaux et services peuvent être réalisés par des sociétés françaises. » Mais, souligne Ollivier, pour arriver à une telle conclusion, il est nécessaire que Chirac s'engage personnellement. « Monsieur Mannai a besoin que le gouvernement français, en la personne du Premier ministre, réitère par une action diplomatique l'intérêt de la France, et ce directement à Son Excellence l'émir du Qatar. »

Michel Roussin prépare à la signature de Jacques Chirac une lettre dans laquelle le Premier ministre exprime à l'émir du Qatar l'« intérêt du gouvernement français pour le projet », et affirme avoir « désigné une des entreprises nationales françaises : CDF, déjà bien introduite au Qatar, pour diriger un consortium d'industriels et d'entrepreneurs français... Ce consortium aura directement accès au gouvernement, et les départements industriels intéressés lui apporteront leur appui total ». Lettre signée le 2 mai et portée directement à l'émir par Paul Carton, ancien ambassadeur, avec instruction de ne pas en informer la représentation diplomatique française à Doha.

L'arrivée de cette lettre a pour conséquence immédiate d'empêcher la signature du contrat de Technip avec les dirigeants de l'entreprise déjà sur place. Lesquels sont stupéfaits d'apprendre la position du Premier ministre. Ils décident de revenir à Paris pour demander audience à Matignon en compagnie des dirigeants de Total, dont le rôle de compagnie opératrice sur le gisement de North Dome était lié au succès de l'offre Technip. Malgré ces démarches, Jacques Chirac confirme sa position alors qu'il est patent que CDF n'a ni les compétences ni les références pour espérer mener à bien le gigantesque projet gazier.

Mais cette confirmation n'empêche pas les grincements de dents à Matignon même. Les cabinets ministériels, qui n'ont pas été tenus au courant de l'intervention du Premier ministre et qui sont alimentés par les dirigeants de Technip et Total, harcèlent Noël Forgeard, conseiller technique de Chirac. Lequel est également harcelé par Roussin et Ollivier. Plus grave encore, le projet n'enthousiasme pas la direction de CDF qui émet des doutes sur sa capacité à le conduire... La mission de CDF, qui devait se rendre rapidement à Doha, se fait attendre. L'émir et le prince héritier s'en inquiètent. Ollivier se rend au Qatar,

du 2 au 4 juin, pour mettre de l'huile dans les rouages...
et rencontre souvent à Paris l'ambassadeur du Qatar.

Mais les choses traînent... Pour « chauffer » l'émir,
Michel Noir, nouveau ministre du Commerce extérieur,
se rend à Doha le 12 juillet afin de délivrer un message de
Jacques Chirac. Il a pour mission de défendre au mieux les
intérêts français malmenés par les luttes de clans franco-
françaises. L'émir montre son agacement.

Durant l'été, Matignon débarque Michel Hug, directeur
général des Charbonnages de France. Las, son successeur fait savoir aux autorités qataries que sa société n'a
aucune vocation à participer au projet... L'intervention
de la « filière Roussin » – pour reprendre la formule des
adversaires du projet CDF – a failli mettre définitivement
en péril l'intervention de sociétés françaises dans l'exploitation de North Dome...

5.

Une bévue difficile à rattraper

27 juin 1995 : « Je suis dans mon avion, si tu es d'accord, je viens chez toi. » L'homme qui parle ainsi à Jacques Chirac, nouveau président de la République française, n'est autre que Khalifa al-Thani. Son fils Hamad vient de le renverser.

Face à un coup d'État, la reconnaissance de la légitimité du putschiste appelle la prudence et requiert un temps de réflexion. S'agissant du Qatar, la précaution vaudrait presque crime de lèse-majesté. Avant de féliciter le nouvel émir Hamad al-Thani qui a renversé son père, Jacques Chirac a patienté quarante-huit heures. Erreur impardonnable aux yeux du nouveau pouvoir qui ne manque pas de le faire savoir à Paris. Pour réparer sa bévue, le président français va devoir faire feu de tout bois.

À l'époque, le golfe arabo-persique est notre marché d'armement le plus important, et le Qatar, dont 80 % de l'équipement militaire sont français, est l'un de nos principaux débouchés. La valse-hésitation de Jacques Chirac compromet nos relations commerciales avec l'émirat. Dès lors, Paris va tout faire pour reconquérir les faveurs de l'émirat.

Chirac était informé depuis plusieurs semaines du putsch en préparation. HBJ, ministre des Affaires étrangères qatari – qui roule désormais pour son cousin Hamad – s'était rendu, fin avril, au Quai d'Orsay pour annoncer à son allié français que le pouvoir allait bientôt changer de mains : « Nous avons informé les Américains, mais pas les Britanniques. Nous aimerions que, juste après le coup d'État, la France fasse une déclaration mettant en garde contre toute intervention extérieure[1] », avait-il alors précisé aux diplomates français. La veille du jour J, HBJ a fait venir l'ambassadeur de France à Doha pour lui annoncer que le putsch aurait lieu le lendemain, précisent les journalistes Christian Chesnot et Georges Malbrunot.

À l'Élysée, Chirac hésite. Il sait devoir choisir son camp. Il opte pour le service minimal. Il reconnaît le nouveau pouvoir, mais avoir attendu deux jours avant d'en faire la déclaration officielle va coûter cher à la France. Celle-ci va devoir se plier aux desiderata du nouvel émir.

Nommé prince héritier en 1977, Hamad était pourtant voué à régner. Ministre de la Défense, il a fait son apprentissage du pouvoir dans l'ombre de son père. Son ambition dévorante a crû avec le temps. Il a posé une première pierre en 1989 en organisant un remaniement au sein du cabinet royal où il a fait entrer des hommes à lui. L'invasion du Koweït par l'Irak en août 1990 et la guerre qui éclate en janvier 1991 constituent son baptême du feu.

Cette attaque du Koweït a été un événement majeur pour les pays du Golfe, notamment pour le Qatar, aussi peu étendu et qui redoute de subir le même sort. Cette

---

1. *In* Christian Chesnot et Georges Malbrunot, *Qatar, les secrets du coffre-fort*, Michel Lafon, 2013.

crainte viscérale d'être envahi par une puissance étrangère est fondatrice chez Hamad. Le géographe Mehdi Lazar parle même à ce propos du « syndrome du Koweït[1] ». « À partir de la guerre du Golfe, Hamad va réfléchir à une stratégie pour protéger son pays contre ce type d'invasion et assurer sa survie sur le long terme », explique Mathieu Guidère.

Ministre de la Défense, la guerre a donné à Hamad, diplômé de l'académie militaire britannique de Sandhurst, l'occasion de faire ses armes en tant que commandant en chef des forces armées et de gagner le respect des militaires. En 1992, il évince son frère Abdelaziz, ministre des Finances que son père a commencé à promouvoir à son détriment. Il continue à placer ses hommes au sein du cabinet royal. Surtout, il se découvre un allié crucial : son cousin HBJ, qui va devenir son Talleyrand. « HBJ est un homme très intelligent, doté d'une grande puissance de travail. C'est son atout. C'est l'un des rares qui travaillent. Mais c'est aussi un affairiste. L'émir me l'a redit plusieurs fois… », confie un ancien du Quai d'Orsay.

Les deux hommes partagent une même ambition : en finir avec l'époque où le Qatar était la « terre oubliée des dieux » et faire de l'émirat un pays puissant. Tout le contraire de ce qu'a fait Khalifa. « Sa devise était : pour vivre heureux, vivons cachés. Dans les années 1980, la jeunesse qatarie regardait avec envie le développement de Dubaï et se demandait pourquoi il n'y avait pas la même chose chez eux. Khalifa répondait : c'est pour que les Qataris se souviennent d'où ils viennent », me raconte une autre source diplomatique, laquelle souligne combien l'ancien émir ne voulait pas faire de vagues : « Le Qatar avait alors deux tuteurs naturels : l'Arabie saoudite, qui

---

1. *In* Mehdi Lazar, *Le Qatar aujourd'hui*, Michalon, 2013.

était le grand frère, et l'Égypte, le plus grand pays arabe. Khalifa n'avait pas de politique indépendante, il ne voulait surtout pas se mettre en avant. » Cet effacement volontaire l'a conduit à laisser en jachère le gisement de North Dome, vrai trésor de l'émirat dont l'exploitation, partagé qu'il est entre le Qatar et l'Iran, requiert une solide coopération entre les deux pays.

Malgré cela, Khalifa ne bouge pas tant il redoute de déplaire à ses éminents voisins. « Pour l'émir, les richesses naturelles du pays étaient un mal nécessaire. Parmi les conservateurs, d'aucuns disaient même que c'était une damnation de Dieu, qu'il fallait éviter de trop exploiter cet argent, car cela pourrait causer des problèmes et bouleverser le pays », insiste Mathieu Guidère. Au-delà, l'émir Khalifa craint surtout de retomber sous pavillon étranger. Le gaz requiert des investissements beaucoup plus lourds que le pétrole, lequel ne nécessite, pour parler schématiquement, que de creuser un trou et d'y plonger un tuyau. Le gaz, c'est une autre paire de manches... Son exploitation implique, vu le coût, de faire entrer dans la danse les majors occidentales. « La vieille garde était très méfiante vis-à-vis d'une alliance stratégique avec les pays occidentaux, notamment avec les États-Unis, poursuit Guidère. Elle craignait qu'il y ait une occupation du pays, que les Américains entrent au Qatar comme ils sont entrés au Koweït, qu'ils prennent possession des ressources naturelles. La vieille garde redoutait de se retrouver soumise à une nouvelle forme de colonisation. » Une ineptie pour Hamad, qui considérait que « mettre en valeur les ressources naturelles et développer de façon intensive et rapide le pays lui donnerait plus de puissance, plus de moyens, plus d'influence, et le protégerait davantage ».

Surtout, l'émir nourrit de grandes ambitions. Il veut que son pays soit reconnu par tous. Il se veut influent. Il a soif de reconnaissance depuis qu'un douanier mal avisé a osé dénigrer l'émirat. Parti se perfectionner à Sandhurst, Hamad avait présenté à la douane son passeport qatari. « Ce pays existe réellement ? », s'était-il vu demander. Il s'est alors fait la promesse que son pays soit connu dans le monde entier.

« L'objectif de Hamad était très clair : ce n'est pas parce que nous sommes petits que nous devons nous taire !, confirme un diplomate. Sa référence, c'était Singapour. Il faudra que le Qatar finisse par avoir son rôle à jouer et être perçu comme une entité à part, disait-il. » Pour cela, Hamad compte sur l'exploitation massive du gaz, ce que son père refusait d'envisager. Problème : l'émir Khalifa contrôlait le budget public et détenait seul la signature pour toute dépense supérieure à 50 000 livres[1]. Lui-même menait grand train en Europe. Sa vie fastueuse et dissolue creusait un gouffre dans les finances du pays, compromettant d'autant ses intérêts, donc ceux de la famille Al-Thani. Or c'est elle qui, *in fine*, y fait et défait le pouvoir.

« Il ne faut pas voir les choses à l'européenne ni même à l'occidentale, rappelle Alain Chouet. Dans les pays du Golfe, il s'agit de sociétés claniques. Les choses se décident en conseil de famille. Au Qatar, la structure familiale est assez fermée. Les Al-Thani détiennent les richesses. Ils gèrent le pays à l'ancienne et prennent les décisions en fonction de leurs intérêts. » Le conseil de famille se réunit généralement une fois l'an pour décider des grandes orientations ou des changements pouvant

---

1. Claire-Gabrielle Talon, *Al Jazeera, liberté d'expression et pétro-monarchie*, PUF, 2011.

intervenir au sein du pouvoir. L'enjeu : les intérêts du clan. Des intérêts mis en péril par le comportement de Khalifa. « Hamad et HBJ ont manœuvré en secret auprès des membres du conseil pour rallier à leur cause les soutiens nécessaires », précise Mathieu Guidère, notamment ceux d'Abdallah et de Mohammed, deux des frères de Hamad. « Ils ont convoqué le conseil, posé clairement la question du devenir du pays et obtenu leur appui. » Reste désormais à convaincre le seul pays capable d'assurer le succès du putsch.

Comme l'Élysée, la Maison-Blanche est informée du changement de pouvoir en amont du coup d'État. Pas tant par politesse que par pragmatisme. L'influence américaine est alors sans équivalent. Avec l'effondrement du bloc soviétique, Washington a perdu son seul rival. Aucun pays, dorénavant, n'est en mesure de faire jeu égal avec les États-Unis dont la suprématie militaire, financière, culturelle et monétaire est totale. L'Amérique est désormais l'« hyperpuissance », ainsi que le conceptualise Hubert Védrine. Surtout, elle seule peut convaincre les Saoudiens de tolérer le putsch qui se prépare contre leur allié à Doha. Enfin, quand on dit allié...

Longtemps l'Arabie saoudite a considéré le Qatar comme une de ses dépendances, comme une province sécessionniste promise à terme à revenir dans son giron. L'invasion du Koweït par Saddam Hussein a réveillé ses velléités de conquêtes territoriales, et, depuis qu'un incident frontalier est survenu à Khafous en 1992 et a causé plusieurs morts, les tensions se sont aiguisées entre les deux voisins. Ce d'autant plus que « jusqu'en 1991 la diplomatie qatarie ne faisait guère parler d'elle, Doha s'alignait presque systématiquement sur Riyad. Mais, à partir de 1991, le Qatar s'est lancé dans un flirt poussé avec l'Iran, il a renoué rapidement avec l'Irak et boycotte nombre de réunions du Conseil de coopération du Golfe[1]. »

Depuis la signature en février 1945 du pacte Quincy, les États-Unis et l'Arabie saoudite sont, on l'a vu, étroitement liés. Or Riyad constitue le principal obstacle qui se dresse sur la route de Hamad et de son cousin HBJ vers le pouvoir. Sans le soutien américain, le putsch n'a aucune chance de réussir. Ce qui se joue alors est un coup de billard à trois bandes : soutenir le changement de pouvoir au Qatar ferait du nouvel émir et de son Machiavel deux hommes largement redevables et conforterait d'autant la présence américaine dans cette région si stratégique grâce à ses réserves en hydrocarbures. Qui plus est, cela permettrait à Washington de faire avancer quelques dossiers délicats. Les Américains réfléchissent d'ailleurs à un nouvel emplacement pour leur base militaire dans la région : installée en Arabie saoudite depuis la guerre du Golfe, elle est violemment critiquée par les conservateurs qui condamnent la présence d'« impurs » sur le sol des principaux lieux saints de l'islam[2]. Le déplacement de cette base

---

1. Olivier Da Lage, *Géopolitique de l'Arabie saoudite, op. cit.*

2. David Rigoulet-Roze, chercheur rattaché à l'Institut français d'analyse stratégique (Ifas), écrit ainsi que « lorsqu'il avait réuni les "Oulémas du Trône" pour donner un cadre religieux halal (licite) à la présence de ces forces étrangères en Arabie saoudite, le roi Fahd s'était en même temps engagé à ce qu'elles quittent le pays dès la fin du conflit. Les troupes américaines ne resteront pas dans la péninsule "une minute de plus que nécessaire", avait de son côté déclaré publiquement à l'époque Richard Cheney. Elles devaient pourtant y rester plus de dix ans. Cette situation a fait depuis le lit d'un islamisme radical et contestataire qui a toujours considéré la présence des troupes américaines, voire l'alliance stratégique avec les États-Unis, comme "impies". » *In* David Rigoulet-Roze, *Géopolitique de l'Arabie saoudite*, Armand Colin, 2005, p. 197.

pourrait parfaitement s'inscrire dans l'esprit de l'accord de défense signé entre Doha et Washington en juin 1992.

Par ailleurs, l'aspirant émir et son cousin ne sont pas fermement opposés à l'existence d'Israël, bien au contraire. Or la sécurité de l'État hébreu est un enjeu essentiel pour Washington. Elle constitue, avec la question du pétrole, le pilier de la diplomatie américaine au Moyen-Orient. Bill Clinton, qui a obtenu la signature des accords d'Oslo en 1993 et organisé l'historique poignée de main entre Yasser Arafat et Itzakh Rabin, cherche à réduire davantage encore les distances entre le monde arabe et Israël. HBJ négocie justement avec Tel-Aviv, dans le plus grand secret, pour acheminer du gaz depuis le Qatar jusqu'à la Méditerranée en passant par Israël. Mais la fuite d'un rapport israélien dans le *New York Times* a ébruité l'affaire et mis un terme aux discussions.

Les États-Unis sont en position de force. Sans eux, le putsch n'a aucune chance de réussir, ils le savent. Et comme rien n'est gratuit... « Hamad et HBJ ont négocié avec les États-Unis pour voir ce qu'ils devraient concéder en échange de leur soutien, résume Marwan Iskandar, l'un des anciens conseillers de l'émir Khalifa. Washington a demandé une base aérienne, un partenariat avec les compagnies américaines sur le développement du gaz, et l'ouverture de relations avec Israël. » Clinton pose donc ses conditions ; Hamad et HBJ accèdent à ses demandes. Accueillir la plus grande base de commandement américaine hors-sol – tel sera le cas dès 2003 – dissuadera toute velléité offensive à l'encontre du pays et garantira sa sécurité tant à l'intérieur qu'à l'extérieur ; ouvrir le gaz aux compagnies américaines – tout en conservant la majorité des capitaux – permettra de financer les investissements

massifs nécessaires à la construction d'infrastructures[1] ;
établir des relations avec Israël marquera la singularité du
Qatar et le fera exister dans ce Moyen-Orient si peu pressé
de résoudre le conflit israélo-arabe. Le deal est conclu.
Le jour J, Bill Clinton, qui fait savoir aux Saoudiens que
le putsch recueille le soutien des Américains, est l'un des
premiers à reconnaître Hamad comme nouvel émir du
Qatar.

« Ils me l'ont répété cinquante fois durant les années
qui ont suivi, raconte un homme d'affaires. Vous
autres Français qui avez été si (peu) rapides à nous
reconnaître[2]... » Alors qu'elle tarde à féliciter Hamad,
la République française accorde l'asile à l'émir déchu.
Khalifa prend ses quartiers dans sa résidence cannoise.
Son deuxième fils, Abdelaziz, et quelques proches l'y
rejoignent. Pour ne rien faciliter, un homme va rendre
encore plus complexe les relations entre le fils « parri-
cide » et son partenaire français. Son nom : Paul Barril.
Ancien patron du GIGN, il a durement réprimé une prise
d'otages à La Mecque en 1979. Il s'est ensuite rapproché
pour quelques mois de l'Élysée grâce à sa proximité avec

---

1. « Les entreprises américaines, notamment ExxonMobil, sont
partenaires de la plupart des projets d'exportation de GNL du Qatar.
L'Export-Import Bank des États-Unis a fourni plus d'un milliard
de dollars en garanties de prêts pour soutenir le développement des
installations de production de gaz du Qatar, en collaboration avec
un éventail de sociétés, banques et agences de crédit à l'exportation
américaines, européennes et asiatiques. » Christopher M. Blanchard,
« Qatar : Background and US Relations », Congressional Research
Service, CRS Report for Congress, prepared for Members and Committees of Congress, 30 janvier 2014.

2. *In* Christian Chesnot et Georges Malbrunot, *Qatar, les secrets
du coffre-fort*, op. cit.

le commandant Prouteau, avant de devenir un ennemi irréductible de François Mitterrand, montant contre lui d'innombrables « coups tordus », notamment dans l'affaire des Irlandais de Vincennes et celle des « écoutes ». Barril s'est alors fait mercenaire, monnayant ses services auprès de chefs d'État africains, et s'est occupé *in fine* de la sécurité de Khalifa. Quelques mois après le coup d'État, il est soupçonné d'avoir apporté son aide au contre-putsch organisé contre l'émir Hamad avec l'aide des Saoud. Une fois encore, Paris hésite sur l'attitude à suivre. « En 1996, la France a donné une impression de flottement lors de la tentative de contre-putsch de l'ancien émir Khalifa. À Paris, cela a été qualifié de "question de politique intérieure" », me confie un ancien membre du Quai d'Orsay chargé du dossier. Néanmoins ce sont les services français qui ont repéré les comploteurs. « Hamad et HBJ se sont alors tournés vers les Anglo-Saxons et ont nourri une grande amertume envers la France, considérant qu'elle n'avait pas tenu son engagement moral, poursuit le diplomate. La France n'avait pas pris parti, ce qui a été perçu comme un coup de canif dans le contrat moral. Ce fut une période difficile dans les relations franco-qataries, malgré le voyage de Chirac à Doha en 1996. »

Problème : le Qatar est, on l'a vu, un débouché essentiel pour l'armement français. Un rapport, rédigé par Bruno Durieux et remis le 31 mars 1996 à Alain Juppé, alors Premier ministre, souligne en effet que le « Moyen-Orient, où se concentrent plus de la moitié de nos livraisons pour la période 1980-1995, est notre grand marché d'exportation traditionnel ». Il précise : « Nos exportations d'armement vers les pays du Golfe s'appuient sur un petit nombre de clients fidèles. La quasi-totalité des équipements militaires du Qatar, une majorité des équipements des Émirats arabes unis, la totalité des matériels navals de l'Arabie saoudite sont d'origine française. La pérennité de nos relations d'armement avec ces clients traditionnels de la France nécessite donc un resserrement des liens politiques et militaires, qui trouve sa traduction concrète dans la signature d'accords de coopération militaire ou de défense. » La France doit impérativement rattraper la valse-hésitation de Chirac lors du putsch.

Pour restaurer de bonnes relations, Paris envoie plusieurs ministres en mission à Doha. Hervé de Charrette, ministre des Affaires étrangères, y part en juin 1996. Chirac lui-même y passe deux jours en juillet et conclut un accord portant sur les investissements – il s'y déplacera officiellement à neuf reprises. Jean-Louis Debré, ministre de l'Intérieur, s'y rend en novembre et signe avec l'émirat un accord de coopération en matière de sécurité. Un mois plus tard, c'est au tour de Charles Millon, ministre de la Défense, de partir pour le Qatar et de proposer la création d'un haut comité d'état-major conjoint regroupant des officiers supérieurs qataris et français dans le cadre de l'accord de défense paraphé en 1994.

À l'Élysée, le président Jacques Chirac et son secrétaire général Dominique de Villepin se démènent pour organiser les retrouvailles de l'émir et de son père déchu. Depuis que Hamad a renversé Khalifa, les deux hommes ne se parlent plus, et pour cause : le fils a profité de l'absence du père pour prendre le pouvoir sans néanmoins parvenir à mettre la main sur son trésor. L'émir déchu était le seul à détenir la signature sur les comptes secrets du Qatar en Suisse, au Luxembourg et aux États-Unis, dont le montant total est alors estimé à 10 milliards de dollars[1]. « Après le putsch, Hamad lui a demandé de rendre les 2 milliards de dollars qu'il avait. Son père lui a répondu : Je n'ai pas 2, mais 6 milliards. Et je ne rendrai rien ! », me raconte Marwan Iskandar en accompagnant son souvenir de l'intonation qui sied au propos. Un accord sera néanmoins trouvé quelques années plus tard, en vertu duquel Hamad récupérera la majeure partie de la fortune.

Ce jour de janvier 1997, le père et le fils se revoient pour la première fois. Une caméra saisit l'instant. L'image tressaute. Elle est sans son. Coincé entre son fils, l'émir en titre, et son neveu, qu'il a nommé diplomate en chef et qui l'a lui aussi trahi, Khalifa est mal à l'aise, le regard fuyant. Ce n'est pas le cas de Hamad et de HBJ qui discutent et sourient. « L'émir lui sera éternellement reconnaissant de ce rabibochage[2] », commente un proche pour expliquer la relation « filiale » qui va lier Dominique de Villepin à la famille Al-Thani. De son côté, l'émir déchu et déçu n'a plus que son fidèle protecteur Paul Barril pour l'escorter et lui rappeler son imperium passé.

21 avril 1997 : l'idéal de « la France pour tous » – sur lequel Chirac a basé sa campagne présidentielle – semble bien loin... Entre le pouvoir et l'opinion, le fossé ne cesse de se creuser. Droit dans ses bottes, Juppé n'écoute pas la rue qui gronde. Et, pour Chirac, la situation devient intenable. Nonobstant les mises en garde de ses conseillers, le président annonce, dans une allocution télévisée, la dissolution

---

1. « Les secrets du coup d'État à Qatar », *Intelligence On Line*, 19 septembre 1995.

2. « Un businessman nommé Villepin », *Le Monde Magazine*, 11 janvier 2013.

de l'Assemblée nationale. Erreur : la gauche l'emporte et Jospin accède à Matignon.

En juin 1998, l'Élysée s'oblige davantage encore envers le Diwan, palais de l'émir à Doha. L'émir Hamad est reçu avec tous les honneurs. La France lui déroule le tapis rouge. Les Qataris posent leurs conditions ; Chirac les accepte. Dès lors, les ministres français ne vont plus cesser de défiler à Doha. Quatre mois après la réception en grande pompe de l'émir Hamad à l'Élysée, Alain Richard, ministre de la Défense, part dans l'émirat pour signer un accord de défense en complément de celui de 1994. Quelles en sont les dispositions ? Jusqu'où engage-t-il la France ? Impossible de le savoir avec précision : secret-défense ! Un indice, néanmoins : « Un accord de défense est contraignant pour Paris. Si le Qatar est attaqué, la France doit le défendre », m'assure, sous couvert d'anonymat, un ancien très haut gradé. On n'en sait pas plus : l'accord est classifié, « sa communication étant de nature à porter atteinte au secret de la défense nationale et à la conduite de la politique extérieure de l'État », m'informe par courrier le service des archives du ministère des Affaires étrangères.

En gage de bonne volonté, Alain Richard annonce la livraison gracieuse, par Paris, de 10 chars de combat AMX 30. En mars 1999, c'est au tour de Hubert Védrine, ministre des Affaires étrangères, de partir pour l'émirat signer un accord de coopération politique. L'émir Hamad nourrit de grandes ambitions pour son pays. Il profite du rapport de force qui lui est favorable pour obtenir de Paris une première coopération sur les grandes questions internationales. La date choisie pour la venue du titulaire du Quai d'Orsay n'est pas anodine : le Qatar, duquel Hamad veut donner l'image d'un pays progressiste, organise alors le premier scrutin municipal de son histoire auquel les hommes et femmes âgés de plus de 18 ans peuvent participer. « Hubert Védrine y est allé pour les élections afin de montrer que nous n'étions pas les suppôts de l'ancien régime », me précise un ancien diplomate en charge du dossier.

L'ancien ministre des Affaires étrangères reçoit dans son bureau qui domine les quais de Seine : « Le Qatar est un pays qui commence alors à compter. L'émir Hamad s'appuie énormément sur le ministre des Affaires étrangères HBJ, que j'ai comme interlocuteur. Il a une vision très claire du jeu international[1]. » L'émirat tire bénéfice d'une circonstance pour se distinguer : à l'époque, très peu de pays arabes développent une vraie politique étrangère et sont réellement présents sur le plan international. Les diplomaties arabes sont très faibles. Seule exception : la diplomatie égyptienne en la personne d'Amr Moussa. Mais l'homme prend de la place. Trop. Il sera écarté en 2001[2].

« Le Qatar est un petit émirat aux ressources presque illimitées, mais il est coincé entre l'Arabie saoudite et l'Iran. C'est un pays fragile, poursuit Hubert Védrine. La première préoccupation des nouveaux dirigeants qataris est donc de sécuriser leur pouvoir par une politique financière qui consiste à réaliser des investissements sûrs, rentables et sécurisés, dans des pays disposant d'un bon système juridique. Les États-Unis et l'Europe répondent à ces critères-là. Pour consolider plus encore leur sécurité, ils ont décidé de compter dans le jeu diplomatique. Cela implique de connaître les dirigeants et leur mode de fonctionnement, que ce soit à Riyad ou à Paris, à Washington

---

1. Interview, 14 février 2013, avec Pierre Péan.
2. Il est alors nommé secrétaire général de la Ligue arabe, poste qu'il a occupé jusqu'en 2011.

ou au Caire. Mon homologue qatari connaissait très bien ce Meccano complexe, ce qui n'était pas le cas de tous les ministres. Beaucoup accèdent à ces fonctions du fait de combinaisons internes et arrivent là comme à n'importe quel autre poste. Lui occupait la fonction depuis quelques années déjà[1]. »

En 2001, « les relations entre Paris et Doha se sont renforcées lors du litige avec Bahreïn concernant les îles Hawar, dans lequel nous sommes discrètement intervenus pour que le jugement ne soit pas en la défaveur du Qatar », avoue un proche du dossier. L'affaire semblait pourtant perdue d'avance, la majorité des juges s'étant exprimés dans un premier temps au détriment de Doha. Mais la France dispose d'un atout solide. Jacques Chirac connaît depuis longtemps le président de la Cour internationale de justice saisie du litige : Gilbert Guillaume[2]. « On a fait en sorte de faciliter une formule qui ne fasse pas perdre la face au Qatar. Le Qatar nous en a été reconnaissant et les grands contrats ont repris », précise le diplomate.

---

1. HBJ a été nommé ministre des Affaires étrangères de l'émirat en 1992.

2. O. Da Lage, « Le Qatar et la France », in *Qatar, les nouveaux maîtres du jeu, op. cit.*

6.

Guerre de Bush contre Saddam :
Doha fait la cour à Paris

« En octobre 2002, quand j'ai pris mes fonctions de chef d'état-major des armées, le conseiller diplomatique de Chirac m'a dit : le Qatar est un pays à reconquérir ! me confie le général Henri Bentégeat. Nos relations d'amour fou ont été bouleversées par le coup d'État de 1995. La France n'avait pas pris parti et le Qatar nous en a fait un profond grief. La coopération militaire entre la France et le Qatar était auparavant quasi exclusive, mais, depuis sept ans, tout s'est effiloché. Ce qui a tout modifié dans nos rapports avec l'émirat, c'est la [deuxième] guerre en Irak et notre refus d'y participer[1]. »

Cette fois, ce n'est plus Paris qui court après les faveurs de Doha, mais bien le Diwan qui s'attache à consolider ses relations avec l'Élysée. Le Qatar est alors aux avant-postes de la guerre contre Saddam Hussein. Important allié militaire de Washington, Chirac, qui ose dire « non » à l'Amérique, est aux yeux de l'émir et de son ministre des Affaires étrangères l'homme providentiel.

---

1. Entretien, 24 septembre 2012.

Pour eux, l'enjeu est considérable. En été 2002, HBJ se rend à Bagdad pour tenter une médiation de la dernière chance. Il s'y rend une nouvelle fois à la veille du déclenchement de la guerre. « Lors du dernier rendez-vous que j'ai eu avec lui, j'ai dit à Saddam que sa tête était mise à prix et qu'il devait prendre la bonne décision. Je l'ai averti que j'étais envoyé pour lui demander de renoncer au pouvoir, à défaut de quoi la guerre finirait par avoir lieu, que les États-Unis étaient sérieux[1] », raconte l'émissaire qatari sur Al Jazeera. Amer, Saddam Hussein lui a dit comprendre que les Américains soient soutenus par les Koweïtis – que le dictateur irakien avait envahis en 1990 –, mais douter de l'aide apportée par Doha à Washington. « Le Qatar, qui a conclu des accords de sécurité avec les États-Unis, honore ses engagements », lui a répondu HBJ, questionné sur l'installation imminente sur le sol qatari de la plus grande base américaine hors-sol.

« La nature des relations entre les Qataris et les États-Unis est importante. C'est d'ailleurs la première question que se posent à peu près tous les pays au monde : Quelle est ma relation avec les États-Unis ? Suis-je complètement aligné sur eux, ou est-ce que j'essaie de leur résister ? explique Hubert Védrine. Le Diwan a de bons rapports avec la Maison-Blanche, mais il veut se préserver une marge de liberté et, surtout, éviter que sa proximité avec Washington ne soit trop manifeste. » Au Moyen comme au Proche-Orient, être ostensiblement proche des États-Unis est à double tranchant. Cela peut vous être reproché un jour ou l'autre. Les relations discrètes, solides et fortes avec Washington doivent

---

1. D'après le compte rendu de l'émission réalisé par Arabicnews. com : « Qatar discloses mediation in Iraq, Libya and Sudan », arabicnews.com, 1er janvier 2004.

donc être contrebalancées par d'autres alliances. « La relation avec Paris est raisonnée, poursuit l'ancien ministre. La France est le pays occidental qui est considéré comme ayant encore une politique étrangère relativement autonome, soit que les autres soient vraiment alignés sur les États-Unis, soit qu'ils n'aient quasiment plus de politique étrangère. La France est certes un point d'appui intéressant, mais pas suffisant. Dans ce jeu régional, au Moyen-Orient ou ailleurs, avoir une relation forte avec Paris est un avantage. C'est un plus, mais à condition d'avoir le reste. »

Le reste, ce n'est rien de moins que l'U.S. Centcom, le commandement central américain pour toutes les opérations militaires dans la région, officiellement opérationnel en décembre 2002. La présence américaine a été négociée dans la foulée du putsch de Hamad. « L'émir avait proposé à la France d'installer une base dans l'émirat, mais Chirac a décliné. Le président ne voulait pas déshabiller Djibouti et redoutait qu'une telle initiative soit mal prise par les Saoudiens. Les USA ont saisi l'opportunité », me glisse un diplomate qui fut en charge du dossier.

L'émir a investi plus d'un milliard de dollars pour construire la base aérienne d'Al-Udeid ; les États-Unis, eux, n'ont mis au pot « que » 100 millions[1]. Située à soixante kilomètres au sud de Doha, ses installations peuvent accueillir 140 appareils. À quelques kilomètres

---

1. « Qatar : Background and US Relations », Congressional Research Service, CRS Report for Congress, prepared for Members and Committees of Congress, 12 juin 2012. Les États-Unis disposent également d'une base navale à Bahreïn où est stationnée la Vᵉ flotte américaine. Celle-ci garantit la protection du détroit d'Ormuz par lequel transitent notamment les navires gaziers et pétroliers – tout en surveillant les activités navales iraniennes.

de là se trouve le camp d'As Sayliyah, la plus grande base de pré-positionnement d'équipement militaire américain au monde. « Des missiles sont disposés sur la base d'Al-Udeid pour protéger Doha dont la sécurité militaire est garantie par Washington », souligne Mehran Kamrava[1] qui dirige le Centre d'études régionales et internationales de Georgetown au Qatar.

L'émir Hamad et son cousin HBJ doivent impérativement déminer les accusations de vassalité envers les Américains. Un impératif pour eux dans cette guerre annoncée comme le choc de deux mondes. Pour ce faire, l'alliance avec Paris se révèle plus qu'opportune. « L'amitié affichée du Qatar avec la France servait de contre-pied à la présence américaine à Al-Udeid », analyse Henri Bentégeat, alors chef d'état-major des armées.

Dans la guerre contre Saddam, la position du Qatar est périlleuse et Jacques Chirac, celui qui ose dire « non » à l'Amérique, devient un allié stratégique. Le président français incarne le front du refus, la résistance au bellicisme de Washington. Dès les prémices de la guerre, il a tenté de convaincre son homologue américain d'y renoncer. Il a profité pour ce faire de la cérémonie organisée à Colleville-sur-Mer le 27 mai 2002. Venu rendre hommage aux soldats américains tués sur les plages du débarquement en juin 1944 pour combattre l'occupant nazi, George W. Bush souhaitait implicitement inscrire la lutte américaine contre le terrorisme dans le droit fil de ce noble engagement. Dans

---

1. Interview, 10 avril 2013. Il est, notamment, l'auteur de *Qatar : Small State, Big Politics*, Cornell University Press, 2013 ; *The Modern Middle East : A Political History since the First World War*, University of California Press, 2006 ; et *Iran's Intellectual Revolution*, Cambridge University Press, 2008.

son discours, le président français, s'il insiste comme son homologue sur la nécessité d'« éradiquer la barbarie terroriste », souligne néanmoins que « ce combat commun doit avoir pour but de récuser non seulement le fanatisme », mais aussi « l'exclusion de l'autre, le racisme et la xénophobie », bref, toutes les formes d'intolérance ; ce qui n'est peut-être pas exactement le sens que son hôte donne à son engagement personnel contre un certain « Axe du mal »[1].

La veille, l'Irak était déjà au cœur de leur discussion. Devant Chirac, Bush n'avait pas contesté sa volonté d'un changement de régime en Irak. « Je n'ai aucun plan de guerre sur mon bureau », lui avait-il assuré. Reconnaissant la dangerosité de Saddam Hussein, Chirac avait tenté de convaincre le président américain de renoncer à l'option militaire en mettant l'accent sur la résurgence de l'affrontement entre sunnites et chiites et sur la déstabilisation de l'ensemble du Moyen-Orient que risquait de provoquer l'éclatement de l'Irak. Le général Henri Bentégeat était présent.

« Vous n'avez pas conscience de la boîte de Pandore que vous ouvrez, prévint Chirac.

– Il n'y aura pas d'alliance entre Persans et Arabes, répondit Bush.

– Je n'y crois pas une seconde ! L'attache religieuse l'emporte sur les ethnies. »

« J'ai été très frappé par ce qu'a dit Chirac sur les risques encourus, raconte l'ancien chef d'état-major des armées. La rupture entre chiites et sunnites était très importante à ses yeux. C'était une préoccupation majeure pour nous tous. Bush ne disait rien, il écoutait avec un petit sourire.

---

1. Jacques Chirac, avec la collaboration de Jean-Luc Barré, *Le Temps présidentiel*, *Mémoires*, t. 2, NiL, 2011.

Parlant du soutien de l'Iran à l'Irak, il n'a dit qu'une chose : C'est impossible ! À quoi Chirac a répondu : Le fait religieux est reconnu par tous. L'Irak est un pays artificiel créé par les Anglais et les Français dans la foulée du rêve de Lawrence d'Arabie. C'est un pays très fragile. »

Derrière la « guerre préventive » – concept élaboré par les néoconservateurs américains les plus durs pour jus-tifier la guerre en Irak – se cachait en fait la « nouvelle grande stratégie impériale », pour reprendre la formule de la revue américaine *Foreign Affairs*[1]. « L'invasion de l'Irak était implicitement annoncée en septembre 2002 dans la National Security Strategy présentée par l'administration Bush, souligne le penseur américain Noam Chomsky. Celle-ci affirmait que les États-Unis avaient l'intention de dominer le monde jusqu'à la fin des temps et de détruire toute puissance qui s'aviserait de les défier. Les Nations unies furent informées qu'elles n'auraient d'"utilité" qu'à condition d'entériner les décisions que Washington pren-drait de toute façon. Dans le cas contraire, comme le modéré Colin Powell le leur signifia, elles deviendraient un club de discussion. L'invasion de l'Irak devait servir de test à la nouvelle doctrine annoncée par la National Security Strategy[2]. » L'idée était simple : casser le maillon fort du Moyen-Orient (l'Irak), installer une démocratie à la place et, si cela fonctionnait, faire de même ailleurs.

Un projet auquel le président français était ferme-ment opposé : « Contre le chaos politique qui résulterait du jeu aveugle des rivalités internationales, la France

---

1. G. John Ikenberry, « America's imperial Ambition », *Foreign Affairs*, sept.-oct. 2002.

2. *In* Noam Chomsky, *De la guerre comme politique étrangère des États-Unis*, Agone, 2004.

s'emploie à construire un monde multipolaire », déclare Chirac le 7 janvier 2003 lors de la présentation des vœux au corps diplomatique. Il prône l'instauration d'un ordre mondial aux antipodes de celui esquissé par les néoconservateurs américains, un ordre dans lequel la puissance ne saurait être l'attribut d'une seule nation face aux autres. Secondé par son ministre des Affaires étrangères Dominique de Villepin, Chirac prend ainsi la tête du front du refus[1], il l'étoffe et restaure par là le rayonnement de la France.

Les émissaires français font le tour de leurs alliés pour leur exposer la position de Paris. Parmi eux, Michèle Alliot-Marie. L'ancienne ministre de la Défense me reçoit dans les bureaux du Chêne, le mouvement politique qu'elle a créé en 2006 : « Nous avons de très bonnes relations avec le Qatar, dues notamment au refus de Jacques Chirac de faire participer la France à la deuxième guerre en Irak[2]. » Elle explicite : « Nous partagions l'idée qu'il fallait absolument éviter un affrontement entre l'Occident et le monde arabe. Le grand risque était que le monde arabe ressente la guerre en Irak comme une agression de la part des Occidentaux. Même si la plupart d'entre eux n'aimaient pas du tout Saddam Hussein, ils devaient tenir compte de la réaction de la rue arabe. À la demande de Jacques Chirac je me suis rendue à plusieurs reprises au Qatar pour m'entretenir avec l'émir, lui dire nos craintes, notre vision, et ce que nous comptions faire. C'est là que les choses se sont effectivement nouées. »

Deux visions du monde s'affrontent. Partout la rue gronde. La plus importante manifestation a lieu le

---

1. Avec le chancelier allemand Gerhard Schröder.
2. Interview, 27 mars 2013.

15 février 2003 et voit défiler près de quinze millions de personnes à travers le monde. Hasard du calendrier : la veille, la France défendait à la tribune du Conseil de sécurité de l'ONU son refus de la guerre. Répondant notamment à l'exposé de Colin Powell[1] qui excipe de fausses preuves de la fabrication d'armes de destruction massive par l'Irak et accuse le dictateur d'être lié à Al-Qaïda, Dominique de Villepin porte la voix de la France : « La lourde responsabilité et l'immense honneur qui sont les nôtres doivent nous conduire à donner la priorité au désarmement dans la paix. Et c'est un vieux pays, la France, un vieux continent comme le mien, l'Europe, qui vous le dit aujourd'hui, qui a connu la guerre, l'Occupation, la barbarie. Un pays qui n'oublie pas et qui sait tout ce qu'il doit aux combattants de la liberté venus d'Amérique et d'ailleurs. Et qui, pourtant, n'a cessé de se tenir debout face à l'Histoire et devant les hommes. » Son discours tourne en boucle sur Al Jazeera. Les Al-Thani sont conquis. Villepin, désormais, sera couvert d'honneurs. Nommé par la suite administrateur du Centre de Doha pour la liberté d'information, il sera également membre du conseil d'administration de l'autorité des musées du Qatar – la Qatar Museum Authority – que préside la princesse Mayassa. Il prendra ses quartiers à l'hôtel Four Seasons où il descend aussi souvent que possible. Villepin est, dit-on, le seul homme politique français auquel l'émir a accordé son amitié[2].

Rien n'entrave la guerre annoncée contre Saddam Hussein. Le 20 mars 2003, Bagdad essuie les premiers bombardements américano-britanniques, tandis que dans

1. Le 5 février 2003.
2. « Notre ami l'émir », art. cité.

le sud du pays plusieurs puits de pétrole sont incendiés. Dans le tumulte, Doha se rapproche de Paris. Et, pour témoigner de cette proximité retrouvée, l'émir Hamad al-Thani décide d'envoyer un de ses fils, Joaan, poursuivre sa scolarité à Saint-Cyr, la très prestigieuse école militaire française qui, depuis sa création par Napoléon en 1802, forme les hauts officiers.

Le geste est emblématique. Les enfants de la famille Al-Thani sont traditionnellement envoyés en Grande-Bretagne – l'ancienne puissance mandataire – ou aux États-Unis. Le prince héritier Tamim, comme son père Hamad avant lui, a ainsi été formé à l'académie militaire britannique de Sandhurst où il a terminé ses classes en 1998. Sa sœur, la princesse Mayassa, a été envoyée à l'université de Duke, l'une des meilleures universités américaines, avant d'achever sa scolarité à Sciences-Po Paris. Sur les vingt-quatre enfants de la descendance de Hamad, Joaan constitue l'exception de taille au tropisme anglo-saxon. Reprenant une très ancienne tradition, l'émir donne l'un de ses fils en gage d'amitié et en garantie de l'accord passé avec son allié.

En France, les études du petit prince deviennent une affaire d'État. Pendant quatre ans, Mathieu Guidère va littéralement couver Joaan : « À l'époque, raconte celui qui fut le tuteur académique du prince qatari pendant sa scolarité à Saint-Cyr, j'étais maître de conférences à l'université de Lyon, agrégé d'arabe et docteur ès lettres. Le ministère de la Défense cherchait quelqu'un qui connaissait les dialectes et la langue arabe, et pouvait dispenser des cours de français. J'ai été détaché à Saint-Cyr avec mission d'apprendre le français au fils de l'émir, de lui faire connaître le pays et de veiller à ce qu'il réussisse sa scolarité. »

En août 2003, le prince Joaan arrive en France pour suivre la « prépa ». Puis, en septembre 2004, il intègre l'École militaire de Coëtquidan d'où il sortira diplômé en juillet 2007. La devise : « Ils s'instruisent pour vaincre. » Tout un programme... « J'ai rapidement découvert qu'il savait peu de choses de la France, mais au moins il y avait Louis XIV, Napoléon et le général de Gaulle, poursuit Mathieu Guidère. Globalement, c'étaient les trois noms qui lui disaient quelque chose quand on lui parlait de la France. Nous sommes partis de là en faisant des "parcours", le premier sur Louis XIV, le second sur Napoléon, le troisième sur le général de Gaulle. Ces parcours retracent presque l'histoire moderne de la France, c'est-à-dire la Monarchie, l'Empire et la République. À travers eux nous avons visité une grande partie de la France. »

« Le dossier était directement suivi par Michèle Alliot-Marie et le président Chirac », dit Mathieu Guidère qui se souvient : « Michèle Alliot-Marie l'a répété plusieurs fois : il faut qu'il aime la France ! »

« On m'a dit : le fils de l'émir va venir, dit l'ancienne ministre de la Défense. L'émir souhaitait qu'il soit considéré comme tout le monde, même s'il était accompagné de son tuteur. Nous avons régulièrement reçu des rapports. J'ai également discuté avec le directeur de l'école à plusieurs reprises pour vérifier que les choses se passaient normalement. Mais ce qui a été demandé, c'est qu'il soit considéré et traité comme les autres élèves de Saint-Cyr. » Et l'ex-ministre de préciser : « C'était vraiment un choix personnel de l'émir. C'était un symbole, une façon de montrer son souci d'ouverture à l'international, et son intérêt pour l'armée française et la défense française. »

Mais, le temps passant, le petit prince qatari a le mal du pays. La forêt de Brocéliande, où se trouve l'école militaire, est très excentrée. Les conditions y sont rudes, bien plus qu'à Doha. Joaan termine bientôt sa deuxième année à Saint-Cyr. Encore une année pleine à passer sur le campus de Coëtquidan ? Le Qatar lui manque ; il souhaiterait terminer sa scolarité dans l'émirat. Si ce n'est que ça : il suffit de délocaliser Saint-Cyr !

L'idée surgit lors d'un déjeuner au printemps 2006. Autour de la table, Jacques Chirac, l'émir Hamad al-Thani, sa deuxième épouse, la cheikha Moza, Philippe Douste-Blazy, ministre des Affaires étrangères, et Maurice Gourdault-Montagne, conseiller diplomatique du président, qui parlent contrats et coopération. Cela fait plusieurs mois que la vente de chars Leclerc à l'émirat est envisagée, mais rien n'est encore signé.

— Monsieur le président de la République, je vais faire comme vous, député de Corrèze... On me dit que le Qatar est intéressé à acheter une centaine de chars Leclerc. C'est important pour nous, monsieur le Président, pour l'emploi dans les Hautes-Pyrénées, intervient Douste-Blazy.

— Ça, c'est capital ! Il faut acheter au moins 150 chars Leclerc ! Je faisais justement le repas pour ça, dit Chirac en s'adressant à Hamad.

— D'accord, Jacques. Combien vous dites ? On en prendra 150 !, conclut l'émir.

Non seulement il accepte d'acheter 150 chars, mais, entre la poire et le fromage, il dit oui à la création de Saint-Cyr-Qatar. L'idée n'est pas d'ouvrir dans le Golfe une simple antenne de la prestigieuse école militaire française, mais bel et bien de faire sortir de terre une copie conforme de cet établissement où officiers et hauts dirigeants du Moyen-Orient seraient formés. Un projet qui permettrait, à terme, de renforcer la coopération militaire entre les deux armées et qui ne coûterait rien à la France.

Saint-Cyr-Qatar serait un très important symbole face à la toute-puissance américaine.

Nicolas Sarkozy, qui succède à Jacques Chirac en 2007, hérite du dossier. Hervé Morin, ministre de la Défense, pilote l'affaire en collaboration avec Bernard Kouchner, ministre des Affaires étrangères. En septembre, Morin profite de sa venue au Qatar pour signer une lettre d'intentions concernant la création de Saint-Cyr à Doha. L'école doit ouvrir ses portes en 2011 et former une cinquantaine de cadets par an. « Une première mondiale ! se félicite alors le ministre. C'est un projet fondamental qui sera unique dans le Golfe », ajoute-t-il, précisant que « Saint-Cyr-Qatar » a vocation à devenir un « pôle d'excellence régional ». Mais cette belle ambition est rapidement compromise par des querelles de pouvoir.

À Paris, les deux ministères concernés, la Défense et les Affaires étrangères, s'en disputent chacun le leadership. Le premier argue de la nature militaire de la formation ; le second met en avant la coopération étrangère qu'elle induit entre les deux pays. Un troisième ministère entre dans la danse : celui de l'Enseignement supérieur, qui revendique lui aussi le pilotage du projet. Surtout, il est décidé que, pour intégrer la future école, les aspirants devront maîtriser le français et suivre à cette fin une formation préparatoire d'un an. Le projet qui aurait fait de la France le premier pays occidental à installer une académie militaire dans le Golfe commence dès lors à s'enliser.

Du côté qatari, les choses n'ont pas meilleure tournure. La formation préalable ayant pris le pas sur l'aspect militaire, l'émir Hamad se détourne du projet et le confie à sa deuxième épouse. Il s'inscrit dans le droit fil des projets de la cheikha Moza. Ambitieuse et calculatrice, très politique, disposant d'une grande influence sur son époux – donc sur les affaires du pays –, elle entend faire du Qatar un centre régional de la culture, de la connaissance et de l'éducation. À la tête de la Qatar Foundation, organisation à but non lucratif créée au lendemain du putsch de Hamad en 1995, elle a lancé Education City, campus qui accueille, en contrepartie de généreux avantages financiers, des antennes délocalisées des plus grandes universités américaines – comme Cornell, Carnegie Mellon ou encore Georgetown University – ainsi que HEC depuis 2010.

Les Américains ont bien compris le bénéfice qu'ils pourraient tirer de l'implantation de ces écoles, comme le confirme Mehran Kamrava, directeur du Centre d'études régionales et internationales de Georgetown au Qatar : « La relation entre les États-Unis et le Qatar a quatre facettes différentes : militaire, politique, diplomatique et culturelle à travers les universités américaines implantées à Doha. » « Pour les États-Unis, l'avantage est de pouvoir former les futurs cadres et les futures élites du Qatar, rappelle le géographe Mehdi Lazar[1]. Cette politique d'influence est fondamentale et consiste, par des leviers éducatifs (mais aussi culturels, juridiques et scientifiques) à transmettre sa "vision du monde". La présence d'universités américaines destinées aux enfants d'expatriés et aux futures élites nationales permet aux États-Unis de "façonner" l'imaginaire et la manière de penser des futurs décideurs locaux à travers le système éducatif. Cela permet aussi de créer un réseau de futurs partenaires économico-politiques pour les entreprises des pays d'origine des établissements délocalisés ». La perspective est belle. À preuve : la Rand Corporation, proche du Pentagone, s'est elle-même installée à Doha !

---

1. Mehdi Lazar, *Le Qatar aujourd'hui*, *op. cit.*

La Rand, c'est le think tank où s'élaborent les grandes lignes de la stratégie américaine. Créée en 1948, elle a pour objectif de « favoriser et promouvoir des fins scientifiques, éducatives et caritatives pour le bien public et la sécurité des États-Unis d'Amérique ». L'institution a conseillé le gouvernement américain en matière de dissuasion nucléaire et de stratégie militaire avant d'élargir ses compétences au domaine civil, et constitue donc l'un des relais de choix de la politique américaine.

La Rand a ouvert une antenne à Doha en 2003. Située dans le quartier d'affaires de West Bay, elle a ses bureaux dans la Tornado Tower. Pour la distinguer d'entre les gratte-ciel, il suffit de rechercher celui qui a la forme d'une tornade. Haute de deux cents mètres, la tour est toute de verre et d'aluminium revêtue. Obaid Younossi, qui dirige le Rand-Qatar Policy Institute, synthétise son rôle : « Notre collaboration avec le Qatar repose sur deux missions. La première consiste dans l'élaboration d'analyses destinées à améliorer la politique du Qatar et à aider à la prise de décision. Notre seconde tâche est de former des analystes politiques et des décideurs pour le pays et la région[1]. » Autrement dit, l'élite du pays.

À travers les universités américaines implantées dans l'émirat, les États-Unis et la Maison-Blanche élargissent d'autant mieux leur influence. En revanche, ils ne disposent pas d'académie militaire sur place, ce que la France semble alors sur le point d'obtenir grâce à un financement qatari. Mais la cheikha Moza se désintéresse du militaire. Une fois identifié le lieu où sera implantée la future école, elle confie le dossier à un chef de projet. L'homme n'a aucune envie de s'exiler dans le grand Sud où doit être

---

1. Interview, 4 avril 2013.

édifié Saint-Cyr-Qatar, près d'Al-Khor, sur les terres de la famille Al-Misnad dont est issue Moza.

« Il semble que la partie qatarie, notamment sa hiérarchie militaire, soit aujourd'hui moins motivée qu'elle avait paru l'être, écrit Jean-Dominique Merchet en novembre 2010. Certains de nos principaux alliés, notamment Londres et Washington, ne paraissent pas mécontents de l'évolution en cours[1]. » Ils peuvent effectivement se réjouir : alors que le projet français est abandonné, un collège de défense nationale calqué sur le modèle de l'académie militaire britannique Sandhurst est annoncé à Abu Dhabi[2], deux ans plus tard. Encore un dossier sur lequel Paris a excellé par son absence de dextérité... Heureusement pour l'Élysée, cet échec ne remet pas en question l'étroit rapprochement opéré par le Diwan dès les prémices de la guerre de Bush contre Saddam.

---

1. « Saint-Cyr au Qatar : le projet a du plomb dans l'aile... », blog Secret Défense de Jean-Dominique Merchet hébergé par Marianne.fr, 27 novembre 2010.

2. « Golfe : "Sandhurst" à Abu Dhabi au lieu de Saint-Cyr-Qatar », *Middle East Strategic Perspectives*, 1er janvier 2013.

7.

Al Jazeera,
l'autre force de frappe

S'il veut instaurer sa sécurité et la garantir, le faible doit se faire plus fort que les forts. La première guerre du Golfe a été un traumatisme. Dans ses relations avec les États-Unis et le monde arabe, le Qatar est sur le fil. Nul n'en est plus soucieux qu'Hamad, qui éprouve toute la précarité de la situation. Pour assurer sa position d'équilibriste, il conçoit un formidable balancier : Al Jazeera. La chaîne qatarie, rayonnante dans toute la région et bientôt au-delà, va être son meilleur bouclier et son meilleur vecteur d'influence. Qui fait les images tient les esprits et l'opinion. Il va tirer d'Al Jazeera tout son parti pour réaliser son ambition, hisser le Qatar au rang d'acteur non seulement régional, mais international, de premier plan.

L'information le dispute désormais à la puissance militaire. En 1991, la guerre du Golfe avait été retransmise en direct par CNN l'américaine, première chaîne d'info planétaire, qui en façonnait ainsi la perception. L'émir l'a bien compris qui, à défaut de disposer d'une armée digne de ce nom[1], mise sur le « soft power », autrement dit l'influence. Grâce

---

1. L'armée qatarie compte moins de 12 000 hommes.

à la chaîne qu'il a lancée en 1996, Hamad al-Thani asseoit son pouvoir[1]. Conçue comme l'outil médiatico-diplomatique de l'émirat, Al Jazeera constitue le bras armé du Diwan.

« Hamad a vendu sa souveraineté aux Américains contre un plat de lentilles », entendait-on dans les monarchies du Golfe au lendemain du putsch fomenté par Hamad contre son père. Le nouvel émir entend se protéger contre les assauts de ses détracteurs, sécuriser son règne et s'affirmer face au rival saoudien. « Quand Hamad a renversé son père en 1995, il s'est définitivement brouillé avec l'Arabie saoudite, se remémore un industriel qui a longtemps travaillé avec les deux pays. Pour les Saoudiens qui vont continuer à soutenir Khalifa, le coup d'État a signifié la fin du régime. » Ils ont ainsi appuyé en sous-main la tentative de contre-putsch de l'ancien émir contre son fils en 1996, tandis que les heurts s'accumulaient aux frontières qataro-saoudiennes. « Quand j'ai renversé mon père, a confié l'émir Hamad à son ancien confident Anis Naccache, Riyad voulait ramasser l'émirat. J'ai envoyé HBJ aux États-Unis. Il a arrêté la progression des Saoudiens qui avaient déjà raflé 100 kilomètres carrés de mon territoire. Les États-Unis m'ont sauvé[2]... » Entre Riyad et Doha, la guerre est déclarée. Et contre son rival, le Qatar mobilise Al Jazeera, chaîne arabe tout info, lancée en novembre 1996. « Entre 1995 et 2000, l'Arabie saoudite a été le principal problème du Qatar, contextualise Mounir Chafiq, un intellectuel palestinien. L'émirat était en confrontation avec Riyad, Le Caire et Damas. Al Jazeera a d'abord été créée pour critiquer ces pays[3]. »

---

1. Lire Claire-Gabrielle Talon, *Al Jazeera, liberté d'expression et pétromonarchie, op. cit.*

2. Entretien avec Pierre Péan, le 22 avril 2013.

3. Entretien avec Pierre Péan, le 23 avril 2013.

Jean-Pierre Filiu est professeur en histoire du Moyen-Orient contemporain à Science-Po, rue Saint-Guillaume à Paris. Il a été conseiller des Affaires étrangères dans les ambassades de France en Syrie, en Tunisie et en Jordanie[1], et a appartenu à différents cabinets ministériels socialistes. Arabisant, il explique que le ton de la chaîne qatarie a été donné d'emblée : « Al Jazeera, c'est un nom qui sonne comme un défi. Cela veut dire : la péninsule arabique. À partir d'un confetti territorial, le Qatar dispute à l'Arabie saoudite le magistère sur l'ensemble de la zone avec les outils de ce temps, c'est-à-dire les médias[2]. »

La chaîne bouscule aussitôt les habitudes, comme le rappelle Mohamed el-Oifi, politologue spécialiste des médias et des opinions publiques dans le monde arabe, qui enseigne à la Sorbonne nouvelle et à Science-Po : « Jusqu'en 1996 l'alliance saoudo-libanaise dominait le paysage médiatique arabe, qui se caractérisait par un fort libéralisme économique et un grand conservatisme politique. Al Jazeera va en prendre le contre-pied et s'appuyer sur les opposants arabes privés de relais médiatiques pour se lancer[3]. » Sa cible : les régimes arabes. « Le nouvel émir portera toujours le syndrome du régicide », murmure-t-on alors dans les pétromonarchies du Golfe. Al Jazeera ne cesse de durcir le ton contre elles. Tant et si bien que Bahreïn interdit la chaîne qatarie sur son territoire, le Koweït ferme son bureau, tandis que Riyad rappelle son ambassadeur à Doha à la suite de l'organisation, sur Al Jazeera, d'un débat critiquant sévèrement l'attitude

---

1. Entre 1988 et 2006.
2. Interview, 14 février 2013, avec Pierre Péan.
3. Entretien, 6 décembre 2012.

saoudienne sur la question palestinienne[1]. En diffusant les images du blocus de l'Irak et des bombardements américains dans le cadre de l'opération « Renard du désert » en 1998, la chaîne offre un autre regard sur le monde. Elle s'impose comme le porte-parole des sans-voix et se fait un nom dans l'ensemble du monde arabophone. « Le pouvoir qatari a accordé à Al Jazeera la liberté de parler de tous les problèmes du monde arabe, et la chaîne a brisé les tabous[2] », confirme le producteur Sami Kleib. Ancien rédacteur en chef puis conseiller de la direction du groupe RFI-Monte-Carlo-Doualiya à Paris, il a travaillé pendant onze ans avec Al Jazeera et affirme n'avoir subi aucune censure. « Pour moi qui ai longtemps vécu en France et travaillé avec des médias français, c'était presque inimaginable de trouver dans le monde arabe un média aussi libre. Cela a été *un* des points forts d'Al Jazeera. » Et de préciser : « La liberté des journaux d'Al Jazeera était presque totale. Était-ce une décision politique prise par l'émir ? Bien évidemment, c'est lui qui a imprimé cette liberté de ton, qui s'inscrivait dans sa volonté de s'imposer dans le monde arabe et au-delà. » Sami Kleib s'éloignera d'Al Jazeera en 2011 et fondera la chaîne libanaise Al Mayadeen avec Ghassan Ben Jeddou qui a lui aussi travaillé avec la chaîne qatarie. « Le Qatar a brillamment joué la carte populaire dans plusieurs pays arabes pour créer ce qu'on a appelé le Printemps arabe, constate-t-il. Al Jazeera a eu un rôle propagandiste très important et donné plus d'ampleur au mouvement populaire. Mais son message était directement influencé par le pouvoir qatari qui voulait faire

---

1. En 2002. Il faudra attendre le dégel pour qu'un nouvel ambassadeur saoudien soit nommé à Doha, fin 2007.

2. Entretien, 28 septembre 2013, avec Karim Kamrani.

chuter certains régimes. Beaucoup d'informations véhi-
culées par Al Jazeera ne correspondaient pas à la réalité
du terrain. La crédibilité de la chaîne s'est érodée et le
joug politique du Qatar s'est fait de plus en plus sentir. »

Lancée aux débuts de la chaîne qatarie, l'émission *À
contre-courant* est emblématique. Elle met face à face deux
invités politiques aux opinions contraires qui débattent
d'enjeux politiques sensibles du moment. « Al Jazeera
réinvente le média panarabe », scande Mohamed el-Oifi.
Celui-ci souligne que Hamad a bien retenu la leçon de
Nasser qui lança en 1953 la radio *La Voix des Arabes* pour
conquérir le leadership panarabe dans la région.

Ouvrant ses plateaux à des Israéliens, Al Jazeera
témoigne une fois de plus de l'usage diplomatique que lui
assigne le Diwan. Cette visibilité inédite, qui s'accompagne
de l'ouverture d'une mission commerciale israélienne à
Doha en 1996[1], s'inscrit dans le deal négocié avec les
Américains – tout en marquant la singularité de l'émirat
vis-à-vis des autres pétromonarchies du Golfe. Al Jazeera
a ainsi été la première chaîne de télévision arabe à inter-
viewer Ehud Barak et Ariel Sharon[2], et à leur accorder un
temps d'antenne non négligeable. « Cette programmation

---

1. « Le Qatar a suspendu ses liens avec Israël pendant l'opération
"Plomb durci" menée à Gaza en décembre 2008, lors d'un sommet
organisé à Doha auquel participaient l'Iran, les leaders du Hamas
et du Djihad islamique. En janvier 2009, le Qatar a demandé à Roi
Rosenblit, chef de la mission israélienne à Doha, de quitter le pays. »
En 2010, le Qatar proposait à deux reprises à Israël de reprendre les
relations diplomatiques et de rouvrir le bureau de Doha, proposition
rejetée par Tel-Aviv : « Israel rejects Qatar bid to restore diplomatic
ties », *Haaretz*, 18 mai 2010.

2. Premier ministre de 1999 à 2001 pour le premier, de 2001 à
2006 pour le second.

s'accompagnait par ailleurs d'une couverture très militante de l'Intifada et des différentes opérations militaires visant les Palestiniens. Mais, pour les Israéliens, il était essentiel d'avoir ce point d'entrée médiatique dans des dizaines de millions de foyers arabes. Al Jazeera a révolutionné la vision médiatique d'Israël dans le monde arabe », souligne Jean-Pierre Filiu, qui confie : « Des officiers supérieurs israéliens m'ont dit : nous sommes le lobby Al Jazeera en Israël. Ce que font le Qatar et Al Jazeera est intéressant, c'est utile pour l'État juif et pour Tsahal. »

Mais sa notoriété mondiale, Al Jazeera la doit à l'ennemi public numéro un : Oussama Ben Laden. « Quoi que l'on pense d'Al-Qaïda, Ben Laden est le premier sujet global en terme d'information. Al Jazeera va faire Ben Laden, et Ben Laden va faire Al Jazeera, analyse l'ancien diplomate Jean-Pierre Filiu. Le tournant a lieu en 1999 avec la diffusion d'un documentaire sur Ben Laden tourné dans l'est de l'Afghanistan, *Un homme contre un empire*. Ce n'est que lorsque les Américains proclament Ben Laden ennemi public numéro un et mettent une prime de 5 millions de dollars sur sa tête[1] qu'Al Jazeera sort son film. Du jour au lendemain, Ben Laden, dont le nom faisait déjà peur, devient, grâce à la chaîne qatarie, une icône mondiale, de même qu'Al Jazeera se retrouve par ce biais au cœur de toutes les polémiques liées au terrorisme international. »

Un soutien délibéré ? « Il est clair qu'entrait à ce moment-là dans la stratégie de l'émirat, pour exister entre ses deux grands voisins, de donner du retentissement à tout ce qui était antisaoudien et anti-iranien, contextualise Alain Chouet. Je ne pense pas qu'il y ait eu adhésion absolue de l'émir Hamad

---

1. Une campagne médiatique sensibilise alors l'opinion américaine à la veille d'un raid aérien contre l'Afghanistan.

et de la famille Al-Thani au terrorisme. Mais c'était un moyen de faire comprendre au monde entier que Saoudiens et Iraniens n'étaient pas aussi forts qu'ils le prétendaient, et qu'il fallait soutenir le petit Qatar face à ces deux mastodontes qui pouvaient constituer un danger pour l'Occident. »

À l'époque, Alain Chouet dirige le service de renseignement de sécurité de la DGSE. « À la fin des années 1990, nous nous sommes aperçus qu'Al Jazeera servait de relais aux proclamations des jihadistes en rupture de ban. Ils ne passaient jamais par la chaîne saoudienne ; c'était toujours la chaîne qatarie qui diffusait leurs messages sous couvert d'information », précise-t-il. Et d'ajouter : « Nous nous intéressons à Al Jazeera et nous découvrons que cette chaîne soi-disant indépendante ne l'est pas du tout. HBJ, l'administration qatarie et même l'émir de temps en temps téléphonent pour donner des consignes. Extrêmement bien conçue et apparemment respectueuse de la déontologie et du fonctionnement des médias occidentaux – ce qu'on ne rencontre nulle part ailleurs dans le monde arabe –, Al Jazeera dissimule en fait une orientation totalement donnée par le pouvoir. »

– Qui parlait du Qatar avant la création d'Al Jazeera ? Maintenant, tout le monde en parle... Grâce à elle, le Qatar a capté l'intelligentsia et toutes les forces ascendantes du monde arabe, s'enorgueillit l'émir devant son ex-confident Anis Naccache.

– Qui t'en a donné l'idée ? interroge Naccache.

– La BBC voulait émettre en langue arabe sur les ondes hertziennes à partir du Qatar... Pourquoi la BBC ? J'ai repris l'idée et décidé de faire financer cette chaîne par le ministère des Affaires étrangères, répond l'émir.

Naccache commente : « C'est l'émir et HBJ qui définissent l'orientation de la chaîne, laquelle est le bras armé de l'émirat. C'est une BBC déguisée qui ne parle jamais du Qatar ni de ce qui s'y passe. Al Jazeera est également une très grande source de renseignements fonctionnant comme une agence. Elle a des liens avec Al-Qaïda, mais filtrés par la CIA et ne passe tout ou partie des communiqués qu'après analyse. La chaîne "donne" ainsi des gens d'Al-Qaïda. Regardez de près l'affaire Tayssir Allouni, du nom du représentant d'Al Jazeera arrêté à Madrid... »

De qui s'agit-il ? Journaliste espagnol d'origine syrienne, Allouni est le correspondant d'Al Jazeera en Afghanistan, puis en Irak. C'est lui qui a réalisé la première interview de Ben Laden au lendemain des attentats du World Trade Center. Accusé par le juge Baltazar Garzón d'avoir servi d'intermédiaire entre Al-Qaïda en Afghanistan et ses agents européens, il est arrêté en Espagne en septembre 2003. La justice espagnole le soupçonne d'avoir entretenu des relations étroites et privilégiées avec Ihmad Eddin Barakat Yarkas, alias Abou Dahdah, chef de la cellule d'Al-Qaïda dans la péninsule Ibérique, relations qu'Allouni dément formellement. La seule chose que l'on pouvait lui reprocher, insiste son avocate, c'était « d'avoir exercé son travail normalement[1] ». « À de nombreuses reprises, rappelle le journaliste vedette d'Al Jazeera Mohamed Krichène, des confrères occidentaux ont pris langue avec des organisations clandestines sans être jamais inquiétés. Pourquoi un journaliste arabe n'aurait-il pas ce droit[2] ? » Poursuivi pour avoir remis une somme d'argent à un dirigeant afghan d'Al-Qaïda, Tayssir Allouni a été condamné en 2005 à sept ans de prison pour collaboration avec l'organisation terroriste.

---

1. « Tayssir Allouni, grand journaliste ou membre éminent d'Al-Qaïda ? », AFP, 17 mai 2005.

2. « Tayssir Allouni, le journaliste qui en savait trop », jeuneafrique. com, 22 septembre 2003.

« Ce verdict est une tache sur la justice espagnole, s'insurge alors Daniel Voguet, l'avocat mandaté par la Commission arabe des droits humains. Tayssir Allouni est connu pour ses couvertures de la guerre d'Afghanistan et du conflit irakien. Dans les deux cas, il a fait son travail au risque de sa vie, ses bureaux ayant été bombardés à deux reprises[1]. »

L'expertise de Mahmud Shammam offre une clé supplémentaire pour comprendre l'arme diplomatique que constitue la chaîne qatarie. Journaliste renommé, il a dirigé à Washington le bureau du journal *Dar al-Watan* et la version arabe du magazine *Newsweek*. Citoyen américain d'origine libyenne, il est connu pour ses critiques du régime de Kadhafi. En 2006, Hamad l'a nommé au comité de direction d'Al Jazeera. Une faveur de l'émir dont il est proche. Shammam sera d'ailleurs l'un des principaux go-between entre Doha et le Conseil national de transition libyen (CNT) lors de la guerre menée contre Kadhafi en 2011, et deviendra ministre en charge des médias auprès du CNT. « Al Jazeera joue un rôle stratégique important dans les calculs de l'émir », explique-t-il aux Américains. La chaîne « fonctionne comme un bouclier permettant de détourner les critiques arabes sur la présence d'un grand nombre de troupes américaines au Qatar, et sur le fait que les États-Unis utilisent ce pays comme base de transit pour leurs opérations militaires en Irak et en Afghanistan[2] ». Les tendances islamistes d'Al Jazeera et sa programmation « antiprogressiste » lui assurent cette couverture à l'intérieur

---

1. « Étrange verdict contre un journaliste », *L'Humanité*, 27 septembre 2005.

2. Câble diplomatique confidentiel émanant de l'ambassade américaine à Doha, « AMCIT Al Jazeera Network Board Member Ciritciezs Al Jazeera », 06DOHA526, WikiLeaks.

du monde arabe. En somme, Al Jazeera donne le change auprès des ultra-conservateurs. Bien évidemment, l'émir est néanmoins profondément convaincu des bienfaits de la réforme et de la démocratie, prend soin d'ajouter Shammam... « Al Jazeera fonctionne comme un paratonnerre », confirme un ancien ministre français qui a suivi de près les questions du Qatar.

Le problème, c'est qu'il attire les foudres américaines... Dès le 11-Septembre, les États-Unis ont fait pression sur le Qatar pour qu'Al Jazeera cesse de diffuser des vidéos de Ben Laden. Les premières frappes militaires américaines contre l'Afghanistan n'avaient pas commencé depuis quelques heures qu'Al Jazeera rediffusait en effet une déclaration de Ben Laden : les États-Unis ne connaîtraient pas de répit tant que la Palestine ne serait pas en sécurité et que les bases militaires américaines dans la région ne seraient pas fermées... Néanmoins, « à partir d'octobre 2001, la diffusion de vidéos montrant des membres d'Al-Qaïda fut, au dire de nombreux journalistes, systématiquement soumise à l'accord de l'ambassade américaine à Doha qui en interdit plusieurs fois le passage à l'antenne », souligne la journaliste Claire-Gabrielle Talon, laquelle précise que « le véto américain n'empêcha pas les États-Unis de jouer un rôle ambigu avec la chaîne, quitte à user contre elle des enregistrements non diffusés en organisant des fuites opportunes dans les médias américains lorsque le moment politique nécessitait de mobiliser l'opinion, ce qui impliquait aussi de décrédibiliser Al Jazeera (présentée comme entretenant des liens avec Al-Qaïda)[1] ».

La chaîne qatarie est réellement frappée par la foudre de Washington à plusieurs reprises. Mi-novembre 2001,

---

1. In Claire-Gabrielle Talon, *Al Jazeera*, *op. cit.*

un missile s'abat sur le bureau d'Al Jazeera à Kaboul. Si la chaîne ne déplore alors aucun blessé – bien que le bâtiment soit détruit –, il en va tout autrement en avril 2003 quand des bombes américaines frappent son bureau à Bagdad. Le journaliste Tarek Ayoub y laisse la vie tandis que le caméraman Zohair al-Iraki est blessé.

16 avril 2004 : devant Tony Blair, le Premier ministre britannique en visite à la Maison-Blanche, George W. Bush entre dans une colère noire. Le président américain se lance dans une violente diatribe contre la chaîne qatarie, l'accusant en substance d'être du côté de l'ennemi. Cause de sa fureur : la couverture par Al Jazeera de l'assaut américain sur Fallujah[1] – où des armes chimiques ont été utilisées. « L'Autorité provisoire de la coalition a documenté trente-quatre histoires diffusées sur Al Jazeera, qui a mal rapporté ou déformé les événements survenus sur le champ de bataille entre le 6 et le 13 avril », affirme une analyse confidentielle réalisée par l'Army's National Ground Intelligence Center[2]. Qui précise : « Au cours de la première semaine d'avril, les insurgés ont invité un journaliste d'Al Jazeera, Ahmed Mansour, et son équipe de tournage dans Fallujah où ils ont filmé des scènes de bébés morts à l'hôpital, vraisemblablement tués par des frappes aériennes de la Coalition. Des comparaisons ont

---

1. Cet assaut fait suite à l'assassinat de quatre membres de la société américaine de sécurité privée Blackwater ; l'image de leurs corps, brûlés et mutilés, a fait le tour des télés. Pour Washington, Fallujah est désormais le symbole de la résistance à l'occupation américaine de l'Irak, qu'il faut à tout prix réprimer.

2. « Complex Environments : Battle of Fallujah I, April 2004 », révélée par WikiLeaks : voir l'analyse de Stephen Soldz pour WikiLeaks, « Fallujah, the information war and U.S. propaganda », 27 décembre 2007 : wikileaks.org/wiki/Fallujah,_the_information_war_and_U.S._propaganda

été faites avec l'Intifada palestinienne. Les enfants ont été montrés éclaboussés de sang ; les mères, présentées criant et pleurant. » Bush est furieux, comme le raconte un rapport secret révélé par le *Daily Mirror* en novembre 2005. Devant Tony Blair, il menace de bombarder le siège d'Al Jazeera à Doha. Le Premier ministre britannique l'en dissuade : cela ferait désordre...

« Al Jazeera reçut beaucoup de cassettes sans les diffuser parce que l'administration américaine n'était pas d'accord. Abu Jassem [Mohammed Jassem Ali, directeur général entre 1996 et 2003] m'a dit un jour que nous ne pouvions jamais diffuser de tels enregistrements sans en envoyer d'abord une copie complète à l'ambassade américaine à Doha », confie Jamal Ismail, ancien correspondant d'Al Jazeera à Islamabad et en Afghanistan. « Ils décidaient alors quelles parties pouvaient passer à l'écran, parce qu'ils avaient peur qu'Al-Qaïda essaie d'envoyer des messages codés dans ses vidéos[1]. » Officiellement, l'émir Hamad se fait le chantre de la liberté de l'information quand bien même cela le place en confrontation directe avec son principal partenaire. En coulisses, la chaîne qatarie fait office de précieux levier de négociation diplomatique. Son influence s'étend d'autant plus qu'elle dispose d'une incomparable tête d'affiche : Youssef al-Qaradawi.

---

1. In Claire-Gabrielle Talon, *Al Jazeera*, *op. cit.* « Le contrôle exercé par l'ambassade américaine de Doha sur les vidéos d'Al Jazeera permit vraisemblablement à l'administration Bush d'exercer une censure à la source sur les informations en provenance d'Afghanistan et de contrôler discrètement les informations accessibles à la presse américaine avant qu'Al Jazeera ne les communique à CNN à qui elle était liée par un accord d'exclusivité signé au lendemain du 11 Septembre, la chaîne qatarie étant alors la seule autorisée à filmer dans les zones contrôlées par les talibans. »

8.

Qui courtise l'émir ferme les yeux
sur sa part d'ombre
Youssef al-Qaradawi

Le Qatar est le miroir de l'aveuglement consenti de nos politiques. Dans l'angle mort se tient un homme : Youssef al-Qaradawi. De nationalité égyptienne, proche de la famille Al-Thani, il est son joker diplomatique. Tandis que le Diwan étoffe ses alliances occidentales, Al-Qaradawi pare aux critiques émanant des plus radicaux en prenant des positions intenables pour les officiels qataris. Idéologue islamiste très influent auprès de la confrérie des Frères musulmans, il prône, sous couvert de religion, la haine et la violence. Mais l'homme, qui dispose d'une tribune médiatique sur Al Jazeera, ne réserve pas ses prêches au monde arabe. Il cible également l'Europe où il préside le Conseil européen de la fatwa et de la recherche (CEFR[1]), institut qui promeut une vision pour le moins rigoriste de l'islam. Ce conseil a notamment promulgué en juillet 2003 une fatwa affirmant que les attentats-suicides constituaient des opérations martyres autorisées par le Coran. La France

---

1. Le CEFR a été mis en place par l'Union des organisations islamistes en Europe.

est dans son collimateur. Témoignant de l'importance qu'il accorde à l'Hexagone, il a fait l'honneur à l'Institut européen des sciences humaines[1], fondé à l'initiative de la très radicale Union des organisations islamiques de France (UOIF), de présider sa première cérémonie de remise de diplômes en 1992. En 2002, le prédicateur est encore à Paris à l'occasion du congrès annuel de l'UOIF. « Qaradawi, on le suit de près, me confie un ancien membre de la DGSE. Il incarne la partie émergée d'un sentiment très global partagé par une minorité d'islamistes radicaux. Il est révélateur du gouffre. Si les autorités qataries, qui le protègent, considèrent parfois qu'il va un peu loin et condamnent diplomatiquement ses propos, il n'y a jamais eu condamnation sur le fond. » Les politiques français, eux, doivent s'y faire : Al-Qaradawi ou l'emblème de la duplicité qatarie...

L'homme accorde peu d'interviews. Après moult tractations, il a accepté que nous le suivions sur le tournage de son émission qui enflamme chaque semaine des millions de fidèles à travers le monde musulman, *La Charia et la Vie*, l'un des programmes phares d'Al Jazeera. Une visite censée nous préparer à l'interview qu'il nous accorderait le lendemain. Mais, au dernier moment, et malgré l'accord exprès du prédicateur, Al Jazeera fait barrage, nous refusant l'accès à ses plateaux. Les autorités qataries, qui suivaient de près l'élaboration de notre documentaire, ont-elles estimé qu'Al-Qaradawi est trop sulfureux, trop éloigné de l'image pseudo-démocratique que l'émirat veut propager en Occident ?

------

1. Établissement privé d'enseignement supérieur « spécialisé en théologie musulmane, en langue arabe et en apprentissage du saint Coran », tel qu'il se présente sur son site Web.

Le lendemain, nous rencontrons donc l'idéologue chez lui, à Doha[1]. Une fois franchi le seuil de la bâtisse blanche, puis traversé le vestibule, nous entrons dans le bureau du maître des lieux. La pièce, vaste et baignée de lumière, est équipée de bibliothèques derrière les vitrines desquelles s'entassent livres et fascicules divers. Sur son bureau massif, des piles de livres et de papiers savamment classés s'amoncellent. Nous sommes priés de prendre place sur le canapé bas qui lui fait face. Heureusement que quelques mètres nous séparent : cela nous dispense d'avoir à trop lever le visage pour le regarder. Après avoir poliment accepté une pâtisserie et, pour ma part, maladroitement ajusté un voile sur ma tête, l'équipe étant prête, nous commençons l'interview. Et posons la première de nos questions dont il a fallu lui transmettre la liste, condition préalable à toute demande.

Al-Qaradawi commence par nous raconter ses liens avec la famille régnante, tissés dès son arrivée dans l'émirat en 1961. « Depuis le jour où je suis arrivé au Qatar, ma relation avec la famille Al-Thani repose sur l'affection, l'entente et la tolérance. Je suis proche d'elle. L'une des premières personnes que j'aie rencontrées était le cheikh Khalifa bin Hamad al-Thani, qui était encore prince héritier[2]. J'ai ensuite rencontré le cheikh Ahmad bin Ali al-Thani qui était alors l'émir en titre, et plusieurs grands personnages de la famille Al-Thani. » Plus que proche de l'émir Hamad, il peut être considéré comme son guide spirituel. Officiellement, le prédicateur est le chef du courant soutenu par l'émir et la cheikha Moza[3] : la Wasatiyya,

---

1. Avec Pierre Péan et l'équipe du film, le 8 avril 2013.
2. Khalifa prend le pouvoir en février 1972.
3. Claire-Gabrielle Talon, *Al Jazeera, liberté d'expression et pétromonarchie*, op. cit.

qui signifie « la voie du juste milieu ». « Vous avez des gens qui prohibent toutes les choses et d'autres, à l'inverse, qui donnent la liberté de faire n'importe quoi. Moi, je me situe entre les deux, entre l'extrême droite et l'extrême gauche[1] », dit-il de cette école de pensée. Pourtant, à y regarder de plus près, les prises de position d'Al-Qaradawi n'ont de progressiste que leur mode de diffusion.

Ainsi, dans son best-seller *Le Licite et l'Illicite en islam*, il préconise notamment de battre la femme indocile : « S'il est permis au musulman, en cas de nécessité, de corriger sa femme lorsqu'elle se montre fière et rebelle, il ne lui est pas permis de la frapper durement, surtout au visage et aux endroits vitaux[2]. » De tuer les homosexuels : « Cet acte vicieux est une perversion de la nature, une plongée dans le cloaque de la saleté, une dépravation de la virilité et un crime contre les droits de la féminité », d'où la nécessité d'« épurer la société islamique de ces êtres nocifs qui ne conduisent qu'à la perte de l'humanité[3] ». Ses positions ont valu à son livre d'être interdit en France en 1995[4], preuve, s'il en était besoin, que Paris était bien informé de l'idéologie qu'il prône.

« Je me considère comme responsable de l'ensemble de la communauté musulmane, nous déclare le prédicateur. Je m'adresse à tous les musulmans à travers mes livres, mes émissions, mes prêches, mes conférences, mes cours

---

1. Entretien réalisé en 2004 : *in* Xavier Ternisien, *Les Frères musulmans*, Pluriel, 2011.

2. *In* Youssef Qaradawi, *Le Licite et l'Illicite en islam*, Al-Qalam Éditions, 1992.

3. *Ibid.*

4. Le livre est aujourd'hui disponible dans les librairies islamiques et sur certains sites de vente en ligne.

à l'université. » Il ajoute : « Les savants musulmans ont comme responsabilité de réveiller la communauté musulmane, de l'éduquer et de lui donner conscience, de la réunir et de la rendre solidaire... Mon devoir était de créer une instance rassemblant tous les savants musulmans. J'ai donc fondé à Londres en 2004 l'Union internationale des savants musulmans, que je préside. »

En sus de cette fonction éminente, Al-Qaradawi est l'un des principaux leaders de la confrérie des Frères musulmans, fondée en 1928 par Hassan al-Banna en Égypte. La confrérie est la « matrice du mouvement islamiste contemporain[1] ». Elle prône un islam dans lequel la religion du Prophète régit tous les aspects de la vie. Politique inclus. Sa stratégie : islamiser la société par le bas en créant des courants de solidarité notamment à travers les œuvres caritatives, en sorte d'irriguer tous les interstices du tissu social.

Laissons à nouveau la parole à Youssef al-Qaradawi qui regrette le temps du califat : « À l'époque de l'Empire ottoman, un califat musulman régnait sur le monde et réunissait tous les musulmans. Suite à l'abolition du califat par Mustafa Kamal Atatürk[2], les musulmans ont été divisés. Hassan al-Banna a élaboré un projet islamique, visant à nous distinguer de ceux que nous appelons les Occidentaux, qui appellent à la laïcité et veulent séparer la religion de l'État. » Il précise : « Ceux qui l'ont suivi sont de vrais croyants, qui comprennent le Coran. Ils se regroupent et discutent, vont au Jihad et combattent pour cette cause, endurent des difficultés et les supportent grâce à leur foi. Ils ont été emprisonnés, torturés. Certains ont

1. *In* Gilles Kepel, *Le Prophète et le Pharaon*, La Découverte/Millénaire, 1984, p. 19.
2. En 1924.

été tués. Mais ils ont continué à transmettre leur message et leur croyance. »

Si Al-Qaradawi prend soin d'émailler son propos de considérations sur un islam pacifique, sa légitimation de la violence à des fins de prosélytisme surgit malgré tout au détour d'une parole bien contrôlée. C'est là tout le danger de l'habile rhéteur, à ce jour l'un des idéologues les plus importants de la confrérie.

À l'origine, les Frères musulmans avaient un second objectif : renverser le joug britannique[1]. « C'est un mouvement qui fonde son nationalisme sur l'authenticité islamique. Il s'agissait de soustraire l'Égypte et, au-delà, l'ensemble du monde arabe à la tutelle de l'Occident chrétien, explique Alain Chouet. Cette idée s'est développée pendant les années 1930 jusqu'en 1947, ce qui a d'ailleurs conduit les Frères musulmans à collaborer avec l'Allemagne nazie contre les Anglais. » Nous sommes bien loin d'un harmonieux mouvement d'émancipation nationale...

En Égypte, le mouvement a basculé dans la violence en 1948 avec l'assassinat, par un membre de l'organisation, du Premier ministre Mahmud Fahmi al-Nuqrashi qui avait décrété hors la loi la confrérie. En représailles, une vague de répression s'est abattue sur les Frères. Hassan al-Banna est tué lors de son arrestation en février 1949.

Le fondateur est élevé au rang de martyr. Sa disparition a ouvert la voie à Sayyid Qotb qui rejoint la confrérie et devient l'idéologue du mouvement. « Considérant que les Frères musulmans n'arriveront jamais au pouvoir par la voie légale, Qotb prône la violence politique, souligne l'homme retiré des services. Il estime que les Frères doivent dresser

---

1. L'Égypte est sous la tutelle de l'Empire britannique depuis 1882.

une muraille de haine et d'incompréhension entre l'Occident et le monde musulman. Ainsi, ils pourront prendre le pouvoir sans que l'Occident intervienne. »

En 1954, quand Nasser écarte Naguib[1] et prend le pouvoir, il n'y associe pas la confrérie. Le mouvement tente alors de l'assassiner. L'organisation est aussitôt dissoute, et ses membres sont violemment réprimés. Membre des Frères musulmans, Al-Qaradawi est emprisonné à plusieurs reprises. Déchu de sa nationalité égyptienne, il s'exile à Doha en 1961.

« Je ne suis pas venu en tant que réfugié, nous précise-t-il. J'ai été envoyé au Qatar en tant que directeur de l'Institut musulman, institut secondaire au Qatar. J'étais donc simplement en mission. » Son objectif : déployer la propagande de la confrérie depuis le petit émirat. « Malgré sa population peu nombreuse et sa petite superficie, le Qatar a une grande importance d'un point de vue politique. Il se range du côté des peuples contre les mauvais gouvernants et les tyrans injustes. Il défend la liberté, l'égalité et la solidarité sociale », débite l'idéologue. Une vision intéressante, s'agissant d'un pays ségrégationniste qui n'a de démocratique que l'intitulé du Forum qui y est organisé chaque année en mai – le Forum de Doha sur la démocratie...

« Le Qatar a compris toute l'importance de s'allier intimement avec les Frères musulmans, mouvement populaire au sein du monde arabe, sur lequel s'appuyer pour élargir son influence, d'autant plus que l'émirat est également proche du Hezbollah, du Hamas et du FIS algérien »,

---

1. Chef de file du putsch des « officiers libres » (1952) et premier président de la République d'Égypte, le général Naguib est contraint à la démission par Nasser, son vice-Premier ministre.

analyse Sami Kleib, ancien producteur sur Al Jazeera. Et d'ajouter : « La cerise sur le gâteau, comme on dit, c'est Youssef al-Qaradawi, le chef suprême des Frères musulmans, qui est au Qatar comme chez lui. » À travers lui, c'est toute la stratégie d'influence développée par l'Arabie saoudite que le Qatar veut s'arroger. Une stratégie dont les cibles sont le cœur et l'âme des musulmans.

La technique a été développée par l'Arabie saoudite à partir des années 1960. Les Saoud cherchaient à contrôler l'islam mondial, mais ne disposaient pas des moyens humains nécessaires ; très structurée, la confrérie des Frères musulmans disposait, elle, de ramifications dans de nombreux pays, mais était en délicatesse avec les pouvoirs en place. L'alliance était donc toute trouvée : « Les Frères profitent non seulement de la rente pétrolière saoudienne, mais aussi de l'accès que l'Arabie leur donne à toutes les institutions de formation islamique. Grâce à elle, la confrérie peut répandre son message dans le monde entier, puisqu'elle forme imams et prédicateurs. C'est ce qu'on appelle l'islamisme contemporain, qui est un *joint venture* entre les Saoudiens et les Frères musulmans », synthétise Jean-Pierre Filiu.

La révolution islamique survenue en Iran en 1979 donne une nouvelle tournure aux prétentions saoudiennes. « La famille Saoud, sunnite, considère les chiites comme des hérétiques, tandis que l'Iran chiite conteste la légitimité de la famille Saoud de garder les Lieux saints. Depuis 1979, il y a donc une lutte de légitimité entre l'Iran et l'Arabie saoudite, tous deux visant le contrôle de l'islam mondial, notamment dans les zones où l'islam est mal fixé comme en Afrique ou en Europe », contextualise Alain Chouet. Mais, dans cette course effrénée au leadership religieux, l'étoile des Frères commence à pâlir aux yeux des Saoudiens qui comprennent que le but réel de la confrérie n'est pas de s'occuper des pauvres, mais des riches, et, *in fine*, de leur ravir le pouvoir.

Riyad se méfie des Frères sans pour autant cesser de les financer. Et Doha saute sur l'occasion. « La lune de miel entre les Frères musulmans et l'Arabie saoudite s'est terminée au début des années 1990 en raison du débarquement d'un demi-million de militaires américains sur le sol saoudien après l'invasion du Koweït par Saddam Hussein en 1990, rappelle Jean-Pierre Filiu. Les principales autorités de l'islam et l'essentiel de la population saoudienne et arabe en général étaient opposés à la présence d'« impurs » en Terre sainte. Les Frères musulmans se sont alors repliés sur le Qatar où l'un d'eux, Al-Qaradawi, avait déjà établi de très importants réseaux, notamment médiatiques. » Si la période faste avec les Saoudiens est révolue, les liens ne sont pas rompus pour autant. « La confrérie des Frères musulmans disposait de moyens considérables grâce à un certain nombre d'organisations caritatives saoudiennes financées par l'Arabie dans le but de contrôler l'islam mondial, telles que la Ligue islamique mondiale, la Ligue mondiale de la jeunesse islamique, Islamic Relief, le Secours islamique international, etc. », souligne Alain Chouet. Ces organisations constituaient autant de relais d'influence indispensables pour l'Arabie saoudite qui, dans sa bataille de légitimité face à l'Iran chiite, avait besoin des Frères musulmans, et n'était donc pas près de couper le robinet – ce qui ne l'empêchait pas de diversifier la destination de ses subsides. Ce qui est sûr, c'est que le leader spirituel de la confrérie n'est pas établi à La Mecque, mais à Doha où il jouit d'une force de frappe décisive.

Les réseaux d'Al-Qaradawi ne sont pas que religieux. Ils sont aussi financiers. Le prédicateur a contribué à conférer une licéité islamique au prêt à intérêt, normalement

interdit par la loi coranique. « Al-Qaradawi a servi de caution religieuse (aux princes musulmans souhaitant faire
prospérer leur argent sans pour autant passer pour des
mécréants) en édictant des avis ou en siégeant au conseil
de censure légale de plusieurs banques islamiques, lesquelles ont contourné la difficulté posée par le Coran en
remplaçant le prêt à intérêt par le rachat surévalué, précise
la politologue Fiammetta Venner. [...] Grâce à cette caution religieuse inespérée, de grandes banques islamiques
ont raflé le marché au détriment de firmes bancaires plus
modestes ne pouvant se targuer d'une telle aura coranique.
Beaucoup d'intellectuels portent un regard très critique sur
le rôle ainsi joué par Qaradawi. Le Dr Shaker al-Nabulsi,
grand intellectuel jordanien résidant aux États-Unis, le
décrit comme le "conseiller religieux et financier de plus
d'une vingtaine de compagnies financières qui opèrent
selon les principes financiers islamiques, connues pour
avoir détruit les entreprises de beaucoup de petits investisseurs en Égypte". Il rappelle que la fortune du prédicateur s'élève aujourd'hui à plusieurs dizaines de millions
de dollars[1]. »

Parmi ces institutions financières, Al-Taqwa est le « principal outil financier des Frères, tout particulièrement de
l'organisation internationale de la Confrérie[2] ». Décrivant
la nébuleuse autour de la banque, le journaliste Richard
Labévière a découvert qu'elle a servi de relais financier au
mouvement Ennahda en Tunisie, au FIS algérien ou encore

---

1. *In* Fiammetta Venner, *OPA sur l'islam de France*, Calmann-
Lévy, 2005.

2. Sur Al-Taqwa et plus largement sur le financement du terrorisme islamique pré-11-Septembre, lire Richard Labévière, *Les Dollars
de la terreur*, Grasset, 1999.

à l'ancien responsable de l'UOIF, Fayçal Mawlaoui ! Parmi les propriétaires de la banque, son fondateur : Youssef Nada. « Les services égyptiens ont conservé des traces de son appartenance à la branche armée de la confrérie dans les années 1940[1]. »

S'agissant d'Al-Taqwa, l'établissement, « depuis le début de ses activités, a placé l'ensemble de ses transactions sous le contrôle du cheikh Youssef al-Qaradawi[2] », confirme son fondateur. Au lendemain des attentats du 11-Septembre, la banque a été accusée par les Américains de financer Al-Qaïda, et son dirigeant placé sur liste noire[3]. Le 31 décembre 2001, Al-Taqwa Management, devenue entre-temps Nada Management Organization, a été liquidée[4]. Pour mieux renaître sous d'autres cieux ?

---

1. *In* Richard Labévière, *Les Dollars de la terreur*, *op. cit.*, et entretien du 9 janvier 2014.

2. *Ibid.*

3. « Pour lutter contre le terrorisme, l'ONU a établi une "liste noire" aux confins du droit », *Le Monde*, 18 août 2007. Le 10 mars 2010, Nada est retiré de la liste noire : « U.N. Drops Muslim Brotherhood Figure From "Terrorist Finance" List », *Newsweek*, 17 mars 2010.

4. « Le 12 février (2004), pour la première fois, un haut responsable américain a porté une accusation précise contre Al-Taqwa. Intervenant devant une commission du Congrès, Juan Zarate, du département du Trésor, a assuré que 60 millions de dollars destinés au Mouvement de la Résistance islamique (Hamas) avaient transité sur les comptes de la banque aux Bahamas. D'autre part, selon Juan Zarate, Al-Taqwa aurait soutenu financièrement Al-Qaïda et Oussama Ben Laden jusqu'en septembre 2001, époque des attentats-suicides contre New York et Washington. Problème : les autorités américaines n'ont pas étayé leurs accusations. » *In* « Al-Taqwa, la banque islamique qui refuse de livrer ses secrets », *Le Monde*, 4 mai 2004.

« L'Arabie saoudite abrite La Mecque et Médine. Nous, nous avons Al-Qaradawi ! » déclarait fièrement l'avocat et ancien ministre de la Justice qatari Najeeb al-Nuaimi au *Wall Street Journal* en 2002. « Nous avons Al-Qaradawi – et ses filles conduisent des voitures et travaillent[1] », ajoutait-il, goguenard, moquant au passage le conservatisme de son éminent voisin qui interdit sévèrement la mixité : en Arabie saoudite, les femmes, dissimulées sous leur voile, ne peuvent pratiquement rien faire sans l'autorisation d'un homme[2].

Les deux pays ont le wahhabisme comme religion d'État ; ce sont les seuls. Le wahhabisme découle de l'école la plus rigoriste de l'islam, le hanbalisme, qui se réfère au salafisme. « Les Qataris pratiquent un wahhabisme soft », précise l'historien Allen Fromherz[3]. Il souligne que, descendants d'une population de pêcheurs de perles, les Qataris ont toujours vécu de leurs contacts avec le monde extérieur et témoignent d'une plus grande tolérance envers celui-ci que leur voisin saoudien. « Wahhabisme soft » : l'expression fait sourire un vieil habitué du Golfe qui glisse : « Dans les années 1970, les femmes portaient encore des masques de cuir pour couvrir leur visage ! »

---

1. « In Quiet Revolt, Qatar Snubs Saudis With Women's Rights », *The Wall Street Journal*, 24 octobre 2002.

2. Amnesty International rappelle encore en octobre 2013 que les « femmes doivent obtenir l'autorisation d'un homme avant de pouvoir se marier, entreprendre un voyage, subir certaines interventions chirurgicales, prendre un emploi rémunéré ou suivre un enseignement supérieur ; les femmes ne sont toujours pas autorisées à conduire » : « Arabie saoudite : Promesses creuses alors que la répression s'accroît », communiqué de presse, Amnesty International, 21 octobre 2013.

3. Interview, 6 mai 2013.

– Je suis le premier wahhabite ! s'est vanté l'émir Hamad devant son ancien confident Anis Naccache. J'ai réussi à faire venir ici les principales têtes du monde arabo-musulman : Al-Qaradawi, les gens du Hamas, du Hezbollah... Je suis le pont obligatoire entre tout et tous[1] ! Al-Qaradawi est le héraut de l'émirat auprès des populations. Le Qatar, qui ne peut revendiquer aucun lopin de terre sacrée sur son sol, rivalise néanmoins avec son grand voisin saoudien qui abrite deux des principaux lieux saints de l'islam. Dans cette course au leadership mondial, le rôle de la France, forte de la population musulmane la plus importante en Europe, est stratégique.

« Jusqu'au début des années 1990, le financement de l'islam de France était en partie assuré par l'Arabie saoudite[2] », résume Bernard Godard. Ancien membre des Renseignements généraux chargé des relations avec le monde arabe et musulman, il a rejoint Jean-Pierre Chevènement au ministère de l'Intérieur en tant que conseiller sur l'islam, avant d'officier au Bureau central des cultes, toujours en charge des relations avec les musulmans. C'est dire s'il connaît le sujet. « La Ligue islamique mondiale avait ouvert un bureau à Paris et participait, depuis 1982-1983, à la construction de mosquées. Cela s'est ralenti après la première guerre du Golfe, quand Riyad a réalisé que les musulmans de France ne soutenaient pas l'attaque américaine contre Saddam Hussein. Le dernier grand projet fut la mosquée de Lyon, inaugurée en septembre 1994 et financée par le roi Fahd. Ensuite des fonds privés ont pris le relais. » Parmi eux, ceux de l'UOIF[3] Union des

---

1. Confidence recueillie par Pierre Péan, 22 avril 2013.
2. Entretien, 24 février 2014.
3. Lire Fiammetta Venner, *OPA sur l'Islam de France*, *op. cit.*

organisations islamiques de France, créée en 1983. « Ses financements proviennent en grande partie du Golfe, qui paie les imams, les mosquées, les centres culturels », ajoute Alain Chouet. L'UOIF ? Le faux nez français des Frères musulmans, « une fusée à deux étages : le premier étage de lancement est démocratique, le second sera de mettre la société islamique sur orbite », exposait déjà l'un de ses animateurs, Ahmed Djaballah, en 1991[1].

En quelques années, l'organisation étend ses réseaux et surtout parvient à se tailler une place de choix au sein du tout nouveau Conseil français du culte musulman (CFCM). L'objectif initial de cette instance créée en 2003 : institutionnaliser l'islam français[2] : « Le processus a été initié par Jean-Pierre Chevènement en octobre 1999. En France, l'État a l'habitude de traiter avec des appareils religieux. Et les musulmans de France demandaient qu'une telle instance voie le jour », insiste Bernard Godard. Les recensements effectués sur une base ethnique et religieuse étant interdits dans l'Hexagone – conséquence du caractère laïc de notre République –, les représentants des Français musulmans ne peuvent être démocratiquement élus par un corps électoral déterminé. « Les représentants du CFCM sont donc désignés en fonction du nombre de mètres carrés des lieux de culte contrôlés par leurs organisations », synthétise Alain Chouet

---

1. Cité par Mohamed Sifaoui, *La France malade de l'islamisme*, Paris, Le Cherche Midi, 2002.

2. « La future instance ne sera là que pour régler les questions matérielles qui se posent à l'exercice du culte musulman, lequel n'a toujours pas d'instance médiatrice avec les pouvoirs publics, par exemple », précise Hervé Terrel. « Le nouveau paysage de l'Islam de France à la suite des élections au CFCM d'avril 2003 », in *Les Cahiers de l'Orient*, avril 2003.

qui ose la comparaison : « C'est comme si nous désignions nos députés en fonction du parc immobilier détenu par leur parti ! À ce jeu-là, ce sont les plus riches qui gagnent, c'est-à-dire ceux qui reçoivent des subsides non pas de Tunisie, d'Algérie ou du Maroc, mais du Golfe. Donc l'UOIF, c'est-à-dire les Frères musulmans. » « Nous nous sommes battus contre un tel mode de scrutin, mais la quasi-totalité des délégués des mosquées soutenaient cette option », confie Bernard Godard qui a contribué à mettre en place le CFCM. Au final, l'UOIF arrive deuxième aux élections d'avril 2003, derrière la Fédération nationale des Marocains de France.

Le CFCM avait initialement pour noble intention de doter les musulmans de France d'une instance représentative, d'émanciper l'islam français de ses influences et financements étrangers. C'est du moins ce qu'affirmait, lors de sa création en 2003, le ministre de l'Intérieur en charge des cultes, Nicolas Sarkozy. Ce dernier connaît bien l'UOIF qui y siège donc : il lui a fait l'honneur d'intervenir lors de son congrès annuel, en avril 2003, devant une assemblée où hommes et femmes étaient bien séparés. Le flirt entre Sarkozy et la vitrine française des Frères rehausse la place de l'UOIF au sein du CFCM. Et qui trouvons-nous parmi les guides spirituels de l'UOIF ? Le télévangéliste star d'Al Jazeera. « Qaradawi est le guide spirituel tout à la fois de l'UOIF et de Tariq Ramadan. Il se considère en Europe comme en terre de mission », estime Fiammetta Venner[1].

Les deux hommes se connaissent bien. En juillet 2004, Tariq Ramadan et Youssef al-Qaradawi sont ensemble à Londres pour lancer, en compagnie de nombreux leaders des Frères musulmans, une grande campagne de soutien au port du voile islamique. Et quand Tariq Ramadan,

---

1. « La face cachée de l'UOIF », *L'Express*, 2 mai 2005

directeur du Centre de recherche pour la législation islamique et l'éthique (Cile), basé au Qatar, inaugure le centre,
le 15 janvier 2012, Youssef al-Qaradawi se tient à son côté.
Ce centre, abrité et financé par la cheikha Moza à travers la
Qatar Foundation, a pour objectif de consolider l'influence
religieuse du Qatar de par le monde. C'est ainsi qu'il
dispose de bureaux à Oxford et à Paris. Tariq Ramadan
peut encore compter sur le Qatar pour financer sa chaire à
l'université britannique d'Oxford[1]. « À l'origine, Ramadan
tenait des discours très durs à l'encontre des gens du
Golfe, se souvient Bernard Godard. Ce qui, à la suite de
la création du Cile, a totalement changé... » En Europe
occidentale, Tariq Ramadan[2] est l'un des plus médiatiques

---

1. « Le Qatar et son drôle de prédicateur », blog de Caroline Fourest
hébergé par *Le Monde*, 30 mars 2012. Cette chaire est désormais échue,
d'après Nicolas Beau et Jacques-Marie Bourget, *Le Vilain Petit Qatar*,
Fayard, 2013, p. 201. « La chaire d'Oxford est une chaire permanente
que le Qatar a certes financée mais dont la gestion est sous l'autorité
exclusive d'Oxford, a répondu Tariq Ramadan à *Libération*. L'appel à
candidature, la sélection puis le choix du professeur ont suivi les règles
établies de façon stricte par l'université. » Sa rémunération ? « Non, je
n'en reçois aucune. Mon enseignement au Qatar fait partie de mon
contrat avec l'université, et mon salaire est celui d'un professeur enseignant à Oxford à temps plein, établi et versé par Oxford selon le barème
officiel de l'institution. » *In* « Ramadan : Je ne reçois aucune rémunération », *Libération*, 27 avril 2013.
2. Lire Caroline Fourest, *Frère Tariq*, Grasset, 2004. Auprès des
Frères, Tariq Ramadan n'est pas n'importe qui. C'est le petit-
fils de Hassan al-Banna. Son père, Saïd Ramadan, était chargé
« jusqu'à sa mort de diffuser l'islam des Frères musulmans au cœur
de l'Europe », écrit Caroline Fourest qui précise que « Tariq Ramadan déteste qu'on lui jette cet héritage à la figure, un rappel qu'il
fait passer pour de la persécution. Pourtant, il met lui-même en
avant cette filiation ».

porte-parole de la confrérie. Son double discours n'est pas inconnu de nos politiques. Nicolas Sarkozy a accepté de l'affronter en *prime time* sur France 2 en novembre 2003[1].

Mais revenons à Al-Qaradawi. Grâce à ses prêches médiatisés par Al Jazeera, le télévangéliste a propulsé l'émirat dans tous les foyers musulmans arabophones. Bien que son territoire soit à peine plus grand que l'Île-de-France, que le nombre de ses nationaux avoisine 300 000, le Qatar est ainsi parvenu à sortir de l'ombre de l'Arabie saoudite, immense royaume de 28 millions âmes. La notoriété d'Al-Qaradawi et ses retombées pour l'émirat marquent une nette victoire dans la rivalité, pour ne pas dire la haine, que se vouent les deux pays. Les Saoud, qui n'ont pas accepté le putsch de Hamad, ont ainsi demandé aux Égyptiens de déloger *manu militari* le nouvel occupant du Diwan. « Un jour, des Israéliens sont venus ici et m'ont fait écouter un enregistrement fait dans un hôtel de Genève, confie l'émir Hamad à Anis Naccache. On entendait les patrons des services secrets égyptiens et saoudiens comploter contre moi. Depuis, je suis protégé par le lobby américano-israélien. Un jour, l'Arabie saoudite ne sera plus qu'un petit émirat[2]... »

Israël ou l'alliance diplomatique la plus sensible de l'émirat... Là encore, Al-Qaradawi joue un rôle de caution auprès des plus radicaux en guerre contre Israël. « Le problème le plus important pour nous dans la région, c'est le conflit israélo-palestinien et la façon de trouver un moyen d'instaurer un État palestinien[3]. » C'est, mot pour mot, ce

---

1. *100 minutes pour convaincre*, France 2, 20 novembre 2003.
2. Confidence d'Anis Naccache recueillie par Pierre Péan.
3. « Qatar : Background and U.S. Relations », rapport de Christopher Blanchard pour le Service de recherches du Congrès américain, 6 juin 2012.

qu'aura déclaré l'émir Hamad au président Obama lors de son voyage officiel à Washington en avril 2011. L'émir est même allé plus loin en donnant son appui au président américain pour « soutenir l'existence de deux États vivant pacifiquement côte à côte ». Une position unique qui équivaut à une reconnaissance implicite d'Israël !

Questionné sur la diplomatie menée par l'émir Hamad et son cousin HBJ vis-à-vis d'Israël, Al-Qaradawi nous répond : soutien nécessaire au Hamas, « groupe qui a été créé pour résister et défendre sa patrie et les siens contre l'injustice des juifs ». Est-il nécessaire de rappeler que le Hamas a commis des attentats-suicides en Israël, qu'il effectue régulièrement des tirs de roquettes sur les villes israéliennes et qu'il est considéré par les Occidentaux comme une organisation terroriste[1] ? Al-Qaradawi ne nous a en revanche pas répondu sur Israël. Nous le relançons donc. Sa réponse est explicite : « Quelle relation avec Israël ? Non, je ne soutiens pas cela. Passons cette question. »

Al-Qaradawi est un atout de premier ordre pour le régime qatari. D'un côté, Doha, très proche des États-Unis, s'illustre par ses relations suivies avec l'État hébreu tout en soutenant le Hamas – Doha, qui accueille le leader politique de l'organisation Khaled Mechaal depuis février 2012, a offert, lors de la venue historique à Gaza de l'émir Hamad en octobre 2012, 400 millions de dollars pour aider à la reconstruction de la ville, en partie détruite par Israël pendant l'opération « Plomb durci » de l'hiver 2008-2009. De l'autre, Al-Qaradawi contient les plus excités en adoptant les positions violentes et radicales prônant le Jihad contre Israël. Le 17 juin 2004, il déclare

---

1. Le Hamas remporte les élections législatives en 2006, il prend le pouvoir à Gaza l'année suivante.

sur Al Jazeera qu'«il n'y a pas de dialogue entre nous et les juifs, hormis par le sabre et le fusil». Il va encore plus loin, le 28 janvier 2009, en affirmant, toujours sur Al Jazeera, que «tout au long de l'histoire Dieu a imposé aux juifs des hommes capables de les châtier pour leur corruption. Le dernier de ces châtiments a été administré par Hitler. Les méthodes qu'il a utilisées contre les juifs étaient peut-être exagérées, mais il s'est débrouillé pour les remettre à leur place. Et c'est un châtiment divin qui s'est abattu sur eux. Si Dieu le veut, la prochaine fois ce sera de la main des musulmans».

Tenir de tels propos ne l'empêche pas de se présenter devant nous comme un ardent défenseur du dialogue interreligieux : «Le saint Coran considère que le dialogue est un élément essentiel quand on veut appeler vers Allah et vers l'islam.» Il précise : «On ne peut pas convaincre les non-croyants sans les écouter et leur parler. "Discute et argumente", telles sont les paroles du Prophète. Dieu a dialogué avec ses créatures. Il a dialogué avec les anges. Il a même discuté avec le diable, lui demandant : pourquoi refuses-tu de te plier à mes ordres ? Le diable lui a alors répondu : je suis meilleur qu'Adam, j'ai été créé de feu alors que lui, il n'est fait que de terre.» Mais si Dieu est allé jusqu'à dialoguer avec le diable, Al-Qaradawi refuse quant à lui de se commettre en parlant avec des juifs. «En 2003 et en 2004[1], j'ai participé à la conférence interreligieuse organisée par le Qatar. Quand j'ai appris que, l'année suivante, les juifs seraient invités, j'ai annoncé que si c'était le cas je refuserais de participer. Je ne discuterai pas avec les juifs. Parce que le Coran dit : ne discutez qu'avec ceux

---

1. Hospitalisé en 2004, il enregistre alors une interview vidéo qui a été diffusée pour l'inauguration de la conférence, nous dit-il.

qui ne vous ont pas fait de tort. » Qaradawi ou l'art subtil du double langage...

Si sa voix porte, elle n'est cependant pas représentative de l'islam, qui ne saurait être réduit aux idéaux prônés par lui et la confrérie. L'« islam, religion respectable et brillante s'il en est », ne doit pas être confondu avec l'« islamisme, qui est l'instrumentalisation de l'islam dans une démarche politique, voire politicienne, critiquable et condamnable », souligne l'intellectuel algérien Boualem Sansal[1].

Sous couvert de religion, Al-Qaradawi soutient le jihad et prêche la haine et la violence. Ses prises de position, revendiquées, ne font mystère pour aucune chancellerie. « Je soutiens les opérations martyrs[2] », déclare-t-il sans ambages à Chase Untermeyer, l'ambassadeur de Washington à Doha lors de leur rencontre en mai 2005. « Al-Qaradawi a maintenu une attitude de supériorité intellectuelle et de distanciation au cours de la réunion. Il a réaffirmé ses positions bien connues sur les attentats-suicides contre Israël et les relations avec les juifs. Puis il a exprimé sa frustration, par suite de la révocation de son visa américain, et dit qu'il n'avait aucun lien avec le terrorisme. » Le câble diplomatique chute ainsi : « La rencontre fut organisée pour en savoir plus long sur un homme dont les positions sont notoires mais que peu d'Américains ont rencontré. »

La dangerosité d'Al-Qaradawi est consubstantielle au Qatar. Et pourtant... « Quand nous alertions les responsables politiques sur Qaradawi et plus largement sur les

---

1. Boualem Sansal, *Gouverner au nom d'Allah*, Gallimard, 2013.

2. Câble diplomatique confidentiel rédigé par l'ambassade américaine de Doha, « Conversation with islamic scholar Yousef al-Qaradawi », 05DOHA1056, daté du 13 juin 2005, WikiLeaks.

Frères musulmans, quand nous insistions sur leur double langage, tous nous traitaient de fascistes, déplore Alain Chouet. La confrérie est parvenue à accréditer l'idée qu'elle était comparable aux démocrates-chrétiens libéraux. Leur discours a très bien pris... Nous prévenions les officiels, mais ils nous répondaient : nous avons besoin de l'argent du Qatar. » Il faut que les circonstances soient tragiques pour que la venue de l'idéologue soit considérée comme indésirable. En mars 2012, Al-Qaradawi est annoncé comme intervenant vedette du congrès annuel de l'UOIF au Bourget. Sa visite en France est plus qu'inopportune. La nation porte alors le deuil des citoyens assassinés par Mohamed Merah : sept crimes qui ont profondément traumatisé la République[1]. Des crimes filmés par son auteur et dont les images sont parvenues à... Al Jazeera qui ne les a pas diffusées – Nicolas Sarkozy, le CSA et les familles des victimes avaient appelé les médias à ne pas les transmettre à l'antenne et à ne pas non plus les relayer. Les « discours [d'Al-Qaradawi] ne sont pas compatibles avec l'idéal républicain », déclare le président sur les antennes de France Info, le 26 mars 2012. Il ajoute qu'il a pris soin d'indiquer à « l'émir du Qatar lui-même que ce monsieur n'était pas le bienvenu sur le territoire de la République française[2] ».

---

1. Le 11 mars, Mohamed Merah assassine Imad Ibn Ziaten, sergent parachutiste, à Toulouse. Le 15 mars, il tue Abel Chennouf et Mohamed Legouad, deux autres paras, à Montauban, tandis qu'un troisième en réchappe, grièvement blessé. Quatre jours plus tard, le 19 mars, Merah pénètre dans l'école juive d'Ozar Hatorah, à Toulouse, et abat froidement Jonathan Sandler, ses deux enfants et une fillette. Merah est finalement identifié et tué par les policiers le 22 mars 2012 à l'issue du siège de son appartement qui a duré trente-deux heures.

2. *In* « Sarkozy contre la venue de Youssef al-Qaradawi », *Le Figaro*, 26 mars 2012.

Trois jours plus tard, un communiqué commun publié par Alain Juppé, ministre des Affaires étrangères, et Claude Guéant, ministre de l'Intérieur, précise l'identité des personnalités étrangères invitées au congrès de l'UOIF qui se voient interdites d'entrée sur le territoire français par le gouvernement. Al-Qaradawi ne figure pas sur la liste. Le prédicateur aurait « renoncé à venir ».

9.

Campagne présidentielle 2007 :
la scandaleuse vente d'un bien
de l'État

Le 26 avril 2007, soit quatre jours après le premier tour de l'élection présidentielle de 2007, l'État français signe la vente d'un de ses fleurons immobiliers : le Centre Kléber. Il n'aura pas fallu deux mois pour mener à bien les négociations malgré les lourdes formalités qu'implique la vente d'un bien public, *a fortiori* abritant des services ministériels. Pourquoi une telle urgence ? « Les services du ministère des Affaires étrangères et européennes et du ministère du Budget ont à cet égard strictement mis en œuvre les instructions reçues de la part de leurs ministres respectifs et du cabinet du Premier ministre, soucieux de faire aboutir avant le printemps 2007 cette opération immobilière ambitieuse menée dans le cadre de la nouvelle politique immobilière de l'État[1] », précisera le Quai d'Orsay dont certains personnels étaient installés dans le centre.

Essayons d'aller plus loin que cette réponse en langue de bois, en évoquant notamment le rôle des principaux acteurs

---

1. Rapport annuel de la Cour des comptes, 2008.

et le contexte dans lequel ils vont évoluer. Philippe Douste-Blazy dirige alors le Quai d'Orsay. Médecin, il profite de ses rencontres avec l'émir pour lui prodiguer quelques conseils[1]. Entre le lancement de l'appel d'offres pour la vente du centre, le 9 février 2007, et la signature avec le Qatar, il a rencontré HBJ. Certes, les deux ministres des Affaires étrangères avaient de bonnes raisons de se voir pour parler relations bilatérales, situation en Irak et au Proche-Orient, processus de paix israélo-palestinien. Est-ce du mauvais esprit que d'imaginer que les deux hommes, intéressés par la vente du Centre Kléber, auraient pu évoquer la cession en cours ?

Premier ministre[2], Dominique de Villepin, très proche ami de l'émir et de la cheikha Moza, accueille dans sa famille les enfants Al-Thani. Ainsi, écrit *Le Monde*, quand ils font leurs études en France, « Mayassa et Joaan, deux des enfants du couple royal, [ont] porte ouverte chez les Villepin[3] ». À l'époque, Joaan termine sa scolarité à Saint-Cyr. Des deux enfants accueillis, c'est avec Mayassa que les liens sont les plus étroits. À preuve, la princesse saluera l'ancien Premier ministre comme son « deuxième père », quand elle inaugurera en novembre 2008 le musée des Arts islamiques de Doha, qu'elle préside. Villepin sera dans l'assemblée. « On était en pleine affaire Clearstream, se rappelle l'un des invités de cette cérémonie peuplée de VIP. Les mots de Sarkozy, parlant de pendre son rival "à un croc de boucher", étaient encore dans toutes les têtes. La formule de Mayassa ressemblait à un message à l'adresse du nouveau président : "Pas touche à

---

1. Tout cela « à titre bénévole », comme il le précise lui-même à Nicolas Beau et Jacques-Marie Bourget, in *Le Vilain Petit Qatar, op. cit.*

2. Depuis le 31 mai 2005.

3. « Notre ami l'émir », *Le Monde*, art. cité.

Villepin[1] !" » Et, pour marquer l'importance et l'estime accordées à l'ancien Premier ministre par la famille Al-Thani, celui-ci se verra décerner un siège au conseil d'administration de l'autorité des musées du Qatar, la Qatar Museum Authority.

Ministre délégué au Budget et à la Réforme de l'État depuis le 29 novembre 2004, c'est Jean-François Copé qui pilote la cession d'une partie du patrimoine de l'État – dont la vente de Kléber. Le 22 février 2006, il a présenté en conseil des ministres un plan détaillé de mesures en matière de politique immobilière de l'État. Son action est d'ailleurs saluée dans le rapport de Georges Tron, membre de la commission des Finances de l'Assemblée nationale sur le « suivi de la Mission d'évaluation et de contrôle sur la gestion et la cession du patrimoine immobilier de l'État », remis le 7 mars 2006. Ce rapport souligne que la « politique immobilière est un chantier emblématique de l'action que le gouvernement conduit en vue de la réforme de l'État. L'impulsion donnée par Jean-François Copé est indéniable et le chemin parcouru, important » – et d'ajouter : « Il restera cependant à s'assurer, au cours des mois à venir, de l'efficacité du dispositif mis en place. »

Qu'en est-il alors de la vente du Centre Kléber ? D'après *Le Point*[2], l'un des proches de Copé serait impliqué dans la transaction. Il s'agit de Guy Alvès, ancien bras droit de Copé au Budget et trésorier de son micro-parti, Génération France. Quelques mois avant la vente du centre, Alvès a été recruté par Emmanuel Limido, alors directeur général et futur président de Centuria, « fonds d'investissement de

---

1. *Ibid.*

2. « L'affaire Copé », *Le Point*, 27 février 2014. Le lendemain de la parution, Copé dément au micro d'Europe 1 toute implication et porte plainte en diffamation contre l'hebdomadaire le 4 mars.

plus de 4 milliards d'euros largement abondé par le Qatar ».
Sa mission : s'occuper des investissements de l'émirat.
« Centuria a joué l'intermédiaire dans la vente au Qatar de
deux joyaux appartenant à l'État : une somptueuse propriété
de 3 000 mètres carrés au cœur de Paris, l'hôtel Kinski,
acheté en 2006 par HBJ, et, en 2007, le Centre Kléber. »
Arrêtons-nous un instant sur la première acquisition. La
décision de céder l'hôtel Kinski, situé dans le 7e arrondissement parisien, a été prise « après une implication personnelle forte du ministre du Budget », précisait Gilles Carrez,
député et rapporteur général de la commission des Finances
de l'Assemblée, dans un rapport daté du 12 octobre 2006.
Le bien a, semble-t-il, été cédé pour 38 millions d'euros,
soit « la moitié de sa valeur » fustige Charles-Marie Jottras,
président du groupe Daniel Féau et conseil en immobilier
haut de gamme, lors d'une conférence de presse organisée
à Paris le 20 mars 2007. Cette vente, comme toute cession
immobilière réalisée par le gouvernement, a été faite « au
plus offrant sous la responsabilité de France Domaine »,
répond le lendemain Jean-François Copé, qui insiste sur sa
volonté de « transparence absolument totale » en la matière.

Mais revenons à la vente du Centre Kléber, signée le
26 avril 2007. À la clé, une juteuse commission. Son montant ? Confidentiel. Elle pourrait s'élever à 12 millions d'euros.
L'« opération la plus spectaculaire » de l'année, précise
Centuria dans son rapport annuel de gestion : le fonds s'est
chargé de la « recherche de partenaires, de la structuration de
l'opération, de la présentation du projet complet (articulation
du prix d'offre, projet architectural extérieur et intérieur), de
la mise en place du financement bancaire ». Pour l'année
2007, la société d'Emmanuel Limido peut s'enorgueillir d'un
résultat net en hausse de 127 %, avec un bénéfice net dépas-
sant les 2 millions d'euros. Un an après la vente, le patron

de Centuria investira, à hauteur de 1,594 million d'euros[1], dans la création de la société de communication Bygmalion dont les fondateurs sont Guy Alvès et Bastien Millot – autre proche de Jean-François Copé. Un financement providentiel, Alvès et Millot limitant chacun leur mise de départ à 18 500 euros. Et qui trouvera-t-on parmi les clients de Bygmalion ? L'UMP[2]. « Dès avant la présidentielle de 2007, HBJ venait souvent rendre visite à Copé au siège de l'UMP », me confie, faussement étonné, l'un des patrons du parti.

Faut-il pour autant affirmer que les trois ministres impliqués dans la cession du Centre Kléber avaient en tête autre chose que le service du bien commun ? Nous ne pouvons qu'exprimer notre trouble, d'autant que cette affaire survient alors que la France est en pleine campagne électorale, qu'elle s'apprête à élire un nouveau président, et que le

---

1. Dans un communiqué daté du 3 mars 2014, Centuria Capital dément toutes les accusations et précise, concernant sa prise de participation dans Bygmalion, qu'elle répondait au « souhait d'accompagner l'un de ses anciens salariés ».

2. Suite aux révélations du *Point*, le parquet de Paris a ouvert, le 5 mars 2014, une enquête préliminaire et confié les investigations portant sur des soupçons de « faux », « abus de biens sociaux et abus de confiance », à l'Office central de lutte contre la corruption et les infractions financières et fiscales. Le 27 juin, suite aux premières investigations, aux révélations successives – qui ont notamment contraint Jean-François Copé, secrétaire général du parti, à démissionner – et aux perquisitions diverses, le parquet de Paris a requis l'ouverture d'une information judiciaire contre X pour « faux et usage de faux », « abus de confiance », « tentative d'escroquerie » et « complicité et recel de ces délits » et confié le dossier aux juges Serge Tournaire, Roger Le Loire et Renaud Van Ruymbeke. L'enquête sur les liens entre Bygmalion et l'UMP, ainsi que sur les soupçons de financement illicite de la campagne présidentielle 2012 de Nicolas Sarkozy par l'UMP, est en cours.

manque à gagner pour l'État est considérable. Pour le moins singuliers, le contexte et les péripéties de la transaction méritent donc que l'on s'y arrête.

Situé avenue Kléber, l'ancien Hôtel Majestic a derrière lui une longue histoire. Devenu le sinistre siège de la Kommandantur pendant l'Occupation, il a hébergé, au sortir de la Seconde Guerre mondiale, celui de l'Unesco. Et, quand l'organisation internationale a emménagé dans ses propres locaux en 1958, l'immeuble de l'avenue Kléber a été attribué au ministère des Affaires étrangères qui l'utilisait pour y organiser ses conférences.

D'une surface de 30 000 mètres carrés, le lieu était fort utile pour accueillir à moindres frais les sommets et conférences organisés par le Quai d'Orsay. Pourtant, cinq décennies plus tard, le gouvernement décide de s'en séparer. Cette vente s'inscrit dans la décision de l'État de rationnaliser l'organisation de ses services et de réduire les dépenses publiques. Dans cette optique, le gouvernement a lancé en 2006 un vaste chantier de ventes et de rachats d'immeubles divers. Le but : aboutir à un parc immobilier moins onéreux et mieux adapté. Parmi les joyaux architecturaux de l'État à céder, le Centre de conférences international de l'avenue Kléber. L'appel d'offres est lancé le 9 février 2007. Les acquéreurs potentiels se font rapidement connaître. En tout, dix offres recevables sont déposées, dont celle du fonds qatari Barwa : 45 % de son capital est détenu par Qatari Diar, l'une des filiales de Qatar Investment Authority, QIA, le fonds souverain du Qatar. Créé en 2005, ce fonds a pour objectif de diversifier les ressources de l'émirat afin de pallier à l'épuisement programmé des hydrocarbures. Le Qatar est certes devenu le premier exportateur mondial de gaz naturel liquéfié, ses dirigeants n'en sont pas moins pragmatiques. Un tiers des revenus annuels générés par l'exploitation du pétrole et du gaz qataris alimente ainsi les caisses de QIA, détaille un rapport du FMI publié en janvier 2012. Ce qui représente plus de 30 milliards de dollars chaque année. Les Al-Thani veulent développer le patrimoine de l'émirat, ambition dans laquelle s'inscrit, notamment, l'acquisition du Centre Kléber.

D'un montant de 404 millions d'euros, l'offre présentée par Barwa est la plus importante, et de loin. La deuxième proposition lui est inférieure de 46 millions – un écart de taille. La plus modeste s'élève quant à elle à 225 millions.

Quelle est alors la valeur du bien ? À combien l'État estime-t-il le centre ? À seulement 155 millions d'euros, comme l'a fait le service des Domaines en 2005, ainsi que le rappelle la Cour des comptes dans son rapport annuel de 2008 ? À 185 millions d'euros, comme l'affirme le chef du service des Affaires immobilières du ministère des Affaires étrangères et européennes, Stéphane Romatet, devant la commission des Finances du Sénat, le 17 octobre 2007 ? À 253 millions d'euros, si l'on en croit une autre estimation du service des Domaines évoquée par la Cour des comptes dans son rapport annuel de 2009[1] ?

Il faut croire que l'administration est loin des réalités du marché... tout comme elle semble l'être du règlement de l'appel d'offres. Alors qu'un deuxième tour est en principe organisé entre les acquéreurs potentiels, l'administration décide de s'en passer et attribue le Centre Kléber au qatari Barwa. Pourtant, si les procédures existent, c'est bien pour être respectées – *a fortiori* par l'État lui-même – et surtout pour éviter qu'un candidat soit favorisé au détriment des autres. Telle ne semble pas être la préoccupation majeure

---

1. Estimation révisée à la hausse entre 2005 et 2007.

de l'administration, contrairement à la Cour des comptes qui insiste, dans son rapport annuel de 2008, sur l'« opportunité d'un deuxième tour », vu l'« emplacement et [le] caractère exceptionnels de cet ensemble immobilier, ainsi que la hausse des prix de l'immobilier de bureaux parisien à l'époque ». Aux yeux de l'administration, l'écart considérable existant entre l'offre qatarie et les autres propositions suffit à conclure la vente dès le premier tour. Une anomalie que ne manque pas de relever la Cour des comptes, mais, comme le précisent ses conseillers de leur plume astucieuse, de « moins bonnes raisons ont aussi interféré. Malencontreusement, les résultats du premier tour de l'appel d'offres, qui devaient évidemment rester strictement confidentiels dans la perspective d'un éventuel second tour, ont été connus des acteurs concernés du marché dans les heures qui ont suivi l'ouverture des plis ». En principe, la confidentialité doit prévaloir jusqu'à l'issue de la procédure afin de préserver le libre jeu de la concurrence et de ne privilégier aucune partie au détriment des autres. En violant cette règle et en renonçant à l'organisation d'un second tour, l'administration a empêché que le montant des offres soit le cas échéant augmenté, et privé ainsi l'État d'une recette potentiellement plus élevée.

Autre lacune : l'urgence. Le fruit de la vente du Centre Kléber, ainsi que celui d'autres cessions de moindre importance, est censé financer l'achat de nouveaux locaux où doivent s'installer les services délogés – « avant les prochaines échéances politiques », à en juger par la préoccupation du ministère des Affaires étrangères qui témoigne en la matière d'un remarquable empressement. Parmi ces nouveaux lieux, l'Imprimerie nationale, rue de la Convention... que l'État a vendue au groupe Carlyle en 2006. Là encore, l'État a fait montre d'une profonde négligence. Signé le 19 juin 2003, le compromis de vente fixait le prix du bâtiment à 85 millions d'euros[1]. « Un prix particulièrement bas », souligne la Cour des comptes, et, qui plus est, inférieur de 10 millions à l'estimation effectuée par le service des Domaines en avril 2002, laquelle ne tenait d'ailleurs pas compte de la valeur potentielle du bien, mais de son état d'alors – une imprimerie. L'acquéreur, qui a lui bien conscience de ce gain potentiel, demande dès le lendemain de la signature du compromis un agrément autorisant la transformation de la moitié des locaux d'activités en locaux de bureaux. Mais il y a pire : les délais de libération des locaux et de réalisation des travaux de dépollution se sont éternisés, reportant d'autant la signature. L'Imprimerie nationale n'a eu d'autre choix que de contracter un prêt-relais de 50 millions d'euros pour assurer sa trésorerie, prêt qui a généré des frais financiers de 6 millions d'euros. Au final, l'acte de vente est signé le 31 janvier 2006, soit deux ans et demi après la signature du compromis initial... une fois que les prix de l'immobilier se sont envolés ! Autre petit détail souligné par la Cour des comptes : « Tel que rédigé, le compromis de vente a permis à l'acquéreur de transférer l'immeuble à une filiale de droit luxembourgeois, et, ce faisant, de rendre non imposables, notamment en France, les plus-values susceptibles d'être dégagées en cas de cession ultérieure. » Décidément, les Domaines feraient bien de se doter d'un personnel compétent, semble relever la Cour des comptes...

Alors que la vente de Kléber se concrétise, décision est prise de racheter l'Imprimerie nationale au groupe Carlyle

---

1. Auxquels doivent être ajoutés 18 millions d'euros au titre de la clause dite de « retour à meilleure fortune » conclue lors de la vente.

pour y installer une partie des personnels du Quai d'Orsay délogés du centre. Problème : les conditions du rachat sont préoccupantes, selon le Conseil immobilier de l'État créé deux ans plus tôt afin d'assurer le contrôle de sa politique immobilière. Auditionnés par ce conseil le 12 décembre 2006, les responsables du ministère des Affaires étrangères passent sous silence le projet d'acquisition de l'immeuble de la rue de la Convention, alors que le processus est déjà bien avancé. Un « manque de transparence » dont s'étonnera la commission des Finances du Sénat dans un rapport consacré aux conditions de cette session et publié le 17 octobre 2007. Et quand le conseil exprime, auprès des services du Premier ministre, ses fortes réserves, dans une lettre datée du 23 mars 2007, Matignon ne prend même pas la peine de lui répondre. Pour la petite histoire, ce conseil, « né du constat de carences inquiétantes dans la gestion du patrimoine immobilier public[1] », dans les termes mêmes de son président, n'a été informé du projet de relogement qu'une fois que les « négociations avec le vendeur étaient déjà largement engagées », souligne la Cour de comptes.

Le 18 juin 2007, la vente est signée. L'État se déleste de 325 millions d'euros pour racheter l'Imprimerie nationale, soit une perte comprise entre 120 et 130 millions d'euros. Maigre consolation : Carlyle a restructuré le bâtiment. D'après ses dires, il lui en aurait coûté la modeste somme de 100 millions d'euros – un montant que la Cour des comptes précise ne pouvoir ni confirmer ni infirmer. Il semblerait toutefois que ce ne soit pas suffisant, le Quai d'Orsay lui demandant d'effectuer pour

---

1. « Le CIE : cinq années de progrès dans la politique immobilière de l'État », rapport d'activité 2006-2011.

10 millions de travaux supplémentaires. Pour l'anecdote, le fonds américain étant, on l'a dit, immatriculé
au Luxembourg, la plus-value qu'il réalise échappe à
l'impôt français.

Afin de calculer le manque à gagner pour l'État résultant de la seule vente du Centre Kléber au fonds qatari
Barwa, il faut aller au-delà de la simple soustraction
entre les 404 millions d'euros (prix de la cession) et la
valeur réelle du bien (plus de 500 millions[1]), soit une
première estimation de la perte avoisinant les 100 millions d'euros. Mais ce n'est pas tout, car les personnels
installés au Centre Kléber ne peuvent pas emménager
dans les bureaux de l'Imprimerie nationale qui ne sont pas
encore prêts. L'État demande donc aux Qataris de leur
louer le centre pour y maintenir leurs équipes, le temps
de l'achèvement des travaux de la rue de la Convention.
Le fonds Barwa accepte moyennant finances. La vente du
Centre Kléber au Qatar est donc assortie d'un loyer versé
par le ministère des Affaires étrangères au fonds qatari.
Coût estimé de l'opération, toujours d'après la Cour des
comptes : 39,2 millions d'euros. Étant entendu que, si
l'occupation venait à se prolonger au-delà du 31 mars
2009, le loyer serait majoré de 25 %[2] ! Une excellente
affaire, décidément, pour le Qatar...

L'histoire ne s'arrête pas là. Le 30 août 2007, soit
quatre mois après l'achat, Barwa annonce qu'il revend le
Centre Kléber pour 456 millions d'euros. Montant de la
plus-value : 52 millions. Le nouveau propriétaire, dont

---

1. Question écrite n° 25643 de Robert del Picchia, publiée dans
le *JO Sénat* du 14 décembre 2006, page 3081.

2. Les personnels ont rejoint les locaux de l'Imprimerie nationale
entre le 23 janvier et la fin du mois de février 2009.

l'identité n'est pas révélée, n'est autre que Qatari Diar, qui dépend directement du fonds souverain du Qatar. Pour dissiper les doutes éventuels, même si le nom du fonds change, le propriétaire reste le même, comme le précise l'ancien chef du service des Affaires immobilières du ministère des Affaires étrangères et européennes devant la commission des Finances du Sénat, le 17 octobre 2007[1] : « On nous a indiqué que c'était un reclassement d'actifs au sein de la famille du Qatar qui s'est portée acquéreur. » Là encore, France Domaine se révèle bien peu précautionneux, comme le notent les sénateurs : aucune clause d'intéressement[2] n'ayant été conclue avec Barwa, l'État français ne touche rien sur la revente. « Ce n'est pas tellement conforme aux prescriptions du droit fiscal français, insiste Jean Arthuis qui préside la commission. Il suffirait que tous les biens immobiliers soient dans des coquilles sociétaires pour échapper à tous les droits d'enregistrement et à pratiquement tous les impôts ».

« En l'absence de règles précises, le contrôle des opérations et la sanction d'une atteinte à la transparence des procédures sont rendus quasiment impossibles », constate amèrement la Cour des comptes dans son rapport annuel de 2009. Et d'insister sur « la nécessité de renforcer sans délai les procédures mises en œuvre par France Domaine

---

1. À l'occasion d'une audition publique portant sur les conditions du rachat, par l'État, de l'Imprimerie nationale.

2. Cette clause prévoit qu'en cas de revente du bien dans les deux ans suivant son acquisition, pour un prix supérieur à celui de l'achat, l'acquéreur doit verser à l'État une partie de la plus-value réalisée. Cette clause a été « introduite dans les actes de vente de certaines opérations, notamment parisiennes, suite aux critiques de la Cour sur les conditions de la vente de son siège par l'Imprimerie nationale », précise la Cour des comptes dans son rapport annuel de 2009.

afin d'en améliorer la rigueur et la transparence ». Au total, le manque à gagner de l'État sur cette revente immobilière est phénoménal, et la gabegie de l'administration, déplorable.

Quelques mois plus tard, l'émir sera l'un des premiers clients du cabinet d'avocat créé par Dominique de Villepin en avril 2008. Sa deuxième épouse, cheikha Moza, fera elle aussi appel aux services de Villepin International pour son fonds d'investissements personnel, le Qatar Luxury Group. Villepin International : un cabinet discret logé au 35, rue Fortuny, dans ce qui fut l'hôtel particulier de Sarah Bernhardt, racheté en 2010 pour plus de 3 millions d'euros[1]. Villepin aura pu se permettre un tel investissement ; son cabinet a réalisé un joli chiffre d'affaires : plus de 2 millions d'euros pour l'exercice clos en avril 2010, assorti d'un bénéfice d'un million, précise le rapport de gestion du président. Chiffre légèrement inférieur à celui réalisé l'année précédente – première année d'existence du cabinet –, qui avoisinait les 2,5 millions d'euros. Le cabinet ne compte, pourtant, que deux salariés. D'où viennent ces revenus ? « "Je fais du contentieux" », explique Villepin au *Monde Magazine* qui précise que, « comme beaucoup d'avocats d'affaires, il est payé au "contrat long" – une sorte de forfait accordé par les grands groupes à leurs conseils, sans détail des prestations. Parmi ses clients, depuis qu'il a quitté le gouvernement : Alstom, Veolia... "Je travaille surtout à l'étranger, je ne gère que très peu d'affaires françaises", insiste le nouvel avocat. Comme d'autres politiques qui choisissent de prendre la robe, il use de relations tissées au plus haut niveau à Washington, à l'Élysée, puis au Quai

---

1. « Un businessman nommé Villepin », *Le Monde Magazine*, art. cité.

d'Orsay, Place Beauvau et à Matignon. "Villepin n'est pas vraiment un avocat, décrypte un pénaliste qui connaît bien l'univers des 'facilitateurs'. Ces gens-là font fructifier leur carnet d'adresses. Ils font de l'influence, voire, pour certains, du trafic d'influence." »

Comme Villepin, Copé choisira lui aussi d'endosser la robe d'avocat au lendemain de la présidentielle de 2007. Un choix qui suscitera, comme dans le cas de l'ancien Premier ministre, de nombreuses interrogations. Les biographes[1] de l'ancien ministre du Budget parleront même à ce propos de conflit d'intérêts. Prêtant serment dès la fin du mois de mai 2007, il rejoint aussitôt l'un des cabinets français les plus importants, Gide-Loyrette-Nouel, comme avocat médiateur... alors même qu'il prend la présidence du groupe UMP à l'Assemblée nationale. Une influence qu'il utilisera notamment pour enterrer un projet de loi qui risquait de gêner son cabinet[2].

---

1. Solenn de Royer et Frédéric Dumoulin, *Copé, l'homme pressé*, L'Archipel, 2010.

2. Critiqué à plusieurs reprises pour ce mélange des genres, il quittera le cabinet en novembre 2010.

10.

Le règne du tout-s'achète

C'en est désormais terminé de la relation diplomatique pragmatique et raisonnée des débuts. Terminés, aussi, les mouvements de balancier entre Paris et Doha se disputant leurs faveurs respectives. Dorénavant, l'image de la France renvoyée par le miroir qatari est pitoyable : l'argent roi – l'argent émir, en l'occurrence – est au cœur de la République et colonise progressivement les sommets du pouvoir.

Le vrai changement des relations franco-qataries a lieu le 30 mai 2007. Nicolas Sarkozy vient de prendre ses fonctions. Ce jour-là, il reçoit l'émir Hamad. C'est le premier chef d'État arabe accueilli par le nouveau président. La France marque ainsi l'importance qu'elle lui accorde. « L'honneur », comme le précise le porte-parole de la présidence, David Martinon, à la veille de la rencontre. Le privilège est assumé, voire revendiqué. Généralement, une telle marque de prestige est réservée à l'un des traditionnels alliés de la France, pas cette fois. L'« honneur » accordé au petit émirat le propulse au rang de partenaire essentiel de Paris dans le Golfe ; et il révèle les enjeux de l'alliance qui se noue alors entre la France et Doha, ainsi que la nature réelle du « rapport de faiblesse » entre les deux pays.

Dans cette relation, la France n'est pas à l'initiative. Elle se soumet aux desiderata, pour ne pas dire aux diktats de l'émirat. En effet, ce n'est pas Sarkozy qui est à l'origine de ce traitement de faveur... mais le Qatar qui en a fait la condition *sine qua non* de la signature d'un juteux contrat. C'est là, dans les coulisses de la négociation de gros contrats, que vont désormais s'esquisser les grandes lignes de la diplomatie française.

Depuis des semaines, EADS, le mastodonte de l'aéronautique civile et militaire, est en discussion avec Qatar Airways. La compagnie aérienne de l'émirat souhaite agrandir et moderniser sa flotte. Une opportunité pour le fabricant d'Airbus qui cherche à financer le développement de son nouveau modèle, l'A350. L'avion n'existe encore que sur le papier. Le développement du programme se chiffre à 13 milliards d'euros. Vu le montant, EADS a besoin d'une première commande volumineuse, l'entreprise cherche alors ce qu'on appelle une « compagnie de lancement » pour concrétiser le projet, rallier la confiance des autres compagnies et assurer autant de commandes du futur avion. Sans cette compagnie pionnière, pas d'A350 dans l'immédiat. Le Qatar est la clé possible, dans le dossier de l'A350. Sans lui, le programme mettrait beaucoup plus de temps à se concrétiser. Problème : HBJ opte plutôt pour Boeing, rival américain d'Airbus. Les négociations semblent sur le point d'échouer, au grand dam de l'état-major d'EADS. Hamad est en position de force. Il le sait. Et trouve là le moyen d'obtenir un privilège rare. Fin manœuvrier, il met sa signature dans la balance. Il se dit prêt à conclure avec EADS à condition d'être le premier chef d'État arabe reçu par Sarkozy[1]. Vendu !

---

1. Christian Chesnot et Georges Malbrunot, *Qatar, les secrets du coffre-fort, op. cit.*

C'est ainsi que l'émir Hamad, fort de cette première victoire, se rend à l'Élysée le 30 mai 2007 et signe l'achat de quatre-vingts A350[1]. Montant du contrat : 16 milliards de dollars au prix catalogue. Un autre dossier a très probablement été évoqué : celui de la révision du pacte d'actionnaires d'EADS. Si celle-ci venait à se concrétiser, le Diwan pourrait espérer entrer dans l'actionnariat du groupe d'aéronautique civile et de défense[2]. Au sortir de l'entretien et du déjeuner qui suit, le président français et l'émir du Qatar se réjouissent mutuellement de la « qualité de la relation bilatérale et de la densité du partenariat stratégique entre les deux pays ». Une relation dont les termes se résument à un mot : combien ? Le Qatar, qui vient tout juste de rentabiliser les lourds investissements qu'il a effectués dans le gaz, et peut se vanter d'être désormais le premier exportateur mondial de gaz naturel liquéfié, ne regarde pas à la dépense.

Ce sont « certains des amis français de Hamad[3] » qui auraient convaincu l'émir de faire le deal signé tambour battant le 30 mai 2007. Les choses sont claires : l'industrie prime désormais sur la politique. Pour sa part, Jacques Chirac avait fait prévaloir sa vision du monde au détriment de nos intérêts économiques. C'est ainsi que le « non » français à la guerre en Irak aurait coûté à l'Hexagone 4 milliards d'euros[4].

14 juillet 2007 : Hamad est l'invité d'honneur de Nicolas Sarkozy. Assis à la droite du président, l'émir du Qatar

---

1. Dans la foulée, EADS se voit confier la couverture radar de l'ensemble du pays, aux termes d'un contrat de 240 millions d'euros.
2. Voir chapitre 18, p. 279.
3. Chistian Chesnot et Georges Malbrunot, *Qatar*, *op. cit.*
4. Vincent Nouzille, *Les Dossiers de la CIA sur la France, 1981-2010. Dans le secret des présidents*, tome II, Fayard/Pluriel, nouvelle édition, 2012.

admire son fils Joaan, diplômé de Saint-Cyr, qui défile sur la plus belle avenue du monde. Le pacte entre Paris et Doha est définitivement scellé dix jours plus tard, le 24 juillet 2007, en marge de la libération des infirmières bulgares et du médecin palestinien détenus en Libye. Arrêtés en février 1999, ils ont été accusés à tort par Kadhafi d'avoir sciemment inoculé le virus du sida à plusieurs centaines d'enfants libyens à l'hôpital de Benghazi[1]. Condamnés à mort en mai 2004, ils ont passé huit ans dans les geôles libyennes.

Boris Boillon est un jeune diplomate aux dents longues. Avant d'être promu conseiller technique chargé de l'Afrique du Nord, du Proche et du Moyen-Orient au cabinet du président de la République en mai 2007, il était conseiller diplomatique de Nicolas Sarkozy, alors ministre de l'Intérieur. « Boillon était déjà branché sur pile qatarie », me confie un diplomate qui l'a bien connu. Pendant la campagne présidentielle, le Qatar l'a approché. Enjeu : la libération des infirmières bulgares. Au fougueux conseiller du candidat de l'UMP, l'émirat a fait part de sa « disponibilité ». Une occasion en or de s'attacher les bonnes grâces du futur président. « Les Qataris m'avaient dit qu'ils entretenaient avec le colonel Kadhafi une liaison très forte qui leur permettait de jouer un rôle de levier auprès de celui-ci », précise-t-il[2]. Son récit est digne des débuts d'une tendre romance :

---

1. Accusation sans fondement, l'épidémie résultant des conditions sanitaires et d'hygiène déplorables de l'hôpital, ce qu'a notamment démontré la commission d'enquête parlementaire sur les conditions de libération des infirmières et du médecin détenus en Libye et sur les récents accords franco-libyens, créée le 11 octobre 2007.

2. Audition de Boris Boillon, 13 décembre 2007. Rapport de la commission d'enquête parlementaire sur les conditions de libération

« Cela s'est fait pendant la campagne électorale, de façon très naturelle, au titre des relations et des contacts très réguliers qu'on entretient avec l'ambassadeur du Qatar à Paris, avec les Qataris qui viennent en France, avec le Premier ministre. Dans le cours du dialogue politique que nous entretenons avec le Qatar, la question de la Libye est venue plusieurs fois sur la table. » Ainsi donc, les contacts étaient déjà multiples et variés entre le staff de campagne du candidat et les personnalités qataries, comme s'ils avaient déjà décidé des dossiers diplomatiques à pousser dès le lendemain de l'élection. Boillon insiste : « Le souvenir très précis que j'ai est un entretien avec l'ambassadeur du Qatar, lequel m'indiqua en substance : "J'ai vu que le candidat Nicolas Sarkozy s'intéresse beaucoup au dossier de l'équipe bulgare. Sachez que nous entretenons les meilleurs rapports du monde avec le Guide et qu'il est possible d'envisager un travail conjoint." À l'époque, les choses en étaient restées là. Claude Guéant était directeur de cabinet du candidat. J'étais resté place Beauvau. Je n'avais pas forcément à rendre compte de cet entretien. En revanche, dès mon arrivée à l'Élysée, j'ai évidemment informé le président, Claude Guéant et Jean-David Levitte de l'existence de ce paramètre, qu'il fallait prendre en compte », déclare l'ancien conseiller diplomatique. Il décrit par ailleurs les Qataris comme durs en affaires et menant une diplomatie on ne peut plus pragmatique. Et ils rendraient un service totalement désintéressé à la France ? « Il n'y a pas contradiction. Le Qatar était simplement un joker », rétorque Boris Boillon.

Un joker sur lequel Ziad Takieddine, pour le vanter, n'a pas de mot assez forts. À compter de 2005, cet

des infirmières bulgares et du médecin détenus en Libye et sur les récents accords franco-libyens, enregistré le 22 janvier 2008.

intermédiaire franco-libanais est un des émissaires offi-
cieux de la Place Beauvau auprès du régime libyen[1]. Son
contact : Claude Guéant, le directeur de cabinet de Nicolas
Sarkozy[2]. Sa mission, à l'époque : négocier avec Kadhafi
le sort de son beau-frère, patron libyen des services spéciaux, Abdallah Senoussi[3]. Ensuite, son étoile a plus que
pâli. Il a progressivement été évincé du premier cercle au
profit de son rival, Alexandre Djouhri. Surtout, il est mis
en examen et placé sous contrôle judiciaire dans l'enquête
sur le volet financier de l'affaire Karachi[4]. Après l'avoir nié

---

1. *In* « Les documents Takieddine : Les négociations secrètes de
l'Élysée pour blanchir le bras droit de Kadhafi », Mediapart, 22 juillet
2011.

2. Proche de Nicolas Bazire et de Thierry Gaubert, Takieddine
s'est lié au début des années 2000 avec Brice Hortefeux et Jean-
François Copé. D'après ses déclarations devant la justice, Takieddine
a rencontré Claude Guéant en 2002, et Nicolas Sarkozy en 2003 à
deux reprises.

3. L'homme, qui fait l'objet d'un mandat d'arrêt international, a
été condamné le 10 mars 1999 à une peine de perpétuité en France
dans l'affaire de l'attentat contre le DC-10 d'UTA qui causa la mort
de 170 passagers et membres d'équipage lors de son explosion au-
dessus du désert du Ténéré, au Niger, le 19 septembre 1989.

4. Le 8 mai 2002, un attentat commis à Karachi contre les personnels de la Direction des constructions navales (DCN) travaillant
sur les sous-marins Agosta vendus par la France au Pakistan en 1994,
tue 14 personnes, dont 11 employés de la DCN. Le 12 juin 2014,
Ziad Takieddine a été renvoyé devant le tribunal correctionnel, à
l'issue de l'instruction menée par les juges du pôle financier Renaud
Van Ruymbeke et Roger Le Loire sur les soupçons de financement
occulte de la campagne d'Edouard Balladur en 1995 à travers, notamment, des rétrocommissions négociées en marge des contrats signés en
1994. Devront également comparaître l'intermédiaire Abdul Rahman
El-Assir, Thierry Gaubert, ancien conseiller de Nicolas Sarkozy au

pendant des mois, il admet avoir participé au financement occulte de la campagne présidentielle d'Edouard Balladur en 1995[1]. Intermédiaire dans les contrats Agosta – vente au Pakistan de trois sous-marins Agosta pour un montant de 826 millions d'euros – et Sawari II – contrat conclu avec l'Arabie saoudite pour trois frégates Lafayette, pour près de 3 milliards d'euros – signés en novembre 1994, Takieddine a déclaré avoir utilisé des rétrocommissions censées alimenter le trésor de guerre du rival de Jacques Chirac. Si sa crédibilité pose question, les démentis embarrassés de ses amis d'hier, quant à l'étroitesse de leurs relations passées, n'enlèvent rien au fait qu'il fut, pendant plusieurs années, l'un des hérauts des sarkozystes au cœur de la « zone grise » au sommet de l'État.

Il reçoit[2] dans un appartement beige et blanc des beaux quartiers. Passé les premières minutes à écouter l'orchestre dirigé par le maestro Daniel Barenboïm, Ziad Takieddine raconte : « En juin 2007, j'ai reçu un appel d'Abdallah Senoussi [chef des services secrets libyens] qui me disait que l'occasion de libérer les infirmières se présentait. J'ai aussitôt informé Guéant et nous nous

ministère du Budget, Nicolas Bazire, directeur du cabinet d'Edouard Balladur à Matignon, Renaud Donnedieu de Vabres, ancien conseiller de François Léotard à la Défense, et Dominique Castellan, ancien président de la branche internationale de la Direction des constructions navales (DCNI). La Cour de justice de la République enquête pour sa part sur le rôle joué par Edouard Balladur et François Léotard, respectivement Premier ministre et ministre de la Défense à l'époque des faits. L'enquête menée par le juge antiterroriste Marc Trévidic sur l'origine de l'attentat est toujours en cours.

1. « Takieddine reconnaît avoir financé la campagne de M. Balladur », *Le Monde*, 26 juin 2013.

2. Entretien, 18 novembre 2013, avec Pierre Péan.

sommes retrouvés en Libye. » Là, ils rencontrent Senoussi qui pose plusieurs conditions préalables à la libération des détenus : l'Union européenne doit être présente et donner sa garantie au volet financier de l'opération ; il exige également que les infirmières soient jugées à leur retour en Bulgarie. Guéant, Senoussi et Takieddine se mettent d'accord. Ne reste plus qu'à identifier la personne qui viendra chercher les infirmières. Nicolas Sarkozy doit se rendre en Afrique, mais son voyage n'aura lieu que quelques semaines plus tard. Trop tard. Il ne faut absolument pas rater l'occasion qui se présente.

– Kouchner ? propose Guéant.

– Une ONG avec un sac de riz ? Impossible ! répond Takieddine.

– Bockel [ministre de la Coopération] ? suggère alors le secrétaire général de l'Élysée.

– C'est un second couteau. Non, il nous faut un officiel de premier plan... Pourquoi ne pas demander à Mme Sarkozy ? C'est la première dame, ce qui serait très utile pour l'image que Kadhafi veut désormais donner », précise Takieddine[1] – qui ignore alors que le couple présidentiel est sur le point de se séparer ; il avance une version contraire à celle de son ennemi Alexandre Djouhri, qui dit être à l'origine de l'introduction de Cécilia dans la boucle[2].

---

1. Si Takieddine revendique la paternité de l'idée, Cécilia Attias en livre une autre version encore. Elle affirme y avoir pensé suite à une discussion avec Claude Guéant, qui partait le lendemain pour négocier avec Kadhafi. Alors qu'elle s'apprêtait à suggérer l'idée à Nicolas Sarkozy, ce dernier l'a devancée : « Il avait déjà songé à ce que j'allais lui proposer », écrit-elle, ajoutant que « [leurs] deux intentions s'étaient croisées au même moment », in *Une envie de vérité*, Flammarion, 2013.

2. Cf. Pierre Péan, *La République des mallettes, op. cit.*

Informé, Kadhafi acquiesce et demande que Cécilia Sarkozy vienne le voir le lendemain. Le 12 juillet 2007, la première dame s'envole donc pour Tripoli avec Claude Guéant et Boris Boillon, qui travaille en étroite collaboration avec Guéant. Ils y retournent dix jours plus tard[1], accompagnés cette fois de Benita Ferrero-Waldner, commissaire européen chargée des Relations extérieures, de son chef de cabinet adjoint, Vincent Guérend, et de Marc Pierini, chef de la délégation de la Commission européenne en Libye – dont les parlementaires français salueront l'implication « décisive ». Lors de ses deux voyages, Cécilia rencontre à plusieurs reprises Kadhafi en tête à tête. Et c'est accompagnée des infirmières bulgares et du médecin palestinien que la première dame quitte le sol libyen.

Le premier communiqué de l'Élysée tombe le 24 juillet 2007 à 7 heures du matin : « Le président de la République et le président de la Commission européenne » saluent le « geste d'humanité de la Libye ». Quelques heures plus tard, Sarkozy se félicite devant la presse de la libération des otages et remercie le Qatar, un « État ami » qui a fait un « geste humanitaire », prenant soin de préciser qu'« aucune contribution financière » n'a été versée. La légende est belle, mais elle s'étiole vite.

Dès le lendemain de la libération, Sarkozy profite de son voyage prévu à Dakar[2] pour faire un crochet par la Libye. Depuis la capitale libyenne il annonce la conclusion

---

1. Du 22 au 24 juillet 2007.

2. D'où il déclare que le « drame de l'Afrique, c'est que l'homme africain n'est pas assez entré dans l'Histoire. Jamais il ne s'élance vers l'avenir, jamais il ne lui vient à l'idée de sortir de la répétition pour s'inventer un destin ».

avec Tripoli d'une série d'accords bilatéraux[1] – dont un...
sur le nucléaire ! Le fils du Guide, Saïf al-Islam Kadhafi,
annoncera le 2 août, dans *Le Monde*, la vente d'arme-
ments[2] et la signature d'accords divers – dont un accord
de coopération dans le domaine de la défense. Surtout, le
jour même de la libération, *L'Express* révèle que le Qatar a
avancé aux autorités libyennes l'argent promis par l'Union
européenne et destiné à indemniser les familles des enfants
infectés par le virus du sida.

Dans les semaines qui suivent, *Le Canard enchaîné*
embraye sur la contribution « humanitaire et désintéressée
du Qatar ». Selon lui, l'intervention de Sarkozy auprès de
l'émir Hamad al-Thani a permis de contourner un obstacle administratif. Mouammar Kadhafi « voulait l'argent
de l'Union européenne, soit 452 millions d'euros, *tout de
suite*. Or les procédures budgétaires de l'UE étant très
lourdes, l'argent n'était toujours pas débloqué six mois
après le premier accord de principe. Seuls 2,5 millions
d'euros avaient été virés à la Fondation Kadhafi, écrit
l'hebdomadaire satirique. Sarko a alors téléphoné dans la
soirée à l'émir du Qatar et, dans la nuit, le gouverneur de
la Banque centrale du Qatar s'est envolé par avion spécial
pour Tripoli avec, en poche, un chèque de 452 millions

---

1. Cette liste comprend un accord-cadre de partenariat global, un
programme de mise en œuvre de la coopération scientifique dans le
domaine de l'enseignement supérieur, une convention de coopération
dans le domaine de la recherche scientifique, un programme de mise
en œuvre de la convention de coopération culturelle, scientifique et
technique, un mémorandum d'entente dans les domaines de la santé
et du nucléaire.

2. Les négociations sont en fait en cours depuis plusieurs années,
comme l'explique Jean Guisnel. Lire Jean Guisnel, *Armes de corruption
massive*, La Découverte, 2011.

d'euros. L'Union européenne s'est engagée à rembourser le Qatar dans les six mois. Au matin, Kadhafi était content[1] ».

Problème : l'argent a déjà été versé aux familles. La somme déboursée par le Qatar ne peut donc être destinée à avancer leur indemnisation. Dans *Le Prix de la liberté*[2], Marc Pierini révélera que, dès avant le premier voyage de la première dame française en Libye, les formalités bancaires étaient en passe d'être réglées, et que, quelques jours après, l'intégralité des sommes réclamées par les familles leur avait été versée[3], leur pardon accordé et la peine de mort commuée en réclusion à perpétuité.

---

1. *Le Canard enchaîné*, 29 août 2007.
2. *Op. cit.*, 2008.
3. Le 11 juillet, veille de l'arrivée de la délégation française, Marc Pierini, le négociateur pour l'Europe, a en effet ouvert des comptes bancaires auprès de la Libyan Arab Foreign Bank au nom du Fonds d'intervention de Benghazi (FIB). Créé en janvier 2006, le FIB sert de « véhicule financier destiné à fournir un soutien humanitaire aux familles de Benghazi », et non à indemniser les familles des victimes. « Dès le début, il était clair que ce fonds serait de nature purement humanitaire – pas question de payer de quelconques "compensations" qui équivaudraient à une reconnaissance de responsabilité –, que les contributions seraient purement volontaires et que la principale contribution serait libyenne, dans le cadre d'un effort de solidarité internationale avec les victimes de Benghazi. » Pour alimenter le fonds, le négociateur s'est chargé de récolter des promesses de dons.

Le 15 juillet, au lendemain du départ de la délégation française, Marc Pierini a signé un accord entre le FIB et le Fonds de développement économique et social libyen, présidé par Saïf al-Islam, le fils de Kadhafi. En vertu de cet accord, le Fonds de développement économique et social libyen « "avançait" la somme nécessaire aux paiements ». Certes, le FIB s'engageait à « rembourser "en paiement échelonnés en fonction de ce qu'il [recevrait] sous forme

« Tout était convenu avec les Libyens, a confirmé Ivaïlo Kalfin, ministre des Affaires étrangères bulgare, au moment des faits. L'argent était versé par la fondation Kadhafi. Mme Ferrero-Waldner devait se rendre à Tripoli pour ramener les détenus puisque le Fonds de Benghazi était sous la surveillance directe de la Commission européenne. On avait même discuté de son voyage, de l'avion qu'elle allait prendre. J'avais parlé au téléphone avec les infirmières, la veille[1]. » Et de préciser : « C'est juste à ce moment-là [le lundi 23 juillet] que Cécilia Sarkozy est apparue à Tripoli et a laissé comprendre qu'elle voulait repartir avec les infirmières à bord de son avion. Bien entendu, nous avions discuté avec le président français, nous savions qu'il nous soutenait et que son épouse était déjà venue une fois. [...] Mais nous n'avions pas mené de négociations entre la France et la Bulgarie pour une intervention. » La libération, enjeu des négociations menées depuis plus de trois ans par l'Union européenne, était alors imminente. Sarkozy voulait-il s'en arroger le prestige, en faire son premier coup diplomatique quelques semaines seulement après son élection ?

Comprenant tout le parti qu'il pouvait tirer de l'ambition française d'apparaître comme le pays ayant obtenu cette délivrance, Kadhafi a posé ses conditions concernant les relations futures avec Paris, parmi lesquelles les ventes d'armement.

---

de contribution" ». Pierini soulignera que « le FIB ayant été conçu comme un organisme humanitaire recevant des contributions sur une base purement volontaire, l'accord était sain : soit le Fonds recevait des contributions et il remboursait, soit il ne recevait rien et n'avait donc rien à rembourser. C'était clair. » Disponible, l'argent a été versé aux familles des victimes les 16 et 17 juillet. *In* Marc Pierini, *Le Prix de la liberté, op. cit.*

1. *In* Roumiana Ougartchinska et Rosario Priore, *Pour la peau de Kadhafi*, Fayard, 2013.

En outre, le Guide a fait en sorte que le prix de l'indemnisation d'un enfant de Benghazi soit fixé à un million de dollars[1], alors qu'avant l'arrivée de Cécilia l'accord initial portait sur 260 000 euros par famille. Il voulait surtout pouvoir affirmer que la totalité du paiement serait assurée par la communauté internationale.

23 juillet. Les négociations franco-libyennes se sont prolongées. L'accord sur les futures relations entre l'Union européenne et la Libye a été finalisé. La libération, enjeu des négociations menées depuis plus de trois ans par l'Union européenne, était imminente. Quand soudain, les Libyens ont voulu la retarder. « C'est à ce moment qu'intervient la mystérieuse médiation du Qatar dont l'émir, semble-t-il, appelle le colonel Kadhafi. De quel type d'intervention s'agit-il ? Difficile à dire, tant le mystère est soigneusement préservé[2] », s'interroge le négociateur de la Commission européenne.

La légende de la « libération sans contrepartie » racontée par Sarkozy et martelée par l'Élysée aura fait long feu. Face à la polémique sur les dessous réels de la libération, les députés obtiennent en octobre 2007 qu'une commission d'enquête parlementaire s'empare du dossier. Mais leurs espoirs sont vite déçus, les principaux acteurs de l'histoire, pourtant membres du pouvoir exécutif, et, à ce titre, tenus de répondre de leurs actes devant le législateur, se prêtant à un bel exercice de langue de bois.

Secrétaire général de l'Élysée, Claude Guéant a suivi les négociations et accompagnait la première dame lors de

---

1. Montant analogue à celui fixé pour chaque victime de l'attentat du DC-10 d'UTA que la Libye avait été condamnée à verser aux familles.

2. Marc Pierini, *Le Prix de la liberté*, op. cit.

ses deux voyages en Libye. La libération des infirmières bulgares et du médecin palestinien fut son baptême du feu. Aux députés de la commission il affirme qu'« il n'y a eu aucune contrepartie ». Tout juste admet-il que, durant la nuit précédant la libération, Sarkozy a appelé HBJ, Premier ministre qatari, « après que le colonel Kadhafi [eut] fait allusion aux liens qu'il souhaitait conserver avec les pays arabes ».

Depuis lors, son discours a quelque peu changé. Quand je rencontre celui qui a été, en marge de ses fonctions de secrétaire général de l'Élysée, la cheville ouvrière des relations entre Paris et Doha entre 2007 et 2011, il n'en finit pas d'être mis en cause dans de multiples affaires[1]. Sans doute ne dois-je cet entretien qu'à ma présence, le 12 novembre 2013, à la réception organisée par l'ambassadeur du Qatar à Paris. Nommé à Washington, Mohamed Jaham al-Kuwari faisait ce soir-là ses « au revoir » à la France. Présent parmi les nombreux invités, Claude Guéant n'était d'ailleurs pas le seul à représenter le monde politique. Nous y reviendrons.

« Les 452 millions ont été un élément de la libération, c'est le côté grigou de Kadhafi, me dit-il. Pour lever les différents obstacles, notamment la peine de mort, la fondation de Saïf al-Islam a versé l'argent aux familles. Puis l'Union européenne a signé un document par lequel elle s'engageait à trouver le moyen de rembourser, mais elle

---

1. Claude Guéant est notamment mis en cause dans l'arbitrage controversé dont a bénéficié Bernard Tapie dans son litige avec le Crédit Lyonnais, dans le présumé financement libyen de la campagne de Nicolas Sarkozy en 2007, dans l'affaire dite des primes en liquides (concernant la découverte, à son domicile, de fortes sommes en espèces).

n'avait pas la capacité de le faire. Le Qatar s'est donc substitué à elle, ce qui a pris la forme d'un prêt[1]. » Devant la commission d'enquête, Guéant précise que HBJ a ensuite décroché son téléphone pour appeler Kadhafi.

« C'est là que les autorités du Qatar... ont joué un rôle décisif », confirme de son côté Jean-David Levitte, sherpa de l'Élysée, aux députés. Il n'en dira pas plus. Ministre des Affaires étrangères, Bernard Kouchner n'apporte lui non plus aucune information concrète. Quand le président de la commission parlementaire lui demande si l'« hypothèse d'une transaction financière lui paraît plausible », son sourire est lourd d'ambiguïtés : « Mon sentiment est que nous ne sommes pas à l'abri de l'évocation de certaines transactions financières. Mais je n'en sais rien ! »

« L'accord avec le Qatar s'est fait entre HBJ, Senoussi, Guéant et moi, affirme Ziad Takieddine. C'était une demande de la Libye à la France, qui l'a rejetée. C'est pour cela que nous avons introduit le Qatar dans l'affaire. Tout s'est décidé lors d'un appel de HBJ à Senoussi. » Au moment des dernières négociations, l'intermédiaire était à Tripoli. Dans la nuit précédant la libération, il a reçu un appel de Claude Guéant[2] – qui dément l'existence d'un tel échange :

– Les Libyens demandent 135 millions, annonce le secrétaire général.

– Ils veulent une garantie pour être sûrs que les entreprises françaises vont signer des contrats avec la Libye.

---

1. Entretien, 19 novembre 2013.

2. Il a fait ces révélations pour la première fois aux journalistes de France 24 le 12 avril 2013 : « Takieddine accuse Sarkozy d'avoir perçu des financements occultes du Qatar ».

Kadhafi n'a pas besoin de voir les 135 millions, mais de savoir que vous allez tenir parole, précise Takieddine.

– Et si les sociétés françaises ne signent pas ? aurait alors demandé Guéant.

– Vous jouez contre votre intérêt si vos entreprises ne signent pas ces contrats. Les Libyens sont demandeurs, souligne Takieddine qui précise :

– Laissez-moi voir avec Senoussi. »

L'intermédiaire missionné par l'Élysée se rend aussitôt chez Abdallah Senoussi. « Les infirmières partiront quand la France sera prête à nous donner cette garantie », lui confirme le patron des services libyens. Et Takieddine de lui demander : « Accepteriez-vous que le Qatar remplace la France comme garant ? Pas comme payeur, mais comme garant ? » Toujours d'après les dires de Takieddine, le Libyen aurait acquiescé et l'émissaire de Paris serait aussitôt retourné voir Guéant.

– Demande à ton ami qatari s'il est d'accord, lance-t-il au secrétaire général de l'Élysée.

– C'est d'accord, lui aurait annoncé Guéant cinq minutes plus tard.

Ne reste plus qu'à régler les détails. Pour cela, HBJ doit appeler Senoussi. Takieddine, dont la parole prête à la plus grande prudence, me confie : « Senoussi est un ami. Pendant que j'attends avec lui l'appel de HBJ, il me dit : "Guéant et HBJ ont des accords ensemble, ils échangent de l'argent"... » Sur ce, le téléphone de Senoussi sonne :

– J'ai cru comprendre de nos amis français que vous souhaitiez une garantie ? demande HBJ.

– Vous nous envoyez ça à la Banque centrale, ici, comme d'habitude, répond Senoussi.

Entre-temps, à l'initiative de Senoussi, encore d'après Ziad Takieddine, la garantie serait passée de 135 à

300 millions de dollars. Un montant qui correspondrait « au nombre total d'enfants contaminés et morts du sida, y compris ceux qui ne le sont pas encore »...

Si Guéant reconnaît l'existence de contacts entre le Qatar et la Libye avant la libération des détenus, il dément en connaître la teneur. Il précise néanmoins que ces contacts ont eu lieu plus tôt que ne le dit Takieddine et dément tout échange avec l'intermédiaire concernant la prétendue requête libyenne de garantie des 135 millions dollars. « Je n'ai pas eu de conversation à ce propos avec monsieur Takieddine, Je n'en ai aucun souvenir, affirme-t-il sur France 24. Je pense que ces questions ont été évoquées avec le Qatar, mais je ne sais pas quelles conclusions ont été données à ces entretiens. » Il prétend que la résolution du problème, « ça c'est traité entre la Libye et le Qatar[1] ».

D'après les déclarations de Ziad Takieddine, le secrétaire général de l'Élysée en saurait bien plus long que cela. Il affirme même devant les caméras de France 24 que Claude Guéant et Nicolas Sarkozy auraient touché, en marge de la libération, une « prime » versée par le Qatar : « Les 300 millions n'ont pas été envoyés, mais ils ont été payés autrement, par Lugano et autres, à travers le Qatar, pour finir dans les poches de Guéant et de Sarkozy. » Inutile de préciser qu'il convient de prendre ces déclarations avec la plus grande prudence. Le Qatar aurait, selon l'intermédiaire, versé 300 millions de dollars à Nicolas Sarkozy et à Claude Guéant à travers notamment le Crédit agricole qatari. Une lourde accusation dont Takieddine affirme détenir les preuves... qu'il n'a toujours pas produites.

Il poursuit : « Je peux vous dire que le Qatar va avoir beaucoup de peine à prouver que les 300 millions ont été

---

1. *Ibid.*

payés à la Libye. » Des accusations que Claude Guéant dément formellement. Il a porté plainte en diffamation contre Takieddine. Devant le tribunal, le 24 juin 2014[1], l'ancien secrétaire général de l'Élysée a déclaré qu'il s'agit d'« affabulations pures et simples », et souligné que l'intermédiaire n'a jamais fourni aucune preuve de ce qu'il avançait. L'avocate de Takieddine considère pour sa part que l'« on ne peut pas reprocher à [son client] de ne pas pouvoir étayer par des éléments matériels ce dont il a été témoin ».

Étrangement, quand je questionne Takieddine sur le sujet, l'homme se referme aussitôt. Mais un fil tordu est tiré – qui rejoint notre sujet : l'étrange relation entre la France et le Qatar. Ce fil passe par son ennemi Alexandre Djouhri, le groupe saoudien Bugshan et le Crédit agricole qatari que dirige Wahid Nacer. Un homme qui, d'après les déclarations faites par l'intermédiaire libanais devant la justice française, le 2 avril 2012, connaîtrait tous les rouages du supposé détournement des commissions négociées en marge de contrats d'armement conclus entre la France et l'Arabie saoudite.

Banquier né à Djibouti en septembre en 1944, Wahib Nacer était dans les années 1990 « vice-président de la banque Saudi Fransi, filiale d'Indosuez à Riyad. Basé en Suisse depuis plus de vingt ans, Nacer travaille toujours pour cette banque, rachetée par le Crédit agricole en 1996[2] ». À partir de mars 2007, il assume la gouvernance non exécutive du Crédit agricole qatari LLC, banque par laquelle aurait transité, selon les déclarations de Ziad Takieddine, une partie des 300 millions que celui-

---

1. Le jugement devrait être rendu le 18 septembre 2014.
2. « Les réseaux du banquier Wahib Nacer », *Intelligence On Line*, 10 novembre 2011.

ci déclare avoir été versés par le Qatar à Nicolas Sarkozy et à Claude Guéant en marge de la libération des infirmières bulgares. Créé en plein cœur de la campagne présidentielle et enregistré auprès du Centre financier du Qatar le 31 mars 2007, le Crédit agricole qatari n'a alors que quelques mois d'existence. Ses bureaux sont situés dans le prestigieux quartier des ambassades à Doha. Enregistrée sous la référence 00044 auprès du centre financier qatari[1], cette banque est une filiale locale du groupe Crédit agricole (suisse), elle-même filiale du Crédit agricole SA.

La présence de Ziad Takieddine n'est pas le seul élément troublant dans cette mystérieuse affaire des infirmières. Alexandre Djouhri, son principal rival et ennemi, y a également joué un rôle[2]. Au moment de la libération des infirmières, l'homme était présent en Libye, comme l'a précisé un ancien responsable de la DGSE[3]. Djouhri, qui sera dès lors à la manœuvre dans la discussion de différents contrats négociés entre Paris et Tripoli, éclipsera progressivement Takieddine. Il se verra ainsi confier le dossier du Rafale de Dassault par l'Élysée[4]. Mais son champ d'action s'étend bien au-delà. « Djouhri a géré la Libye avec Guéant[5] », a ainsi confié Hervé Morin, ministre de la Défense de 2007 à 2010.

---

1. Companies Registration Office Public register, Qatar Financial Center.

2. Certains affirment qu'il aurait joué un rôle crucial dans cette affaire, ce qui complique d'autant le sujet. Lire Pierre Péan, *La République des mallettes*, *op.cit.*

3. *In* Catherine Graciet, *Sarkozy/Kadhafi : Histoire secrète d'une trahison*, Seuil, 2013.

4. *In* Jean Guisnel, *Armes de corruption massive*, La Découverte, 2011. Interrogé par Pierre Péan sur le sujet, le président de Dassault Aviation, Charles Edelstenne, a démenti.

5. In Pierre Péan, *La République des mallettes*, *op. cit.*

Deuxième élément troublant : le Qatar a-t-il bien versé l'argent prévu pour la libération des infirmières, et, si cet argent a été versé, où est-il allé ? « Dans ce dossier, raconte la diplomate libyenne Zohra Mansour qui travaillait au bureau chargé de la France au ministère libyen des Affaires étrangères et qui avait accès au dossier secret des relations bilatérales entre Paris et Tripoli, il était mentionné que la Libye avait demandé de l'argent pour les enfants de Benghazi atteints du sida ; que Nicolas Sarkozy avait demandé au Qatar de payer 300 millions de dollars ; et que la première dame, Cécilia, avait quitté la Libye avec les infirmières avant que le Qatar ne paie ces 300 millions. L'argent qatari n'était pas arrivé quand les infirmières sont parties[1]. »

Troisième et dernier élément : la fermeture du Crédit agricole qatari. Elle a lieu en septembre 2011 « pour concentrer l'activité de la zone Moyen-Orient sur la place de Dubaï », si l'on en croit le rapport annuel du Crédit agricole. Quelques semaines plus tard, son nom ainsi que celui de son ancien directeur, Wahib Nacer, sont évoqués par Takieddine au détour de l'instruction menée par les juges Renaud Van Ruymbeke et Roger Le Loire sur les soupçons de financement occulte de la campagne présidentielle de Balladur en 1995. Une coïncidence ?

Si rien, jusqu'ici, ne confirme les déclarations de l'intermédiaire libanais déchu, les faits, en revanche, témoignent de l'influence sans précédent de Doha sur la politique arabe de la France.

---

1. In Catherine Graciet, *Sarkozy/Kadhafi : Histoire secrète d'une trahison, op. cit.*

11.

Doha influence la politique arabe
de la France

« Le Qatar ne roule que pour lui. Le problème est que les Occidentaux sont convaincus qu'ils écrivent l'Histoire », ironise Jean-Pierre Filiu. Lequel poursuit : « C'en est fini, surtout au Moyen-Orient. Il faut accepter qu'il y ait une autonomie propre des sociétés, qu'il y a des peuples qui définissent leur destin. » Et de souligner : « Le Qatar vend son intermédiation aux Occidentaux en prétendant qu'il est leur relais, c'est évident. On peut tout de même espérer que les Occidentaux ne croient pas tout ce qu'on leur dit, et qu'ils ne font pas libeller, par le Qatar, un chèque en blanc supposé être à leur nom. » Et pourtant...

La France donne toutes les apparences de ne pas l'avoir compris, comme en témoignent plusieurs grands dossiers – Libye, Syrie, Arabie saoudite. La stratégie de Doha est nette : s'imposer comme un acteur incontournable. Pour y parvenir, tous les moyens lui sont bons. Vis-à-vis de Paris, Doha peut à bon compte monnayer son entregent. Le président français fait la courte échelle au Qatar, contribuant à l'installer comme un acteur de premier plan.

En accordant à l'émir Hamad al-Thani le privilège d'être le premier chef arabe reçu en visite officielle à Paris aux premiers jours de son quinquennat, Nicolas Sarkozy annonçait le revirement de la politique arabe hexagonale qui va désormais avoir l'émirat comme pivot diplomatique. Le Qatar se rêve en acteur de premier plan sur la scène internationale ? Il se veut le médiateur de l'impossible ? Pour satisfaire ses ambitions, Paris adopte désormais une politique comme calquée sur les enjeux de Doha.

« En s'appuyant quasi exclusivement sur l'émirat, en adoptant la politique du "tout-Qatar", Nicolas Sarkozy a déséquilibré les relations entre la France et les pays du Golfe », fustige Yves Aubin de La Messuzière[1]. Ancien ambassadeur[2], ancien directeur Afrique du Nord et Moyen-Orient au ministère des Affaires étrangères[3], il explique que, dans cette région où chaque pays surveille l'autre dans sa relation avec les principales puissances – États-Unis, Europe et France notamment –, la diplomatie française avait toujours fait preuve d'un grand souci d'équilibre. « Chirac avait de très bonnes relations avec cheikh Zayed, le souverain des Émirats arabes unis, avec le roi Abdallah qui règne sur l'Arabie saoudite, ainsi qu'avec l'émir du Qatar et l'ensemble des princes de la région, insiste-t-il. Il connaissait les uns et les autres, et les appelait par leur prénom. Quand je me déplaçais avec lui, on sentait tout de suite qu'il y avait une proximité et un respect mutuel. » Rien de tel avec le nouveau président : « Sarkozy ne s'est jamais intéressé à la politique étrangère avant d'être élu, admet un ancien ministre chargé du dossier. Pour lui, la

---

1. Interview, 15 février 2013.

2. Au Tchad, en Tunisie puis en Italie. Il a également représenté la France en Irak, après avoir été en poste au Proche et Moyen-Orient pendant plus de quinze ans (en Jordanie, au Yémen, en Syrie et en Égypte).

3. Entre 1999 et 2002.

politique intérieure prime sur la diplomatie. Il ne pense pas la politique étrangère à long terme, ça ne l'intéresse pas. » Il ne voue pas non plus une haute estime aux diplomates et ne s'en est d'ailleurs jamais caché. « Il devient très important de se débarrasser du Quai d'Orsay », affirmait-il pendant la campagne présidentielle. Et de préciser ainsi sa pensée : « J'ai un mépris pour tous ces types, ce sont des lâches[1]. » Les lâches ont apprécié.

Ce faisant, Sarkozy prive la politique étrangère française d'une expertise essentielle. « L'Arabie saoudite est la vraie puissance régionale, il ne faut pas s'y tromper, relève Yves Aubin de La Messuzière. Elle a tous les éléments de la puissance : le territoire, la population, l'armée et une puissance financière extraordinaire. C'est elle qui a vocation à être la puissance régionale aux côtés de l'Égypte dont on dit en arabe qu'elle est le cœur, la mère du monde arabe. » À l'époque, les Saoud se débattent dans leurs problèmes de succession tandis que Hosni Moubarak, le président égyptien, est en fin de règne. De l'espace se libère sur la scène régionale et le Qatar s'y glisse aussitôt. « Il occupe alors une place qui est sans commune mesure avec ses capacités réelles », constate Alain Chouet qui rejoint à l'époque la cellule élyséenne sur le terrorisme qu'anime Claude Guéant. En 2001, il s'est déjà rendu au Qatar. Il accompagnait Jean-Claude Cousseran, parti dans l'émirat à la demande de Chirac. Chouet poursuit : « Le Qatar était tout à fait disposé à intervenir dans un certain nombre de dossiers chauds au Moyen-Orient comme celui du Hamas, de la Syrie, du soldat Gilad Shalit. » L'ancien responsable des services aura ainsi été envoyé à Doha par l'Élysée afin de convenir avec Khaled Mechaal, chef du bureau politique du Hamas, du

---

1. *In* Yasmina Reza, *L'Aube, le soir ou la nuit*, Flammarion, 2007.

prix à payer pour libérer le soldat franco-israélien enlevé par des combattants du Hamas en juin 2006 à la lisière de la bande de Gaza. Le Qatar se chargerait de régler la note. Mais, dans ce dossier, les milliards du Qatar sont pour une fois inutiles. C'est à la médiation de l'Égypte et de l'Allemagne que Gilad Shalit devra sa libération en octobre 2011[1].

Le premier bouleversement diplomatique survient dans les relations de la France avec Tripoli. Après la libération des infirmières bulgares et du médecin palestinien, une visite officielle de Kadhafi à Paris est organisée en décembre 2007. En coulisses, le Qatar peut se frotter les mains : l'émir Hamad et HBJ ont en effet grand intérêt au rapprochement entre Paris et la Libye. Cela ne peut que contenter Kadhafi, pleinement réintégré sur la scène internationale, donc en position de force, et faire avancer leurs propres projets dans ce pays. L'émirat lorgne le sous-sol libyen qui recèle 1 548 milliards de mètres cubes de réserves gazières. « Le Qatar, premier exportateur mondial de GNL [gaz naturel liquéfié], espère en effet capter le maximum de ressources gazières, analyse la journaliste Roumiana Ougartchinska. Son ambition est de devenir le roi mondial de la distribution du gaz. Les Qataris se sont ainsi entendus avec les Russes pour formaliser l'Ogec (Organization of Gas Exporting Countries), alliance à l'image de l'Opep du pétrole. Les ventes de gaz ne cessent de croître, promettant de dépasser bientôt celles du pétrole et esquissant, à terme, une inversion du rapport de force entre les producteurs de l'une et l'autre source d'énergie. Dans cette perspective, le Qatar compte tenir le rôle occupé par l'Arabie saoudite sur le marché de l'or noir. La Libye, qui donne sur la Méditerranée et

---

1. En échange, Israël libérera un millier de prisonniers palestiniens.

donc l'Europe, est un enjeu majeur. Or, à cette époque, Kadhafi lance justement une douzaine d'appels d'offres que lorgne le Qatar[1]. » Toutes les manœuvres sont bonnes pour rafler l'essentiel.

Jusqu'alors, les relations entre Paris et Tripoli étaient relativement ténues. Certes, elles avaient connu un premier dégel en novembre 2004, quand Jacques Chirac s'était rendu à Tripoli[2] après que la Libye eut indemnisé les victimes françaises de l'attentat contre le DC-10 d'UTA, et que venaient d'être levées les dernières sanctions de l'Union européenne[3]. Esquissant un timide début de normalisation, Chirac avait néanmoins été parmi les derniers dirigeants européens à se rendre en Libye. Plusieurs ministres français avaient ensuite fait le déplacement. Prenant le total contre-pied de son prédécesseur, Nicolas Sarkozy rompt avec la prudente distance de la France vis-à-vis du Guide libyen. Dès 2005, il avait déjà missionné Ziad Takieddine dans cette optique[4]. Désormais, il

---

1. Entretien, 28 mars 2014. Lire Roumiana Ougartchinska, avec la collaboration de Jean-Michel Carré, *Guerre du gaz*, Éditions du Rocher, 2008.

2. Cette visite avait pour objectif d'« ouvrir un nouveau chapitre après la période sombre des années 1980-1990 », et de « normaliser » les relations franco-libyennes, souligne alors le porte-parole de l'Élysée.

3. En janvier 2004. L'embargo international décidé par l'ONU au début des années 1990 a été levé en septembre 2003 par le Conseil de sécurité de l'ONU après que Tripoli a accepté de dédommager les familles des victimes de l'attentat de Lockerbie et de l'explosion du DC-10 d'UTA. Quant aux sanctions américaines contre la Libye, progressivement renforcées après la rupture des relations bilatérales en 1981, elles ont été levées par la Maison-Blanche en avril 2004.

4. « Les documents Takieddine : Les négociations secrètes de l'Élysée pour blanchir le bras droit de Kadhafi », Mediapart, art. cité.

espère signer pour 10 milliards d'euros de contrats, dont des Airbus, de « nombreux équipements militaires » et un réacteur nucléaire[1].

Arrêtons-nous un instant sur l'accord portant sur le nucléaire. Depuis des années, Kadhafi cherche à se procurer l'atome – prétendument destiné au dessalement de l'eau de mer. Mais ses tentatives sont restées vaines. Et pour cause : la frontière est étroite entre le nucléaire civil et le nucléaire militaire. De nombreux pays ont été et sont encore tentés de passer de l'un à l'autre pour se doter de la bombe[2]. Or, Kadhafi est un dictateur qui mène son pays d'une main de fer et a souvent utilisé à l'extérieur des moyens terroristes pour aboutir à ses fins. Grâce à Sarkozy, le despote libyen peut s'enorgueillir de voir son rêve sur le point de se réaliser[3]. Un accord portant sur la fourniture d'un réacteur nucléaire civil destiné à dessaler l'eau de mer a en effet été annoncé dès le 25 juillet 2007, au lendemain de la libération des infirmières bulgares et du médecin palestinien. Sur quelles bases repose, dans l'esprit du président français, le choix d'octroyer l'atome à Tripoli ?

Disposant du savoir-faire permettant de concevoir une arme susceptible de rayer une région entière de la carte, la France est investie d'une responsabilité particulière. Pionnière en la matière, elle se doit d'être autant sinon

1. « Saïf al-Islam Kadhafi : "La Libye sera un pays heureux" », *Le Figaro*, 7 décembre 2007.

2. Voir tous les soupçons qui pèsent alors sur l'Iran et qui lui valent des mesures coercitives.

3. Les premiers contacts sur le sujet datent de la venue de Chirac en Libye en novembre 2004. Le Commissariat à l'énergie atomique effectuera deux missions en Libye avant de signer avec ce pays un mémorandum sur les isotopes médicaux et le dessalement de l'eau de mer à partir d'installations nucléaires en mars 2006.

plus que tout autre détenteur de l'atome un modèle de rigueur. S'apprêtant à assouvir l'ambition de Kadhafi en matière nucléaire, Sarkozy est bien loin d'assumer cette grave responsabilité. « Tout de suite [après la libération des infirmières], les pressions de l'Élysée commencèrent pour vendre des centrales nucléaires au dictateur libyen. Était-ce raisonnable ? Non. Clairement non », estime Anne Lauvergeon[1] qui rappelle que l'« on ne peut pas vendre n'importe quoi à n'importe qui ». Elle explicite : « Nous étions à front renversé. Normalement, c'est l'entreprise qui est mercantile et c'est l'État qui est raisonnable. Ce fut l'inverse. Claude Guéant, dans ces derniers jours en tant que secrétaire général de l'Élysée, chargea Henri Proglio de s'en occuper, à l'été 2010. Imagine-t-on aujourd'hui où nous en serions si nous avions commencé à construire une centrale nucléaire en Libye ? », s'interroge l'ancienne patronne d'Areva, faisant référence à l'entrée en guerre de Sarkozy contre le dictateur libyen en mars 2011...

En décembre 2007, Kadhafi, alors qu'il s'apprête à venir à Paris, définitivement sorti de sa mise au ban des nations, ne déclare-t-il pas qu'« il est normal que les faibles aient recours au terrorisme[2] » ? Une énième provocation que la patrie de Rousseau et de Voltaire feint d'ignorer. « Depuis qu'il présidait à nos destinées, Notre Universel Souverain s'était rendu à l'évidence : il y avait des bons tyrans et des mauvais tyrans, écrit alors, de sa plume acérée, l'écrivain Patrick Rambaud. Les bons tyrans étaient assis sur du pétrole, du gaz ou de l'uranium. Les mauvais n'étaient assis que sur leurs fesses.

---

1. Anne Lauvergeon, *La femme qui résiste*, Plon, 2012.
2. Propos tenus lors d'une conférence publique organisée le 7 décembre 2007 à la veille du 2e sommet Europe-Afrique à Lisbonne, auquel étaient attendus plus de 70 chefs d'État d'Europe et d'Afrique.

Avec les premiers on pouvait et devait commercer follement, avec les seconds il convenait de montrer les dents et de leur lâcher des bombes à billes sur le museau. Il y avait des accommodements. Une telle doctrine ne saurait être trop rigide à qui se consacre aux affaires[1]. »

L'arrivée de Kadhafi concorde avec la Journée internationale des droits de l'homme ? Peu importe. Les affaires sont les affaires. Sauf pour Rama Yade qui rappelle que la « France a une identité, des valeurs, des principes », et n'est pas « seulement une balance commerciale ». La secrétaire d'État aux Droits de l'homme est la seule, au sein du gouvernement[2], à braver l'unanimisme en osant dire que le « colonel Kadhafi doit comprendre que notre pays n'est pas un paillasson sur lequel un dirigeant, terroriste ou non, peut venir s'essuyer les pieds du sang de ses forfaits. La France ne doit pas recevoir ce baiser de la mort[3] ». Bernard Kouchner a, lui, le courage de l'absence, étant « par un heureux hasard[4] » appelé à Bruxelles pour une réunion...

Autorisé à planter sa tente bédouine dans les jardins de la République, Kadhafi s'offre le plaisir de dicter ses volontés

---

1. Patrick Rambaud, *Chronique du règne de Nicolas Ier*, Grasset, 2008.

2. Dans les rangs de l'opposition comme de la majorité, la visite de Kadhafi suscite en revanche un véritable tollé.

3. « Rama Yade : "La France n'est pas un paillasson" », *Le Parisien*, 10 décembre 2007.

4. D'après l'expression qu'il a employée. Interrogé par France Inter le 10 décembre 2007 sur sa conversion à la Realpolitik, le ministre s'indigne contre ce « mot germanique violent », affirmant que « c'est le fait que le monde évolue, qu'un homme, Kadhafi, a changé, passant du terrorisme à la coopération contre le terrorisme. [...] C'est une diplomatie de l'ouverture que nous pratiquons. Nous surveillerons. Mais qu'il soit ici est un argument supplémentaire pour lui et pour les Libyens. »

au pouvoir français : fermeture de tous les ponts parisiens pour qu'il puisse accomplir en toute quiétude sa promenade impromptue en bateau-mouche, interdiction partielle du palais Bourbon aux journalistes lors de sa visite à l'Assemblée... Le dictateur libyen s'octroie également le luxe de contredire le président de la République qui a déclaré, au sortir de leur premier entretien, lui avoir « demandé de progresser sur le chemin des droits de l'homme » ; il ose affirmer sur France 24 que la démocratie est arrivée à un stade plus avancé en Libye qu'en France !

En définitive, la visite en grande pompe du dictateur libyen n'aura pas rempli les caisses des industriels français, à l'exception d'EADS qui vend 21 Airbus à la Libye pour 3 milliards de dollars – vente qui concrétise un engagement pris par ce pays quelques mois plus tôt –, tandis qu'Areva devra « se contenter » d'un contrat de 300 millions d'euros pour le transport d'électricité. Et le nucléaire ? Un accord de coopération estimé à 2 milliards d'euros a été signé, prévoyant, à terme, la « fourniture d'un ou plusieurs réacteurs nucléaires pour le dessalement de l'eau de mer ».

La visite a en revanche porté préjudice aux relations de Paris avec ses traditionnels alliés, au premier rang desquels l'Arabie saoudite, royaume avec lequel le Qatar est en rivalité, pour ne pas dire en guerre larvée. Kadhafi est en effet l'un des pires ennemis du souverain saoudien, Abdallah, qu'il a essayé de faire assassiner quand il n'était encore que prince héritier[1]. Accéder à son désir de planter crânement sa tente au cœur des jardins de la République n'a pas amélioré nos relations avec Riyad, qui s'étaient déjà crispées au

---

1. L'ordre fut donné à la suite d'un affrontement survenu au sommet de la Ligue arabe organisé à Charm el-Cheikh, en Égypte, en mars 2003.

lendemain de l'élection de Nicolas Sarkozy, comme le dit un homme du Quai : « Le roi saoudien et le président de la République ont toujours été en contact direct... Quand le roi Abdallah venait à Paris, il voyait toujours Chirac. C'était une relation de grande proximité. Aussi, lors de son premier passage à Paris après l'élection de Nicolas Sarkozy, le roi Abdallah a appelé l'Élysée. Un conseiller lui a dit de prendre contact avec Bernard Kouchner : le ministre des Affaires étrangères serait son nouvel interlocuteur. Le roi Abdallah en a été profondément froissé. Et les relations entre la France et l'Arabie saoudite se sont alors beaucoup distendues. La voilà, la rupture tant prônée par Nicolas Sarkozy ! » Le roi est néanmoins reçu par le nouveau président le 21 juin 2007. Leur entretien lui inspirera cette politesse : « Sarkozy ressemble à un pur-sang fringant et fougueux, mais, comme tous les pur-sang, il devra accepter l'épreuve des rênes pour trouver l'équilibre[1]. »

« Tous nos dossiers sur le Moyen-Orient passaient par le Qatar, insiste Alain Chouet. On a bien vu comment fonctionnaient les Qataris entre 2000 et 2010. Dès qu'il y avait un contentieux dans le monde arabe, ils proposaient leurs services aux Occidentaux en leur disant : "Moi, j'ai les clés, je peux résoudre votre problème." Ils avaient réussi à créer des réseaux d'obligés un peu partout dans le monde arabo-musulman, surtout dans le monde des extrémistes musulmans. »

Accueillir les islamistes en exil relève de la même stratégie que celle qui inspire l'utilisation d'Al Jazeera par le Diwan : jouer de l'influence. Ces réfugiés constituent

---

1. « Nicolas Sarkozy, "cheval fougueux" au triple galop dans le Golfe », *Libération*, 15 janvier 2008.

une monnaie d'échange, à défaut ils étoffent la capacité de nuisance de l'émirat. Mohammed al-Islambouli, l'un des chefs de la Jama'a Islamiya égyptienne et frère du responsable de l'assassinat de Sadate, Zelimkhan Iandarbiev, ancien président tchétchène assassiné en 2004 par des agents russes à Doha, et Abbassi Madani, ancien président du FIS algérien, ont trouvé refuge à Doha. Comme eux, Khalid Cheikh Mohamed (dit KCM), membre des Frères musulmans, devenu à l'aune des années 2000 le cerveau des attentats du 11-Septembre, a été hébergé par Doha. Sa trajectoire est retracée dans l'épais rapport rédigé par la Commission américaine sur les attaques terroristes contre les États-Unis connue sous le nom de Commission du 11-Septembre[1]. Voici ce que l'on peut y lire : « En 1992, KCM a passé un certain temps à se battre aux côtés des moudjahidine en Bosnie et à soutenir leurs efforts par des dons financiers. Après un bref retour au Pakistan, il a installé sa famille au Qatar à l'invitation de l'ancien ministre des Affaires islamiques du Qatar, cheikh Abdullah bin Khalid bin Hamad al-Thani. » Parmi ses connaissances, le protecteur de KCM compte un certain Oussama Ben Laden[2] que connaît également KCM. Les

---

1. Cette commission, indépendante et bipartite, a été créée par une loi du Congrès américain à la fin 2002. Son rôle : rédiger un compte rendu complet sur les circonstances des attentats du 11 septembre 2001, y compris sur la préparation et la riposte immédiate aux attaques.

2. Publiant des extraits d'un mémorandum du ministère de la Défense au Comité spécial du Sénat sur le renseignement, le *Weekly Standard* écrit : « Lors d'une visite en janvier 1996 à Doha, Ben Laden aurait discuté de l'acheminement d'explosifs en Arabie saoudite et des opérations ciblées contre les intérêts américains et britanniques à Dammam, Dharan et Khobar, en utilisant des cellules clandestines

deux hommes ont combattu côte à côte en 1987. KCM est également proche de Ramzi Youssef, tête pensante du premier attentat commis contre le World Trade Center en 1993[1]. Il lui arrive ainsi de quitter ponctuellement le Qatar pour rejoindre Youssef, son neveu, et concevoir avec lui différentes opérations. Ils ont ainsi élaboré des plans pour assassiner le président Clinton lors de son voyage à Manille en novembre 1994. Activement recherché par les Américains, KCM est protégé par Doha. « Nous avons retrouvé sa trace au Qatar, témoigne Richard Clarke, responsable de l'antiterrorisme auprès de la Maison-Blanche entre 1993 et 2001. Il travaillait pour le gouvernement qatari au ministère de l'Eau. Nous voulions l'arrêter et l'extrader sans en parler au gouvernement qatari. Mais le FBI était incapable d'organiser un enlèvement à l'étranger, et la CIA n'avait pas d'antenne au Qatar[2]. » Impossible de mener à bien l'opération sans éveiller les soupçons du Diwan, vu le nombre d'hommes et les forces nécessaires. Le gouvernement américain a donc informé l'émir de ses intentions en précisant bien que c'était hautement

---

d'Al-Qaïda en Arabie saoudite » (*in* « Case Closed », *Weekly Standard*, 24 novembre 2003). Citant un ancien responsable du renseignement américain, le *New York Times* précise de son côté que l'« individu qatari » qui a accueilli Ben Laden était bien Abdullah bin Khalid al-Thani. Cf. « U.S. Officials Say Aid for Terrorists Came Through Two Persian Gulf Nations », *The New York Times*, 8 juillet 1999.

1. Quelques mois plus tôt, « le 3 novembre 1992, KCM a viré 660 dollars depuis son compte bancaire au Qatar sur le compte bancaire du co-conspirateur de Youssef, Mohammed Salameh. KCM ne semble pas avoir contribué plus substantiellement à l'opération », précise le rapport.

2. *Les Routes de la terreur*, documentaire en deux parties de Jean-Christophe Klotz et Fabrizio Calvi, coproduction Arte France et Maha Productions, 2010.

confidentiel et qu'il ne devait en parler à personne. À l'époque, Hamad al-Thani venait de prendre le pouvoir. « À peine reçu par l'émir [en janvier 1996], KCM avait déjà disparu du Qatar. Il avait manifestement été prévenu par un membre du gouvernement qatari... », souligne Richard Clarke.

Toutes ces informations sont disponibles dans le rapport de la commission du 11-Septembre rendu public en juillet 2004, et dans les analyses publiées par le Congressional Research Center du Congrès américain, réalisées à partir de sources ouvertes. Comment imaginer que le sommet de l'État français n'ait pas eu connaissance de la duplicité qatarie lorsque Nicolas Sarkozy décide de faire du Qatar le pivot de sa politique arabe ?

« Entre 1995 et 2013, la stratégie du Qatar consistait à avoir des relais d'influence et d'action partout où il le pouvait, décrypte Alain Chouet. Un gouvernant avisé a toujours plusieurs fers au feu. Nous connaissons KCM parce qu'il était l'opérationnel d'Al-Qaïda au moment du 11-Septembre, mais des dizaines d'autres sont probablement passés par le Qatar. » Au sein de la DGSE, Alain Chouet a dirigé le bureau de coordination des recherches et opérations antiterroristes, il a été conseiller technique pour le monde arabe et le terrorisme auprès du directeur de la stratégie, conseiller technique du directeur du Renseignement pour l'islam et le terrorisme, enfin chef du service de renseignement de sécurité de la DGSE[1]. Il poursuit : « À l'époque où KCM était à Doha, cela pouvait constituer un levier. Le cas n'a rien d'exceptionnel. Le Qatar entretenait alors les meilleures relations avec Israël

---

1. Respectivement de 1980 à 1985, de 1990 à 1992, de 1996 à 1999 et de 2000 à 2002.

et, en même temps, avec le Hamas. » « Il est essentiel de pouvoir suivre les allées et venues de certaines personnes, d'avoir des interlocuteurs sur lesquels nous pouvons nous appuyer et de bénéficier d'échanges d'informations », déclare Michèle Alliot-Marie, ministre de la Défense entre 2002 et 2007, qui ajoute : « À ma connaissance, nous avons toujours obtenu les renseignements demandés. Quand j'étais ministre, nous considérions qu'en matière de renseignement la collaboration avec le Qatar était tout à fait satisfaisante. »

« Les autorités américaines décrivent comme significative la coopération du Qatar en matière de lutte contre le terrorisme. Néanmoins, certains observateurs ont soulevé des questions concernant un présumé soutien à Al-Qaïda et à d'autres groupes extrémistes violents par des citoyens qataris, incluant un soutien historique de certains membres de la famille régnante[1] », précise le Centre de recherche du Congrès américain, à l'attention des représentants et sénateurs. Si le Qatar peut se révéler un atout intéressant dans un jeu éminemment complexe, l'ériger au rang de pivot de la diplomatie française est autrement plus dangereux. « Les Qataris ont besoin d'outils sur leur établi. Quels qu'ils soient. Cela peut aussi bien être un président de la République française qu'un jihadiste pakistanais. Du moment que ça peut servir un jour, prenons-le puisqu'on a les moyens de se le payer ! » Et Alain Chouet de conclure : « Cela ne me choque pas. Il s'agit d'un jeu où l'on fait feu de tout bois. Et il faut en permanence avoir sur l'étagère une solution à chaque problème, même le plus improbable qui puisse se poser. Les services sont la longue cuillère des gouvernements pour aller manger avec le diable. »

---

1. « Qatar : background and U.S. relations », Christopher M. Blanchard, Congressional Research Service, 30 janvier 2014.

Pour s'imposer sur la scène diplomatique, le Qatar mise sur la médiation. Sa crédibilité de négociateur, il l'a acquise en mai 2008 en résolvant la crise interlibanaise[1]. Une entremise dans laquelle la France, malgré toute l'influence qu'elle a pu exercer sur le pays du Cèdre, se révèle impuissante. À l'invitation de l'émir Hamad, pro-Occidentaux et opposants islamiques du Hezbollah se retrouvent à Doha. Maître de cérémonie : HBJ. « Tout au long de l'année écoulée, il n'a cessé d'utiliser son jet privé pour se rendre du Maroc à la Libye en passant par le Yémen, usant du charme, de la ruse et de généreuses sommes d'argent pour résoudre les dissensions, avec des succès variables[2]. » Accueillant les différentes délégations à l'hôtel Sheraton, HBJ détient littéralement les clés des négociations et parvient à un accord le 21 mai 2008. « L'émir Hamad avait déjà versé 300 millions de dollars pour la reconstruction du Liban en 2007, souligne Mounir Shafiq. Après les affrontements de mai 2008 entre le Hezbollah et le Courant du futur mené par Saad Hariri, l'émir a initié des négociations à Doha entre les parties libanaises, avec l'approbation de Bachar el-Assad. De ces négociations est sorti un gouvernement d'union nationale comprenant le Hezbollah et Saad Hariri. » « Fidèle à ses habitudes, la Syrie a monnayé sa capacité de nuisance régionale, observe Alain Chouet. Pour rallier le dictateur syrien aux accords de Doha, le Qatar lui a fait cadeau d'un

---

1. Le Liban est alors divisé depuis dix-huit mois. D'un côté, les partisans du Hezbollah et des forces prosyriennes réclament la chute du Premier ministre Fouad Siniora ; de l'autre, les soutiens de Saad Hariri appuient le gouvernement et bénéficient du parrainage des Occidentaux.

2. « Qatar, Playing All Sides, Is a Nonstop Mediator », *The New York Times*, 9 juillet 2008.

avion et de quelques voitures, que les Américains avaient judicieusement équipées de micros. »

En permettant au pays du Cèdre de sortir d'une crise longue de dix-huit mois, le Qatar s'est propulsé au rang de médiateur crédible. À Beyrouth, sur la route de l'aéroport, fleurissent des panneaux proclamant : « Nous disons tous merci au Qatar. » La presse est dithyrambique et salue en l'émir le Metternich des temps modernes. « Les Qataris, eux, ne s'endorment pas sur leurs lauriers diplomatiques. Ils sont trop occupés à essayer de résoudre tous les conflits au Moyen-Orient[1] », ironise le *New York Times*.

L'étape suivante se joue à Paris en juillet 2008, à la veille du lancement de l'Union pour la Méditerranée qui doit réunir 43 chefs d'État et formaliser leur coopération – inédite – dans différents dossiers politiques régionaux, parmi lesquels le conflit israélo-arabe. Le 12 juillet, Sarkozy reçoit le général Michel Sleimane, le président libanais élu au lendemain des accords de Doha. Il se rend ensuite à une réunion de travail où l'attend le président syrien Bachar el-Assad. Ce dernier s'apprête à annoncer l'ouverture de relations diplomatiques avec le Liban – une première ! –, une annonce que Sarkozy avait posée comme condition *sine qua non* à sa venue à Paris. Son invitation scelle la rupture avec la ligne suivie par Jacques Chirac qui, au lendemain de l'attentat contre Rafic Hariri, Premier ministre libanais, avait coupé tout lien avec Damas. Participe également à l'entretien l'émir Hamad al-Thani, qui peut s'enorgueillir de recevoir les premiers remerciements du président français dans le discours que celui-ci prononce peu après dans la journée : « Je voudrais dire à l'émir du Qatar et à sa délégation, et notamment au Premier ministre, combien la France est reconnaissante aux Qataris pour le rôle qu'ils

---

1. *Ibid.*

jouent de façon constante au service de la paix dans la région, et combien nous sommes heureux de leur présence à cette tribune. Le Qatar a joué un grand rôle et la France souhaite lui rendre hommage », déclare alors Sarkozy.

« C'est nous qui avons conseillé à Nicolas Sarkozy de renouer avec le président syrien Bachar el-Assad[1] », pérore HBJ. En l'espèce, loin du rôle que s'arroge le diplomate qatari, Sarkozy entendait bien renouer avec le dictateur syrien. Il souhaite ainsi marquer sa différence avec son prédécesseur et trouver une nouvelle entrée au Proche-Orient pour pallier l'inanité d'une alliance exclusive avec le Liban. Ziad Takieddine a pris langue avec Damas et y a organisé, le 15 juin 2008, une rencontre entre Claude Guéant et le potentat syrien[2]. Un rapprochement qui ne peut que satisfaire l'ami qatari. « L'entente est telle entre les Al-Thani et Bachar el-Assad que ce dernier passe alors beaucoup de temps à Doha », se souvient Mehran Kamrava qui dirige le Centre d'études régionales et internationales de Georgetown University Qatar.

La démarche qatarie n'a rien de complaisant. Elle est pragmatique. En se liant avec Damas, l'émirat élargit d'autant son réseau d'influence. Apportant son soutien à un allié de l'Iran, il contribue à entretenir de bonnes relations avec Téhéran avec qui il partage son fabuleux gisement gazier, tout en jetant une nouvelle pierre dans le jardin saoudien. Hariri était l'un des protégés des Saoud, famille à laquelle l'émir Hamad ne cesse, depuis sa prise de pouvoir en 1995, de disputer le leadership régional. « Le Qatar représente un

---

1. *In* Christian Chesnot et Georges Malbrunot, *Qatar, les secrets du coffre-fort, op. cit.*

2. « Les documents Takieddine : l'inavouable diplomatie occulte de l'Élysée avec la dictature syrienne », Mediapart, 8 août 2011.

wahhabisme alternatif. Les wahhabites sont dogmatique-
ment très antichiites. En discutant avec le Hezbollah et l'Iran
chiites, le Qatar fait mentir les automatismes », analyse Jean-
Pierre Filiu. Parallèlement aux liens d'amitié tissés avec le
régime syrien, les Al-Thani développent d'importants projets
industriels. En tout, ce sont plus de 6 milliards de dollars qui
sont investis en Syrie. Quoi de plus redevable qu'un régime
ostracisé à qui l'on tend une main si généreuse ?

Le 13 juillet 2008, Nicolas Sarkozy lance l'Union pour
la Méditerranée qui instaure une coopération politique
entre les membres de l'Union européenne et les pays de
la Méditerranée. Parmi les différents accords et projets
esquissés, celui visant à promouvoir le respect des droits
de l'homme et une bonne gouvernance !

En calquant les priorités diplomatiques de sa politique
arabe sur les enjeux du Qatar, Nicolas Sarkozy s'est fait
le marchepied des Al-Thani. Il n'aura pas fallu longtemps
pour opérer ce périlleux revirement qui éloigne la France
de ses alliés traditionnels : tout juste quelques mois. Nicolas
Sarkozy ne s'en cache pas, et s'en vante lors du dîner d'État
organisé en l'honneur de l'émir Hamad en juin 2009 : « Par
la variété de nos contacts, par notre engagement commun,
par notre volontarisme, par la réactivité et l'inventivité de
votre diplomatie, le Qatar est devenu un acteur influent des
relations internationales. Notre alliance a permis l'accession
au statut d'influence », s'enorgueillit le président qui ajoute :
« Vous êtes une chance », avant de conclure : « Vous êtes un
exemple. La France est heureuse d'être votre amie, l'amie de
votre peuple, l'amie de votre pays, et, si vous le permettez,
l'amie de votre famille. » Et, tandis que la République fait la
courte échelle à la micro-dictature, Nicolas Sarkozy utilise
l'appareil d'État pour satisfaire au mieux son ami qatari.

12.

Petit arrangement entre amis

En contrepartie de son « geste humanitaire » accompli dans le cadre de la libération des infirmières bulgares et du médecin palestinien, le Qatar, « État ami », obtient du président français de généreuses compensations. Profitant de leur rencontre officielle à Doha en janvier 2008, Nicolas Sarkozy et l'émir Hamad al-Thani modifient les grandes lignes qui organisent l'imposition des biens de l'émirat en France. Celui-ci pourra désormais investir dans tous les pans de l'économie sans se préoccuper de son imposition, devenue indolore.

La France – « un État en situation de faillite[1] », *dixit* François Fillon, alors Premier ministre – s'apprête à devenir le paradis fiscal du Qatar ! Dans un contexte économique marqué par une crise financière sans précédent, par l'aggravation continue du déficit public et une paupérisation de pans entiers de la société, Nicolas Sarkozy privilégie la richissime famille Al-Thani en privant l'État de recettes dont il a grand besoin. Disposant de la haute main sur l'appareil d'État, il utilise la convention fiscale pour s'attacher les bonnes grâces de l'émirat. Cette faveur

---

1. Le 21 septembre 2007.

est passée comme une lettre à la poste devant les deux Chambres. François Loncle, membre de la commission des Affaires étrangères de l'Assemblée, est parfaitement conscient que les parlementaires ne sont pas assez vigilants dans l'examen de telles conventions. « Contrairement aux projets de loi de politique intérieure, ces conventions ne peuvent pas être amendées et elles nous arrivent en grand nombre », déplore-t-il au cours de notre discussion dans les jardins de l'Assemblée. Quand il arrive à l'Assemblée, le projet de loi, très technique, voulu par le sommet de l'État est tout ficelé ; et une fois qu'il sera voté, il sera quasiment impossible de modifier la loi. Et le député de préciser : « Il s'agit essentiellement d'aspects fiscaux, particularités dont nous ne sommes pas forcément des spécialistes. Je ne suis pas sûr que lors du vote portant sur l'avenant à la convention fiscale avec le Qatar, nous l'ayons regardé à la loupe. »

La France et le Qatar sont liés par une convention fiscale paraphée en 1990[1]. Dans la région, les premières de ces conventions ont été signées dès le milieu des années 1980 pour dynamiser les échanges commerciaux et les investissements des pays membres du Conseil de coopération des États du Golfe[2]. Quand Nicolas Sarkozy décide de modifier

---

1. Convention signée à Paris le 4 décembre 1990, entrée en vigueur le 1er décembre 1994. Elle réglemente l'imposition en France des biens et revenus du Qatar, qu'il s'agisse de l'État, des sociétés ou des Qataris résidant dans l'Hexagone. Des accords analogues lient Paris à l'Arabie saoudite, aux Émirats arabes unis et au Koweït.

2. Créé en 1981, le Conseil de coopération du Golfe (CCG) est une organisation régionale composée de l'Arabie saoudite, de Bahreïn, des Émirats arabes unis, du Koweït, d'Oman et du Qatar, tous membres de la Ligue arabe. Son objectif : renforcer la coordination, l'intégration et les échanges entre ses membres.

la convention, cela fait quelques années déjà que le Qatar le réclame[1]. L'affaire n'avait pas revêtu jusqu'alors un caractère d'urgence. Après plusieurs demandes émanant de Doha, Jacques Chirac avait accepté, en 2005, que la convention soit réexaminée. Mais l'ancien président avait d'autres priorités[2]. Nicolas Sarkozy, lui, s'empresse de la faire aboutir. Il en acte le principe le 14 janvier 2008 à Doha.

Accompagné de plusieurs ministres – Bernard Kouchner, ministre des Affaires étrangères, Xavier Darcos, ministre de l'Éducation nationale, Christine Albanel, ministre de la Culture et de la Communication, Christine Lagarde, ministre de l'Économie, des Finances et de l'Emploi, et Hervé Morin, ministre de la Défense – et d'une vingtaine de grands patrons, Nicolas Sarkozy effectue alors sa première tournée dans le Golfe. Avant de se rendre au Qatar, la délégation présidentielle a fait une brève escale en Arabie saoudite : quelques heures seulement. Les relations avec Riyad avaient donc mal commencé, mais, plutôt que de réparer l'impair auprès des Saoudiens en leur témoignant la haute estime de la France – et, ce faisant, de consolider nos alliances tout en respectant les équilibres régionaux –, c'est à Doha que le président a décidé de passer deux jours. Un choix lourd de sens dans cette région du monde où le temps est une donnée capitale et où les susceptibilités sont exacerbées. « Cette habitude qu'avait Sarkozy de ne passer que quelques heures dans un pays... Il en faisait

---

1. L'émirat demandait que son régime fiscal soit rapproché de celui du Koweït.

2. La France demandait que la convention soit conforme aux dernières évolutions du modèle OCDE prévoyant la levée du secret bancaire dans le cadre de l'échange de renseignements, ce que le Qatar refusait. Ce n'est qu'en février 2007 qu'il changea d'avis.

parfois trois en une même journée ! Or les dirigeants du Golfe ont besoin d'être considérés. Cette mauvaise habitude les indisposait beaucoup », déplore un ancien ministre en charge du dossier. Le Qatar, lui, s'enorgueillit d'un traitement privilégié. Pourtant, les espoirs français en matière de contrats ne sont pas comblés pour autant. Un seul est signé. D'un montant de 470 millions d'euros, il porte sur la fourniture par Areva T & D de stations de distribution d'électricité ; un mémorandum d'entente est également conclu avec EDF. Surtout, entre les négociations, Nicolas Sarkozy convient avec l'émir Hamad al-Thani de la révision de la convention fiscale tant attendue par le Diwan.

Une fois les grandes lignes esquissées, les dispositions de la nouvelle convention fiscale sont élaborées par la direction de la Législation fiscale et la direction générale des Finances publiques, et les autorités compétentes du pays concerné. Le texte est ensuite soumis au pouvoir législatif qui, au sein des commissions et sous-commissions spécialisées, examine et amende, le cas échéant, le texte. Voilà pour le processus. Qu'en est-il des spécificités de la convention fiscale liant la France et l'émirat telle qu'elle découle des modifications décidées à Doha en janvier 2008 ? Impossible de le savoir avec certitude. Le gouvernement, sollicité à plusieurs reprises, est excessivement discret sur la question. Le ministère du Budget renvoie au ministère des Finances, qui lui-même annonce qu'il va se renseigner auprès du Trésor. Au final, aucune réponse n'a été donnée à mes questions. Le Qatar, décidément, est un sujet bien délicat... Faute d'explication et d'introduction à l'extrême subtilité de la convention, je dois me contenter d'en rapporter les grandes lignes. Pas assez pour en analyser toutes les dérives, mais suffisamment pour en cerner les excès.

Désormais, la plus-value réalisée en cas de revente d'un des biens immobiliers de l'émirat, qu'il s'agisse de l'État ou d'une entité publique s'y rattachant, est exonérée d'impôt[1]. De plus, les Qataris qui résident dans l'Hexagone sont tout bonnement exemptés de l'impôt de solidarité sur la fortune (ISF) pendant leur cinq premières années de résidence s'ils n'ont pas été résidents français durant les trois dernières années. Cette disposition « n'est pas conforme au modèle OCDE », signale le rapport rédigé par Adrien Gouteyron. « Un nouveau paragraphe a été ajouté à la demande de la partie qatarie, afin d'exclure toute possibilité d'imposition extraterritoriale des dividendes », est-il ajouté dans le rapport, qui souligne aussi que « la retenue à la source sur les bénéfices des établissements stables des sociétés qataries » ne sera pas appliquée.

Certes, la haute courtoisie internationale stipule un principe de non-imposition pour les dirigeants étrangers, qu'il s'agisse des chefs d'État ou de gouvernement. Problème : au Qatar[2], l'État se confond avec la famille Al-Thani. Et son patrimoine, avec le budget de l'État. L'ancien émir Ahmad bin Ali al-Thani[3] avait divisé « en parts égales le revenu pétrolier entre l'État (50 %) et la famille régnante (50 %), s'accordant une part personnelle de 25 % des revenus perçus par la famille[4] ». Son successeur Khalifa[5], père de Hamad, avait entrepris une « réforme des finances

---

1. Le seul précédent concerne la convention franco-koweïtienne signée en 1994.

2. C'est également le cas des familles régnantes des autres pétro-monarchies du Golfe.

3. Il a régné de 1960 à 1972.

4. Claire-Gabrielle Talon, *Al Jazeera, op. cit.*

5. Il a régné de 1972 à 1995.

publiques qui le conduisit à supprimer les 50 % des revenus de l'État, auparavant automatiquement attribués à la
famille royale, [mais] garda un contrôle absolu sur le budget
public, tout chèque d'un montant supérieur à 50 000 livres
exigeant sa signature personnelle. La Constitution de 1972
établie sous son autorité ne prévoyait pas de séparation
officielle entre les fonds privés de l'émir et le budget public.
En pratique, les membres de la famille régnante conti-
nuèrent de puiser dans les caisses de l'État ».

Aujourd'hui, qu'en est-il ? « La plupart des membres de
la famille Al-Thani perçoivent environ 210 euros chaque
mois à partir de leur naissance. À dix ans, l'allocation
mensuelle passe à 1 260 euros puis à 4 200 euros à dix-
huit ans. 3 100 euros sont versés chaque mois lorsqu'un
Al-Thani se marie (soit, à vingt-cinq ans et marié, une
rente mensuelle de 7 300 euros)[1]. » Ce système de rente
est censé calmer toute velléité de contestation du pouvoir
en place. L'émir n'a pas non plus à se plaindre : en vertu
de la Constitution adoptée en 2003 – qui concentre plus
encore le pouvoir entre les mains de l'émir en légalisant
son droit de veto sur toutes décisions –, les « émoluments
financiers de l'émir, ainsi que les fonds alloués pour les
dons et l'assistance, sont déterminés par une résolution
publiée annuellement par l'émir[2] ». Quant aux finances
publiques, elles sont gérées par le Conseil des ministres

---

1. « Le versement de ce bonus peut être suspendu s'il épouse
une ressortissante d'un pays non membre du Conseil de coopération du Golfe. Il l'est assurément en cas de mariage avec une non-
musulmane. Ces deux restrictions s'étendent aussi à la somme allouée
à la naissance d'un enfant. » In *Qatar, les secrets du coffre-fort, op. cit.*,
pp. 67-68.
2. Article 17 de la Constitution du Qatar ratifiée en juin 2004.

composé par l'émir sur proposition du Premier ministre nommé lui aussi par l'émir. Ce dernier n'a de comptes à rendre à personne dès lors qu'il préserve les intérêts du conseil de famille, donc des Al-Thani, sur le point d'obtenir en France une réelle immunité fiscale.

Encore faut-il que le texte négocié par les deux chefs d'État soit ratifié par le Parlement. Ce genre de procédure prend généralement des années. Pas cette fois, comme le souligne la députée Marie-Louise Fort dans son rapport qui accompagne le projet de loi et qu'elle remet le 8 octobre 2008 au nom de la commission des Finances de l'Assemblée. Elle prend soin de « saluer la rapidité du gouvernement qui soumet au Parlement la ratification d'une convention peu de temps après sa signature ». Et elle éprouve le besoin de dire, pudiquement : « Le Qatar a joué un rôle discret, mais sans doute décisif, dans les négociations qui ont conduit à la libération des infirmières bulgares emprisonnées en Libye. » L'avenant est voté huit jours plus tard en première lecture au Palais Bourbon. Au Sénat, Adrien Gouteyron remet son rapport le 11 février 2009 ; le projet de loi est adopté le 19.

Point n'est besoin, semble-t-il, au lendemain de la faillite de la banque d'investissement américaine Lehman Brothers, donc en pleine crise des liquidités sur les marchés financiers, alors que le système financier mondial menace de s'écrouler, de consacrer trop de temps à la discussion d'une telle exemption fiscale[1]. Cette convention alors, un donné pour un rendu ? Ou pas ? Un journaliste, Patrick

---

1. La convention contient une clause portant sur l'échange d'informations entre le Qatar et le fisc français, clause permettant notamment de connaître les revenus et bénéfices réalisés par les industriels français présents dans l'émirat. « L'idée est de pister les intermédiaires et les commissions sur les gros contrats, d'autant que le Qatar a levé son

Roger, tranche : « Ce régime de faveur est en quelque sorte la rançon de la rançon[1]. » Le jour de la libération des infirmières bulgares, le président avait pourtant fait état d'un « geste humanitaire » accompli par un « État ami ».

Les parlementaires évoquent la volonté d'éviter une double imposition. Le principe est louable : un même revenu ne doit pas être taxé à plusieurs reprises. Or, dans l'émirat, la TVA n'existe pas, tout comme la taxation des salaires – les fameuses charges patronales et salariales –, ou encore l'impôt sur le revenu. Certes, un impôt sur les bénéfices est prélevé depuis 2010, mais il n'excède pas 10 % !

Grâce à Nicolas Sarkozy, le Qatar peut désormais investir dans tous les pans de l'économie sans craindre la fiscalité française. Déjà passionné par la pierre parisienne, les Al-Thani vont multiplier leurs achats. Ils détiennent déjà plusieurs biens, parmi lesquels l'hôtel d'Évreux et le siège du Crédit foncier, tous deux propriétés de l'émir Hamad al-Thani[2], l'hôtel Lambert acquis par Abdallah, l'un des frères de l'émir, ou encore l'hôtel Landolfo-Carcano qui abrite l'ambassade de l'émirat, tous deux classés monuments historiques, ainsi que l'hôtel Kinski.

Le Qatar entretient une longue histoire avec la pierre parisienne. Son premier achat remonte à 1975. C'est Guy Delbès, l'homme qui s'occupe des investissements

---

secret bancaire », notent Christian Chesnot et Georges Malbrunot, in *Qatar, op. cit.*

1. « La France accorde une exonération d'impôts aux avoirs du Qatar », *Le Monde*, 21 février 2009.

2. Parmi les propriétés françaises de l'émir Hamad se trouvent notamment un duplex de 800 mètres carrés rue de Rivoli, un château près de Versailles, ainsi qu'un domaine d'une trentaine d'hectares comprenant sept villas à Mouans-Sartoux.

du Qatar en France, qui s'en est chargé. Il portait sur des immeubles situés à l'orée de l'avenue des Champs-Élysées, au cœur du luxueux 8ᵉ arrondissement parisien, dans ce qu'il est convenu de désigner comme le « triangle d'or », immeubles dont la société Élysée 26 est propriétaire. Sont associés au sein de cette structure l'État du Qatar et Élypont – contraction d'Élysée et Ponthieu, du nom des deux rues jouxtant le bloc d'immeubles –, société chargée de gérer les investissements immobiliers de l'émirat dans l'Hexagone.

Élypont (créée en 1957) et Élysée 26 (fondée en 2002) sont domiciliées à l'hôtel de Coislin. L'adresse est prestigieuse. Ce majestueux hôtel particulier donnant sur la place de la Concorde et accolé au Crillon est immense, 3 600 mètres carrés. Le premier étage sert de pied-à-terre parisien au fonds souverain QIA. Mais le lieu ne lui appartient pas, il le loue à une société néerlandaise. Officiellement, l'hôtel de Coislin appartient à Mayapan B. V., fonds situé aux Pays-Bas... et propriété de l'émir Hamad al-Thani[1] !

Cette prestigieuse acquisition remonte à l'année 2000. Montant de la transaction : 44,66 millions d'euros[2]. Une cession qui intrigue le juge Renaud Van Ruymbeke : l'ancien propriétaire, le richissime Saoudien Gaith Pharaon, est en effet soupçonné de blanchiment d'argent...

Si le Qatar n'a pas attendu Nicolas Sarkozy pour investir dans la pierre parisienne, ce n'est qu'après le toilettage de la convention fiscale que l'émirat accélère ses achats de

---

1. Le fonds serait doté de 600 millions d'euros d'actifs. Cf. « Les curieux intermédiaires du Qatar en France », Rue89, 11 mai 2013.

2. « Le mystère Pharaon », *L'Express*, 5 juin 2003.

nombreux grands hôtels. En septembre 2008, soit neuf mois après l'accord entre l'émir et le président français, Qatari Diar acquiert près de 23 % de la Société fermière du casino municipal de Cannes qui détient le Majestic Barrière et le Gray d'Albion à Cannes, ainsi que deux établissements de jeux. Mais c'est en 2012 que le tropisme qatari pour les palaces s'exprime à plein. Le Concorde-Lafayette, dominant l'ouest parisien depuis la porte Maillot, l'hôtel du Louvre, l'hôtel Martinez à Cannes et le palais de la Méditerranée à Nice sont racheté au groupe Starwood Capital par un fonds qatari. « HBJ s'est offert tous ces hôtels à travers son fonds personnel Challenger », affirme, sous couvert d'anonymat, un proche de l'émirat. Quant au Carlton à Cannes, il appartient depuis quelques mois au président de Qatari Diar, Ghanem bin Saad al-Saad[1]. En parallèle, QIA acquiert, *via* sa filiale Qatar Holding, l'immeuble abritant *Le Figaro*, boulevard Haussmann, ainsi que l'immeuble qui, sur les Champs-Élysées, accueillait alors le Virgin Mégastore ainsi qu'un ensemble immobilier situé cité Retiro, toujours dans le 8e arrondissement parisien. D'après une étude réalisée par Reuters en septembre 2013, en France, les Qataris ont ainsi acquis pour 4,8 milliards d'euros de propriétés immobilières à compter de 2008. Mais ce n'est là qu'une partie de leurs investissements.

Quelques années plus tard, alors que la question de la transparence des financements politiques et de la moralisation de la vie publique est posée, la convention fiscale signée entre Paris et Doha est pointée du doigt. « C'est aberrant de faire la leçon à des paradis fiscaux tout en en étant un nous-mêmes ! Je considère que tant que cette convention n'est pas modifiée, nous sommes le paradis

---

1. Il en a quitté la présidence depuis.

fiscal du Qatar[1] », me déclare le sénateur socialiste Jean-Yves Leconte. Profitant d'un débat organisé le 23 avril 2013 par le Sénat sur l'efficacité des conventions fiscales internationales, il interpelle à ce sujet le ministre délégué au Budget :

« Cette convention fiscale, si elle accompagne des investissements qataris en France, permet surtout de rapatrier au Qatar toute la valeur ajoutée tirée de ces investissements ! [...] Nous atteignons le sommet de l'hypocrisie en matière de moralisation et de transparence. Par le biais de cette convention, l'optimisation fiscale au Qatar d'investissements réalisés en France est rendue légale sans prise en compte de l'intérêt fiscal de notre pays ! » s'indigne le sénateur.

« La convention a été renégociée au début du précédent quinquennat. Nul n'ignore qu'elle est particulièrement généreuse à l'égard des investissements qataris en France, qui sont très largement exonérés. Cette convention très particulière et à laquelle le Parlement s'intéresse aujourd'hui, s'agissant notamment des modalités de sa négociation, ne peut être un modèle. Il s'agit d'une exception que nous ne souhaitons pas dupliquer », répond Bernard Cazeneuve.

Depuis lors, le sénateur, qui évoque les « conséquences néfastes pour la France de l'avenant apporté en janvier 2008 à la convention fiscale franco-qatarie » et compare la France à « un pays-atelier de l'Extrême-Orient », a officiellement demandé au ministre délégué au Budget quelles étaient les mesures envisagées « pour mettre fin à certaines des exceptions fiscales introduites par l'avenant de janvier 2008, car, en l'absence de remise en cause, c'est la diffusion de tels avantages fiscaux qui sera revendiquée

---

1. Entretien, 14 juin 2013.

par nombre d'États au profil économique comparable à celui du Qatar[1] ». À l'été 2014, sa question n'a toujours pas reçu de réponse.

Problème : le privilège fiscal accordé au Qatar par Nicolas Sarkozy est quasi irrévocable. Une fois ratifiées, les conventions fiscales sont gravées dans le marbre. « Pour les modifier, il faut renégocier. Et, si l'autre État refuse, on ne peut rien faire. Sauf à dénoncer l'accord ou à envoyer l'armée... », m'explique Jean Arthuis qui présidait la commission des Finances du Sénat quand la convention fiscale a été modifiée[2].

D'après mes informations, Paris n'a pas prévu d'ouvrir de nouvelles discussions sur le sujet.

1. Question écrite n° 06371 de Jean-Yves Leconte, « Conséquences néfastes pour la France de l'avenant porté en janvier 2008 à la convention fiscale franco-qatarie », publiée au *JO du Sénat* le 16 mai 2013, p. 1521.

2. Entretien, 5 juin 2013.

13.

Main basse sur les fleurons
de l'industrie française

Total, Vinci, ou encore Suez Environnement : en quelques mois, le Qatar s'invite dans le capital des grands fleurons du CAC 40. Le tout dans un pas de deux d'une rare efficacité.

Avant l'élection de Nicolas Sarkozy, Lagardère était la seule entreprise française à compter l'émirat parmi ses actionnaires[1]. Les choses ont radicalement changé depuis lors. « On avait l'impression que l'Élysée leur donnait à racheter la France », dit un grand patron à *Marianne* en janvier 2013[2]. Au cœur du dispositif, Claude Guéant : le secrétaire général de l'Élysée[3]. « Les relations franco-qataries ont presque de tout temps été contrôlées par Guéant. C'en est l'acteur majeur depuis 1994, quand il était au cabinet de Charles Pasqua. Sous Sarkozy, tout passait par lui », précise à *Libération* un spécialiste de l'intelligence économique, notamment des investissements du petit émirat. « Guéant tenait la liste réactualisée des

1. Voir chapitre 18, voir p. 274 et suivantes.
2. « Ils ont livré la France au Qatar », *Marianne*, 11 janvier 2013.
3. Du 16 mai 2007 au 27 février 2011.

emplettes possibles. Les Qataris avaient priorité sur tout »,
confie un intermédiaire[1]. Membre le plus haut placé du
cabinet de la présidence de la République et plus proche
collaborateur de Sarkozy, Guéant a pourtant de bien plus
éminentes missions. Comme de diriger et coordonner le
cabinet, informer le président des affaires du pays, préparer
ses décisions, faire l'interface avec le Premier ministre et le
gouvernement, gérer les relations avec les partis politiques
et les syndicats. Bref, il assiste le président dans la bonne
gouvernance de la France. C'est dire son importance et
son pouvoir.

Il est à l'origine des réseaux du président au Qatar.
C'est lui qui, en coulisses, a organisé le premier voyage
de Sarkozy dans l'émirat, en décembre 2005[2]. Le ministre
de l'Intérieur était venu discuter de l'organisation, l'année suivante, du Salon international des forces de police
Milipol à Doha. Quelques jours plus tôt, à Paris, Sarkozy
avait rencontré HBJ qui, à la casquette de ministre des
Affaires étrangères de l'émirat, joignait notamment celle
de ministre de l'Intérieur. Pour Sarkozy, cette rencontre a
été décisive. « Avec l'émir, Sarko est respectueux et proto-
colaire, il fait le job. Son vrai copain, c'est HBJ », explique
un habitué des voyages officiels dans le Golfe. « Sarkozy
était déjà en campagne auprès des Français de l'étranger,
remarque un observateur présent lors de sa visite. Quand
il a vu l'émir, il lui a dit en substance : "Misez sur le futur
vainqueur."[3] » Les Qataris ont bien reçu le message. Et, en
pleine campagne présidentielle de 2007, HBJ, tout juste

---

1. « L'émir Al-Thani, un ami très cher », *Libération*, 24 septembre
2012.

2. « Nos chers amis les Qataris », *Le Point*, art. cité.

3. « Notre ami l'émir », *Le Monde*, art. cité.

nommé Premier ministre en sus de ses multiples attributions, a profité d'une visite printanière pour rencontrer discrètement le candidat à son QG de campagne.

Claude Guéant tempère le rôle qui lui est prêté dans les relations entre Sarkozy et les Al-Thani. « Je n'étais pas le conseiller diplomatique du président, je ne consacrais qu'un peu de temps, dans mon agenda, à ces questions. Il m'arrivait d'avoir des contacts directs, mais je n'étais pas l'observateur le plus privilégié », annonce-t-il d'emblée. « Il m'est aussi arrivé de les rencontrer sur des dossiers économiques », concède-t-il tout juste.

Dès sa nomination au secrétariat général de l'Élysée, il reçoit très régulièrement HBJ et effectue pourtant de nombreux voyages dans l'émirat en compagnie de l'intermédiaire Abakar Manany[1], qui pilote lui-même un des avions de sa propre compagnie. « Guéant allait tout le temps à Doha où il était reçu dans l'entourage de HBJ », me confie une source diplomatique.

Multiministre et président exécutif de QIA, HBJ mêle allégrement business et politique et incarne la « diplomatie du chéquier » portée à son paroxysme. « HBJ n'est pas un simple plénipotentiaire », explique l'historien américain Allen Fromherz. « Non seulement il conduit la diplomatie qatarie, mais, surtout, il contrôle les investissements du

1. Important intermédiaire de Sarkozy avec le Qatar, Abakar Manany joue le même rôle auprès de Sassou-Nguesso, président du Congo-Brazzaville. Il a été introduit au palais par Juliette Johnson, fille aînée de Sassou, ainsi que par sa sœur, Ninette Ngouélondélé. Le Qatar envisage de construire avant la présidentielle de 2016 un centre d'affaires à Brazzaville. Il devrait également participer à la reconstruction des quartiers de Mpila et Ouenzé, détruits par les explosions de mars 2012. Manany est en outre le patron d'Amjet Executive. Cf. *Lettre du Continent*, 6 mars 2013.

Qatar, disposant ainsi d'un pouvoir unique au sein de la communauté diplomatique mondiale[1]. » HBJ est le « principal générateur de transactions, grâce à ses impressionnants contacts avec les politiques, les hommes d'affaires et les banquiers », tel que le décrit le *Financial Times*[2].

Avec QIA, l'homme pèse 170 milliards de dollars. D'après les chiffres du Sovereign Wealth Fund, QIA – dont la transparence n'est pas la principale caractéristique, comme l'indique la notation moyenne que lui attribue l'institut – arrive au 10e rang mondial des fonds souverains fin décembre 2013[3]. Cette force de frappe financière permet au Qatar, à travers QIA et ses principales filiales – Qatar Holding pour l'industrie, Qatari Diar spécialisé dans l'immobilier, ou encore Katara Hospitality (anciennement Qatar National Hotels) – de prendre des positions dans l'ensemble du spectre marchand de l'économie mondialisée. Quand la crise financière éclate, le Qatar fait son marché. Compulsivement. « Face à cette crise, de nombreux pays préfèrent garder leur argent au lieu de l'investir à l'étranger. Pour nous, c'est une opportunité qui ne va pas se répéter d'ici les vingt prochaines années. Nous avons par exemple acheté 16 % de la banque Barclays (en Grande-Bretagne) et 10 % du Crédit suisse. Nous allons de l'avant », déclare en 2009 l'émir Hamad al-Thani[4]. D'après

---

1. Interview du 6 mai 2013. Lire : *Qatar, a modern history, op. cit.*

2. « Qatar : what next for the world's most aggressive deal hunter ? », *Financial Times*, 4 juillet 2013.

3. « Rocchi : Faut-il redouter l'influence que donnera au Qatar son fonds d'investissement commun avec la France ? », Atlantico.fr, 14 février 2014.

4. « Interview with the Emir of Qatar "We Are Coming to Invest" », *Der Spiegel*, 29 mars 2009.

le FMI, QIA a investi 2,8 milliards de dollars dans le système bancaire entre 2009 et 2011. Saisissant l'opportunité offerte par la crise financière, grâce aux facilités accordées par la nouvelle convention fiscale et l'aide prodiguée au sommet de l'État, le Qatar fait une entrée fracassante dans les industries françaises. En 2008, l'émirat achète, *via* son fonds Qatari Diar, la société Cegelec, tandis que 3 % de Suez Environnement[1] sont acquis par Barwa, Qatari Diar et QInvest. En 2010, il troque Cegelec contre 5,78 % de Vinci[2] – avec qui il crée une société commune dans l'émirat, QDVC. En 2010 encore, Qatar Holding entre au capital de Vivendi[3] à hauteur de 2 %. En 2010 toujours, c'est au tour de Veolia[4], le numéro 1 mondial du traitement de l'eau et des déchets, de tomber dans l'escarcelle de Qatari Diar qui en acquiert 5 %... et emporte un siège au conseil d'administration ! Poste loin d'être anodin : le Qatar participe désormais à la définition de la politique stratégique de l'entreprise. Cette entrée se doublant d'un partenariat industriel, l'annonce en est faite tambour battant par Mohammed bin Ali al-Hedfa, directeur général de Qatari Diar : « Nous comptons associer pleinement Veolia au développement de nos projets au Moyen-Orient, en Europe et en Afrique[5]. » L'idée est simple : Veolia devrait

1. Qatari Diar réduira sa participation à 1 % en 2010 et sortira du capital de Suez Environnement en 2012.

2. Au 31 décembre 2013, le Qatar en détient 5,2 % et dispose d'un siège au conseil d'administration.

3. Il en détient aujourd'hui 1,57 %, d'après les derniers chiffres disponibles (14 avril 2014).

4. D'après le dernier rapport annuel disponible, daté du 18 mars 2014, le Qatar en détient 4,51 %.

5. « Le Qatar nouvel allié de Veolia Environnement », *Le Figaro*, 16 avril 2010.

désormais avoir table ouverte pour participer aux grands contrats qataris. Qatari Diar est dans l'émirat chargé de programmes mirifiques.

En 2011, l'émirat se tourne vers le luxe avec Le Tanneur, racheté à 85 % par la cheikha Moza à travers Qatar Luxury group. L'émirat s'invite également au capital de LVMH dont il détiendra 1 % un an plus tard... Puis du pétrolier Total à hauteur de 2 % à l'été 2011. La même année, il augmente sa participation dans Lagardère. Il pénètre ensuite dans le capital d'Orange (ex-France Télécom) *via* QIA qui en acquiert 1 % en juin 2012 et met la main sur le Paris Saint-Germain, que Qatar Sports Investissements (QSI) s'offre en 2011[1]. Et encore : ces prises de participation ne comprennent pas celles des membres de la famille, réalisées par le biais de leur fonds personnel...

Dans le même temps, l'Occident s'interroge pourtant sur le rôle potentiellement perturbateur des fonds souverains qui investissent dans des secteurs de plus en plus stratégiques. Dans une étude publiée le 18 novembre 2008, la Banque de France estime à plus de 3 000 milliards de dollars le poids financier des dix fonds souverains les plus importants du monde[2] – au début des années 1990, leurs

---

1. Voir chapitre 15, p. 220 et suivantes.

2. Il s'agit du fonds émirati Adia (Abu Dhabi Investment Authority), du norvégien GPF (Government Pension Fund), du fonds saoudien Sama (Saudi Arabian Monetary Agency), du fonds singapourien GIC (Government of Singapore Investment Corporation), du fonds koweïtien KIA (Kuwait Investment Authority), du fonds chinois CIC (China Investment Corporation), des fonds russes NWF (National Welfare Fund) et Oil Stabilisation Fund, du fonds chinois hongkongais HKMA (Hong Kong Monetary Authority Investment Portfolio) et du fonds singapourien Temasek Holdings.

actifs ne s'élevaient qu'à 500 milliards de dollars : une croissance exponentielle ! Leur manne provient du pétrole et du gaz pour les fonds du Golfe et de Russie, d'une politique commerciale agressive et d'un taux de change largement sous-évalué pour les fonds asiatiques, chinois et autres. Ce sont les nouveaux pourvoyeurs d'argent frais. Sur le point de devenir des acteurs majeurs de la finance internationale, ils sont au cœur des déséquilibres financiers de l'économie mondiale.

Quelles sont réellement leurs ambitions ? Leurs objectifs ne sont-ils que financiers – pis, spéculatifs –, ou tendent-ils à des fins industrielles, voire politiques ? En septembre 2007, lors d'une rencontre en Allemagne, Nicolas Sarkozy et la chancelière allemande Angela Merkel affirmaient souhaiter qu'une « attention particulière » soit accordée aux domaines dans lesquels la concurrence est « faussée par des fonds souverains » tels que les fonds étatiques chinois, russes et arabes. En automne 2007, le G7 faisait même de cette question son principal ordre du jour – une première ! Et quelques mois plus tard, le 8 janvier 2008, le président français assurait que « face à la montée en puissance des fonds spéculatifs extrêmement agressifs et des fonds souverains qui n'obéissent à aucune logique économique, il [n'était] pas question que la France reste sans réagir. Il [n'était] pas question de laisser faire. La France assume le choix politique, stratégique, de protéger ses entreprises, de leur donner les moyens de se défendre et de se développer ».

Il précisait sa pensée quelques jours plus tard, lors de sa venue à Riyad, en assurant que la France était « ouverte aux fonds souverains » dès lors que leurs intentions étaient « sans ambiguïté », et leur gouvernance « transparente ». Le lendemain, pourtant, il actait avec l'émir Hamad al-Thani la révision de la convention fiscale liant la France et le Qatar, et ouvrait en grand les portes de l'industrie française aux fonds souverains de l'émirat. Entre-temps la crise financière s'était abattue sur les économies nationales. L'État doit-il pour autant devenir le bureau d'achat d'un pays étranger qui convoite nos plus stratégiques industries, *a fortiori* quand ce pays ne vient pas au secours des entreprises en difficulté, mais cherche, en ciblant des firmes fortement liées au pouvoir politique, à élargir ses réseaux et donc son influence ?

« Le Qatar est très agressif en achetant et revendant, en choisissant des grands noms, des projets-vitrines comme Porsche en Allemagne, Harrods en Grande-Bretagne et le Paris Saint-Germain en France, analyse Mehran Kamrava dans son bureau de Georgetown University Qatar. Ses investissements en France font partie d'une stratégie d'investissement globale plus large. Nous ne savons pas encore comment se traduiront ces investissements en terme d'influence. L'influence est un processus qui prend du temps. Nous verrons d'ici à quelques années comment le Qatar compte l'utiliser. » Pour Jean-Michel Rocchi, « s'il y a un intérêt politique caché, il est d'ordre géopolitique, et c'est d'entretenir de bonnes relations avec la France qui est un pays membre permanent du Conseil de sécurité de l'ONU et qui constitue, au choix, la plus petite des grandes puissances ou la plus grande des moyennes puissances[1] ». Certes, mais comme le constate Mehran Kamrava, « sous la présidence de Sarkozy, la France a noué des relations plus que chaleureuses avec l'émirat. Bien entendu, celui-ci

---

1. « Rocchi : Faut-il redouter l'influence que donnera au Qatar son fonds d'investissement commun avec la France ? », Atlantico, art. cité.

voit l'Europe en général et la France en particulier non seulement comme des alliés, mais surtout comme une importante plateforme d'où il peut projeter son influence à travers le monde ». Et d'ajouter pour illustrer son propos : « Voyez l'ambassade du Qatar à Paris dont les drapeaux flottent à côté de l'Arc de triomphe... »

Début 2011, QIA est le fonds souverain le plus présent dans le tissu industriel français. C'est la conclusion que tire l'Institut de l'entreprise d'une enquête menée au cours des mois précédents. Dirigé par le PDG de Vinci, Xavier Huillard, ce « think tank de l'entreprise[1] », fondé en 1975, réunit de nombreux grands patrons. Parmi eux, certains comptent le Qatar au conseil d'administration des sociétés qu'ils dirigent. Voici ses conclusions, présentées dans une note de janvier 2011 consacrée aux « entreprises face aux fonds souverains » : « L'analyse des participations des fonds fait nettement ressortir la prééminence du fonds souverain qatari, les autres fonds ayant une présence plus marginale. QIA constitue sans aucun doute le fonds le plus actif en France (un tiers des participations connues des fonds souverains dans les entreprises françaises est détenu par QIA). » Et encore, tous ses achats ne sont pas forcément connus, le Qatar n'étant tenu de déclarer auprès de l'Association des marchés financiers (AMF) ses participations dans une société cotée que si celles-ci dépassent le seuil de 5 % du capital[2]. En dessous de ce seuil, aucune

---

1. Tel qu'il se présente sur son site web.

2. Il s'agit de la déclaration de « franchissement de seuil ». Elle est obligatoire dès lors qu'un actionnaire, agissant seul ou de concert, dépasse des seuils déterminés du capital ou des droits de vote d'un émetteur, conformément aux dispositions de l'article L. 237-7 I et II du Code de commerce.

déclaration n'est requise[1]. Il est donc possible de contourner l'obligation en recourant à des fidèles ou à d'autres structures d'investissement pour acquérir et porter des participations. Ainsi le Qatar ne détient officiellement, à travers Qatar Holding LLC, filiale de QIA, que 12,83 % de Lagardère ; pourtant, 26,07 % des détenteurs de titres Lagardère SCA seraient qataris[2]...

Les aléas de la vie de l'entreprise et des luttes de pouvoir révèlent la nature des alliances industrielles de l'émirat. Quand il entre dans le capital de Veolia, le groupe est dirigé par Henri Proglio[3], ami de Nicolas Sarkozy – une amitié récente qui doit tout à l'élection de ce dernier à la présidence, l'industriel étant jusqu'alors un chiraquien pur sucre, proche de Dominique de Villepin, d'Alexandre Djouhri et de Claude Guéant. Quelques mois plus tard, Antoine Frérot a succédé à Henri Proglio, désormais président d'EDF. Entre les deux hommes, la guerre fait rage. Proglio veut la tête de son ancien protégé. La rupture est consommée depuis qu'en décembre 2011 Frérot a lancé un vaste plan de restructuration destiné à apurer la situation financière laissée par son prédécesseur et mentor. Dans ces hostilités, chacun compte ses alliés. Et l'observateur découvre que le Qatar est loin d'être le *sleeping partner* – autrement dit l'actionnaire silencieux – qu'il prétend être. L'émirat, semble-t-il, a choisi son camp. En mars 2013,

---

1. Les statuts des sociétés cotées peuvent pour leur part prévoir des déclarations en cas de franchissement de seuils pouvant être inférieurs à 5 %. Mais cela dépend de chaque société.

2. « Exclusif. Lagardère : le Qatar détient-il 13 % ou 26 % du capital ? », *Investir*, 19 mars 2012.

3. Sur l'industriel, lire Pascale Tournier et Thierry Gadault, *Henri Proglio, une réussite bien française*, Éditions du Moment, 2013.

d'après le magazine *Challenges*, le Qatar est sur la même ligne que Dassault : haro sur Frérot, qui peut en revanche compter sur le soutien des autres administrateurs, dont celui de la Caisse des dépôts et consignations, premier actionnaire du groupe[1]. Henri Proglio projetterait d'ores et déjà de retourner à ses premières amours, Veolia. D'après Pascale Tournier et Thierry Gadault, « il peut alors compter sur le soutien de quelques actionnaires comme le Qatar, et sur une partie du conseil d'administration[2] ». Un an plus tard, la donne a changé. Loin d'être sur le départ, Frérot est reconduit pour un nouveau mandat. Il semblerait qu'entre-temps les alliances se soient retournées.

Quant à Total, il s'agit d'un cas particulier. Présent au Qatar depuis les années 1930, ses relations avec Doha sont étroites. En 1995, quand le nouvel émir a souhaité investir dans le gisement qu'il partage avec l'Iran, Total l'a aidé à concrétiser ses ambitions. À l'époque, Christophe de Margerie dirigeait le pôle Moyen-Orient du pétrolier français. « Au fil des décennies, Total a tissé des relations fortes et diversifiées avec Qatar Petroleum, donc avec le ministère du Pétrole et avec les autorités qataries », remarque Francis Perrin, qui dirige la rédaction de *Pétrole et Gaz Arabes*. Il poursuit : « De toutes les grandes compagnies pétrolières présentes dans l'émirat, Total est celle qui entretient les relations économiques et énergétiques les plus diversifiées avec le pays. Au Qatar, Total fait de l'exploration et de la production pétrolière, le groupe est engagé dans le raffinage et la pétrochimie. Il est associé à Qatargas, qui produit et exporte le gaz naturel liquéfié,

---

1. « Louis Schweitzer en mesure de redevenir vice-président de Veolia », *Le Nouvel Observateur*, 14 mars 2013.
2. In Pascale Tournier et Thierry Gadault, *Henri Proglio, op. cit.*

et participe à l'exportation de gaz par gazoduc à travers le projet Dolphin Energy[1]. Total est également associé à Qatar Petroleum et à sa filiale internationale, Qatar Petroleum International, avec laquelle il mène des projets d'exploration-production au Congo, en Mauritanie... Avec ses associés qataris, le pétrolier français pilote de très grands projets dans l'émirat, pour lesquels il fait appel à plusieurs compagnies sous-traitantes, comme la société française Technip, spécialisée dans l'ingénierie, de fourniture d'équipement et de construction. » Cette collaboration prend une nouvelle tournure avec l'entrée du Qatar dans son capital à l'été 2011. À travers sa filiale Qatar Holding, le fonds souverain de l'émirat devient l'un des cinq premiers actionnaires derrière les salariés et le milliardaire belge Albert Frère. L'information ne filtre qu'en mars 2012. Questionné par les médias sur l'entrée du Qatar au capital de Total, Christophe de Margerie reste muet. Son silence fait naître la polémique : que recherche le Qatar en investissant dans ce fleuron stratégique ? Face à la controverse naissante, l'État s'empresse de calmer le jeu et dépêche Valérie Pécresse, ministre du Budget et porte-parole du gouvernement, pour prêcher la bonne parole : « Nos entreprises ont besoin aujourd'hui d'investir, elles ont besoin de capitaux frais », déclare-t-elle sur le plateau d'iTélé, le 14 mars. Ajoutant : « Aujourd'hui, c'est 2 % du capital de Total, il ne s'agit pas de prendre un pouvoir de

---

1. Total détient des participations dans Dolphin Energy (24,5 %), bloc NFB (20 %) du gisement de North Dome, l'usine de liquéfaction de Qatargas 1 (10 %), sans oublier l'un des trains de liquéfaction de Qatargas 2 (à hauteur de 16,7 %), Qatar Petrochemical Company Ltd (20 %), Qatofin (49,09 %), Qapco (20 %) et la raffinerie de Ras Laffan (10 %). Cf. Rapport annuel Total 2013.

décision sur une très grande entreprise française. » De quoi est-il alors question ? Le patron du pétrolier, Christophe de Margerie, a choisi *Al-Sharq*, quotidien qatari, pour confirmer l'entrée de Qatar Holding dans le capital de Total et préciser qu'il en détient désormais 3 %. Un investissement qui « constitue clairement un progrès positif » et « témoigne de la forte relation établie depuis soixante-quinze ans entre Total et le Qatar ». « Nous nous félicitons d'un investisseur qui a prouvé qu'il est un partenaire de long terme », se réjouit le 21 avril 2012 le patron du pétrolier, lequel prend bien soin de taire le moment où s'est produite cette entrée au capital. Pourquoi une telle omerta ?

Au printemps 2013, rebelote : le Qatar accroît sa participation dans Total dont il détient désormais près de 5 % du capital[1]. Ce qui fait de lui le deuxième actionnaire derrière Albert Frère. Là encore, aucun commentaire. Pourquoi un tel silence ? Le Qatar : secret-défense.

---

1. Le 10 juin 2013, le site d'information financière Wansquare affirmait que le Qatar détenait près de 4,8 % de Total, assurant tenir l'information de l'« entourage du groupe pétrolier ». « Le Qatar détient maintenant 4,8 % de Total », Wansquare, 10 juin 2013.

14.

Des élites qui préfèrent ignorer que « leur » Qatar est un État esclavagiste du XXIᵉ siècle

Les élites françaises acceptent sans états d'âme que le développement de leur cher Qatar soit assuré par des esclaves venus surtout du sous-continent indien et d'Asie du Sud-Est. « Un État esclavagiste du XXIᵉ siècle[1] », fustige même Sharan Burrow, secrétaire générale de la Confédération syndicale internationale. Tous les partenaires de Doha connaissent cet état de fait, mais préfèrent détourner le regard. Il est aujourd'hui un peu plus compliqué de voir dans les Al-Thani de quasi-démocrates, l'attribution de l'organisation du Mondial de foot 2022 à l'émirat, le 2 décembre 2010, ayant depuis suscité la curiosité de nombreux journalistes. Reportage après reportage décrivant les conditions endurées par les travailleurs immigrés, nul ne peut plus ignorer la sordide réalité.

Ces récits de journalistes sont confortés par nombre de rapports officiels. Ainsi ceux publiés par le Département

---

1. Interview de la responsable syndicale australienne au quotidien grec *Avgi*, cité dans « Le Qatar "esclavagiste" selon la CSI », *L'Équipe*, 10 février 2013.

d'État américain sur le trafic humain. En 2008, le passage consacré à l'émirat débute ainsi : « Le Qatar est une destination pour les hommes et les femmes victimes de la traite à des fins de servitude involontaire et, dans une moindre mesure, d'exploitation sexuelle commerciale. Des hommes et des femmes venus d'Inde, du Pakistan, du Bangladesh, du Népal, des Philippines, d'Indonésie, du Vietnam, du Sri Lanka, d'Éthiopie, du Soudan, de Thaïlande, d'Égypte, de Syrie, de Jordanie et de Chine se rendent volontairement au Qatar en tant que travailleurs et domestiques, mais certains se retrouvent confrontés à des conditions de servitude involontaire[1]. »

Mais que pèse l'exploitation des hommes, comparée aux largesses financières de l'émirat ? Nos élites s'aveuglent volontiers quand il est question de Doha. En juin 2009, lors du dîner d'État organisé à l'Élysée en l'honneur de l'émir Hamad al-Thani et la cheikha Moza, Nicolas Sarkozy déclame une véritable ode à leur gloire : « Vous êtes l'économie arabe la plus compétitive. C'est bien le résultat, Altesse, de votre vision qui repose sur un développement harmonieux, à la fois humain, social, économique et environnemental. Vous avez fait de votre pays un chantier permanent, à la pointe de la modernité. Lors de chacun de mes déplacements à Doha – deux fois pour la seule année 2008 –, je peine à reconnaître un paysage urbain où ne cessent de s'élever de superbes bâtiments, symboles visibles de la réussite de vos projets. » Et notre président d'oublier de préciser : au prix de milliers de vies sacrifiées.

Au Qatar, 94 % de la main-d'œuvre est composée d'étrangers. Vingt migrants débarquent toutes les heures

1. « Trafficking in Persons Report 2008 », U.S. Department of State, juin 2008.

à Doha. Dans ce pays comme dans le reste du Golfe, les étrangers sont soumis, en langage politiquement correct, au *sponsorship*. En arabe, ce régime répond au nom de *kafala*. À rebours de sa douce sonorité, il désigne un système ségrégationniste dans lequel tout travailleur étranger doit disposer d'un « parrain », généralement son employeur. Dans les faits, rien ne peut être fait sans l'accord de celui-ci, qu'il s'agisse d'obtenir et de renouveler son permis de séjour – la « pièce d'identité » sans laquelle on se trouve en situation illégale et donc se faire arrêter et emprisonner –, de changer de travail ou de sortir du pays[1]. Si la *kafala* est répandue dans toute la région, c'est au Qatar – et en Arabie saoudite – qu'elle est la plus dure. L'étranger y est totalement livré au bon vouloir de son employeur. Officiellement, la loi n° 14 de 2004[2] encadre les travailleurs du secteur privé, mais de ce cadre légal les employés de maison sont exclus. Une population pourtant considérable à en croire le *New York Times* qui précise que « 95 % des familles qataries emploient une femme de ménage, et plus de la moitié en ont deux ou plus[3] ». Comme me le résume un Français expatrié à Doha, « c'est un peu comme à la loterie : tout dépend de la personnalité du sponsor ».

Une Philippine de 24 ans en a fait l'amère expérience. À son arrivée dans l'émirat, elle commence par découvrir que le salaire convenu – 290 euros par mois pour un travail de femme de ménage – est bien supérieur à celui qu'elle

---

1. Voir chapitre 26, p. 449 et suivantes.

2. « Building a Better World Cup 2022 – Protecting Migrant Workers in Qatar Ahead of FIFA 2022 », rapport de Human Rights Watch, 2012.

3. « Indentured Servitude in the Persian Gulf », *The New York Times*, 14 avril 2013.

va percevoir : 160 euros. Salaire qui ne lui sera versé (en totalité) qu'une fois son contrat terminé, comme le lui annonce alors la famille qui l'a recrutée. Elle n'a aucun recours. Son passeport lui a été confisqué, tout comme son téléphone portable, sa carte d'identité, ses documents... et tous ses vêtements. Pour se vêtir, elle ne dispose que d'un uniforme qu'elle est tenue de porter tous les jours. Car sa tâche ne souffre aucun répit. Elle travaille de 5 h 30 à minuit, sept jours sur sept.

La situation empire encore après la fugue d'une employée de maison qui n'avait pas touché son salaire depuis un an. Sa patronne la violente. « Elle m'a mis la tête dans la cuvette des toilettes et m'a tiré les cheveux. J'ai pleuré. Elle m'a dit : "Lève-toi, je te renvoie à l'agence." L'autre fille pleurait aussi. Madame l'a brutalisée elle aussi. Quand elle a essayé de partir, la maîtresse [de maison] l'a molestée. La fille a dit "non, non", et la maîtresse de maison l'a malmenée à nouveau. Je me suis cachée dans la cuisine avec les enfants. J'avais peur[1]. » Sa situation, malheureusement, n'est pas unique.

Contrairement aux travailleurs domestiques, aux pêcheurs et aux employés agricoles, les travailleurs du secteur privé bénéficient en principe de la loi n° 14 de 2004 qui édicte des règles contraignantes en matière de santé et de sécurité : limitation des heures de travail à soixante heures par semaine avec un jour de repos hebdomadaire, paiement des salaires en fin de mois – mais pas de salaire minimum imposé –, congé annuel obligatoire. L'employeur est également tenu de fournir un logement à ses employés. S'agissant des ouvriers du bâtiment, ils

---

1. « Traitez-nous comme des êtres humains – les travailleurs migrants au Qatar », Amnesty International, rapport cité.

sont généralement hébergés dans des « camps de travail ». Précisons que, depuis 2011, la loi interdit que ces logements soient situés dans les zones où vivent les familles qataries. Des ghettos ? Pensez-vous...

Chercheur d'Amnesty International sur les droits des migrants dans la région du Golfe, James Lynch s'est rendu à plusieurs reprises au Qatar pour enquêter sur les conditions de travail dans l'émirat. Ce qu'il y a découvert l'a profondément choqué. En témoignent les photos prises sur place, qu'il éparpille sur son bureau, dans les locaux parisiens de l'association[1]. Nombreux sont les camps de travailleurs où les hommes dorment jusqu'à douze, voire quinze par chambre, dans des lits superposés, comme ont pu le constater les équipes d'Amnesty International et de Human Rights Watch. Quand il n'y a pas suffisamment de couchages, ils déploient leur matelas à même le sol. Les bâtiments sont souvent vétustes, voire insalubres, parfois même dépourvus d'eau potable, quand ce n'est pas la climatisation qui fait défaut – alors que la température grimpe jusqu'à 50 °C en été et que l'humidité est très élevée. Il arrive même que les eaux usées soient répandues dans les parages immédiats.

Quant aux conditions de travail, elles sont souvent loin de respecter les règles de sécurité les plus élémentaires. Dans certains cas, les travailleurs sont tenus d'acheter eux-mêmes leur équipement, incluant casque et gants. Une étude réalisée par l'hôpital Hamad et publiée en 2012 a ainsi permis de constater qu'« entre janvier 2008 et juin 2010, 185 patients ont été admis en raison de blessures à la tête résultant de la chute d'objets sur les sites de construction : 29 % de ces cas ont été définis comme de graves traumatismes, et

---

1. Interview, 14 mai 2013, avec Pierre Péan.

16 personnes en sont mortes. D'après l'étude, les dispositifs de sécurité n'avaient été respectés que dans 17 % des cas[1]. » Ces blessures résultant de chutes dépassent désormais le millier par an, et le taux de mortalité est « important », constate en février 2013 le directeur du service de traumatologie et de soins intensifs de ce même hôpital. L'une des populations les plus concernées est celle des Népalais qui représentent 20 % de la main-d'œuvre immigrée. En 2012, l'ambassade du Népal à Doha a enregistré 174 morts parmi ses ressortissants, dont 102 « cardiaque », trois résultant de chutes, et 23 décès d'« origine indéterminée ». Plus de 400 Népalais ont déjà perdu la vie sur les chantiers qataris, d'après un rapport de l'ONG Pravasi Nepali. Dans le rapport de force, les services diplomatiques sont souvent bien dépourvus. Chaque jour, 1 700 Népalais quittent en effet leur pays pour travailler à l'étranger et subvenir ainsi aux besoins des leurs[2].

Quand ils ne meurent pas sur les chantiers, les ouvriers du secteur de la construction, comme l'ensemble des travailleurs migrants, voient leurs droits bafoués. Neuf travailleurs sur dix se font ainsi confisquer leur passeport – pratique illégale qui constitue un indicateur de travail forcé. Plus d'un travailleur sur deux est privé d'accès aux hôpitaux publics, l'employeur ne délivrant pas la nécessaire carte de santé officielle alors qu'il y est pourtant tenu. Un travailleur sur cinq est payé avec retard, voire jamais. Il

---

1. « The dark side of migration : Spotlight on Qatar's construction sector ahead of the World Cup », rapport d'Amnesty International, 17 novembre 2013.

2. « Qatar World Cup : 400 Nepalese die on nation's building sites since bid won », *The Guardian*, 15 février 2014. « Népal : l'exploitation des migrants commence chez eux », RFi.fr, 9 décembre 2013.

existe certes des inspecteurs du travail pour vérifier que la loi est appliquée, mais ils sont en nombre insuffisant : 150. Le syndicat est interdit aux travailleurs étrangers. En cas de non-respect de leurs droits, ils peuvent se tourner vers la direction des Relations du travail, au ministère du Travail, mais en portant plainte ils prennent le risque de se voir accuser, en représailles, de vol ou de tout autre délit par leur employeur. Celui-ci a en effet le pouvoir de déclarer son employé comme « fugitif » auprès des autorités et de l'exposer ainsi à la détention et à l'expulsion[1].

La gravité de la situation est telle que les associations de défense des droits humains parlent, dans certains cas, de travail forcé et de traite humaine. Le Qatar est pourtant signataire de la convention n° 29 de l'OIT sur le travail forcé[2], de cinq des huit conventions définissant les normes internationales du travail de base élaborées par cette organisation[3], et de différents traités internationaux[4]. En outre,

---

1. « Building a better World Cup 2022 », Human Rights Watch, 2012.

2. « Selon la convention n° 29 de l'OIT à laquelle le Qatar est partie, souligne Amnesty International, le travail forcé répond à deux caractéristiques essentielles : le travail contre son gré et une menace crédible de sanction. Cf. « Traitez-nous comme des êtres humains – les travailleurs migrants au Qatar », Amnesty International, *op. cit.*

3. Il s'agit de la « convention sur le travail forcé (convention n° 29), l'abolition du travail forcé (convention n° 105), la discrimination à l'embauche et à l'emploi (convention n° 111), l'âge minimum (convention n° 138), les pires formes de travail des enfants (convention n° 182). Doha a également ratifié la convention sur l'inspection du travail (convention n° 81) ». Cf. « The dark side of migration », *op. cit.*

4. La convention internationale sur l'élimination de toutes les formes de discrimination raciale, la convention sur l'élimination de

en tant que membre du Conseil des droits de l'homme des Nations unies, il est tenu de « respecter les normes les plus élevées dans la promotion et la protection des droits humains ». À ce titre, le Qatar a d'ailleurs ratifié en 2009 le protocole des Nations unies contre la traite et adopté en 2011 une loi criminalisant le trafic d'êtres humains et sanctionnant les gestionnaires de sociétés dont les activités reposent sur ce crime[1]. Pour quels résultats ?

Cet habillage pseudo-démocratique n'a aucunement modifié les pratiques dans l'émirat, ainsi qu'en témoignent les récents rapports réalisés par les associations de défense des droits humains. « Certains employeurs ont tendance à traiter les travailleurs migrants comme une sorte de masse inhumaine », explique James Lynch. Il raconte ce rendez-vous révélateur : « Devant nous, le manager d'une société qatarie a fait référence, lors d'une de ses conversations téléphoniques, aux travailleurs étrangers comme à des animaux. Il n'avait pas réalisé que l'un d'entre nous comprenait l'arabe… Les jours précédents, nombre d'ouvriers nous avaient justement dit qu'ils étaient traités comme des bêtes, précisant même que des animaux ne seraient pas traités de la sorte. Ils ne mentionnaient pas une nationalité en particulier, mais le système en général. Preuve supplémentaire de la nécessité de le changer. Et, de toute évidence, cela va exiger un profond changement de culture. » Ce qui promet d'être long ! « Au Qatar, vous risquez jusqu'à trois ans de prison

---

toutes les formes de discrimination à l'égard des femmes, la convention relative aux droits de l'enfant, la convention contre la torture et autres peines ou traitements cruels, inhumains ou dégradants. « The dark side of migration », *op. cit.*

1. « Building a Better World Cup 2022 », rapport de Human Rights Watch, *op. cit.*

pour un chèque sans provision. Mais si vous êtes coupable de travail forcé, la peine maximale encourue n'est que de six mois », précise Stephan Oberreit, directeur d'Amnesty International France[1]. Tout est dit. Il est bien plus grave de signer un chèque en bois que d'avilir un homme.

Arrêtons-nous un instant sur ces sacrifiés du capitalisme triomphant. On l'a dit, ils sont pour la plupart originaires d'Asie, notamment du Bangladesh, d'Inde, du Népal, du Pakistan, d'Indonésie, des Philippines, du Sri Lanka. Pour soutenir financièrement leur famille, ils sont contraints de partir travailler loin de chez eux. Encore faut-il, pour cela, avoir quelque argent, ou, à défaut, s'endetter. Les frais de recrutement peuvent atteindre 3 651 dollars, souligne Human Rights Watch qui précise que, d'après la Banque mondiale, « des agents recruteurs qataris recevraient une part importante de ces frais *via* des transferts de fonds occultes destinés à contourner la loi de l'émirat qui interdit aux agences qataries de percevoir des redevances[2] ». La pratique est illégale. Pourtant, elle perdure et génère de nombreux abus. « Pour augmenter leurs commissions, ces agences ont intérêt à gonfler le salaire promis et à mentir sur les conditions de travail », décrypte James Lynch qui constate : « Ce qui est terrible, c'est que certains travailleurs ne sont pas choqués par la tromperie. Ils l'ont parfois même totalement intériorisée. » Une fois acquittés ces frais illégaux, si besoin en hypothéquant la maison familiale, le candidat au départ signe un contrat de travail dont les termes, on l'a vu, ne sont pas toujours respectés.

---

1. Entretien, 27 novembre 2013.

2. « Building a Better World Cup 2022 », rapport de Human Rights Watch, *op. cit.*

Sociétés et multinationales jouent un rôle central dans ces abus. « Certains promoteurs et certaines grandes entreprises opérant au Qatar, dont des multinationales du bâtiment, refusent d'assumer la responsabilité du sort des travailleurs qui ont été embauchés sur leurs chantiers, souligne Amnesty International. Il est indispensable que les entreprises internationales et les organisations qataries, comme le comité organisateur de la Coupe du monde de 2022, surveillent correctement leurs sous-traitants et empêchent les abus sur leurs chantiers. » Dans son viseur, notamment, QDVC. Cette entreprise est franco-qatarie : Qatari Diar détient 51 % du capital, le reste appartenant à Vinci, entreprise française dont Qatari Diar détient 5,2 %. Parmi les chantiers qataris sur lesquels intervient QDVC, le projet du Sheraton Park qui comprendra, en plein cœur de Doha, « un parc public, un parking souterrain de deux étages accueillant près de 2 000 véhicules, ainsi qu'une connexion souterraine reliant le centre de conventions en cours de construction et le parc[1] ». En octobre 2012, l'équipe d'Amnesty a rencontré un groupe de Népalais employés par une société qui était l'un des importants fournisseurs de matériel sur ce chantier[2]. Ils lui ont parlé d'heures de travail excessives (jusqu'à douze heures par jour y compris dans les zones directement exposées au soleil en été, malgré l'interdiction légale de travailler en extérieur aux heures les plus chaudes de la journée, soit entre 11 h 30 et 15 heures de mi-juin à fin août), d'absence de jour de

---

1. qataridiar.com/English/OurProjects/Pages/SheratonPark.aspx

2. « The dark side of migration : Spotlight on Qatar's construction sector ahead of the World Cup », rapport d'Amnesty International, *op. cit.*

repos, de problèmes dans le versement de leurs salaires. En outre, les travailleurs, contraints de régler eux-mêmes les frais de renouvellement de leur permis de résidence – alors qu'il s'agit d'une obligation légale incombant à l'employeur – en sont de leur poche pour se procurer un casque s'ils en veulent un ! « Les Népalais sont traités comme du bétail », résumait de manière lapidaire l'un des hommes concernés.

Le 15 mai 2013, Amnesty[1] adressait un courrier à Vinci et QDVC, « entrepreneur principal » du projet, pour leur signaler ces abus et demander un rendez-vous. La réponse fut sans appel : QDVC rejetait toute possibilité d'abus et niait les conditions de travail évoquées par les témoins. Quand une délégation syndicale internationale s'est rendue au Qatar en septembre 2013, elle a tenté de visiter le site en question. Accès refusé. « Nous les avons approchés par plusieurs canaux et nous nous sommes heurtés à un refus catégorique de visite, affirme Gilles Letort, de la CGT. C'est la raison pour laquelle nous avons débarqué sur le site sans prévenir[2]. »

Ce n'est qu'à la veille de la publication du rapport d'Amnesty International, en octobre 2013, que QDVC a proposé à l'association un rendez-vous sur le chantier de Sheraton Park. La rencontre a eu lieu le 20 novembre 2013, trois jours après la sortie du rapport. « Nous avons fourni à QDVC des informations complémentaires sur le

---

1. L'association précise qu'elle « n'identifie pas publiquement la société qui emploie les hommes concernés, parce qu'elle n'a pas obtenu leur consentement pour le faire » : « The dark side of migration », *op. cit.*

2. « Au Qatar, les chantiers de Vinci sont interdits aux curieux », *Le Monde,* 11 octobre 2013.

sous-traitant de Sheraton Park concerné par les plaintes, relate James Lynch. On nous a dit qu'on se pencherait sur ce cas[1]. »

Les entreprises, au cœur du système d'exploitation des travailleurs, ont un rôle crucial à jouer pour que cessent les abus commis à leur encontre. En prenant garde à ce que les droits de leurs ouvriers ne soient pas bafoués, à ce qu'ils vivent et travaillent dans des conditions décentes et dignes, en insistant, voire en faisant pression sur leurs sous-traitants pour qu'eux-mêmes y veillent, les entreprises peuvent enrayer l'exploitation dont est victime leur main-d'œuvre étrangère. En France, nos industriels se targuent de respecter de stricts codes éthiques et se distribuent des labels d'entreprises responsables[2]. Au Qatar, qu'en est-il ?

À l'instar de Vinci *via* QDVC, nombreuses sont les firmes françaises présentes dans l'émirat : Bouygues, Air Liquide, Airbus, Axa, Carrefour, EADS, Dassault, GDF Suez, Schlumberger, Technip, Thales, Total, Veolia... Il est vrai que l'émirat affiche une belle croissance – en moyenne 15 % par an entre 2007 et 2011 – et que l'augmentation presque irréelle de son PIB – qui a doublé en

---

1. Le chercheur d'Amnesty précisera que, lors de ce rendez-vous, les gens de « QDVC [leur] ont fourni des informations détaillées sur les mesures qu'ils prennent pour protéger les droits des travailleurs. Nous estimons qu'il subsiste des lacunes quant à la possibilité, pour les employés de ses sous-traitants, à directement se plaindre auprès de QDVC. Nous leur avons fait des suggestions que QDVC a semblé prendre au sérieux ».

2. Dans les faits, la souffrance au travail ne cesse de se répandre. Voir notamment, sur ce sujet, la série documentaire réalisée par Jean-Robert Viallet, *La Mise à mort du travail*, produite par Yami2 pour France 3, 2009, prix Albert-Londres 2010.

quatre ans[1] – fait de lui un eldorado rare par ces temps de crise. Présent dans l'émirat depuis 2009, Bouygues Construction y réalise son plus vaste chantier à l'international : neuf tours de bureaux de 18 à 52 étages, un hôtel cinq étoiles de plus de 400 chambres, un centre commercial, un centre de conférences, une mosquée, ainsi que tous les parkings et aménagements extérieurs nécessaires. Le tout sur une superficie vaste comme le quart du quartier de La Défense, situé en plein cœur du quartier d'affaires de Doha. Un contrat de près d'un milliard d'euros qui mobilise jusqu'à 6 000 personnes !

« Les entreprises françaises présentes au Qatar sont souvent sur des projets sensibles et de très gros montants », me confie un industriel français installé dans l'émirat. Le filon n'est pas près de se tarir. Avec l'organisation du Mondial de 2022, les chantiers déjà nombreux vont se multiplier. Selon une étude réalisée par le cabinet Deloitte, le Qatar prévoit en effet de dépenser 156 milliards d'euros d'ici à l'événement pour se doter des infrastructures nécessaires : construction de neuf nouveaux stades climatisés et démontables (!), de lignes de métro et de tramway, d'autoroutes et d'hôtels, d'un nouveau port et d'une ville nouvelle... Autant de promesses de contrats pour les fleurons du BTP ! Mais si les industriels se frottent les mains et sont sur les rangs pour remporter ces mirifiques contrats, les vigies, elles, sont déjà en alerte.

Quand James Lynch l'a rencontré en mars 2013, ce travailleur sri-lankais n'avait pas reçu son salaire depuis plus de sept mois. Il a néanmoins continué à travailler : que faire d'autre ? En plus de ne pas payer ses salariés, son employeur ne s'était pas acquitté de l'électricité là où

---

1. Entre 2009 et 2013, cf. « Situation économique et financière du Qatar », Direction générale du Trésor, 10 juin 2014.

le travailleur logeait avec d'autres. Résultat : plus rien ne fonctionnait. « Le jour où nous l'avons rencontré, il n'avait pas mangé depuis deux jours. Il était au ministère de la Justice pour signer des documents affirmant qu'il avait bien reçu la totalité de son salaire et qu'il n'avait aucune réclamation à formuler. C'était faux, mais cela représentait pour lui le seul moyen de récupérer son passeport et de quitter le pays », se désole James Lynch.

La pratique est très répandue. Un travailleur indien a dû lui aussi abandonner ce à quoi il avait droit pour s'extirper de l'enfer. Il n'avait pas reçu de salaire depuis neuf mois. Il s'était déjà plaint auprès de son employeur, de son ambassade, auprès de la Haute Cour qatarie et même de la police de l'immigration. « C'est mon dernier appel au secours, écrivit-il par mail à Amnesty. S'il vous plaît, aidez-moi ! Ces gens sont complètement fous, ils n'ont aucune humanité, ils nous torturent au-delà de toutes limites. » Exsangues, les travailleurs n'ont plus que quelques supplications à échanger contre une des libertés les plus essentielles, celle de se déplacer.

« On reproche [au Qatar] de ne pas être une démocratie et de maltraiter ses travailleurs immigrés. En tant qu'ancien président de SOS Racisme[1], je reconnais que la critique est fondée et qu'il y a beaucoup de choses à dire sur ce plan. Mais le Qatar n'est pas la Chine où l'on oblige encore des gens à travailler dans des camps[2] », déclare Malek Boutih en marge de la treizième édition du Forum de Doha en mai 2013. Aucun problème, donc, pour le député socialiste, invité personnel de l'ambassadeur du

---

1. Entre 1999 et 2003.

2. « Boutih : "Le Qatar ne sera pas le sauveur de la France, pas plus qu'il ne sera notre fossoyeur" », lejdd.fr, 23 mai 2013.

Qatar en France, Mohamed Jaham al-Kuwari. « La règle du militantisme, c'est de voir par soi-même », m'assène-t-il. « Je suis donc allé à Doha pour la première fois en mai 2013. La preuve que ce sont des gens intelligents, c'est qu'ils ne le montrent pas. Ils ont quelque chose en plus : une stratégie. Le Qatar s'est construit sur l'idée de ce que va être un État au XXIᵉ siècle. Un pays, c'est sa renommée, sa puissance économique et culturelle, son éducation, pas uniquement son territoire. » Puis d'oser à nouveau la comparaison, s'agissant du système d'exploitation des travailleurs : « Personne ne bronche sur la Chine ou la Russie. La Chine est un pays totalitaire où des milliers d'exécutions sont commises par le régime. Il faut critiquer, mais il faut que la critique soit juste. » Et de concéder que l'« émirat va avoir deux caps difficiles à franchir : démographique et démocratique[1] ».

Comme tant d'autres, le député socialiste a succombé au chant des sirènes qataries. Difficile de croire en effet que ce soit le Forum annuel sur la démocratie, auquel il a assisté en mai 2013, qui a emporté sa conviction. Chaque année, l'émirat fait salle comble notamment avec des Français, dont la délégation est souvent la plus fournie. En bonne compagnie, nos politiques, nos industriels et nos intellectuels palabrent – à l'abri des centres de conférences ultra-modernes bâtis par les travailleurs migrants – au sujet des grands défis à relever pour faire progresser la bonne gouvernance. Pascal Boniface, directeur de l'IRIS, est l'un des habitués de ce Forum. Interrogé en octobre 2013 sur les conditions de travail des ouvriers assignés à la construction des stades, il répond : « On sait que le BTP est un métier dangereux. Il l'est encore plus dans le Golfe qu'ailleurs, vu

---

1. Entretien, 12 novembre 2013.

les conditions climatiques extrêmes. Paradoxalement, cette polémique apparaît à un bon moment. Cela va forcer le Qatar à avoir un regard différent sur le sort problématique réservé aux travailleurs étrangers. Tous leurs droits ne sont pas respectés. Mais c'est également le cas aux Émirats arabes unis ou en Arabie saoudite. On pointe le Qatar du doigt à cause de la Coupe du monde. Cela peut être un bon levier pour changer la donne[1]. »

Quelques semaines plus tôt, *The Guardian*[2] révélait, dans un article qui a fait grand bruit, que 44 travailleurs népalais étaient morts entre le 4 juin et le 8 août 2013 sur les chantiers qataris. « Les syndicats ont prévenu que les conditions de travail au Qatar pourraient donner lieu à 4 000 morts avant qu'un ballon ne soit joué[3] », prévient le journal en octobre 2013. Fin 2013, les autorités officielles du Népal déplorent le décès de 185 de leurs ressortissants partis travailler au Qatar[4]. « Selon certains documents, le nombre total de morts parmi les travailleurs népalais – qui n'est que l'un des pays fournissant des centaines de milliers de travailleurs immigrés à ce pays riche en pétrole – dépasse les 382 sur deux années seulement. »

Depuis l'attribution de l'organisation du Mondial de football 2022 au Qatar, les défenseurs des droits humains n'ont de cesse de dénoncer les conditions de travail

---

1. Cf. Pascal Boniface : « Le Qatar aura une obligation de s'ouvrir davantage », *Le Parisien*, 3 octobre 2013.

2. « Revealed/Qatar's World Cup "slaves" », *The Guardian*, 25 septembre 2013.

3. « Qatar under growing pressure over workers' deaths as Fifa is urged to act », *The Guardian*, 2 octobre 2013.

4. « Qatar World Cup : 185 Nepalese died in 2013 – official records », *The Guardian*, 24 janvier 2014.

prévalant dans l'émirat. Sharan Burrow, secrétaire générale de la Confédération syndicale internationale, affirme
que la situation de ces travailleurs immigrés ne peut
qu'empirer. Un million et demi de travailleurs supplémentaires devraient être recrutés pour bâtir les infrastructures nécessaires à la tenue de l'événement ; 4 000 d'entre
eux devraient perdre la vie d'ici là[1]. « Plus de travailleurs
vont mourir pendant la construction [des stades] que de
footballeurs fouleront les terrains », alerte-t-elle. Sharan
Burrow s'élève contre la « façon dont [le Qatar] profite de
la situation des travailleurs immigrés, [qui] est une honte
pour le football[2] ».

Le 21 novembre 2013, au lendemain de la publication du
rapport d'Amnesty International dénonçant les conditions
de travail des ouvriers étrangers, à la veille du vote d'une
résolution afférente censée être adoptée par le Parlement
européen[3], et à la suite du rapport de mission au Qatar
déposé par François Crépeau, rapporteur spécial de l'ONU
sur les droits des migrants, le Qatar déclare que ces « éva-
luations exagèrent les allégations contenues dans des articles
de presse ». Le porte-parole du ministère des Affaires étrangères admet néanmoins que le « gouvernement [prend] au
sérieux les allégations sur les conditions de travail sur les
chantiers » du Mondial, rappelant l'engagement de Doha

---

1. « Qatar under growing pressure over workers' deaths as Fifa is
urged to act », *The Guardian*, art. cité.

2. Interview de la responsable syndicale australienne au quotidien
grec *Avgi*, déjà citée.

3. Le Parlement en appellera « à la responsabilité des entreprises
européennes » impliquées dans les chantiers, à qui il revient de faire
respecter les normes sociales, ainsi qu'à la Fifa, pour « envoyer un
message clair et fort au Qatar ».

d'améliorer les conditions de travail des migrants sur ces chantiers et son intention de sévir contre les sociétés de construction qui ne respecteraient pas les droits de ces travailleurs. Il ajoute qu'il a mandaté un cabinet international d'avocats pour examiner le système, selon l'AFP.

La Fifa aura attendu d'être mise au pied du mur pour réagir. Et, encore, on ne peut plus timidement : « La Fifa ne peut faire d'ingérence dans le droit du travail d'un pays, mais ne peut l'ignorer », déclare sur Twitter son président, Joseph « Sepp » Blatter, en octobre 2013. Précisant : « Je ferai une visite de courtoisie pour confirmer [à l'émir] que la Coupe du monde se jouera bien au Qatar. J'en profiterai pour toucher deux mots sur les conditions de travail dans ce pays. » Puis, le 22 novembre 2013, de renvoyer les partisans de Doha à leurs responsabilités : « La France et l'Allemagne, les pays qui commandent en Europe, ont fait pression pour organiser ce tournoi au Qatar... Les politiciens européens, les gouvernements auraient aussi dû exprimer leur opinion ; c'est trop facile, après tout, de dire que toute la responsabilité repose sur la Fifa. N'oublions pas que de grandes entreprises européennes travaillent là-bas, et les entreprises sont aussi responsables de leurs travailleurs[1]. »

Changement de ton quelques semaines plus tard. Le 30 janvier 2014, l'instance dirigeante du football mondial « somme » l'émirat de lui présenter, d'ici au 12 février, les mesures concrètes destinées à améliorer le sort de ses travailleurs immigrés. Le 11 février 2014, Doha rend publique une charte visant à améliorer le sort des ouvriers travaillant sur les chantiers du Mondial 2022. Mais ces espoirs sont rapidement douchés. Certes, la charte édicte

---

1. « La France voulait le Qatar (Blatter) », *L'Équipe* avec l'AFP, 22 novembre 2013.

des normes applicables au recrutement, à l'hébergement et aux rémunérations. Néanmoins, elle est vague sur les sanctions mises en œuvre en cas de non-respect des normes. Surtout, elle maintient le régime de la *kafala*. « On est loin de la grande réforme espérée, regrette James Lynch, d'Amnesty International. La charte n'est ni une loi ni même un décret. C'est un simple arrangement commercial entre le Qatar et ses clients[1]. »

Quelques jours plus tard, un rapport de l'ONG Pravasi Nepali annonce que plus de 450 Népalais sont morts sur les chantiers qataris entre 2012 et 2013. Un chiffre que le Comité national des droits de l'homme au Qatar, proche du gouvernement, qualifie de... « normal[2] » !

Il faut attendre le 21 mars 2014 pour que la Fifa daigne reconnaître une « part de responsabilité » dans le sort des travailleurs immigrés sur les chantiers qataris, tout en considérant qu'elle ne peut « faire preuve d'ingérence » dans leurs droits. Mais Sepp Blatter, précisant que la Fifa « peut aider à travers le football à résoudre ce problème », insiste : « Les responsabilités incombent premièrement à l'État du Qatar, mais deuxièmement aux entreprises qui emploient les travailleurs. »

Le 14 mai 2014, lors d'une conférence de presse pour le moins attendue, l'émirat promet de réformer le système. « Les principaux amendements de la législation portent sur l'abolition de la *kafala* et son remplacement par un système de contrat de travail », déclare le colonel Abdallah al-Mohannadi, directeur du département des droits de

---

1. « Au Qatar, une "charte des droits des travailleurs" pleine de bonnes intentions », *Le Monde*, 14 février 2014.

2. « Le taux de mortalité des Indiens est "normal", selon le Qatar », lemonde.fr avec l'AFP, 18 février 2014.

l'homme au ministère de l'Intérieur. Encore faut-il que le conseil de la Choura, une instance consultative, et la Chambre de commerce et d'industrie valident le projet. La fin du cauchemar pour les centaines de milliers de travailleurs immigrés ? « Une occasion manquée », dénonce Amnesty International, qui souligne que « les réformes annoncées sont loin des changements fondamentaux nécessaires pour lutter contre les abus systématiques dont souffrent les travailleurs étrangers. [...] Ces mesures sont en opposition avec les conclusions du cabinet d'avocats international DLA Piper dont le rapport, réalisé à la demande du gouvernement qatari, confirme la nature systémique de l'exploitation des travailleurs migrants ».

« Il y a eu des influences politiques directes, a déclaré le patron de la Fifa à l'hebdomadaire allemand *Die Zeit*, le 19 septembre 2013. Des chefs de gouvernement européens ont conseillé à leurs membres qui pouvaient voter de se prononcer pour le Qatar parce qu'ils étaient liés à ce pays par des intérêts économiques importants[1]. » Il faisait là allusion au véritable troc organisé à l'Élysée à la veille du vote pour l'attribution du Mondial de foot 2022, le 23 novembre 2010.

---

1. Cité dans « L'attribution du Mondial de football au Qatar "influencée par des intérêts politiques" », *ibid.*, 18 septembre 2013.

15.

Le PSG en échange du soutien
de Platini pour le Mondial 2022

Un véritable troc : il n'y a pas d'autres mots pour qualifier le deal qui s'est conclu au cœur de l'Élysée à l'automne 2010. À la manœuvre, une fois encore, Nicolas Sarkozy qui arrange les petites affaires de ses amis en ralliant Michel Platini à la candidature de l'émirat au Mondial 2022, tout en organisant l'entrée du Qatar dans le foot français. Il donne ainsi un coup de main à son ami Sébastien Bazin, qui souhaite vendre le PSG, en insistant auprès de Tamim al-Thani, qui dirige Qatar Sports Investments (QSI), pour qu'il tope la vente du club, en présence de Michel Platini – membre de la Fifa, il peut apporter une voix décisive à l'émirat dans l'attribution du Mondial. Au passage, une augmentation des participations qataries est envisagée dans le capital de Lagardère, tandis qu'est évoqué le lancement d'Al Jazeera Sport en France – prémices d'une situation qui va flirter avec le conflit d'intérêts[1].

L'intérêt du Qatar pour le sport français est ancien, mais ce n'est qu'en 2008, dans une discipline qui n'est

---

1. Voir chapitre 22, p. 361 et suivantes.

pas vraiment grand public, qu'ils réalisent leur premier investissement sportif dans l'Hexagone. Cette année-là, le Qatar devient le sponsor du Prix de l'Arc de triomphe, course considérée comme le championnat du monde des pur-sang... et compétition hippique désormais la plus richement dotée d'Europe. En octobre 2013, 4,8 millions d'euros sont ainsi répartis entre les cinq premiers de la course reine, tandis que près de 4 millions récompensent les vainqueurs des dix-sept autres courses organisées durant le week-end. Mine de rien, l'événement réunit près d'un milliard de téléspectateurs de par le monde ! Mais il ne s'agit que d'un public confidentiel. Rien à voir avec les masses mobilisées par les grands matchs de foot.

« Si on était au bar, je vous dirais ça, annonce Leonardo Giammarioli, marketing executive chez Qatar Sports Investments : en Espagne, il y a le Barça et le Real. Pour des considérations juridiques, on ne peut les acheter. Donc, on laisse tomber. [...] En Italie, le marché n'est pas intéressant pour nous, et très risqué : trop de cadavres dans les placards. En Allemagne, 51 % des parts du club reviennent à l'association du club ; il ne reste donc plus que 49 % pour un investisseur extérieur : pas la peine, tu ne peux rien faire. Il reste donc la France et l'Angleterre. Paris est un bon investissement, pas trop cher. Et, au final, il n'y a pas mille opportunités sur le marché[1]. »

Le PSG : une occasion rêvée pour le Qatar qui cherche un point d'appui afin de projeter son « amour » du sport et déployer par là son influence. Seul club de foot professionnel de la région parisienne, le PSG bénéficie du rayonnement de la Ville lumière et peut, à ce titre, devenir un vrai club vitrine. Et ce, à un prix abordable : déficitaire depuis

---

1. « Le PSG, le prince et le petit homme », *SoFoot*, juillet 2011.

la fin des années 1990, le club enchaîne les défaites et sa valorisation n'est pas des plus élevées. À coups d'investissements suffisants, l'affaire peut même se révéler fructueuse.

Le Qatar en a bien conscience qui, déjà en 2006, était sur les rangs pour l'acheter. À la manœuvre : Jassim, frère aîné de Tamim. Le club parisien était alors détenu par Canal +. Au printemps, le marché était sur le point de se conclure. « Il ne manquait plus que la lettre d'engagement des Qataris pour finaliser l'opération, mais cette lettre tant attendue n'arrivera jamais, écrivent Gilles Verdez et Arnaud Hermant[1]. Plusieurs raisons ont été avancées pour justifier cette volte-face. Dans l'accord de principe, les Qataris ne devaient détenir qu'une participation minoritaire (entre 20 et 30 %), alors qu'ils aspirent en général au contrôle majoritaire ou total de leurs investissements. Cette question centrale autour du pacte d'actionnaires constitue à coup sûr l'un des éléments majeurs de leur reculade. Autre motif plus décisif encore : plusieurs commentaires relatifs à la présence du Qatar lors du tour de table, émanant notamment de la Mairie de Paris, sont particulièrement désobligeants. Les fonds qatariens ont à cette époque été qualifiés d'"exotiques", certains s'interrogeant même à voix haute sur leur provenance. Il n'en faut pas plus pour vexer ces investisseurs très susceptibles. » Mais, s'ils quittent alors la table de négociation, ils ne renoncent pas pour autant à tout achat futur.

Le rachat du PSG s'inscrit dans une politique plus globale de « diplomatie par le sport » que l'émir Hamad al-Thani a lancée dès son accession au pouvoir. En 1995,

---

1. Gilles Verdez et Arnaud Hermant, *Le PSG, le Qatar et l'argent*, Éditions du Moment, 2013.

le Qatar remplace le Nigeria – écarté au dernier moment par la Fifa en raison d'une épidémie d'Ebola – et organise en trois semaines la Coupe du monde de la Fifa des moins de 20 ans. Depuis lors, les compétitions sportives se succèdent dans l'émirat, à un rythme effréné : l'athlétisme (1997), le golf (1998), le tennis *via* le tournoi ATP (depuis 2000) et WTA (depuis 2002), le cyclisme (Tour du Qatar à vélo, déclinaison locale du Tour de France dans le sable et sous une chaleur écrasante), le tennis de table et le cyclisme (2002) ou encore la moto (2004), et surtout les Jeux asiatiques, sorte d'olympiades pour l'Asie (2006), qui constituent le troisième événement sportif planétaire.

Le Qatar mise sur le sport comme vecteur de notoriété et de rayonnement. Dans cette stratégie, le football, l'un des sports les plus populaires et médiatisés du monde, occupe une place à part. Le ballon rond, un outil diplomatique bien plus positif que les canons ! Le Qatar a besoin d'un club qui, dans les grandes compétitions, fasse rayonner l'émirat et le pare de toutes les vertus du sport.

En 2010, le Paris Saint-Germain est à nouveau à vendre. Colony Capital, qui a acquis le club en 2006, cherche à s'en séparer. Trop de pertes, trop de problèmes. Les discussions débouchent au printemps 2010 sur un premier schéma : l'émirat prendrait les deux tiers du capital pour un montant de 40 millions d'euros, mais il ne confirme pas l'offre[1]. Sébastien Bazin, président du PSG, décide donc de faire jouer ses réseaux. Il peut compter sur un ami, lui-même proche de l'émirat : Nicolas Sarkozy. Les deux hommes se connaissent bien. Ils se sont rencontrés lors de la prise d'otages à

---

1. « Vente du PSG : Reprise des discussions avec le Qatar », *Le Parisien*, 11 mai 2011.

la maternelle de Neuilly en 1993. Sarkozy était alors maire de la ville, l'un des enfants de Bazin était de ceux retenus par « Human Bomb ». Le président français est en plus un ardent supporteur du PSG dont il ne rate aucun match.

Cette fois, les Al-Thani savent pouvoir compter sur leur ami Nicolas Sarkozy. « Il s'est intéressé de près au dossier. D'abord parce que c'est un État étranger qui investit en France, et puis parce qu'il est supporteur[1] », confirme le communicant de l'Élysée, Franck Louvrier, démentant toutefois que le président ait joué le moindre rôle d'intermédiaire. Il reconnaît néanmoins qu'« ils [Tamim et Sarkozy] ont évoqué le sujet du PSG quand ils se sont rencontrés ». Rencontres multiples... Parmi elles, le déjeuner officiel du 3 février 2010 et la cérémonie au cours de laquelle le président a élevé le prince héritier du Qatar au rang d'officier de la Légion d'honneur.

Né en 1980, Tamim est le deuxième fils issu de l'union de l'émir Hamad et de la cheikha Moza. Pour s'assurer de transmettre le pays à l'un de ses enfants, Hamad a pris toutes les précautions nécessaires, comme l'a bien vu Allen Fromherz : « La Constitution a été modifiée. Désormais, le successeur, fils de l'émir et d'une mère qatarie, est désigné par l'émir en fonction. L'histoire du Qatar est jalonnée de coups d'État, il y a toujours eu des rivaux pour le poste d'émir. Cheikh Hamad a été très astucieux : il s'est donné le pouvoir de choisir son successeur, de le préparer pour qu'il soit prêt à prendre le relais lorsque ce sera nécessaire. »

---

1. « Nicolas Sarkozy, douzième homme de l'équipe qatarie », *Libération*, 2 août 2011.

Désigné prince héritier en 2003[1], Tamim dirige Qatar Sports Investments (QSI), qui est dédié au sport, « domaine réservé » du prince héritier. Il est alors notamment président du directoire de QIA, président du Comité olympique du Qatar et il supervise la candidature de son pays pour 2022.

23 novembre 2010[2] : le prince héritier Tamim est invité à déjeuner à l'Élysée avec le Premier ministre HBJ. Sébastien Bazin se joint à eux. Ainsi qu'un invité de « dernière minute » plus qu'intéressant pour les Qataris : Nicolas Sarkozy a en effet convié Michel Platini, président de l'UEFA[3] et membre du comité exécutif de la Fifa, reçu un peu plus tôt dans la matinée, à se mêler à eux.

Quelques jours plus tard, la Fifa doit désigner le pays organisateur du Mondial en 2022. Un choix auquel participe Michel Platini, qui compte pour sa part donner sa voix aux États-Unis. C'est là que Sarkozy intervient. « [Sarkozy] ne m'a pas demandé de voter pour les Qataris, déclare Platini. Il m'a juste dit, durant une réunion, que ce serait une bonne chose si je le faisais », explique-t-il sur le site Internet espagnol donbalon.com, en mars 2011, avant d'ajouter : « Il sait bien que je suis libre et indépendant ». « Il m'a dit que les Qataris étaient des gens bien », éludera-t-il encore l'été suivant auprès de *SoFoot* ; le magazine précise qu'« averti des réticences de Platini sur la candidature

---

1. Hamad avait dans un premier temps choisi Jassim, son troisième fils, frère aîné de Tamim, pour lui succéder.

2. « Le PSG, le prince et le petit homme », *SoFoot*, juillet-août 2011, et « Qatar : si on réattribuait le Mondial 2022 ? », *France Football*, le 29 janvier 2013.

3. L'Union européenne des Associations de football est l'instance dirigeante du football en Europe.

qatarie, Sarkozy [aurait suggéré] au président de l'UEFA de reconsidérer sa position sur le sujet ».

Le 2 décembre 2010, le Qatar se voit attribuer l'organisation du Mondial 2022. De lourds soupçons de corruption pèsent autour de ce dossier. Ils conduisent le président de la chambre d'instruction de la Fifa à annoncer, le 26 août 2012, l'ouverture d'une enquête confiée à Michael Garcia, co-président du nouveau comité d'éthique de l'organisation : il devra faire la lumière sur les conditions d'attribution des Mondial 2018 à la Russie et 2022 au Qatar. Les révélations sur le sujet ne cessent de se succéder. Le 29 janvier 2013, *France Football* livre des éléments accablants, dont le témoignage de Guido Tognoni, ancien de la Fifa, exclu en 2003. Il dénonce les pratiques de l'institution, qu'il qualifie de « petite mafia ». Un an après, le 18 mars 2014, *The Daily Telegraph* rapporte que Jack Warner, ancien vice-président de la Fifa, aurait perçu, ainsi que des membres de sa famille, 1,43 million d'euros d'une entreprise qatarie dont l'actionnaire principal n'est autre que Mohamed bin Hammam. Cet ancien président de la Confédération asiatique de football et membre exécutif de la Fifa a été radié à vie de l'organisation en décembre 2010 pour faits de corruption.

Au début du mois de juin 2014, alors que le Brésil se prépare à donner le coup d'envoi du Mondial, que Sepp Blatter, président de la Fifa depuis 1998 et en guerre contre Platini, s'apprête à annoncer qu'il brigue un cinquième mandat, de nouvelles révélations éclatent. Le 1er juin, *The Sunday Times* titre : « Complot pour acheter le Mondial 2022 ». Le quotidien britannique, qui prétend disposer de milliers de courriels et autres documents témoignant de l'intense travail de lobbying effectué par Bin Hammam, affirme que ce dernier aurait versé 3,7 millions d'euros de commissions occultes pour acheter des soutiens à la candidature de l'émirat. Accusations aussitôt démenties « avec véhémence » par un communiqué du Comité d'organisation du Mondial 2022 qui a accepté de coopérer à l'enquête de la Fifa.

Quarante-huit heures plus tard, nouvelle révélation. *The Daily Telegraph* consacre sa une à « la France empêtrée dans le scandale du Mondial au Qatar ». Le journal londonien dit détenir la « preuve que Platini a eu une discussion privée avec Mohamed bin Hammam, le très controversé Qatari qui a versé des millions de livres à des responsables du football à travers le monde », discussion qui aurait eu lieu très peu de temps avant le déjeuner organisé à l'Élysée le 23 novembre 2010. Et le quotidien d'affirmer que « la découverte de cette réunion signifie que la France a été le premier pays européen à se laisser entraîner dans le scandale de corruption de la Coupe du monde ». Des imputations aussitôt démenties par Platini qui, dans un communiqué transmis à l'AFP, qualifie d'« ahurissant [le fait] que des conversations avec un collègue du Comité exécutif de la Fifa de l'époque puissent se transformer en complot d'État ». L'ancien triple Ballon d'or confirme la rencontre et déclare que « lors de ces discussions, [...] Bin Hammam cherchait à [le] convaincre de [se] présenter à la présidence de la Fifa pour les élections de 2011 ». Il conclut : « Je suis le seul membre du comité exécutif de la Fifa qui a dit publiquement pour qui il avait voté – preuve de ma totale transparence. »

Quatre jours plus tard, Platini revient, dans *L'Équipe*, sur le désormais fameux déjeuner qui s'est tenu à l'Élysée le 23 novembre 2010 : « Personne ne m'a dit pour qui je devais voter. Jamais le Qatar ne m'a demandé de voter pour lui. Ni Sarkozy ni personne. Je l'ai toujours dit. Mais c'est vrai que quand j'ai été invité pour un déjeuner en tête à tête avec le président de la République et que je me suis retrouvé avec des Qataris, j'ai bien senti qu'il y avait un message subliminal. » Le challenger de Blatter raconte encore que la « plupart des présidents et des chefs de gouvernement des pays candidats » ont demandé à le rencontrer avant le vote, demandes restées vaines. Et de préciser : « J'ai juste rencontré mon président parce que j'ignorais que les Qataris seraient présents... »

L'objet du troc se résume-t-il au soutien de Platini au Qatar en échange du rachat du PSG par l'émirat, moyennant quelques cadeaux maison ? Le deal ne peut en tout cas que plaire aux Al-Thani.

Le 25 avril 2011, soit cinq mois après la fameuse rencontre entre Platini, Tamim et HBJ, Bazin est à l'Élysée pour évoquer avec le président la situation financière du PSG, dont les pertes annuelles atteignent les 20 millions d'euros, les négociations infructueuses avec le Qatar et le potentiel coup de main que Sarkozy pourrait donner. Devant des amis du Qatar qu'il a convoqués à l'Élysée, Nicolas Sarkozy aurait confié à propos de l'émirat : « On leur a eu la Coupe du monde, j'attends qu'ils reprennent le PSG. Il faut que les négociations aboutissent[1]. »

L'ombre du chef de l'État ne cesse en tout cas de planer sur le dossier du PSG. Sébastien Bazin brandit cette carte dès que les discussions se crispent. « Sarkozy a mis un peu d'huile dans les rouages quand ça grinçait. Quand ça dégénérait, Bazin disait : "Ça va finir au Château" – sous-entendu : à l'Élysée – ou bien il lançait : "Je vais devoir en référer plus haut". Il y avait aussi clairement un enjeu

---

1. Christian Chesnot et Georges Malbrunot, *Qatar : les secrets du coffre-fort*, op. cit.

politique dans cette cession[1] », confie un familier du dossier. Quel peut être cet enjeu ?

Le 30 juin 2011, Qatar Sports Investments (QSI) détenait 70 % du club, acquis pour un montant de 40 millions d'euros. Il faut attendre mars 2012 pour qu'il devienne officiellement le seul et unique propriétaire. L'émirat met sur la table 29 millions pour acquérir les 30 % restants. Soit les Qataris ne sont pas regardants, soit il y avait de l'argent à distribuer. Comment expliquer en effet une telle inflation financière entre la première et la seconde acquisition ? Pourquoi l'émirat a-t-il accepté de payer plus cher ces 30 % ? Lui a-t-il fallu rémunérer des facilitateurs ? Si oui, qui ?

Quant à ce qu'il y a à perdre quand on ne soutient pas le rachat du PSG par le Qatar, c'est relativement clair. Pour avoir déclaré sur l'antenne de RMC, en juin 2011, qu'« il n'y a pas de raison de les condamner *a priori* ; on aurait préféré que ce soit des fonds français », la ministre des Sports, Chantal Jouanno, manque d'être vidée du gouvernement. Suite à cette déclaration, elle reçoit des remontrances d'Olivier Biancarelli, conseiller de Sarkozy, et de Brice Hortefeux, ami du président, lequel l'avertit : « Tu n'as pas à te mêler de ça, ce n'est pas le rôle du ministre des Sports[2]. » De qui donc est-ce alors le rôle ? Elle doit son salut à François Fillon qui rappelle opportunément que la ministre vient d'être désignée tête de liste de l'UMP aux sénatoriales de septembre 2011 à Paris...

Autre aspect tortueux du deal : la vente a été annoncée en deux temps. Pourtant, « tout était réglé fin juin [2011],

---

1. *In* Gilles Verdez et Arnaud Hermant, *Le PSG, le Qatar et l'argent, op. cit.* Précisons que « Bazin a toujours nié une quelconque intervention de l'ancien président de la République ».

2. « Sarkozy, président... du PSG ? », *L'Express*, 4 décembre 2013.

confirme un acteur des pourparlers. C'était un habillage politique pour la Mairie de Paris afin d'afficher une certaine continuité et de ne pas donner l'impression que le PSG passait complètement sous contrôle qatarien du jour au lendemain[1] ». Un habillage politique pour satisfaire la Mairie de Paris ? Pourquoi donc ? Qu'avait-elle à cacher ? La Ville cherchait-elle ainsi à éviter la controverse concernant la subvention annuelle qu'elle verse à un club arborant désormais le pavillon qatari ?

Pour 2012, la Mairie de Paris a versé... 1,25 million d'euros au PSG ! Si l'on y intègre les places achetées par la Ville pour assister aux matchs au Parc des Princes, la somme atteindrait les 2 millions. Or, si le club avait jusqu'alors du mal à boucler ses fins de mois, ces problèmes-là sont désormais résolus. « La Ville de Paris n'était pas contre le fait de supprimer la subvention, mais elle ne voulait pas le faire de manière trop brutale, me confie un élu du conseil de Paris. La suppression a donc été effective à compter de 2013, mais il reste la subvention à la fondation du PSG pour le handicap, l'insertion, les jeunes des cités, etc. Bref, le financement continue parce que la fondation est considérée comme d'intérêt général. » Sitôt informés de la vente du club, les Verts, le Modem et le Parti radical se sont empressés de demander l'annulation des subventions destinées au club et à la fondation. Si la première est supprimée, la seconde est maintenue, et même augmentée de 20 000 euros en novembre 2012. En 2013, la Fondation du PSG a ainsi reçu 170 000 euros de la Ville de Paris. Montant qui va augmenter de façon notable et passe à... 450 000 euros pour 2014 ! Paris

---

1. *In* Gilles Verdez et Arnaud Hermant, *Le PSG, le Qatar et l'argent,* *op. cit.*

finance ainsi la moitié du budget annuel de la fondation, lequel ne représente que... 0,1 % du budget annuel du club, d'un montant de 400 millions d'euros[1]. Au sein du conseil de Paris, les élus Verts sont furieux, même si la fondation contribue à l'insertion de 8 000 jeunes de la métropole par le biais du sport (organisation de tournois de foot, de stages d'été), mais aussi d'actions de formation (formation professionnelle à l'encadrement). « Paris veut perpétuer ces activités qui financent des clubs amateurs et contribuent à organiser des manifestations pour les jeunes », assure Jean Vuillermoz, adjoint au maire chargé des sports[2]. Et l'élu de citer le cas du Paris Handball, racheté en juin 2012 par les Qataris qui l'ont rebaptisé PSG Handball. « Je me suis engagé à ce que la subvention de la Ville de Paris soit conservée pendant un certain temps. D'un montant de 850 000 euros, elle a néanmoins été réduite. Le Paris Handball reçoit désormais 600 000 euros de la Ville, jusqu'en 2014 inclusivement. » Il précise : « Si je ne m'y étais pas engagé, les Qataris n'auraient pas racheté le club, et il n'y aurait plus de club de hand parisien. » Illustration des méthodes de l'émirat...

Le Qatar est un sujet si délicat pour le maire de Paris qu'il est passé d'une virulente dénonciation des « fonds exotiques », en 2006, à un soutien enthousiaste quelques années plus tard : « On me parle des grands joueurs du PSG dans le monde entier. C'est vrai qu'ils nous ouvrent une notoriété en Asie. Pour Paris, c'est un rayonnement supplémentaire. Je suis très heureux de tout ce qui tire Paris vers le haut », s'exclame Bertrand Delanoë à l'arrivée

---

1. « Fondation PSG : Paris relève sa subvention, colère des écologistes », AFP, 15 octobre 2013.
2. Entretien, 13 janvier 2014.

de David Beckham au PSG à l'hiver 2012[1]. Que s'est-il donc passé entre-temps ?

Delanoë s'est rendu au début de l'année 2009 à Doha, où il a été reçu par l'émir Hamad al-Thani. Robert Ménard et Thierry Steiner racontent la réception organisée à l'ambassade de France à l'occasion de la venue de l'édile parisien, et se souviennent de son « discours légèrement délirant », dans lequel il s'émerveillait de ce pays qui a « réussi le pari de la modernité sans sacrifier ses riches traditions, issues d'une longue histoire[2] »... « Quelles promesses l'émir avait-il bien pu faire au maire de Paris pour lui inspirer pareille envolée et, surtout, le faire renoncer à combattre le projet de son frère sur l'île Saint-Louis[3] ? Des partenariats sont en cours d'élaboration, a laconiquement annoncé Bertrand Delanoë en quittant Doha. » L'année suivante, il recevait le 24 octobre 2010, à Paris, Nasser al-Kaabi, président de la municipalité de Doha, et signait avec lui un pacte d'amitié et de coopération entre les deux capitales.

---

1. « Selon Bertrand Delanoë, "Beckham est un rayonnement supplémentaire pour Paris" », *20 minutes*, 28 mars 2013.

2. Robert Ménard et Thierry Steiner, *Mirages et cheikhs en blancs*, Éditions du Moment, 2010.

3. À la pointe de l'île Saint-Louis, classé monument historique, racheté en 2007 au baron Guy de Rothschild pour la somme de 80 millions d'euros par Abdallah al-Thani, l'un des frères de l'émir Hamad, l'hôtel Lambert – classé monument historique – devait faire l'objet de très importants travaux, avec notamment la construction de quatre ascenseurs, d'un parking, afin d'être mis au goût du nouveau propriétaire : ce projet allait à l'encontre des prescriptions nationales et a soulevé l'opposition de l'association Paris Historique. Delanoë, qui s'était exprimé contre le projet, a finalement fait volte-face.

Avec la vente du PSG au Qatari, les affaires de Sébastien Bazin sont réglées. Pas celles de Stéphane Richard. À la tête de France Télécom, celui-ci cherche à vendre sa filiale Orange sport, déficitaire. Et en parle à Nicolas Sarkozy. Les deux hommes se connaissent bien : en 2006, alors à la tête du ministère de l'Intérieur, Sarkozy avait élevé son ami au grade de chevalier de la Légion d'honneur. Richard était alors à la tête de la société immobilière Nexity et venait d'encaisser une plus-value estimée à plus de 20 millions d'euros. « Stéphane, t'es riche, t'as une belle maison, t'as fait fortune... Peut-être plus tard y parviendrai-je moi-même... C'est la France que j'aime ! » s'était exclamé Sarkozy dans son discours.

Fan du PSG, le président demande à féliciter en personne le nouveau président du club, Nasser al-Khelaïfi, et saisit l'occasion pour lui glisser un mot en faveur de son ami Stéphane Richard : « Nasser, maintenant tu dois racheter Orange Sport ! », lui aurait-il lancé en juillet 2011[1]. Si Sarkozy s'adresse ainsi à Nasser al-Khelaïfi, c'est que ce dernier est avant tout celui qui s'est occupé d'Al Jazeera Sport dont il a élaboré la politique d'achats de droits. Homme de confiance de Tamim, Nasser al-Khelaïfi cumule les casquettes de président de la Fédération qatarie de tennis – ancien tennisman, il est le premier Qatari à avoir figuré dans le classement ATP –, de directeur de la chaîne Al Jazeera Sport, de *chairman* du fonds d'investissement QSI et, désormais, de président du Paris Saint-Germain.

Mais Al-Khelaïfi décline la proposition. Plutôt que de reprendre la chaîne pantelante, l'émirat préfère créer de

---

1. « Les petits secrets de Nasser al-Khelaïfi, nouveau président du PSG », *Capital*, 9 novembre 2012.

toutes pièces la version française d'Al Jazeera Sport. Pour l'occasion, elle sera même baptisée BeIN Sports. Un choix qui, d'après son président Nasser al-Khelaïfi, ainsi qu'il l'affirme dans le communiqué actant la naissance de la chaîne le 23 mars 2012, « symbolise l'esprit de ce que seront ces deux chaînes tournées vers la diffusion en direct et en exclusivité des plus grands événements ». Ne serait-ce pas plutôt en raison de la controverse suscitée par l'engagement du Qatar et l'implication d'Al Jazeera dans les « printemps arabes » que la référence au vaste empire qatari est ici gommée ? La volonté de se démarquer de l'aspect sulfureux de la « marque » est confirmée par l'un des membres de la chaîne à Doha : « Certaines personnes dans les médias, en particulier en Occident, rattachent le nom d'Al Jazeera au terrorisme, à ce qui s'est passé en Afghanistan ou en Irak. Le staff d'Al Jazeera Sport ne voulait pas souffrir de cette image. Décision a donc été prise de lancer la chaîne sous un autre nom que celui d'Al Jazeera en France. Et cela a été bénéfique. »

Nasser al-Khelaïfi veut faire du club parisien une des plus grandes marques sportives au monde, capable de rivaliser en notoriété avec l'équipe de base-ball new-yorkaise des Yankees ou le club de basket des Chicago Bulls. Le but : conférer au Qatar la crédibilité qui lui manque encore d'ici à l'organisation du Mondial 2022. En moins de deux ans, il dépense plus de 250 millions en rachats de joueurs – hors bonus –, multipliant par trois le budget du club[1]. Résultat : le PSG est aujourd'hui l'un des clubs européens parmi les plus dépensiers. Lors du mercato de l'été

---

1. De 100 millions pour la saison 2010-2011, son budget est passé à 300 millions en cette saison. Cf. « Le sacre du nouveau riche », *L'Équipe*, 13 mai 2013.

2012, il a déboursé 145 millions d'euros, loin devant le club britannique Chelsea, propriété du milliardaire russe Roman Abramovitch, qui a tout de même investi la bagatelle de 103 millions d'euros, et le Zenit Saint-Pétersbourg, club russe financé par Gazprom, qui, lui, a mis 100 millions d'euros au pot : sacré palmarès ! En 2013, au terme du mercato estival, seul le Real Madrid (181,5 millions d'euros) a dépoché plus d'argent que le FC Monaco (166,2 millions) – racheté en 2011 par le milliardaire russe Dmitry Rybolovlev – et le PSG (110,9 millions), celui-ci arrivant cinquième au classement[1]. «Avec un budget de 400 millions d'euros, le PSG arrive très loin devant les autres clubs de Ligue 1 qui disposent, eux, d'un budget de 50 millions d'euros en moyenne, explique l'économiste du sport Bastien Drut. Cela induit une incroyable distorsion dans l'équilibre de la compétition. Le PSG n'a pas à regarder à la dépense pour acheter les meilleurs joueurs. Ce profond déséquilibre pose les jalons d'un championnat à deux vitesses, avec, d'un côté, le PSG et l'AS Monaco, et, de l'autre, les clubs qui ne disposent pas d'une trésorerie sans fond. Le manque d'équité sportive commence à poser un réel problème. Mais les autorités de régulation n'osent pas le soulever, car l'arrivée de BeIN Sports[2] leur a sauvé la mise en empêchant une trop forte baisse des droits de diffusion[3]. »

Le monde du football souffre du mercantilisme. Les footballeurs sont désormais des produits financiers à l'instar

---

1. « PSG-Monaco : duel des milliardaires », *Le Vif Sport magazine*, 22 septembre 2013.

2. Voir chapitre 22, p. 359 et suivantes.

3. Entretien, 27 janvier 2014. Lire Bastien Drut, *Économie du football professionnel*, La Découverte, collection Repères, 2011.

du capital des entreprises cotées ou des matières premières comme l'or ou les minerais rares. Avec la marchandisation et la déshumanisation des joueurs, une nouvelle étape a été franchie. Eliaquim Mangala, défenseur du FC Porto, est ainsi « détenu » à 33 % par le fonds d'investissement Doyen Group, spécialisé dans l'extraction d'uranium ! « Je l'ai découvert dans la presse, un matin, sur le Net, confie alors le joueur. On ne m'en avait pas parlé avant. Nous sommes des produits financiers. Les clubs sont des usines, et nous, on est des produits qui rapportent[1]. » En tout, cent footballeurs de haut niveau appartiendraient à des fonds d'investissement, lesquels peuvent aussi bien posséder des joueurs d'équipes adverses, multipliant d'autant les tentations de truquer les matchs.

Aucune surprise dans la frénésie dépensière du club parisien. Dans l'année qui suit le passage du PSG sous pavillon qatari, Olivier Ferrand, fondateur du think tank Terra Nova, et Arnaud Flanquart, coordonnateur de son pôle sport, dressent un premier bilan de l'irruption de l'émirat dans le football français. Accablant. Si le club parisien peut se réjouir d'avoir un actionnaire qui, désormais, va investir massivement, si le football français peut s'enorgueillir de compter dans ses rangs un club qui veut se hisser au premier rang du foot européen, ce n'est pas, loin de là, une bonne nouvelle pour le football européen. « La présence du Qatar dans le PSG continue de doper la bulle financière qui s'est emparée du football professionnel, rendant de plus en plus crédible le scénario d'un *crash landing*, contre celui, piloté par Michel Platini à la tête de l'UEFA (le *fair-play* financier), d'un atterrissage

---

1. *Cash Investigation*, « Foot business : enquête sur une omerta », diffusé sur France 2 le 13 septembre 2013.

en douceur », écrivent-ils dans une note datée du 18 janvier 2012.

Le football européen est en effet au bord du krach. « On en connaît les causes : la libéralisation des transferts de joueurs a entraîné une inflation salariale vertigineuse. Le salaire moyen en Ligue 1 française dépasse les 50 000 euros mensuels. Les rémunérations des stars européennes sont devenues tellement obscènes qu'on les donne désormais sur une base... hebdomadaire. Cristiano Ronaldo gagne ainsi en dix jours le salaire de toute une vie d'un employé au smic. Conséquence : depuis lors, en dépit de l'explosion des recettes, notamment télévisées (multipliées par 600 en France entre 1985 et 2010), les clubs ne parviennent plus à équilibrer leurs comptes. Ils sont structurellement déficitaires : chaque année, les dépenses excèdent les recettes courantes. C'est le cas du PSG : tous les exercices sont déficitaires depuis dix ans, avec presque 300 millions de déficits cumulés. » Et les deux auteurs de développer les recours employés : endettement, spéculation sur les prix de transfert des joueurs, arrivée récente de mécènes qui prorogent le dopage financier du football européen : « Ces donateurs providentiels (milliardaires, fonds souverains) agissent pour le prestige, le réseau social, l'influence diplomatique, voire pour des raisons plus équivoques. Dès lors, ils alimentent la bulle spéculative du football. C'est typiquement le cas avec l'arrivée de QIA dans le PSG. » Et de conclure : « QIA contribue à ce que l'économie du football continue de vivre au-dessus de ses moyens. »

Au début de l'année 2013, une étude publiée par la Commission européenne conclut que l'« évolution du marché des transferts affecte l'équité des compétitions sportives et remet en cause la nécessaire incertitude des résultats. Les résultats des compétitions doivent être pour l'essentiel le reflet des accomplissements sportifs, et non le reflet quasi systématique des moyens financiers[1]. » Elle alerte : « Les règles en matière de transferts ne parviennent pas à lutter efficacement contre les déséquilibres compétitifs, puisqu'il existe un lien très fort entre les dépenses en matière de transferts et les résultats sportifs, en particulier depuis 2001. »

Avec 398,8 millions de revenus annuels, le PSG est désormais le cinquième club de foot le plus riche du monde[2], d'après l'étude consacrée à l'argent dans le football publiée par le cabinet Deloitte en janvier 2014. Aucune surprise, donc, à ce que trois de ses joueurs rejoignent le top 20 des joueurs les mieux rémunérés au monde[3]. Avec un salaire annuel de 23,5 millions d'euros, Zlatan Ibrahimovic n'arrive cependant « qu' » en cinquième position – talonné par l'attaquant de l'AS Monaco, Radamel Falcao (21,2 millions) – loin derrière Lionel Messi, attaquant star du FC Barcelone qui pèse 41 millions[4]. Certes, ces salaires constituent la « juste rançon d'un sport qui fédère chaque semaine des dizaines de millions de

---

1. Étude réalisée par KEA et le CDES, citée dans « Réguler pour mieux régner », blog de Jérôme Latta hébergé par lemonde.fr, 2 avril 2013.

2. Pour la saison 2012-2013, après le Real Madrid (518,9 millions d'euros), le FC Barcelone (482,6 millions), le Bayern Munich (431,2 millions d'euros) et Manchester United (423,8 millions d'euros).

3. Classement établi par *France Football*, « Les salaires des tsars : Ligue 1, le nouvel eldorado », 18 mars 2014.

4. Les deux autres footballeurs du PSG présents dans le classement sont Thiago Silva, défenseur (17 millions annuels), et Blaise Matuidi, milieu de terrain (12,9 millions).

personnes dans les stades du monde entier et des centaines de millions de téléspectateurs » ; néanmoins, la tendance fortement haussière du marché creuse d'autant plus le fossé avec les autres clubs.

« Quatre éléments de la Ligue 1 dans le top 20, c'est presque autant que depuis la création de notre classe-ment[1] », précise *France Football*, qui se félicite du « tournant historique avec la montée en puissance du championnat de France », et précise : « Aujourd'hui, la logique est différente : nos quatre mousquetaires doivent avant tout leur présence aux salaires offerts par le PSG et Monaco. Des salaires du niveau de ceux réservés aux stars du Real Madrid, du Barça et des deux clubs de Manchester, United et City. » De fait, le club parisien truste treize des vingt places du top 20 de la Ligue 1, contre une seule pour l'AS Monaco, illustrant les limites de l'analogie entre ces deux « clubs de milliardaires ».

En vue d'enrayer la dérive économique des clubs, Michel Platini a annoncé en 2009 l'application prochaine du principe du « fair-play financier ». « Ce dispositif a pour but d'empêcher une bulle spéculative, de préserver un équilibre compétitif, d'éviter que le marché des transferts, notamment, ne s'envole de manière artificielle, *via* des pertes d'actionnaires déconnectées de toute considération économique », m'explique Frédéric Bolotny, économiste du sport et ancien membre de la

---

1. « Cinq joueurs seulement du championnat de France y avaient jusqu'à présent figuré : Fabien Barthez (dix-septième en 1999 avec Monaco), Nicolas Anelka (vingtième en 2001 avec le PSG), Christian Vieri (cinquième en 2006 avec Monaco), David Beckham (premier en 2013 avec le PSG) et Zlatan Ibrahimovic (huitième en 2013, toujours avec le PSG. » Les salaires ne sont pas précisés.

Direction nationale du contrôle de gestion (DNCG).
L'objectif est de ramener le football européen d'une économie virtuelle vers une économie réelle, en demandant
aux clubs de tendre vers l'équilibre d'exploitation, de
ne dépenser pas plus que ce qu'ils génèrent en recettes
propres (billetterie, droits TV sponsoring, produits dérivés...), cela avant même que leurs actionnaires n'interviennent en provisionnant le compte du club ou en
augmentant le capital pour combler les dettes. « En vertu
de la règle du fair-play financier, les clubs ne doivent
pas dépenser plus d'argent qu'ils n'en génèrent », précise l'UEFA, en janvier 2011, alors que l'organisation
commence tout juste à contrôler les finances des clubs
engagés dans des compétitions européennes. À défaut,
ceux-ci prennent le risque d'être exclus des compétitions
européennes.

Un risque à éviter à tout prix. Certes, à ce jeu-là, le
PSG dispose de solides atouts : son propriétaire, ses
gazo-dollars, ses nombreuses passerelles pour injecter de
l'argent frais dans le club parisien, gourmand de stars
du ballon rond. À l'issue de la saison 2011-2012, le
PSG risquait cependant d'afficher un déficit considérable, résultant notamment des sommes dépensées pour
l'achat et les salaires de joueurs, montants que ne com-
pensaient pas, loin de là, les recettes du club. Des pertes
que la mise en place du fair-play financier interdit de
répéter sous peine de sanctions. Aussi, pour continuer à
mener grand train tout en évitant le blâme, QSI, propriétaire du PSG, s'est tourné vers QTA, la Qatar Tourism
Authority. Tous deux ont signé un contrat d'image. Son
enjeu : promouvoir le Qatar comme destination touristique. Son montant : 125 millions d'euros pour la saison

2011-2012[1], montant qui devrait atteindre les 200 millions d'ici la saison 2015-2016[2]. Grâce à ce contrat surprise, le PSG réduit son déficit pour la saison 2011-2012 à 5,45 millions d'euros ! Sauf que le prix versé par QTA n'a pas de contrepartie, le contrat ayant été signé fin 2012[3]. Pourtant, la prestation non effectuée a bel et bien été rémunérée. Le contrat, d'un montant de 600 millions sur quatre ans, s'applique en effet dès l'exercice écoulé. Phénomène inédit ! Et une aubaine pour le PSG qui efface ainsi la quasi-totalité de ses pertes tout en respectant, ne serait-ce qu'en apparence, les exigences du fair-play financier instauré par l'UEFA.

« Les Qataris ont un vrai projet de club pour le PSG, dont ils cherchent à diversifier les ressources, insiste Frédéric Bolotny. Au-delà de l'ambition économique, cet investissement revêt surtout un caractère politique pour le Qatar. C'est une forme de marketing d'État. » Et d'analyser : « Le contrat avec QTA est hors marché. Sans lui, le club parisien aurait accusé 200 millions d'euros de déficit avant l'intervention de son actionnaire. Il s'agit d'un artifice destiné à éviter de passer sous les fourches caudines de l'UEFA. »

---

1. Le fameux contrat signé avec QTA est inclus dans la ligne « autres produits » du compte de résultat du PSG, dans le rapport annuel de la DNCG sur les comptes individuels des clubs pour la saison 2011-2012. Concernant les autres clubs, les « autres produits » plafonnent à plusieurs millions d'euros. Seul l'OM dépasse cette saison-là la barre de la dizaine de millions d'euros, avec une ligne « autres produits » atteignant 18,778 millions d'euros. Un élément supplémentaire de l'inéquité financière instaurée par le PSG version qatarie.

2. « Révélations sur le contrat en or du PSG », *Le Parisien*, 20 décembre 2012.

3. « Ce que cache le déficit ridicule du PSG en 2011-2012 », lexpress.fr, 6 mars 2013.

Problème : à y bien regarder, les règles de la concurrence semblent ici plus que malmenées. D'après l'argumentaire développé par les dirigeants du PSG devant l'UEFA, le 28 novembre 2013, si QSI dépend du ministère des Sports, QTA relève, lui, du ministère du Tourisme qatari. D'après eux, aucune confusion possible, donc. Mais, en bout de chaîne, l'actionnaire est le même : l'émir du Qatar. Une confusion qui pose la question du conflit d'intérêts. En outre, peut-on réellement parler de prix juste ? Un tel contrat d'image vaut-il réellement le tarif auquel il a été conclu ? Sur ce point, les Qataris ont joué finement, aucun pays n'ayant jusqu'à présent conclu de contrat d'image avec un club. Il n'existe donc aucun précédent auquel se référer. Quelques éléments plaident pourtant pour une survalorisation du contrat. Par exemple, le contrat « historique » signé en janvier 2014 entre le club anglais Arsenal et la marque **Puma**, d'un montant de 36 millions d'euros par an pendant cinq ans, ou encore celui conclu entre le club anglais United de Manchester et Chevrolet, le « sponsoring maillot le plus cher du monde » d'après le cabinet Deloitte : 65 millions d'euros par an pendant sept ans.

Quand les dirigeants du PSG sont venus devant la commission des finances de l'UEFA pour la convaincre qu'il n'y avait, dans le contrat de sponsoring signé entre le PSG et QTA, aucune survalorisation artificielle, personne n'a jugé utile de les questionner plus avant. Pourtant, certains professionnels du ballon rond s'insurgent à ce propos. Parmi eux, l'ancien international allemand Karl-Heinz Rummenigge, président de l'Association des clubs européens et **patron** du Bayern Munich, qui dénonce dans *Le Parisien* du 16 février 2013 le « doping financier » du PSG, « demande de respecter les règles et de ne pas tricher ». Christian Seifert, président de la Bundesliga (championnat d'Allemagne), s'élève, lui, dans les colonnes du quotidien brésilien *Lance !*, le 26 février 2014, contre « ce qui se passe en France, [qui] est un grand danger pour le football local. Le PSG et Monaco ont déversé des centaines de millions d'euros sur le marché. Les injections artificielles d'argent mènent vers le déséquilibre, le manque de compétitivité et, au final, l'échec ».

Fin janvier 2014, les comptes du club parisien ont été passés au crible lors d'un audit. « Si le propriétaire d'un club injecte de l'argent par le biais d'un contrat de sponsoring avec une société avec laquelle il a des liens, précise l'UEFA, les instances compétentes adapteront si nécessaire le calcul du résultat relatif à l'équilibre financier en prenant en compte les recettes de sponsoring dans la mesure appropriée en fonction du prix du marché. » Le risque est réel : le contrat signé avec QTA « doit permettre au PSG de ne pas dépasser les 45 millions d'euros de déficit autorisé en 2013-2014 et 2014-2015 », précise *L'Équipe*. Or l'« accord pourrait connaître une décote. Ce qui placerait alors le PSG en situation de large déficit aux yeux de l'UEFA[1] ». Dans ce cas, le club s'exposerait à des sanctions allant de la mise en garde à l'exclusion des compétitions européennes.

Une nouvelle audition du club parisien a lieu en mars 2014 – un traitement « réservé aux clubs qui posent problème[2] », selon une source de l'UEFA. Le PSG n'est pas le seul concerné. Les clubs anglais Manchester City et Chelsea auraient également été convoqués. Devant les membres de l'UEFA, le club parisien a fait valoir le « *nation branding*, autrement dit la promotion d'un pays par le sport », déclare Jean-Claude Blanc, directeur général

---

1. « Paris bientôt puni ? », L'Équipe.fr, 26 mars 2014.
2. « Le PSG a été convoqué par l'UEFA », *Le Parisien*, 14 mars 2014.

du club, à *L'Équipe*, le 4 avril 2014. Une nouvelle ligne d'argumentaire, donc. À croire que la distinction entre le propriétaire du club et celui de QTA, développée lors de la première audition, n'a pas été jugée convaincante...

La sanction de l'UEFA tombe le 16 mai 2014. Neuf clubs sont concernés... dont le PSG[1] qui se voit infliger, entre autres sanctions, une pénalité financière de 60 millions d'euros sur trois ans. L'instance dirigeante du football européen a « considérablement revu à la baisse » le contrat signé avec QTA, contrat qu'elle ne prendra désormais en considération « qu'à hauteur de 100 millions d'euros par an ». Le PSG, qui se voit également imposer un encadrement strict de la masse salariale et, notamment, une limitation des dépenses en matière de transferts, accepte de se soumettre au moratoire de l'UEFA. Le club n'en conserve pas moins ses habitudes et s'offre un mois plus tard le défenseur brésilien David Luiz pour un montant de 49,5 millions d'euros. Un transfert dont Nicolas Sarkozy ne peut que se réjouir.

« Les journalistes me demandent souvent si je veux devenir président du PSG », lançait Nicolas Sarkozy à des élus qu'il recevait dans son bureau au printemps 2014. « Mais les mecs n'ont pas compris : je suis déjà président du PSG ! Ils n'ont qu'à venir voir au Parc. Nasser me place systématiquement à côté de lui, juste à côté du président du club adverse. » Et d'insister : « Le vrai président du PSG, c'est moi[2] ! »

---

1. Les autres clubs sanctionnés sont les clubs turcs Bursaspor, Galatasaray et Trabzonspor, les clubs russes FC Anji Makhachkala, le FC Rubin Kazan et le Zenit de Saint-Pétersbourg, le club anglais Manchester City, et le club bulgare Levski de Sofia.

2. « Sarkozy président », *L'Express*, 14 mai 2014.

16.

Total perd un contrat en Libye pour avoir cherché à satisfaire les ambitions du Qatar

En 2010, alors que les industriels français sont en passe de consolider leur présence en Libye, Total est sur le point de prendre de nouvelles concessions dans ce pays au sous-sol riche en hydrocarbures. Mais, en invitant clandestinement le Qatar à la table des négociations, son PDG Christophe de Margerie aurait fait échouer le deal. Précisons ici que ce projet de contrat fait actuellement l'objet d'une enquête pour « corruption d'agent public étranger, recel et complicité[1] ».

Total a œuvré à signer un contrat d'exploration avec Tripoli. À l'origine de cet accord, Ziad Takieddine. Avec l'appui de Nicolas Sarkozy et de Claude Guéant, il a usé de tout son entregent avec les dirigeants libyens pour conforter la place des sociétés françaises, notamment de Total. « J'ai contacté Christophe de Margerie dès mes premières démarches en Libye en 2006 pour pouvoir donner à Total

---

1. L'information judiciaire a été ouverte le 26 juin 2013 par le parquet de Paris suite à la découverte de documents par les juges Renaud Van Ruymbeke et Roger Le Loire, dans le cadre de leur enquête sur le volet financier de l'affaire Karachi.

le rang qu'elle méritait dans les relations franco-libyennes, raconte l'ancien intermédiaire déchu. En 2008, j'ai organisé une réunion entre le moustachu [Christophe de Margerie] et Choukri Ghanem [ministre du Pétrole et patron de National Oil Corporation, qui sera retrouvé noyé dans les eaux du Danube en avril 2012]. » L'enjeu : confier à la compagnie française l'exploration et la concession du gisement de gaz NC-7.

En contrepartie de son intervention, Takieddine signe un protocole d'accord avec Total[1] qui lui promet 20 % du contrat à venir entre Total et la Libye. Il précise : « Cet accord de quatre pages me promettait 140 millions de dollars à la signature définitive du contrat entre Total et la Libye. Il a été signé à l'été 2009 entre Total et ma société au Lichtenstein, la North Global Oil & Gas Company Ltd. Six mois après la signature, Total m'a versé une avance de 9,8 millions de dollars, le reste devant être débloqué à la signature du contrat définitif. »

D'après les déclarations de Ziad Takieddine – à prendre avec précaution –, le contrat entre Total et la Libye est fin prêt en août 2010. « Le contrat était paraphé, il ne restait plus qu'à le signer. Pour cela, il fallait l'accord du chef de l'État libyen. Mais Kadhafi a refusé », m'explique Takieddine.

Que s'est-il passé ? Le Guide libyen, fermement opposé à ce que le Qatar exploite son sous-sol, a découvert que l'émirat serait partie prenante audit contrat. Takieddine dit l'en avoir informé aussitôt qu'il a eu connaissance de ce

---

1. Cet agrément, précise Mediapart qui révèle l'affaire à l'été 2011, devait rester confidentiel : « Les documents Takieddine : l'émissaire du clan Sarkozy en Libye rétribué secrètement par Total », Mediapart, 18 août 2011.

qui se tramait. L'invité mystère serait, d'après l'intermédiaire, la cause de l'échec du contrat entre Paris et Tripoli.

Malgré les bonnes relations qu'il entretient alors avec le Qatar, Kadhafi refuse en effet que l'émirat ait accès à son sous-sol riche en gaz et pétrole de première qualité. Ainsi, en 2007, il ne lui avait attribué aucune concession à la suite des appels d'offres qu'il avait lancés en vue de l'exploitation de certains gisements. La Libye compte se lancer elle-même dans le gaz naturel et conquérir de nouveaux marchés. Avec ses réserves, Kadhafi peut espérer devenir l'un des principaux producteurs mondiaux. Une perspective multipliée en cas de construction d'un gazoduc permettant de transporter le gaz libyen jusqu'en Europe. Cette hypothèse, si elle se concrétisait, lui donnerait accès au marché européen *via* l'Italie, par exemple, et ferait de lui un sérieux rival de Poutine... et de l'émir qatari. Une menace potentielle pour Doha dont le leadership et les bénéfices sont, pour une part, compromis par l'exploitation imminente du gaz de schiste aux États-Unis. Dans ce contexte, trouver de nouveaux marchés constitue une réelle opportunité pour l'émirat, *a fortiori* si la Libye lui ouvre un accès direct à la Méditerranée.

« La Libye était vue par le Qatar comme une base arrière. [Les Qataris] sont là-bas, isolés, avec l'Iran en face, qui leur pose problème et dont ils pompent en réalité le gaz, puisqu'ils se partagent le même gros gisement dans le golfe Arabo-Persique. Pour eux, c'était une solution stratégique », explique un ancien collaborateur de l'Élysée et de Matignon, fin connaisseur de la péninsule d'Arabie[1]. Aussi,

---

1. *In* Roumiana Ougartchinska et Rosario Priore, *Pour la peau de Kadhafi*, *op. cit.*

quand surgit l'opportunité de s'inviter dans l'exploitation du sous-sol libyen par l'entremise du pétrolier français, les Qataris s'empressent de la saisir.

Takieddine le découvre à la suite d'un dîner organisé par Abdallah Senoussi à la fin de l'été 2010. Le chef des services libyens tenait ce soir-là à lui présenter une « personnalité », HBJ, que Takieddine connaît depuis les événements liés à l'élection du président libanais[1]. Outre les trois hommes sont également présents Saïf al-Islam, Baghdadi al-Mahmoudi et le fils de Senoussi.

— Ça fait longtemps qu'on attend vos investissements ici, mais ils n'arrivent pas, lance Saïf al-Islam à HBJ au cours du repas.

— Ce qui m'intéresse le plus chez vous, c'est votre gaz et votre pétrole. Je veux qu'on trouve un accord pour participer à l'exploration, répond le Premier ministre qatari.

— Oui, opine le fils de Kadhafi.

— Mais, pour entrer chez vous, il faut payer un ticket d'entrée de 300 millions, remarque HBJ.

Une fois la stupeur passée, la discussion dérive sur d'autres sujets. Mais Saïf al-Islam ne lâche plus Takieddine du regard. Alors que le dîner touche à sa fin et que les invités prennent congé, Saïf al-Islam, s'apprêtant à faire de même, demande à Takieddine de rester. Une fois les invités partis et le fils de Kadhafi éclipsé, Senoussi avertit l'intermédiaire : « Ne fais pas trop confiance à HBJ... »

À son retour, le fils de Kadhafi est furieux.

— Qui a dit ça à HBJ ? J'espère que ce n'est pas le moustachu [Christophe de Margerie] ! s'exclame Saïf al-Islam.

---

1. Dans le cadre des discussions précédant la négociation des accords de Doha signés en mai 2008 sous l'égide de HBJ, qui mirent fin à la crise libanaise après dix-huit mois de troubles.

– J'ai un doute, confie Takieddine, précisant qu'il va vérifier.

– Je serai à Londres après-demain, lui indique Saïf-al-Islam.

Le lendemain, l'intermédiaire est de retour en France. Il subodore que son intervention dans le contrat en cours de négociation entre la compagnie pétrolière libyenne et Total est en péril. Que le pétrolier est sur le point de l'évincer au profit des Qataris. Sitôt arrivé à Paris, il appelle le patron de Total et convient avec lui d'un rendez-vous.

– Tu as essayé de vendre mes 20 % aux Qataris ? Vous avez compris pourquoi il ne faut pas le faire ? Personne n'a le droit de me remplacer dans ce contrat, personne, et surtout pas le Qatar ! prévient Takieddine.

– La Libye est exclue de nos accords avec le Qatar, aurait répondu, un brin gêné, le patron de Total, qui serait venu accompagné de son directeur Afrique du Nord Jean-François Arrighi de Casanova.

« Je lui ai offert quatre malts bien chargés, de ceux qu'il aime. Mais rien à faire. Je n'ai rien tiré de lui, affirme Takieddine. J'ai néanmoins compris qu'il avait vendu la mèche. Au Qatar, le seul interlocuteur de Margerie, c'est HBJ. Margerie l'avait informé des 20 % convenus avec ma société. Il voulait que le Qatar me remplace dans le contrat ! »

Connaissant le refus libyen de voir les Qataris s'ingérer dans l'exploitation de leur sous-sol, Total choisit de privilégier les ambitions du Qatar sur ses propres intérêts, et de risquer par là de faire capoter un contrat en passe d'être conclu. Pis encore : cette tortueuse substitution aurait reçu, d'après les dires de l'intermédiaire, l'aval du sommet de l'État. « Fort de ses relations avec l'émir Hamad, Sarkozy a donné sa bénédiction à l'accord entre Total et le Qatar. Sarkozy est l'agent du Qatar, et Total, l'un de leurs instruments ! », s'insurge l'intermédiaire. Qualifiant le président de « criminel », Takieddine affirme que le « but de la guerre en Libye, c'était d'éliminer Kadhafi et la National Oil Company. C'est l'acharnement de la France au service du Qatar ! ».

Quelques semaines plus tard, le 2 novembre 2010, alors que les négociations achoppent, la France et le Royaume-Uni signent à Londres deux traités de coopération militaire en matière de défense et de sécurité instaurant une force commune, et conviennent d'organiser ensemble des exercices militaires en 2011. L'opération « Southern Mistral » débute le 15 mars suivant. Les avions de chasse remontent jusqu'en Cornouailles, descendent le long de la côte Atlantique, passent le golfe de Gascogne et arrivent en Corse pour y délivrer leur armement. « D'habitude, six mois de préparation sont nécessaires pour un exercice de cette ampleur », se réjouit alors le lieutenant-colonel britannique Andrew Tierrie-Slough dans *Air Actualités*.

17.

En guerre contre Kadhafi

La guerre en Libye révèle au grand jour les dangers d'une alliance quasi exclusive avec Doha. En soutenant les islamistes – dont les Occidentaux redoutent l'arrivée au pouvoir –, en leur fournissant des armes censées être acheminées à l'état-major des rebelles et à leur coalition – le CNT –, en n'en rendant pas compte à ses alliés, en achetant les chefs de guerre libyens, le Qatar, qui saisit là l'occasion de développer davantage encore son influence, laisse percer toutes les ambiguïtés de sa diplomatie.

19 mars 2011 : HBJ participe avec David Cameron, Hillary Clinton et Ban Ki-moon, au sommet international sur la Libye organisé à Paris. Sur la photo qui immortalise l'événement, le Premier ministre et diplomate en chef de l'émirat se tient bien droit, au premier rang des dirigeants. L'émirat joue désormais dans la cour des Grands. À l'issue des discussions, Nicolas Sarkozy se fait le héraut du peuple libyen contre la barbarie de son tyran et déclare la guerre à Kadhafi : « Des peuples arabes ont choisi de se libérer de la servitude dans laquelle ils se sentaient depuis trop longtemps enfermés. Ces révolutions ont fait naître une immense espérance dans le cœur de tous ceux qui partagent les valeurs de la démocratie et des droits de

l'homme. [...] Aujourd'hui, nous intervenons [...] pour protéger la population civile de la folie meurtrière d'un régime qui, en assassinant son propre peuple, a perdu toute légitimité. Nous intervenons pour permettre au peuple libyen de choisir lui-même son destin. Il ne saurait être privé de ses droits par la violence et par la terreur. » La démocratie, les droits de l'homme et l'autodétermination des peuples : tels sont, selon ce beau discours, les enjeux de l'offensive.

« Heureusement qu'il était là [Sarkozy], parce que le monde entier s'apprêtait à contempler à la télévision des massacres commis par le colonel Kadhafi, déclare alors Claude Guéant qui, depuis le secrétariat général de l'Élysée, a suivi les négociations entre Total et la Libye, avant d'être nommé ministre de l'Intérieur en février 2011. Heureusement, le président a pris la tête de la croisade pour mobiliser le Conseil de sécurité des Nations unies, puis la Ligue arabe et l'Union africaine[1]. »

La Libye est-elle la première des dictatures qu'il faille faire tomber sur le continent ? La démocratie est-elle l'enjeu essentiel de cette guerre lancée contre Kadhafi ?

À l'époque, la diplomatie de Nicolas Sarkozy essuie un flot de critiques. Le 23 février 2011, des fonctionnaires du Quai d'Orsay, de toutes générations et d'obédiences politiques variées, certains actifs, d'autres à la retraite, s'en prennent violemment à la politique extérieure du chef de l'État. « À l'encontre des annonces claironnées depuis trois ans, dénonce le Groupe Marly[2], l'Europe est impuissante,

---

1. Propos tenus le 21 mars 2011 dans l'émission *Le Talk* sur le site lefigaro.fr

2. Tribune « La voix de la France a disparu dans le monde », *Le Monde*, 23 février 2011.

l'Afrique nous échappe, la Méditerranée nous boude, la Chine nous a domptés et Washington nous ignore ! Dans le même temps, nos avions Rafale et notre industrie nucléaire, loin des triomphes annoncés, restent sur l'étagère. Plus grave, la voix de la France a disparu dans le monde. Notre suivisme à l'égard des États-Unis déroute beaucoup de nos partenaires. » La politique étrangère menée par Nicolas Sarkozy ? Elle se distingue par son « impulsivité » et son « amateurisme », ses « préoccupations médiatiques » et son « manque de cohérence »... « Qu'on ne s'étonne pas de nos échecs. Nous sommes à l'heure où des préfets se piquent de diplomatie [allusion à Claude Guéant], où les "plumes" [allusion à Henri Guaino] conçoivent de grands desseins, où les réseaux représentent des intérêts privés, où les visiteurs du soir sont omniprésents et écoutés » – et où l'intérêt général est sacrifié.

Un an plus tôt, deux anciens ministres des Affaires étrangères, Alain Juppé et Hubert Védrine, avaient ouvert le feu. Ils s'alarmaient des conséquences pour la France de la réduction « sans précédent » du budget du Quai d'Orsay : « Les économies ainsi réalisées sont marginales. En revanche, l'effet est dévastateur : l'instrument est sur le point d'être cassé, cela se voit dans le monde entier. Tous nos partenaires s'en rendent compte[1]. » Reprenant l'avertissement, le Groupe Marly le complète : « Il est clair que sa sauvegarde est essentielle à l'efficacité de notre politique étrangère. » Il constate amèrement que le « président n'apprécie guère les administrations de l'État qu'il accable d'un mépris ostensible et qu'il cherche à rendre responsables des déboires de sa politique. C'est

---

1. Tribune « Cessez d'affaiblir le Quai d'Orsay ! », *Le Monde*, 7 juillet 2010.

ainsi que les diplomates sont désignés comme responsables des déconvenues de notre politique extérieure. Ils
récusent le procès qui leur est fait. La politique suivie
à l'égard de la Tunisie ou de l'Égypte a été définie à la
présidence de la République sans tenir compte des analyses de nos ambassades. C'est elle qui a choisi Ben Ali
et Moubarak comme "piliers sud" de la Méditerranée. »

Depuis quelques semaines, le souffle des printemps
arabes a balayé l'Afrique du Nord. Ben Ali a dû fuir la
Tunisie le 14 janvier 2011, tandis qu'en Égypte Hosni
Moubarak, au pouvoir depuis trente ans, en a été évincé
le 11 février. Persistant dans son soutien inconditionnel
aux anciens dictateurs, Sarkozy, comme tous les autres
dirigeants occidentaux, n'a rien vu venir des révolutions
tunisienne et égyptienne. Ce n'est pas faute, pourtant,
d'avoir disposé de rapports des services de renseignement,
du Centre d'analyses et de prévisions du ministère des
Affaires étrangères et de ses directions concernées, qui,
depuis une quinzaine d'années, préviennent que la région
constitue une véritable poudrière. Non seulement le sommet de l'État témoigne d'une vision court-termiste, mais,
par surcroît, la France a même offert au dictateur tunisien
de lui prêter main-forte ! La Libye serait-elle l'occasion,
pour Nicolas Sarkozy de « se refaire » en étant, cette fois,
du bon côté de l'histoire, et au passage de satisfaire les
intérêts du Qatar dans le pays ?

Le 15 février, l'arrestation d'un militant des droits de
l'homme à Benghazi provoque des émeutes. Nouvelle
manifestation, deux jours plus tard. Kadhafi réprime dans
le sang un début d'insurrection. Le président français, qui
cumule alors la présidence tournante du G8 et du G20,
se fait l'ardent partisan d'une offensive militaire contre
son ami d'hier. Allant plus loin que n'importe quel autre

leader européen, il affirme, le 23 février, que la « répression brutale et sanglante contre la population civile libyenne est révoltante » ; il cherche à rallier la « communauté internationale, [qui] ne peut pas rester spectatrice face à ces violations massives des droits de l'homme », et demande à l'Union européenne d'adopter rapidement des « sanctions concrètes ». Le Premier ministre britannique, lui, semble bien moins convaincu que son allié français de la nécessité d'une guerre.

Mais David Cameron ne tarde pas à opérer un revirement total. Il bascule en l'espace d'une journée du scepticisme au volontarisme. C'est à Doha que tout se joue. Le jour même où le chef d'État français demande à l'Union européenne de sévir, Cameron en visite au Qatar déclare : « Nous ne devrions sanctionner que les pays qui nous posent vraiment problème, comme la Birmanie ou encore l'Iran qui essaie d'obtenir des armes nucléaires. Quelquefois oui, nous prenons des sanctions parce que nous pensons que c'est dans l'intérêt du monde. Mais, dans l'ensemble, nous sommes un pays favorable au libre-échange. » Quelques heures plus tard, changement de cap : sur Al Jazeera, Cameron n'élude plus la question des sanctions au cas où Kadhafi persisterait dans la violence[1].

Tandis que Nicolas Sarkozy s'occupe de rallier l'Occident à sa cause, le Qatar mobilise le monde arabe. Cela fait alors plusieurs mois que l'émirat prépare l'offensive. En avril 2010, le général Kirtcho Kirov, patron du renseignement bulgare, a en effet rencontré son homologue qatari Mohamed ben Ahmed al-Misnad, chef de l'agence de sécurité d'État et neveu de la cheikha Moza. « Al-Misnad

---

1. *In* Jean-Christophe Notin, *La Vérité sur notre guerre en Libye*, Fayard, 2012.

m'a dit que les choses allaient bouger en Libye. Sa position était : cette bête sanguinaire, Kadhafi, doit partir. Selon lui, il fallait qu'il y ait là-bas un soulèvement populaire, mais qui devait être organisé, car, compte tenu des forces et des moyens dont disposait l'opposition intérieure, ce n'était pas possible. » Le patron du renseignement qatari est à la manœuvre pour lancer une révolution prétendument spontanée. Il demande à son homologue s'il peut venir en aide à l'opposition libyenne en lui fournissant des armes et des instructeurs. Le général bulgare est persuadé que l'émirat a des contacts avec des personnes ou des groupes d'opposition à l'intérieur du pays. Al-Misnad avait transmis au général Kirtcho Kirov les noms et cordonnées d'Abdel Rahman Chalgam, représentant de la Libye aux Nations unies, et celui de Mahmoud Jibril. Magistrat, ce dernier a prononcé la peine de mort pour les soignants bulgares. Il fut l'un des principaux conseillers de Saïf al-Islam, a appartenu au gouvernement libyen et aidé Kadhafi à redevenir fréquentable aux yeux de l'Occident avant de retourner faire des affaires et de séjourner fréquemment au Qatar.

Al-Misnad s'intéresse particulièrement à la région de Benghazi, caractérisée par un traditionnel irrédentisme et dotée de vastes réserves d'hydrocarbures. « Il voulait savoir quelle était notre analyse de la situation et l'environnement de cette ville, ce que nous savions, indique le général bulgare. Je lui ai répondu que nos informations sur la région de Benghazi nous avaient été transmises par nos collègues du renseignement égyptien avec qui nous avons de bonnes relations, et qu'il valait mieux qu'il s'adresse à eux. » À ses yeux, les Qataris n'agissent pas seuls, un plan d'action semble préétabli. Au moment de sa rencontre avec son homologue, ils « étaient visiblement dans une phase préparatoire[1] ».

Moins d'un an plus tard, en février 2011, la perspective d'une guerre se confirme. Deux jours avant que Sarkozy ne demande à l'Union européenne de se mobiliser contre la Libye, Youssef al-Qaradawi, le prédicateur star de la chaîne qatarie, joker diplomatique de l'émirat, ouvre les hostilités : « Il est interdit d'obéir à un être humain au mépris du Créateur. Si l'armée reçoit l'ordre d'attaquer la population avec des avions, je dis qu'elle ne doit pas obéir. Au contraire, elle doit attaquer celui qui a donné cet ordre. Quiconque, au sein de l'armée, peut tirer une balle sur lui, débarrassant ainsi le pays et le peuple de sa personne, doit le faire. J'émets donc ici même une fatwa. Aux officiers et soldats qui sont en mesure d'abattre Mouammar Kadhafi : quiconque, parmi eux, peut tirer une balle sur lui, doit le faire. Cet homme veut exterminer le peuple et je protège donc le peuple. » Le bras médiatique armé de l'émirat est donc activé.

S'il est en retrait lors de la première réunion consacrée à la Libye par la Ligue arabe en février 2011[2], l'émirat change rapidement de cap. Un revirement qui suscite l'ironie de l'Arabie saoudite. Le roi saoudien a en effet un vieux compte à régler avec le dictateur libyen qui a tenté de le faire assassiner – ce qui fut d'ailleurs l'occasion, pour l'émir Hamad, de se rapprocher de Kadhafi. Les Saoudiens ne l'ont pas oublié, qui moquent l'attitude du Qatar, décidément prêt à tout pour exister davantage. Le

---

1. *In* Roumiana Ougartchinska et Rosario Priore, *Pour la peau de Kadhafi, op. cit.*

2. *In* Christian Chesnot et Georges Malbrunot, *Qatar, les secrets du coffre-fort, op. cit.*

7 mars, le Conseil de coopération du Golfe demande au Conseil de sécurité de l'ONU de « prendre les mesures nécessaires pour protéger les civils en Libye, notamment l'imposition d'une zone d'exclusion aérienne[1] ». Le 12 mars, c'est au tour de la Ligue arabe d'appeler le Conseil de sécurité à instaurer une « *no fly zone* » en Libye.

À Paris, on s'active pour identifier un interlocuteur auprès des rebelles libyens. Le 10 mars 2011, Nicolas Sarkozy reçoit à l'Élysée deux chargés de mission du Conseil national de transition libyen (CNT). Créé le 27 février, le CNT a tenu sa première réunion à Benghazi le 5 mars, réunion à l'issue de laquelle le conseil s'est proclamé « seul représentant de la Libye ». Parmi ses membres, Mustapha Abdeljalil, qui prend la présidence. L'organisation s'est fixé trois objectifs : « Rendre légitime le soutien international à l'insurrection libyenne, récupérer les avoirs de Kadhafi afin de permettre à l'autorité d'en bénéficier, et montrer que l'après-Kadhafi sera assuré par une autorité capable de prendre la relève[2]. »

Venu à Benghazi dès les premiers jours de mars, le philosophe germanopratin Bernard-Henri Lévy promeut le CNT auprès de l'Élysée. Le 10 mars, Sarkozy consacre ledit Conseil comme le « représentant légitime du peuple libyen », lui octroyant ainsi sa première reconnaissance officielle. Le second pays à reconnaître le CNT sera le Qatar, qui compte dans l'organisation, aux côtés d'Abdeljalil, un allié de longue date : Mahmoud Jibril.

---

1. Interdiction du survol aérien du pays destinée à empêcher l'armée de bombarder sa propre population.

2. « Ce que l'on sait du Conseil national de transition », lemonde.fr, 22 août 2011.

Entre le Qatar et la France, le pas de deux fonctionne à merveille. Le 18 mars, l'émir Hamad est en visite à Paris. À l'Élysée, on règle les derniers détails avant l'offensive. Dans la nuit qui vient de s'achever, le Conseil de sécurité des Nations unies a autorisé, en adoptant la résolution 1973, le recours à la force, donc à des frappes aériennes, pour assurer la protection des populations civiles face à l'armée de Kadhafi – résolution dont HBJ est l'un des principaux artisans. Le 19 sont lancés les premiers raids aériens. « Aujourd'hui, nous intervenons en Libye sur mandat du Conseil de sécurité de l'ONU avec nos partenaires et notamment nos partenaires arabes », déclare Nicolas Sarkozy. L'engagement du Qatar – et des Émirats arabes unis – aux côtés de la France, du Royaume-Uni et des États-Unis confère à cette guerre une caution arabe plus qu'opportune.

Dans le combat mené contre Kadhafi, l'émir Hamad ne fait pas de la figuration, bien au contraire. Tandis qu'Al-Qaradawi a lancé une fatwa autorisant l'assassinat du Guide libyen et qu'Al Jazeera déifie les rebelles[1], le Qatar finance une chaîne dédiée à la cause – Libya al-Ahrar – et met à disposition six de ses douze Mirage 2000 qui sillonnent le ciel libyen aux côtés des forces de l'OTAN. Comme le précisera en octobre 2011 le général Al-Attiyah, chef d'état-major de l'émirat, des centaines d'instructeurs et de spécialistes des transmissions du Qatar quadrillent la Libye pendant toute la durée des opérations. Au-delà des objectifs militaires, cette armada permet à ses distributeurs de fonds d'acheter les consciences : « Les Qataris sont arrivés avec des

---

1. Lire à ce sujet Naoufel Brahimi el-Mili, *Le Printemps arabe, une manipulation ?*, op. cit.

valises remplies d'argent, ce qui leur a permis de retourner des tribus[1]. »

L'engagement du Qatar dans la guerre contre Kadhafi révèle combien sont grandes les libertés prises par l'émir Hamad al-Thani avec ses idéaux claironnés à longueur d'interviews. L'émir se voulait le chantre du dialogue, l'apôtre du pacifisme. Quelques mois plus tôt, le 24 octobre 2010, il insistait encore sur les bienfaits de la médiation pour résoudre les conflits : « Nous sommes un pays qui aspire à la paix : notre objectif est de vivre en paix et d'en finir avec les conflits, déclarait-il au *Financial Times*. Nous sommes toujours prêts et disposés à jouer un rôle de médiateur en cas de conflit. C'est là-dessus que nous focalisons notre attention. Il est important de noter que, quand on en arrive à la médiation, les parties impliquées dans le conflit viennent à nous. Elles nous approchent et nous demandent de jouer un rôle parce qu'elles connaissent notre neutralité. Nous ne prenons pas parti dans les conflits. » Période bel et bien révolue ! La Constitution qatarie interdit pourtant toute ingérence dans les affaires d'un autre pays : « La politique étrangère de l'État [du Qatar] est basée sur le principe du renforcement de la paix et de la sécurité internationales par des moyens visant à encourager la résolution pacifique des différends internationaux et par le soutien du droit des peuples à l'autodétermination ; [elle] ne doit pas s'immiscer dans les affaires intérieures des États ; [elle implique] de coopérer avec les nations éprises de paix. » Mais, peu importe la Constitution face à l'aura que confère la participation à une guerre, *a fortiori* quand celle-ci a

---

1. « 5 000 forces spéciales du Qatar avaient été déployées en Libye. » Blog de Georges Malbrunot sur le site Internet du *Figaro*, 6 novembre 2011.

pour moteur la « démocratie ». Une fois encore, l'émirat fait montre d'un opportunisme certain.

L'« amitié » entre l'émir Hamad et Kadhafi – amitié de circonstance, contrariée par l'enjeu gazier – avait été l'un des arguments avancés par les Qataris auprès du staff de campagne de Nicolas Sarkozy quand ceux-ci lui avait offert d'intervenir pour débloquer le dossier des infirmières bulgares et du médecin palestinien retenus en otage par le dictateur libyen. Drôle d'ami qui, un beau matin, part en guerre contre l'ami d'hier, ainsi que le souligne Walid Muallem, ministre des Affaires étrangères syrien – régime avec lequel le Qatar entretenait également d'excellentes relations et avec lequel il est désormais en conflit. Des propos qui, tenus par l'un des principaux propagandistes de Bachar el-Assad, sont donc à prendre avec réserve. Le ministre raconte sa visite à Doha en novembre 2011 : « J'ai demandé à l'émir : "Vous aviez des relations très étroites avec Mouammar Kadhafi, alors pourquoi avoir envoyé vos avions pour attaquer la Libye et vous engager aux côtés de l'OTAN ?" L'émir m'a simplement dit : "Parce que nous ne voulions pas perdre notre élan à Tunis et en Égypte – et Kadhafi était responsable de la division du Soudan[1]." »

Mehran Kamrava, de Georgetown University Qatar, précise ainsi qu'au commencement des printemps arabes l'émir Hamad – comme le roi Abdallah, qui offrira d'ailleurs

---

1. « We believe that the USA is the major player against Syria and the rest are its instruments », *The Belfast Telegraph*, 28 août 2012.

Le Soudan est un dossier dans lequel le Qatar se montre très actif. Il est ainsi à l'origine du « processus de Doha », lancé en 2006, qui a pour but de faire dialoguer les différentes factions rebelles darfouries et le gouvernement de Khartoum. Lire à ce sujet l'article de Robin Beaumont, « Doha en Érythrée », sur le site de Noria Reseach, 17 mars 2012.

l'asile à Ben Ali – avait fait un malheureux pari : « Les Qataris voulaient stopper le processus et sauver l'administration Moubarak grâce à une assistance économique. Quand ils ont compris que cela ne fonctionnait pas, ils ont décidé de se positionner à la tête des printemps arabes et d'en prendre le leadership. »

Commence aussitôt pour l'émirat une course effrénée en vue de conquérir de nouveaux relais d'influence. « Quand il est devenu clair que Kadhafi était condamné, les Qataris ont immédiatement essayé de se placer auprès des uns et des autres, décrypte Alain Chouet. Pour deux raisons : renouveler leur stock de capacités d'influence et se prémunir contre une éventuelle annexion de la Cyrénaïque par l'Égypte – ce qui aurait doté l'Égypte d'une indépendance financière et énergétique certaine grâce aux ressources libyennes. Le Qatar aurait alors perdu tout contrôle sur l'État militairement le plus puissant de la région. Doha a donc décidé de jouer la division. » Il insiste encore : « Le Qatar n'a qu'une façon de survivre : diviser les plus forts que lui. » Une qualité : un grand sens de l'opportunité. Et une seule ligne d'horizon : l'influence.

« Le Qatar a offert ses services à l'opposition [libyenne] *via* Qatar Petroleum pour l'aider à commercialiser une partie du pétrole libyen produit dans l'est du pays, mais rien n'a été signé », précise Francis Perrin, directeur de la rédaction de *Pétrole et gaz arabes* – il souligne que le contexte de guerre n'est pas des plus propices et sécurisants pour les affaires.

Concomitamment circule une lettre datée du 3 avril 2011 et attribuée aux rebelles : « ... S'agissant de l'accord sur le pétrole passé avec la France en échange de la reconnaissance de notre Conseil, lors du sommet de Londres, comme représentant légitime de la Libye, nous avons délégué le frère Mahmud [Shammam, ministre en charge des médias au sein du CNT] pour signer cet accord attribuant 35 % du total du pétrole brut aux Français en échange du soutien total et permanent à notre Conseil[1]. » Le « frère » Mahmud Shammam n'est pas un inconnu au Qatar. Opposant de longue date au régime kadhafiste, il vit depuis des années entre Washington et Doha où il se rend tous les mois depuis que son ami l'émir l'a nommé, en 2006, au conseil d'administration d'Al Jazeera. Il a également participé à la création de la chaîne en partie financée par l'émirat et émettant depuis Doha pour porter la bonne parole des insurgés libyens. La lettre en question, rédigée en arabe, aurait été adressée au cabinet de l'émir à Doha. En copie : Amr Moussa, secrétaire général de la Ligue arabe. Mais, d'après des proches et des représentants du CNT, cette lettre serait un faux : « Le Front populaire de libération de la Libye [signataire de la missive] n'a jamais existé, et rien ne peut lier ce petit pdf retransmis de mail en mail à un engagement ou texte produit par le CNT. » Qui plus est, « il n'existe aucun autre document avec les mêmes en-tête et signature[2] ».

À Paris, la polémique éclate néanmoins. Questionné le 1er septembre 2011 sur RTL, Alain Juppé, ministre des Affaires étrangères, dit « ne pas avoir connaissance de cette lettre ». Il poursuit : « Ce que je sais, c'est que le Conseil de transition a dit très officiellement que, dans la reconstruction de la Libye, il s'adresserait de manière préférentielle à ceux qui l'ont soutenu. Ça me paraît assez logique et

---

1. « L'accord secret entre le CNT et la France », *Libération*, 1er septembre 2011. Questionné, Shammam déclare qu'il s'agit d'un faux.

2. In Roumiana Ougartchinska et Rosario Priore, *Pour la peau de Kadhafi*, op. cit.

assez juste. » Le même jour, sur Europe 1, Éric Besson, ministre de l'Énergie, nie l'existence d'un tel accord, même si « ce ne serait pas choquant qu'à partir du moment où la France a été le fer de lance [...] de la chute du colonel Kadhafi et de son régime, elle soit aux avant-postes pour la reconstruction et l'activité économique... Il n'y a pas de dû, mais ce serait cohérent. Les entreprises françaises sont d'ailleurs très intéressées et implantées en Libye ». De son côté, Christophe de Margerie, patron de Total, affirme en marge de l'université d'été du Medef : « Les 35 %, je ne suis pas au courant »... Mais il ne conteste pas pour autant l'existence d'un tel deal. Au même moment, le Qatar entre au capital du pétrolier français.

Au-delà de l'entrelacement des intérêts de Total et de l'émirat dans le secteur des hydrocarbures, l'alliance entre Paris et Doha est alors mise à rude épreuve. Sur le terrain, le Qatar fait cavalier seul et avance ses propres pions. La Libye est quadrillée par des centaines d'instructeurs et de spécialistes des transmissions du Qatar. Les alliés veulent livrer des armes aux rebelles libyens pour combattre les troupes de Kadhafi, mais le faire eux-mêmes est risqué. Aucune difficulté : Doha accepte de s'en charger avec l'assentiment de Paris, Londres et Washington. Problème : l'essentiel des armes est distribué aux islamistes – même si le gros de l'armement des rebelles provient en fait des arsenaux de Kadhafi.

L'homme est un ancien officier de l'armée française, habitué des guérillas. Pendant la guerre en Libye, il est allé sur le terrain à deux reprises pour « conseiller » les rebelles. « Pas pour l'argent. Ce n'est pas un mercenaire, il paie lui-même ses billets d'avion et refuse d'être rémunéré », précise Jean-Christophe Notin qui présente « Grégoire » comme une « espèce rare d'aventurier des causes perdues[1] ». En juin 2011, « Grégoire » part une première fois à Zintan, sur le front ouest. Il y retourne en août. « Les rebelles avaient organisé leur propre état-major pour le front ouest, qui rendait compte à Benghazi, relate-t-il[2]. Ce front s'est ouvert en mars 2011 et il a très vite pris de l'ampleur. Les rebelles ont cherché à s'organiser, à la fois avec des chefs traditionnels locaux et des officiers de l'armée de Kadhafi qui avaient déserté et rejoint leurs rangs. Leur difficulté était de se structurer et de s'équiper. »

« Il y a des armes, et il y a surtout de l'argent, fait valoir Alain Chouet. En Libye, comme hier en Afghanistan, les chefs de guerre ne sont pas à vendre : ils sont à louer ! Tous les mois, il faut renouveler le bail. Le Qatar s'est effectivement tissé des réseaux en distribuant des pré-bendes et des armes. Le problème, c'était de fidéliser une clientèle. En général, ça se fait plutôt par l'argent que par les armes. » Le Qatar ne fait pas dans la demi-mesure : en tout, l'émirat distribue 20 000 tonnes d'armes[3] et au moins 400 millions de dollars[4].

Les premières livraisons d'armement par le Qatar ont lieu en avril 2011. Sur le terrain, « Grégoire » entend parler de livraisons parallèles effectuées par les Qataris dès le mois de mai, livraisons qui échappent totalement au circuit mis en place par les rebelles : « Les Qataris ont joué un rôle partiellement néfaste. Ils ont délibérément

---

1. Jean-Christophe Notin, *La Vérité sur notre guerre en Libye*, *op. cit.*

2. Interview, 15 mars 2013, avec Pierre Péan.

3. « Le Qatar, caution arabe à la disparition de Kadhafi », *Le Figaro*, 21 octobre 2011.

4. « The Little Emirate That Could », *Weekly Standard*, 5 septembre 2011.

contourné les structures hiérarchiques qui étaient en train de se constituer, livré des armes aux katibas qu'ils avaient choisies et qui étaient essentiellement, voire totalement constituées d'islamistes. Les chefs rebelles ont cherché à récupérer ce matériel. Ils ont pris contact avec les Qataris et leur ont demandé pourquoi ils avaient décidé de distribuer l'armement à leurs propres amis. Mais ils n'ont jamais obtenu de réponse. » Or un « islamiste ne se reconnaît pas à l'œil nu. On ne peut pas essentialiser les combattants. Il n'y a pas d'un côté ceux qui sont purement laïcs et qui se battent pour des raisons purement politiques et, d'un autre côté, les islamistes qui ne pensent qu'au Jihad. Il y a des nuances. Vous avez des laïcs qui sont très pieux, des islamistes qui sont essentiellement motivés par le Jihad, des islamistes qui sont aussi des révolutionnaires, des islamistes qui ont envie de liberté, et ceux qui veulent priver tout le monde de liberté... C'est assez compliqué ! Une chose est sûre : les Qataris, eux, ne faisaient pas la distinction. Il y avait leurs amis et les autres. Et ceux qu'ils connaissaient, c'étaient les islamistes ! » Résultat : ces groupes, directement équipés par le Qatar, échappent au contrôle de l'organisation mise en place par les rebelles et risquent, ainsi soutenus, de prendre le dessus après la chute de Kadhafi.

Parmi eux, Abdelhakim Belhaj, qui a combattu en Afghanistan dans les années 1980 et fondé le Groupe islamique de combat en Libye. Arrêté par la CIA en 2004, il a ensuite été livré par les Américains à Kadhafi qui l'a emprisonné jusqu'en 2009, puis il a été libéré en échange de la promesse de renoncer à la lutte armée. « On a vu apparaître un personnage qui était Belhaj, se remémore "Grégoire". D'après mes amis libyens, il n'a pas joué un très grand rôle dans la chute de Tripoli[1]. Pourtant, il a tout de suite émergé comme acteur majeur – comme le commandant en chef à Tripoli – grâce aux livraisons d'armes que les Qataris ont poursuivies après la chute de la capitale. » Et grâce aux caméras d'Al Jazeera qui ont retransmis en direct la prise du bastion et pris grand soin de l'ériger en héros.

« Les Qataris ont littéralement héliporté Abdelhakim Belhaj, précise Jean-Pierre Filiu. C'était d'ailleurs un grand motif d'ironie au sein de la guérilla libyenne. Il est arrivé avec ses fatigues militaires, repassées au pressing de Doha, et a débarqué ainsi sur le terrain de la révolution avec des tampons de gouverneur militaire de Tripoli ! Il a d'ailleurs été surnommé dans la révolution libyenne : le gouverneur au tampon ! »

Autre Libyen du Qatar : Ali al-Salabi, qui a organisé de nombreux convois militaires depuis l'émirat. Exilé à Doha pendant de nombreuses années, il y est devenu un proche de Youssef al-Qaradawi.

À écouter le prédicateur d'Al Jazeera, la coloration religieuse de la guerre en Libye et, au-delà, des printemps arabes, ne fait aucun doute : « Que veulent ces peuples ? La majorité veut l'islam. Et les Frères musulmans sont porteurs de ce message. Ils sont les meneurs de cette révolution, parce qu'ils sont à l'origine de cet appel et ont cette force de conviction auprès du peuple. [...] Les Frères musulmans ont été en première ligne. Il y avait d'autres groupes, mais ceux-ci n'étaient pas aussi nombreux, ils n'étaient pas aussi puissants et aussi organisés que les Frères musulmans[2]. »

1. Le 22 août 2011.
2. Interview, 8 avril 2013, avec Pierre Péan.

Nouvel exemple, s'il en était besoin, de la propension du prédicateur à réécrire une histoire dont il se considère comme l'inspirateur : « Je suis de ceux qui ont influencé cette révolution, j'ai commencé bien avant qu'elle ait lieu. Ces jeunes ont lu mes livres et entendu mes prêches, ils ont assisté à mes conférences et écouté mes discours. Ils ont commencé à influencer leur entourage, puis ils sont sortis au grand jour », déclame l'idéologue.

Dans cette épopée, l'engagement stratégique du Qatar ne fait aucun doute : « Le Qatar a joué un rôle très important dans le soutien à toutes ces révolutions, affirme-t-il. Il a été présent dès la première révolution, a soutenu la révolution tunisienne, l'égyptienne, la libyenne. Avant et après la révolution, le Qatar les a soutenus par ses médias, son argent, sa politique, parfois aussi son armée, jusqu'à ce qu'ils sortent victorieux. La France a joué elle aussi un rôle important dans cette guerre qui a protégé les moudjahidine, ceux qui ont lutté en Lybie et qui ont résisté. »

Le « chef de guerre » français appréciera... Il est pourtant loin d'ignorer les troubles engagements de son allié sur le terrain, et, surtout, le rapport de force éminemment favorable aux islamistes que le Qatar cherche à instaurer dans la perspective d'une nouvelle Libye qui sera, demain, à construire.

Les plaintes contre le Qatar se multiplient alors, tant de la part des membres du CNT que des officiels occidentaux. « Les forces spéciales qataries devaient intervenir en coordination avec les nôtres. Il y a bien eu coordination au début, mais, rapidement, les Qatariens ont joué perso : on aide qui on veut et on ne rend pas compte de ce qu'on fait. Ce n'est pas ainsi que l'on opère », s'insurge un militaire français[1]. Mais le Diwan n'en a que faire. Doha entend

---

1. In *Qatar, les secrets du coffre-fort, op. cit.*

bien peser sur l'avenir du pays en plaçant ses obligés aux postes de responsabilités. Quand le CNT s'y opposera, soudain Al Jazeera se fera son principal détracteur.

Par ses agissements, le Qatar menace à terme tout l'équilibre du pays. Le 11 octobre 2011, Ali Tahrouni, ministre des Finances et du Pétrole libyen au sein du CNT, évoque à demi-mot les tensions avec le Qatar en demandant aux alliés du CNT de « frapper avant d'entrer dans notre maison[1] ». Un mois plus tard, c'est au tour de Mahmoud Jibril, pourtant proche de l'émirat, de se faire menaçant : « Le Qatar a beaucoup donné à la révolution libyenne, mais les Qataris jouent un rôle plus important que leur potentiel réel. Ils possèdent des moyens d'influence, qui sont l'argent et les médias, mais, quand un pays va au-delà de ses capacités, il prend le risque de se briser », prévient-il sur Al Arabiya, le 11 novembre 2011.

Recevant l'émir à Paris début octobre 2011, le président français insiste pour que son principal allié arabe cesse de menacer l'unité du CNT et fasse preuve d'une meilleure coordination avec ses alliés occidentaux en Libye. L'équivalent d'une petite tape sur les doigts, vu l'ampleur des risques créés pour l'avenir politique de la Libye.

En octobre 2011, l'amiral Giampaolo Di Paola, le plus haut responsable de l'OTAN, déclare, lors d'un briefing confidentiel, que l'organisation a perdu la trace de 10 000 missiles préalablement détenus par les forces de Kadhafi. L'inquiétude est telle que le Conseil de sécurité des Nations unies presse le gouvernement libyen de faire tout son possible pour traquer les missiles manquants afin d'éviter qu'ils ne tombent entre les mains d'Al-Qaïda et

---

1. « Sarkozy s'explique avec l'émir du Qatar », *Intelligence On Line*, 27 octobre 2011.

autres groupes similaires. Parmi ces armes, les Manpad, généralement dotés d'un système de guidage infrarouge, qui, tirés à l'épaule, peuvent abattre tout avion et hélicoptère volant à basse altitude. Parallèlement au vote d'une résolution onusienne, des diplomates du Conseil de sécurité révèlent que certaines des armes ont déjà quitté les anciens arsenaux de Kadhafi en direction du Soudan[1].

À l'automne 2011, Sarkozy a d'autres problèmes plus urgents à régler. Trois jours avant le lancement de l'intervention militaire, en mars 2011, le fils du Guide Saïf al-Islam a menacé sur Euronews : « Il faut que Sarkozy rende l'argent qu'il a accepté de la Libye pour financer sa campagne électorale. C'est nous qui avons financé sa campagne, et nous en avons la preuve ! Nous sommes prêts à tout révéler. La première chose que l'on demande à ce clown, c'est de rendre l'argent au peuple libyen. Nous lui avons accordé une aide afin qu'il œuvre pour le peuple libyen, mais il nous a déçus. Rendez-nous notre argent ! Nous avons tous les détails : les comptes bancaires, les documents et les opérations de transfert. Nous révélerons tout prochainement. »

Ces propos sont-ils fondés ? Aucune preuve judiciaire n'est pour le moment venue les étayer.

Moftah Missouri, l'interprète personnel de Kadhafi, a révélé – dans l'émission *Complément d'enquête*[2] – avoir appris de Kadhafi que la Libye avait versé une « vingtaine de millions de dollars » à Nicolas Sarkozy à l'occasion de sa campagne de 2007, tout en précisant : « Normalement, chez nous, à la présidence, quand on donne de l'argent à

---

1. *Der Spiegel*, cité par « U.N. council urges Libya to stem illicit arms flows », Reuters, 31 octobre 2011.

2. Le 20 juin 2013, sur France 2.

quelqu'un, il n'y a pas un transfert bancaire, il n'y a pas de chèque, c'est de l'argent liquide dans des mallettes. » Comme lui, d'autres seraient prêts à parler : Abdallah Mansour, ancien responsable de la sécurité de Kadhafi, qui s'était réfugié au Niger avant d'être remis à Tripoli le 4 février 2014 ; le général Abdelhafid Massoud, haut responsable de l'armée de Kadhafi, réfugié en Algérie ; et Sabri Shadi, ex-patron de l'aviation civile libyenne, réfugié au Liban[1]. L'homme d'affaires Jacques Dupuydauby affirme pour sa part avoir recueilli les confidences de Bachir Saleh et de son bras droit cheick Amadou Kanté, ex-représentant pour l'Afrique de l'Ouest du Libya Africa Portfolio, doté de plus de 40 milliards de dollars[2]. Kadhafi, lui, a été tué le 20 octobre 2011.

Ancien directeur de cabinet du dictateur libyen, Bachir Saleh était surnommé le « caissier de Kadhafi ». Responsable de tous les investissements officiels, mais aussi des financements occultes en Afrique, il en sait long sur les amitiés tarifées de l'ancien dictateur. De par son rôle passé, il dispose d'un puissant réseau dans les plus hautes sphères du pouvoir français. Des relations plus que solides, comme le montre le traitement de faveur dont il bénéficie en France alors qu'il est pourtant visé par un mandat d'Interpol. Le 23 novembre 2011, il aurait trouvé refuge à Paris. Il fuit la Libye, *via* la Tunisie où Boris Boillon, alors ambassadeur de France à Tunis, l'aurait accompagné jusque sur le tarmac[3].

---

1. « Ces ex-dignitaires libyens qui inquiètent Sarkozy », *Le Monde*, 5 juin 2013.

2. « Nouvelles accusations sur un financement libyen de la campagne de Sarkozy », *Le Monde*, 27 avril 2013.

3. « L'immigré préféré de Guéant », *Le Canard enchaîné*, 18 avril 2012.

Saleh aurait emprunté le jet privé de l'homme d'affaires et intermédiaire Alexandre Djouhri pour rejoindre l'aéroport du Bourget. Là, Saleh aurait été « pris en charge[1] » par Bernard Squarcini, patron de la Direction générale de la Sécurité intérieure (DCRI). Claude Guéant, ministre de l'Intérieur, lui aurait délivré une provisoire autorisation de séjour[2]. Manière de s'assurer la discrétion d'un homme-clé. Mais, face à la polémique déclenchée au beau milieu de la campagne présidentielle, Djouhri aurait affrété un avion privé, le 3 mai 2012, pour l'exfiltrer. Depuis lors, Saleh s'est réfugié en Afrique du Sud.

Les sévices infligés à des partisans du dictateur auront-ils permis d'obtenir davantage d'informations sur les supposés financements de la campagne présidentielle de Sarkozy par Kadhafi ? D'après Catherine Graciet, pendant la guerre, des Français et des Qataris auraient soumis à la torture d'ex-kadhafistes. À l'électricité et à la matraque électrique pour les premiers ; celle dite du « poulet rôti » pour les seconds. « Français et Qataris posaient les mêmes questions : [...] Où les missiles sont-ils stockés ? Où sont les armes chimiques ? À quels étrangers Kadhafi a-t-il versé de l'argent ? » raconte, certificat médical à l'appui, Tahaer Dahec, ancien kadhafiste victime de ces tortures[3]. Réfugié à Paris, il déclare devant le juge Roger Le Loire qu'il a enduré des tortures puis devant la presse, le 29 janvier 2014, qu'il a été témoin des négociations concernant le montant du financement libyen de la campagne de

---

1. « Nouvelles accusations sur un financement... », *Le Monde*, art. cité.

2. « Le caissier de Kadhafi câliné par Guéant », *Le Canard enchaîné*, 4 avril 2012.

3. Catherine Graciet, *Sarkozy/Kadhafi : histoire secrète d'une trahison*, *op. cit.*

Sarkozy : « Les discussions ont eu lieu à l'hôtel Corinthia, à Tripoli, en octobre 2006. Un diplomate français de très haut niveau, toujours en vie, était présent. Le montant a été de 57 millions d'euros. » Il ajoute que « du côté libyen se trouvaient présents Bachir Saleh et Abdallah Senoussi[1] ».

Selon Zohra Mansour qui travaillait sur la France au ministère libyen des Affaires étrangères, lors d'une conversation survenue dans la foulée de la libération des infirmières bulgares, Kadhafi lui aurait affirmé : « Nous n'aurons pas de problèmes avec Nicolas Sarkozy. On lui a donné de l'argent pour sa campagne. La France est avec nous[2]. »

Moussa Koussa est l'un de ceux qui détiennent les réponses. Chef du renseignement sous Kadhafi entre 1994 et 2009 avant de devenir ministre des Affaires étrangères, il s'est occupé pendant plus de vingt ans de monter des actions clandestines en Afrique pour le compte du dictateur. Pendant la guerre, les Occidentaux lui auraient transmis ce message : il ne figurerait pas sur la liste des inculpés par la Cour pénale internationale s'il quittait à temps le navire. Ce qu'il fit sans difficulté à la fin du mois de mars 2011. Il était alors en relation étroite avec Claude Guéant qui, le 10 juin 2008, lui avait remis une carte de résident valable dix ans[3]. Il aurait donc pu venir en France, mais il choisit Londres avant de se rendre à Doha. Serait-il l'auteur de la fameuse note révélée entre les deux tours de la campagne présidentielle de 2012[4] ?

---

1. « Sarkozy-Kadhafi : Un témoin de l'accord financier s'explique », Mediapart, 29 janvier 2014.

2. *In* Catherine Graciet, *Sarkozy/Kadhafi, op. cit.*

3. Carte n° 92 03 19 09 22. Préfecture de Nanterre.

4. « Sarkozy-Kadhafi : la preuve du financement », Mediapart, 28 avril 2012.

Datée du 10 décembre 2006, soi-disant signée de la main de Moussa Koussa et adressée à Bachir Saleh, elle porte sur un supposé financement libyen de la campagne de Nicolas Sarkozy. Ce document fait bien référence à un « accord de principe » pour « appuyer la campagne » de Sarkozy à la présidentielle de 2007 « pour un montant d'une valeur de 50 millions d'euros ». La décision aurait été prise lors d'une réunion organisée le 6 octobre 2006 en présence de Brice Hortefeux, futur ministre de l'Intérieur, Ziad Takieddine, Bachir Saleh, directeur de cabinet de Kadhafi, et Abdallah Senoussi, patron des renseignements libyens. Tous ont démenti. L'authenticité de cette note explosive a cependant été confirmée, notamment par le diplomate Moftah Missouri, ancien interprète personnel de Kadhafi[1], tandis que Baghdadi al-Mahmoudi, l'ancien chef du gouvernement libyen alors détenu en Tunisie[2], confirme, à travers ses avocats, son existence et assure que Kadhafi a bien financé la campagne 2007 de Sarkozy[3], lequel a pour sa part catégoriquement rejeté l'existence de cette note, porté plainte pour « faux et usage de faux », « recel de ce délit », « publication de

---

1. « Kadhafi a financé, Sarkozy/la confirmation », Mediapart, 20 juin 2013. Questionné par la justice française sur ce document, François Gouyette, ancien ambassadeur de France à Tripoli, précise son « impression », lors de sa publication : « qu'il pouvait s'agir d'un document authentique », tout en rappelant que, quelques mois plus tôt, un faux document avait circulé concernant la part de pétrole réservée à la France en cas de victoire du CNT : « Un ambassadeur évoque les financements libyens de Sarkozy », Mediapart, 17 mars 2014.

2. Baghdadi al-Mahmoudi a depuis été extradé vers Tripoli, où il devrait être jugé.

3. « Un ex-haut responsable libyen confirme le financement de la campagne 2007 de Sarkozy », Le Monde, 3 mai 2012.

fausses nouvelles[1] » et s'est constitué partie civile. Une enquête préliminaire a été ouverte par le parquet de Paris le 30 avril 2012. Le 19 décembre 2012, Ziad Takieddine affirme devant la justice française détenir les preuves du financement libyen. Suite à ces assertions, le parquet de Paris ouvre, le 19 avril 2013, une information judiciaire contre X portant sur des soupçons de « corruption active et passive », « trafic d'influence », « faux et usage de faux », « abus de biens sociaux », « blanchiment, complicité et recel de ces délits » – investigations qui excluent de leur périmètre la note publiée par Mediapart.

Pour Roumiana Ougartchinska, qui enquête sur la Libye depuis plusieurs années, le risque est grand que l'« affaire des 50 millions » serve de rideau de fumée, détournant l'attention des autres dossiers. Et qu'à l'instar de l'affaire Clearstream la découverte d'un possible faux en vienne à « tuer » tout le reste.

Moussa Koussa va-t-il parler ? Jusqu'ici, Sarkozy n'a pas eu trop à s'en faire. L'homme est sous bonne garde, à l'abri... à Doha ! Depuis le Qatar, il aurait formellement démenti être l'auteur de la note alors qu'il était interrogé, en novembre 2012, dans le cadre d'une demande d'entraide pénale internationale formulée par le parquet de Paris. Mais que se passera-t-il le jour où les Al-Thani se retourneront, se comportant avec l'ancien président français comme ils l'ont fait, hier, avec leur ami Kadhafi ?

---

1. De son côté, Mediapart porte plainte pour « dénonciation calomnieuse » le 2 mai 2012.

18.

EADS et Areva
ou l'inconscience des politiques

L'armement et le nucléaire : est-il secteurs plus symboliques de la souveraineté d'une nation ? Nicolas Sarkozy était prêt à ouvrir ces deux industries sans droit de regard ni contrepartie, sans condition ni limite, et à en offrir *de facto* l'accès à un État étranger. Y a-t-il signe plus fort de l'abandon par nos dirigeants d'une certaine idée de la France, celle d'une nation qui, avec de Gaulle, avait su recouvrer son indépendance ? L'arrivée escomptée du Qatar – comme de tout pays étranger – dans le saint des saints de ce qui assure encore la place de la France dans le concert des grandes nations est le signe visible et peut-être final du déclin – en tout cas d'un déclin. Elle est singulièrement révélatrice de la déliquescence de notre politique industrielle, laquelle devrait être déterminée par une vision de long terme tenant compte de l'intérêt de l'État et du maintien des attributs de sa puissance, de la solidité de son tissu économico-industriel et de l'impératif d'indépendance énergétique du pays.

Nicolas Sarkozy a accéléré l'abandon d'une telle politique au nom de réactions à court terme et d'intérêts particuliers. Il s'est livré à un véritable forcing pour faire entrer ses amis qataris au capital d'EADS, le mastodonte européen de l'armement, de la défense et de l'aéronautique civile et militaire, et dans celui d'Areva, numéro un mondial du nucléaire. Des tentatives qui se sont toutefois soldées par un échec.

« Il est impensable, pour nous, qu'un pays étranger, qui plus est non européen, puisse avoir accès à des informations ultrasensibles et acquière de ce fait une capacité d'influence touchant à la dissuasion nucléaire », me confiait un ancien très haut gradé. Que serait-il advenu demain, en cas de profond désaccord entre l'Élysée et le Diwan, et quelle aurait été surtout notre marge de manœuvre ?

Créé en 2000, EADS[1] est le fruit de la fusion entre le français Matra-Aerospatiale et l'allemand Dasa, ses avions Messerschmitt et Eurofighter, ses moteurs Daimler et l'électronique de défense Telefunken. L'espagnol CASA complète la firme géante avec ses avions de transport militaire. La création d'EADS scelle l'ambition d'une politique européenne de défense. Si celle-ci ne s'est jusqu'à présent pas encore formalisée, EADS s'est rapidement imposé comme le rival de l'américain Boeing, lui ravissant, au fil des ans, la place de numéro un mondial.

Le Qatar connaît bien le potentiel du groupe dont il est l'un des clients. Leurs relations sont anciennes ; elles remontent à l'époque de Jean-Luc Lagardère. Le patron de Matra cherchait alors de nouveaux marchés ; le Qatar se construisait une armée. Le capitaine d'industrie décida de tout miser sur le Qatar et les Émirats arabes unis, plus faciles à conquérir que l'Arabie saoudite, trop proche des Américains. « Dans cette entreprise, le groupe Lagardère a reçu l'aide précieuse de Paul Tannous, un

---

1. Rebaptisé Airbus – sa principale filiale – le 31 juillet 2013.

Franco-Libanais que Jean-Luc Lagardère avait rencontré à Beyrouth au milieu des années 1970. Tannous dirigeait à l'époque un groupe de radiotélévision libanais dont Europe 1 était un important actionnaire. Le courant était passé entre les deux hommes, et Lagardère avait embauché Tannous comme consultant à l'international[1]. » Parmi ses attributions, Tannous comptait le Qatar. Lagardère l'avait également chargé de l'apprentissage de Jean-Paul Gut, qu'il a introduit auprès des pétromonarchies du Golfe. Au décès de Tannous, Gut a pris la relève et a consolidé les relations entre Lagardère et le Diwan. Gut, le cador des ventes d'armes, connu pour avoir fait tripler, en marge du contrat des frégates de Taïwan signé en août 1991[2], la commande de missiles Mica fabriqués par Matra, destinés à armer les fameuses frégates – permettant ainsi à Matra d'empocher 3 milliards cash d'avance

---

1. *In* Véronique Guillemard et Yann Le Galès, *Le Bal des ambitions*, Robert Laffont, 2009.

2. Le contrat « Bravo » porte sur la vente de 6 frégates Lafayette (Thomson-CSF et DCN) à la République de Taïwan, pour un montant de 16 milliards de francs. En France, le juge Renaud Van Ruymbeke a essayé d'enquêter sur les commissions et rétrocommissions versées en marge de ce contrat, et d'en identifier les bénéficiaires. Mais le secret-défense, que n'ont cessé de lui opposer les responsables politiques de tous bords, l'ont empêché de mener à bien ses investigations, initiées en juin 2001. Il a rendu une ordonnance de non-lieu en octobre 2008. Le 3 mai 2010, la Chambre internationale de commerce de Paris a condamné les industriels français à verser 630 millions d'euros à Taïwan, dont 27 % à la charge de Thales (ex-Thomson-CSF). Quant aux 73 % restants, ils sont à la charge de l'État (qui garantissait dans le contrat l'intervention de la DCN, entreprise publique). Le contribuable va ainsi devoir payer 460 millions d'euros par suite de la corruption de ses élites qui ont rémunéré des intermédiaires alors que le contrat interdisait expressément toute corruption.

sur les 10 milliards promis et de renflouer le groupe plombé par la faillite de La Cinq[1]. « Gut a été l'un des premiers à amener les Qataris en France. Il avait organisé un voyage au Qatar et en Arabie saoudite où Jean-Luc n'avait pas très envie de se rendre mais d'où il est revenu ravi[2]. » Relais incontournable, c'est lui qui orchestre en 2006 l'entrée du Qatar dans le groupe Lagardère, avant de le quitter en 2007 pour s'adonner à la finance depuis Londres. D'après *Intelligence On Line*, le Qatar lui aurait alors proposé 12 millions d'euros pour rejoindre QIA[3]. Il a décliné la proposition et monté son propre fonds d'investissement, Helios Capital Ltd, avec Édouard Ullmo, son ancien bras droit chez EADS. Gut n'en a pas pour autant délaissé ses anciens clients, au premier rang desquels le Qatar, puissant partenaire pour ses projets d'investissement.

Jean-Luc Lagardère et Hamad al-Thani – qui fut ministre de la Défense pendant près de vingt ans avant de prendre le pouvoir à Doha en 1995 – partagent deux passions, les armes et les chevaux. Entre eux les relations sont très personnelles. Pour preuve : le jour de l'enterrement de Jean-Luc Lagardère, la deuxième épouse de l'émir Hamad, cheikha Moza, fait livrer un arbre pour qu'il soit planté dans le jardin de l'hôtel particulier du défunt capitaine d'industrie. Le père disparu, la relation se prolonge avec le fils. En 2006, Arnaud Lagardère augmente

---

1. *In* Thierry Gadault, *EADS : la guerre des gangs*, Éditions First, 2008.

2. *In* Jacqueline Rémy, *Arnaud Lagardère, l'héritier qui voulait vivre sa vie*, Flammarion, 2012.

3. « La reconversion financière de Jean-Paul Gut », *Intelligence On Line*, 24 juillet 2013.

ses participations et cherche des alliés ; le Qatar sera son partenaire au sein de la commandite[1].

C'est pourtant bien dans le groupe EADS que le Qatar souhaitait prendre des parts. Mais l'incontournable Gut les en aurait alors dissuadés – trop sensible ! – et les aurait convaincus d'investir dans le groupe Lagardère lui-même. Un premier pas pour se rapprocher du géant de l'armement ? Lagardère est en effet l'un des actionnaires de référence d'EADS à hauteur de 7,5 %. De plus, l'opération présente différents avantages pour l'émirat. Les organes de presse sont très importants pour le Qatar. Et Lagardère détient alors de nombreux titres, parmi lesquels *Paris Match*, *Elle* ou encore le *Journal du Dimanche*. Le Qatar a déjà travaillé avec Lagardère dans ce secteur. Lancée en 2005, Al Jazeera Children a été conçue sur le modèle de la chaîne Canal J, propriété du groupe : Mayassa, l'une des filles de Hamad et Moza, avait fait un stage à Canal J lors de ses études en France. Lagardère est en outre un acteur bien plus accessible qu'un groupe de médias américain. Doha a rencontré les plus grandes difficultés pour lancer Al Jazeera US, les diffuseurs du câble et du satellite américains refusant souvent d'inclure Al Jazeera English dans leur bouquet. Ce n'est qu'en 2013 que Hamad parviendra enfin à acquérir une chaîne confidentielle (Al Current, fondée par l'ancien vice-président américain Al Gore) qui ne réunit que 42 000 téléspectateurs par soirée. Peu importe à l'émir qui compte malgré tout en faire le porte-voix de son empire en Amérique.

Le Qatar a une autre raison de s'intéresser au groupe Lagardère : le sport, domaine dans lequel Arnaud Lagardère

---

1. Au 29 juin 2006, QIA détenait 6,09 % du capital et 5,06 % des droits de vote de Lagardère SCA, d'après sa déclaration de « franchissement de seuil » adressée à l'AMF.

a réorienté le groupe. Un vecteur privilégié par le Qatar pour se façonner une bonne image.

Si le sport en général est un enjeu de première importance pour l'émirat, le football occupe une place cruciale dans sa stratégie[1]. C'est dire tout l'intérêt que représente pour l'émirat l'achat, fin 2006, par Lagardère, de Sportfive, agence spécialisée dans le négoce des droits marketing et audiovisuels sportifs, notamment du football, qui compte parmi ses clients, la Fédération française de football, le PSG et l'UEFA[2]. Le Qatar aspire à participer au deal, mais Arnaud refuse de l'y inclure. Le Diwan s'en souviendra.

« En 2006, [les Qataris] sont entrés dans le groupe pour développer leurs activités jeunesse et le sport. Mais ils caressaient surtout l'idée d'entrer dans EADS », me confirme un ancien haut responsable du groupe qui préfère garder l'anonymat. Un an plus tard, la donne a changé. Nicolas Sarkozy est devenu président de la République. Depuis l'Élysée, Claude Guéant se charge de satisfaire les appétits industriels des Qataris. Est-ce dans cette perspective qu'il convient d'analyser la volonté présidentielle de réviser le pacte d'actionnaires d'EADS ?

Ce pacte stipule que la France et l'Allemagne doivent être représentées à parts égales dans EADS. Cela implique que, si l'un vend une partie de sa participation, l'autre doit faire de même pour que la parité soit respectée. En modifiant cette disposition, le président français souhaite faire entrer dans le capital de nouveaux investisseurs privés, initiative que soutient le coprésident exécutif du groupe, Louis Gallois. Le Qatar figure-t-il parmi la liste des candidats pressentis ? La question se pose d'autant plus que

---

1. Voir chapitre 15, p. 215 et suivantes.
2. Ils ont depuis quitté Sportfive.

cette proposition surgit concomitamment à la réception de l'émir Hamad al-Thani à l'Élysée, le 30 mai 2007. Une rencontre qui, on le rappelle, fut l'occasion de signer la vente de 80 Airbus A350, à l'issue de laquelle Nicolas Sarkozy se félicita de la « qualité de la relation bilatérale et [de] la densité du partenariat stratégique entre les deux pays ». Quatre jours plus tard, le Qatar accorde à EADS un contrat d'une valeur de 240 millions d'euros pour installer un réseau de surveillance et de protection de ses frontières maritimes, côtières et terrestres. Mais la proximité entre Paris et Doha ne va pas jusqu'à inclure deux sièges voisins au conseil des actionnaires d'EADS. Le groupe automobile allemand Daimler, lui aussi actionnaire de référence, rejette la proposition du président français. « Nous voulons continuer à nous en tenir à l'avenir à cette règle [qui donne aux groupes privés Lagardère et Daimler le pouvoir de décision] », déclare alors Bodo Uebber, directeur financier du groupe allemand, au quotidien allemand *Handelsblatt*, le 4 juin 2007. Cependant le Diwan n'a pas l'intention de renoncer.

En 2010, Lagardère est menacé par un raid hostile et risque de perdre le contrôle. L'émirat n'a pas oublié l'épisode de Sportfive et s'apprête à faire cause commune avec l'investisseur américain qui en est l'instigateur. « Il est allé voir les Qatariens qui étaient prêts à lui céder leurs actions, et donc à faire sauter la commandite lors d'une assemblée générale des actionnaires qui aurait bouté Arnaud Lagardère hors de la direction du groupe[1]. » Faisant suite à la demande d'un haut dirigeant de Lagardère, l'Élysée aurait demandé aux Qataris de se calmer.

---

1. In Christian Chesnot et Georges Malbrunot, *Qatar, les secrets du coffre-fort, op. cit.*

HBJ fait malgré tout du forcing pour entrer au capital d'EADS. Nicolas Sarkozy et Claude Guéant auraient poussé l'omnipuissant multiministre et président exécutif de QIA à proposer un deal à la direction de Lagardère : des « obligations convertibles, mais à sa main – c'est-à-dire qu'au bout d'un certain temps elles se transformeraient automatiquement en actions, donc en fonds propres d'EADS[1] ». L'émirat essuie un nouvel échec.

Mais l'émirat ne renonce jamais. À l'automne de cette même année, Daimler, actionnaire d'EADS à hauteur de 15 %, annonce qu'il met en vente la moitié de sa participation. Le Qatar se porte aussitôt acquéreur. Une rencontre est organisée, début septembre 2011, entre des membres du gouvernement qatari et Philipp Rösler, ministre de l'Économie allemand. Sitôt l'information révélée par *Der Spiegel* le 18 septembre, des sources au sein du ministère de l'Économie allemand insinuent auprès de l'AFP que la tentative qatarie est vouée à l'échec : « L'entrée [éventuelle] d'un fonds d'État est examinée de manière particulièrement critique en raison de l'enjeu politique et technologique » lié aux activités d'EADS. Du côté de Daimler, toute discussion est démentie par l'un de ses porte-parole qui déclare à Reuters, le 19 septembre : « Nous n'avons rien à faire avec le Qatar. » Angela Merkel tient absolument à ce que l'Allemagne conserve sa place et son poids au sein d'EADS. Pour la chancelière, il est hors de question que cette participation passe en des mains étrangères, quelles qu'elles soient. Faute de trouver un acheteur allemand, Berlin rachète alors la moitié de la participation de Daimler.

« Il y a eu des velléités russes d'entrer dans EADS, mais ce n'est pas du tout la même chose. Là, c'était risqué sur

---

1. *Ibid.*

le plan industriel et technologique[1] », me glisse Claude Guéant. Lequel considère donc que le Qatar peut entrer dans le capital d'un des outils de la puissance française, malgré l'avertissement qu'a constitué le précédent libyen.

« Un taux de rentabilité de 4 %, voilà ce qui intéresse le Qatar », souligne un proche de l'émirat. À côté, l'investissement qatari dans Lagardère offre une bien maigre rentabilité financière. Depuis que le Qatar a pris des participations dans Lagardère en 2006, l'action a perdu près des deux tiers de sa valeur. Le groupe affiche 707 millions d'euros de pertes nettes pour 2011 et déprécie ses actifs de 900 millions à la fin février 2012. Pourtant, le Qatar augmente ses parts dans le groupe en décembre 2011, puis en mars 2012. Fait notable, il ne se donne pas la peine de prévenir son associé qu'il détient désormais plus de participations que lui ! « En 2006, leur arrivée avait été précédée par de très longues négociations. Là, le groupe a été totalement pris par surprise. QIA semble avoir acheté des blocs d'actions hors marché. À ma connaissance, alors que les statuts imposent à tout acheteur de faire connaître sa position à chaque montée de 1 %, ils n'ont fait aucune déclaration. Arnaud Lagardère a découvert leur nouveau poids quand le fonds a fait sa déclaration officielle[2] », témoigne un banquier proche du dossier.

C'est l'Autorité des marchés financiers qui révèle l'information. Dans un courrier reçu le 29 décembre 2011, Qatar Holding LLC, filiale de QIA, affirme désormais détenir 10,07 % du capital et 7,87 % des droits de vote. Le

---

1. En 2006, la banque publique Vnechekonombank (VEB) a acquis 5 % d'EADS, participation qu'elle a revendue en août 2013.

2. « Le Qatar met Arnaud Lagardère sous tutelle », Mediapart, 3 avril 2012.

lendemain, nouveau courrier du fonds qatari qui déclare « agir seul », annonce qu'il « pourrait augmenter sa participation dans Lagardère SCA » sans pour autant « envisager de prendre le contrôle de la société », mais dit en revanche « envisager de discuter avec tout acteur intéressé, le cas échéant, en vue de partenariats stratégiques permettant la création de valeur à long terme pour les actionnaires de la société ». *Last but not the least*, Qatar Holding LLC « envisage de porter sa nomination au conseil de surveillance ». Coup dur pour Arnaud Lagardère ! Trois mois plus tard, le 19 mars 2012, nouvelle déclaration de Qatar Holding LLC qui dit désormais détenir 10,05 % des droits de vote, mais 12,83 % du capital – devenant ainsi le premier actionnaire... devant Arnaud lui-même[1].

À l'Élysée, qu'en savait-on ? Vu la proximité, pour ne pas dire la promiscuité, entre le sommet de l'État et l'émirat, il est difficile d'imaginer que le président et son secrétaire général n'aient pas été préalablement informés. D'autant plus que la dimension stratégique de Lagardère, actionnaire de référence d'EADS, est, à ce titre, un enjeu de première importance pour l'État qui détient lui-même 15 %[2] du géant de l'aéronautique et de l'armement.

Certes, Arnaud Lagardère dispose toujours de plus de droits de vote, mais il n'est plus libre. Évolution quelque peu singulière de la part d'un actionnaire qui est loin

---

1. Il détient 9,67 % du capital et 14 % des droits de vote.

2. Depuis, l'État a réduit sa participation à 11 %, et la gouvernance du groupe européen a été refondée : l'allemand Daimler et le français Lagardère sont sortis du groupe, tandis que la France et l'Allemagne ne sont plus représentées au conseil d'administration. Pour témoigner de ces profonds changements, EADS s'appelle désormais Airbus, du nom de sa principale filiale.

d'être un inconnu pour l'industriel. La pilule est amère. Pourtant, celui-ci se félicite deux mois plus tard – le 4 mai 2012 – de l'entrée au conseil de Lagardère Unlimited[1] de cheikh Sultan bin Abdulrahman al-Thani – qui travaille au cabinet du prince héritier Tamim au Diwan et a participé à la candidature pour le Mondial 2022 – « dont la grande expérience des relations internationales et la connaissance du *sport business* seront un atout incontestable pour Lagardère Unlimited. Cette nomination permettra de renforcer la relation de long terme entre le groupe Lagardère et le Qatar », précise encore le communiqué. Décidément, Lagardère ne pipe mot contre cet associé au comportement pour le moins cavalier.

« Si, un jour, Arnaud vend ses actions dans EADS, le Qatar sera très bien placé pour les acheter », me confie un ancien cadre de la commandite. L'héritier en a bien l'intention. Il n'a cessé de répéter qu'il ne s'interdisait pas de vendre les activités du groupe de défense pour financer une acquisition majeure dans les médias. Le 27 mars 2013, il passe à l'acte et annonce céder sa part dans EADS. Il profite de l'assemblée générale qui se tient en mai 2013 pour monter au créneau et célébrer l'émirat : « J'entends dire que ce sont des investisseurs dangereux. Pour moi, ce sont des investisseurs avisés », déclare-t-il au *Monde*, ajoutant : « Je ne vois aucune intention hostile. Il faut apprendre à les respecter[2] ! »

Fin juillet, le fils de Jean-Luc Lagardère est définitivement sorti du capital de la firme. Il a annoncé qu'il compte

---

1. Quatrième activité du groupe après les médias, l'édition et les services.

2. « Arnaud Lagardère "prêt" à racheter l'intégralité de Canal + », *Le Monde*, 2 mai 2013.

redistribuer à ses actionnaires une part « substantielle » de cette cession, évaluée au jour de l'annonce à 2,5 milliards d'euros. De quoi permettre à l'émirat d'oublier sa déception.

Autre industrie stratégique dans laquelle Nicolas Sarkozy et Claude Guéant ont tenté d'introduire au forceps le Qatar : le nucléaire, ainsi qu'en témoigne l'histoire de l'ouverture du capital d'Areva, en juin 2009.

Le numéro un du nucléaire mondial a alors besoin de plus de 10 milliards d'euros pour financer son plan d'investissements. Areva doit céder à cette fin l'une de ses filiales, T & D, et abandonner des participations non stratégiques[1]. La société a demandé une ouverture en bourse ; l'Élysée s'y est opposé, privilégiant l'option de fonds souverains au tour de table. Trois investisseurs se mettent sur les rangs : Mitsubishi, le fonds souverain du Koweït (KIA) et celui du Qatar (QIA). Rapidement, ils ne sont plus que deux, Mitsubishi étant écarté malgré le soutien d'Anne Lauvergeon et du Premier ministre François Fillon. « Pourquoi les Qataris et les Koweïtis ? s'interroge Anne Lauvergeon. Pourquoi pas de prospection préalable vis-à-vis d'autres actionnaires dans le monde, pourquoi pas la bourse, pourquoi pas monsieur et madame Tout-le-monde ? Qu'est-ce qui rend l'Élysée et ses locataires si sensibles aux parfums de l'Orient ? Je ne peux rien en dire, n'ayant pas été associée à cette nouvelle géostratégie, pas plus que Jean-Cyril Spinetta, président du conseil de surveillance d'Areva[2]. »

Pour mener à bien l'opération, QIA peut s'en remettre à sa banque conseil, le Crédit suisse – banque dont il est

---

1. Thierry Gadault, *Areva mon amour*, François Bourin Éditeur, 2012.

2. In Anne Lauvergeon, *La Femme qui résiste*, *op. cit.*

actionnaire depuis la crise financière de 2008. Au board de la banque helvète, François Roussely, qui préside le Crédit suisse France – il sera promu vice-président Europe en novembre 2009. Ancien haut fonctionnaire, il a précédé Claude Guéant à la direction générale de la Police nationale avant de pratiquer les cabinets ministériels, puis de rejoindre le secteur bancaire[1]. Au moment de l'ouverture du capital d'Areva, Roussely est donc susceptible d'intervenir afin d'organiser l'entrée capitalistique de l'émirat dans le fleuron français du nucléaire. Le 27 octobre 2009, Nicolas Sarkozy lui confie le soin de rédiger un rapport sur l'avenir du nucléaire civil, rapport qui suspend l'augmentation de capital d'Areva. Roussely doit se pencher sur l'« organisation industrielle et la place de l'État » dans la filière, faire une « analyse concurrentielle » du secteur, et définir une « stratégie politique et industrielle en matière d'alliances et de partenariats ». La commission qu'il dirige est, à en croire Anne Lauvergeon, majoritairement composée de collaborateurs ou ex-collaborateurs d'EDF – dont Roussely est président d'honneur – et de Veolia.

Tandis que Roussely prépare son rapport, Henri Proglio[2] sonne la charge. Il vient tout juste d'être nommé à la direction d'EDF, fonction qu'il cumule avec la présidence du conseil d'administration de Veolia[3] – entreprise dont

---

1. Roussely est également membre du conseil de surveillance de Lagardère, fonction qu'il occupe depuis 2004. Renouvelé en 2012, son mandat expire en 2016.

2. Lire Pascale Tournier, Thierry Gadault, *Henri Proglio, une réussite bien française, op. cit.*

3. Suite au scandale déclenché par la révélation de sa double rémunération, il quittera la présidence de Veolia le 12 décembre 2010. Il sera remplacé à ce poste par Antoine Frérot, qui était déjà directeur général de l'entreprise.

QIA détient 5 % du capital *via* l'une de ses filiales et où siège l'un de ses représentants. « Mon ambition est d'avoir une filière nucléaire française qui fonctionne », déclare Proglio aux *Échos* le 18 novembre 2009, précisant : « Cela implique qu'on repense toute la filière, en particulier les rôles d'Areva et du CEA. »

Proglio sait pouvoir compter sur Claude Guéant ainsi que sur Alexandre Djouhri – considéré par beaucoup comme le « vrai » patron de Proglio qu'il aurait rabroué devant témoins lors d'un déjeuner au restaurant du George-V, en juin 2004, en lui lançant : « Tais-toi : tu es le soldat, je suis le général[1] ! » Dans cette affaire, Djouhri marche en équipe avec Yazid Sabeg, commissaire à la Diversité et à l'Égalité des chances, candidat à la succession de Lauvergeon.

Proglio, Djouhri, Sabeg et quelques autres mènent une campagne sauvage, soutenue par l'Élysée, pour avoir la tête de celle que l'on surnomme « Atomic Anne ». « Un axe est en place : Claude Guéant, Jean-Louis Borloo, François Roussely, Jean-Dominique Comolli, Alexandre Djouhri, chacun dans son rôle, précisera Anne Lauvergeon après son éviction. La machine étatique pour certains, l'entreprise et les contrats lucratifs pour huiler les relations, pour d'autres. Tous unis, tous solidaires, tous frères[2] ! »

Le 27 décembre 2009, l'Élysée prend prétexte de l'échec d'un contrat de 20 milliards de dollars avec Abu Dhabi qui semblait promis à Areva et qui échoit finalement à son concurrent sud-coréen Kepco, pour enfoncer Lauvergeon. C'est pourtant Claude Guéant qui a privatisé le dossier. « À partir de septembre 2009, Areva n'a plus eu aucun

---

1. *In* Pierre Péan, *La République des mallettes, op. cit.*
2. In Anne Lauvergeon, *La Femme qui résiste, op. cit.*

accès aux autorités locales [des Émirats], tout passait par l'Élysée », assure ainsi un ancien dirigeant du groupe nucléaire[1].

Remis en juillet 2010, le rapport Roussely, en partie classé secret-défense, suggère notamment de dissocier les mines d'Areva, sur lesquelles le Qatar a jeté son dévolu. « Pour l'amont du cycle, il est essentiel de conforter le dialogue stratégique entre l'État, Areva et EDF, Areva étant un acteur minier de premier plan [en 2009, premier producteur mondial dans les 20 % de la production d'uranium primaire] et EDF le plus gros consommateur mondial d'uranium enrichi, précise la synthèse du rapport. Pour concrétiser cette idée, Areva pourrait apporter ses actifs miniers d'uranium à une société *ad hoc* dont elle conserverait la majorité et assurerait la gestion ; les autres actionnaires pourraient être des clients. En outre, une telle opération permettrait à Areva de réduire significativement ses besoins en capitaux. » Le rapport affirme en outre que les exigences en matière de sûreté sont beaucoup trop élevées[2] et consacre EDF comme chef de file du nucléaire, donnant au passage une bien piètre image d'Areva à l'international. Bref, il relaie les desseins de Proglio qui souhaite, avec ses amis, « créer une industrie nucléaire chinoise qui sera en mesure d'approvisionner la France et l'international. Ce serait là la mort programmée d'Areva[3]. » Peu importe à l'Élysée qui demande à EDF de jouer un rôle central dans la réorganisation et relance l'augmentation de capital d'Areva. Elle sera réalisée avant

---

1. In Thierry Gadault, *Areva mon amour, op. cit.*
2. Si besoin était, l'accident survenu à Fukushima en mars 2011 démontre l'ineptie d'une telle analyse.
3. In Anne Lauvergeon, *La Femme qui résiste, op. cit.*

la fin de l'année à hauteur de 15 %, annonce un communiqué de la présidence de la République, le 27 juillet 2010, jour de la publication de la synthèse du fameux rapport.

Les négociations sont retardées. En novembre, alors que le conseil de surveillance d'Areva s'apprête à examiner les offres des candidats, le Qatar annonce qu'il conditionne son entrée au capital à l'obtention d'actions convertibles en participations dans une société minière à créer à partir des activités minières d'Areva. L'enjeu : l'uranium, le combustible nucléaire. Comme les choses sont bien faites, le rapport rédigé par Roussely a préparé le terrain. « Il y a bien un système parallèle, des circuits parallèles et, au final, une République parallèle qui est apparue comme une résurgence dès la nomination de Henri Proglio, propulsé d'entrée comme le patron d'une filière nucléaire qu'il ne connaissait pas », souligne la patronne d'Areva.

Le 18 novembre, un communiqué du comité de groupe européen d'Areva qualifie d'« inacceptable » l'exigence de QIA, considérant que « toute atteinte au modèle intégré, à commencer par l'activité des mines, conduirait à l'affaiblissement de la filière nucléaire ». Quelques jours plus tard, Sarkozy reçoit HBJ, venu discuter de l'ouverture du capital du groupe[1]. Le Qatar veut des garanties et insiste sur les mines d'uranium du groupe. Le 28 novembre, la valorisation d'Areva réalisée par QIA fuite : 8 milliards d'euros pour un groupe valant, d'après l'État qui en est actionnaire à 93 %, entre 12 et 14 milliards d'euros[2].

---

1. « Sarkozy in talks to end Areva impasse », *Financial Times*, 26 novembre 2010.

2. « Le Qatar valorise Areva à 8 milliards d'euros », *Challenges*, 28 novembre 2010.

L'objectif principal de l'émirat est de mettre la main sur les mines, confirme Roussely dans *Les Échos*, le 6 décembre 2010. Objectif soutenu par le secrétaire général de l'Élysée, Claude Guéant. « On a évoqué avec le Qatar la possibilité de créer un grand groupe français dans le domaine minier, dans lequel l'émirat serait partie prenante », me déclare-t-il. Mais la manœuvre échoue. Le 28 décembre 2010, Areva annonce l'augmentation de son capital à hauteur de 900 millions d'euros. Les financeurs : l'État... et le fonds souverain koweïti. Face aux exigences qataries, l'Élysée a finalement opposé une fin de non-recevoir au petit émirat. « C'est un échec, se désole devant moi Claude Guéant. La France n'a pas de grand opérateur minier. Un grand projet français. C'était le type d'investissement souhaitable du Qatar en France. » Guéant affiche ainsi clairement une position de rupture avec ceux qui, depuis le général de Gaulle, sont les tenants de la préservation des moyens nécessaires à l'exercice de la souveraineté nationale[1]. Position surprenante, qui est encore la sienne au lendemain de la guerre de Libye qui a pourtant mis au jour l'ambivalence de l'émirat, semé le trouble quant à ses ambitions réelles et, surtout, révélé les dangers d'une alliance quasi exclusive avec Doha.

---

1. « La France a déserté les mines, constate Arnaud Montebourg, ministre du Redressement productif, dans *Le Parisien* du 21 février 2014. Or, tous les États se poussent du coude pour disposer des métaux, et notamment des terres rares. Un État qui ne maîtrise pas son approvisionnement est soumis aux décisions des autres : aux prix et aux quantités fixés par les autres. » Dans cette perspective, Montebourg annonce la création prochaine de la Compagnie nationale des mines de France (CMF). Son objectif : explorer les sous-sols français et étrangers « tout en respectant les aspirations environnementales de nos concitoyens ».

En juin 2011, Anne Lauvergeon, qui est en poste depuis dix ans, se voit signifier la non-reconduction de son mandat. « Être président d'Areva, c'est comme être président de la République, lui explique doctement Nicolas Sarkozy. Si tu es président, tu n'as pas le droit à un troisième mandat. Tu le sais, ça... C'est logique ! » Il ajoute : « La seconde raison du non-renouvellement de ton mandat, ce sont tes relations avec Henri Proglio. Cela ne pouvait pas durer, ces relations difficiles. Trop compliqué[1] ! » Répliquant au chef de l'État, Lauvergeon lui liste les cinq erreurs dont elle l'estime coupable. Parmi elles, celle d'avoir « laisser s'installer un système parallèle, opaque, qui obéit à ses propres règles et qui ne sont pas les intérêts du nucléaire ».

Quelques mois après son départ, sa gestion d'Areva est mise en cause. Dans un rapport daté du 7 mars 2012, la commission des Finances de l'Assemblée nationale s'interroge sur le rachat de la société minière africaine Uramin en 2007. Montant de l'acquisition : 1,8 milliard d'euros. Les députés qualifient d'insuffisant l'examen préalable de cet investissement par le fleuron du nucléaire et redoutent que les réserves formulées quant à la qualité du gisement n'aient pas été portées à la connaissance de l'Agence des participations de l'État, qui a donné son accord. Deux ans plus tard, la Cour des comptes estime avoir mis au jour « de nombreuses irrégularités » dans la gestion d'Anne Lauvergeon. Le 20 février 2014, elle effectue un signalement au parquet national financier, qui ouvre aussitôt une enquête préliminaire pour « présentation ou publication de comptes inexacts ou infidèles », « diffusion d'informations fausses ou trompeuses » et « faux et usage de faux ».

---

1. In Anne Lauvergeon, *La Femme qui résiste*, op. cit.

Jean-Pierre Versini-Campinchi, l'avocat de l'ancienne patronne du nucléaire français, la dit sereine et souligne que « lors de son passage chez Areva, Anne Lauvergeon ne s'est jamais occupée des mines, mais uniquement de l'atome : ce n'est pas pour rien qu'on l'a surnommée "Atomic Anne"[1]... ».

On le voit : à partir de ces deux affaires – Lagardère et Areva – pourrait être menée une étude sérieuse sur l'évolution, chez les élites françaises, des notions d'intérêt général et d'intérêt particulier, sur l'évolution des concepts d'indépendance et de souveraineté nationale, sur les implications de la mondialisation dans les secteurs stratégiques...

---

1. « Affaire UraMin : pourquoi Areva est-il visé par une enquête judiciaire ? », *Le Monde*, 10 avril 2014.

19.

La véritable controverse
du « fonds banlieues »

Au matin du 29 avril 2013, je reçois un appel de l'ambassadeur du Qatar, Mohamed Jaham al-Kuwari. Objet : une invitation à dîner au Saint James Club. Deux jours plus tôt, *Libération* titrait en une « Qatar : main basse sur l'islam de France », tandis que *Marianne* consacrait sa couverture hebdomadaire au « Qatar à l'assaut des banlieues ». L'ambassadeur est sur la défensive et dit ne pas comprendre ce Qatar bashing. Souhaitant redorer son image en France, Doha consulte beaucoup. Le Diwan aurait même mandaté Dominique de Villepin pour établir une stratégie de communication visant à inverser la perception de l'émirat en France[1]. « La seule mosquée que nous ayons financée, c'est la Grande Mosquée de Paris, insiste le diplomate. Nous y avons investi 2 millions d'euros ! Et nous l'avons fait à la demande de Jacques Chirac ! » Jack Lang a lui aussi tendu la sébile pour l'Institut du monde arabe qu'il préside[2]. Le mécanisme électronique de la façade sud de l'institut,

---

1. « Dominique de Villepin, le poète des affaires », *Intelligence On Line*, collection Insiders, 14 mars 2013.
2. Depuis septembre 2012.

composée de 240 moucharabiehs, ne fonctionne plus. En principe, l'ouverture des diaphragmes est réajustée toutes les heures pour s'adapter à la luminosité extérieure et créer un jeu de lumière à l'intérieur du bâtiment. Mais là, plus rien ! Et Jack Lang a demandé à l'ambassadeur si l'émirat ne pourrait pas financer la réparation.

Ces sollicitations financières ne sont pas anecdotiques, loin de là. En faisant preuve de générosité, le Qatar se crée autant d'obligés et étend d'autant son influence, voire son emprise, sur les politiques. Ceux-ci se prêtent bien volontiers au jeu.

« On fait tant pour vous, regardez le PSG ! Pourquoi vous ne nous aimez pas ? » se désole encore l'ambassadeur qatari. En achetant le club parisien, Doha pensait faire coup-double : se doter d'un club-vitrine, et conquérir l'affection populaire, utiliser son argent pour élargir son influence.

Le forcing effectué par le Diwan pour donner corps au fonds dit des banlieues – initiative dont il n'est pas à l'origine, comme nous allons le voir – ne témoigne pas de sa grandeur d'âme, mais de son opportunisme. Il a beau réprimer les libertés sur son sol, il ne s'en fait pas moins le héraut de la démocratie au-delà de ses frontières. Par utilitarisme pur. Comme le constate un proche de l'émir, « le Qatar, ce n'est pas vraiment une démocratie, mais si nous sommes entourés de démocraties, notre pays sera stable ». Le Diwan n'est pas à une contradiction près. L'essentiel étant qu'au bout du compte il déploie son influence. Et quoi de mieux pour conquérir les cœurs que d'investir là où se cristallisent, dans la psyché populaire, les grandes questions que les politiques refusent de résoudre ?

Tout commence en 2008 quand la France propose au Qatar de participer à son tout nouveau Fonds stratégique d'investissement[1], le FSI, dont la création est annoncée le 30 octobre 2008 par le président Sarkozy. La crise financière s'abat alors sur les économies mondiales et menace les tissus économiques et industriels nationaux. Face à cette sombre perspective, le FSI a pour double but de favoriser l'apport de capitaux aux petites et moyennes entreprises fragilisées, précise le rapport de la commission des Finances du Sénat sur le projet de loi de finances pour 2010, et de sécuriser le capital d'entreprises stratégiques. Ce fonds est sous-tendu par deux principes : sélectionner les propositions permettant d'aider les entreprises reposant sur des projets viables ; et prendre une participation minoritaire dans leur capital. Aux commandes, la Caisse des dépôts et consignations qui détient la majorité du capital du FSI ; le reste relève de l'État. L'entrée d'autres actionnaires est envisagée dès lors qu'ils restent minoritaires et adoptent les principes du fonds. En tant que président de la Caisse des dépôts et consignations, Augustin de Romanet préside le conseil d'administration du FSI. C'est à ce titre qu'en 2008 il se rend à Doha pour proposer au Qatar d'y participer.

Il n'y a pas que Doha que le FSI démarche, ainsi que le révèlent des rapports parlementaires qui réservent parfois au lecteur de vraies pépites. Ainsi celui rédigé par le sénateur Jean-Pierre Fourcade pour la commission des Finances sur les participations transférées au FSI, daté du 8 juin 2011. Il nous apprend que la France a sollicité différents fonds souverains du Golfe. Outre le Qatar, les Émirats arabes unis, l'Arabie saoudite et le Koweït ont été approchés. Et si Doha, Riyad et Koweït n'ont pas manifesté un grand

---

1. Le FSI est désormais intégré à la Banque publique d'investissement (BPI France), créée en 2013.

intérêt pour investir en France aux côtés du FSI, il en est allé tout autrement des Émirats. Un protocole d'accord a en effet été signé le 26 mai 2009 avec le fonds Mubadala, désireux de diversifier ses actifs dans les domaines stratégiques que sont les semi-conducteurs, l'aéronautique, les énergies renouvelables et le nucléaire. Le but : investir conjointement dans des entreprises françaises.

Parti à Doha pour convaincre l'émir de participer au FSI, Augustin de Romanet rentre bredouille[1] et se concentre sur la création d'un fonds franco-chinois, le premier, destiné aux PME, à associer des capitaux français et étrangers. Un premier accord est signé le 16 juin 2010 et annoncé dans la foulée. Une annonce qui suscite l'intérêt du Qatar. À Doha naît alors l'idée de créer un fonds en direction des PME françaises. À l'automne 2011, l'ambassade qatarie, en quête de projets à financer, contacte Abdel Basset Zitouni, président de l'Association nationale des jeunes entrepreneurs (Anje). L'ambassadeur en a entendu parler quelques semaines avant, quand il est venu à Mantes-la-Jolie remettre le prix « Richesse dans la diversité ». Créé en 2011, ce prix a pour ambition – tel que le présente Mohamed Jaham al-Kuwari – « de mettre en avant ces femmes et ces hommes issus de la diversité qui, à travers leur histoire, leur parcours, leur engagement sur le terrain, sont des exemples d'intégration et des modèles de réussite ». Un grand témoignage de reconnaissance pour les intéressés, un petit geste pour l'émirat qui, en contact direct avec la population, trouve ainsi un moyen supplémentaire d'étendre son aura. Pour la seule année 2011, l'ambassadeur a sillonné la France, de Cherbourg à

---

1. « Opération séduction dans les banlieues », *Marianne*, 11 janvier 2013.

Marseille, en passant par Mantes-la-Jolie, Charleville-Mézières, Clermont-Ferrand ou encore La Rochelle. À chaque escale, une cérémonie est organisée, un discours est prononcé et un chèque de quelques milliers d'euros est signé au récipiendaire.

Abdel Basset Zitouni n'a jamais été décoré de ce prix, et n'a même jamais rencontré Al-Kuwari : « C'est le consul qui m'a reçu. Notre rendez-vous a duré deux heures. Désireux de monter un fonds d'investissement, le Qatar voulait savoir ce que nous faisions précisément – soutenir les projets de création d'entreprises –, et quels étaient les porteurs de projets potentiels, raconte-t-il. La Qatar Foundation m'avait déjà contacté au moment du printemps arabe, quand elle cherchait des partenaires pour investir en Afrique du Nord[1]. » Ensuite, le président de l'Anje n'a plus eu de nouvelles.

À la même époque, l'Association nationale des élus locaux pour la diversité (Aneld) démarche le Qatar. Cette association est née en 2009, au lendemain de l'élection de Barack Obama, de la volonté de quelques élus français. « Nous souhaitons dépoussiérer notre vieux modèle d'intégration en nous inspirant des bonnes pratiques observées à l'étranger, en particulier le pragmatisme anglo-saxon et la place des minorités », me dit Kamel Hamza[2], président de l'Aneld et conseiller municipal UMP de La Courneuve. À la veille des municipales de 2014, l'association compte, d'après lui, 300 élus, en grande majorité des conseillers municipaux et régionaux. Au début, l'Aneld se concentre sur la publication de statistiques ethniques en France, avant de faire des voyages d'études au Canada, en Suède, au Maroc ou

---

1. Entretien, 16 janvier 2014.
2. Entretien, 26 mars 2014.

encore aux États-Unis d'où elle revient avec une batterie de propositions destinées aux parlementaires pour faire avancer la cause qu'elle défend. Et, début novembre 2011, plusieurs de ses membres contactent l'ambassadeur du Qatar en France pour lui présenter leur nouveau projet : créer un fonds destiné à aider à la création d'entreprises dans les banlieues françaises. Ont-ils préalablement sollicité le ministère de la Ville ainsi que les différentes institutions pouvant potentiellement les aider à lancer leur opération ? « Non. Nous voulions être réactifs et faire en sorte que les choses aillent vite. » Un choix qui pose question.

Le but : « Jeter les bases d'un partenariat privilégié entre les jeunes des quartiers populaires et cet émirat à l'avenir prometteur. En effet, force est de constater le peu d'intérêt que la France porte à cette jeunesse victime d'une discrimination systémique et territoriale et dont la promotion sociale et économique est bloquée par des pesanteurs d'un autre âge », écrit Mohammed Hakkou, l'un des participants au voyage, en préambule à son carnet de bord[1] : « Nous commençons par rencontrer HBJ, qui ne se montre pas très enthousiaste, me raconte Kamel Hamza, l'initiateur du voyage. Le lendemain, nous sommes reçus par l'émir Hamad al-Thani. Nous lui expliquons notre projet en cinq minutes, il nous invite à déjeuner et on affine l'idée ensemble. » Comme Zidane, qui a défendu la candidature du Qatar pour le Mondial 2022, nombreux sont les talents vivant dans les cités françaises, insiste auprès de l'émir le président de l'Aneld. Qui ajoute : « Après nous avoir laissé entendre que le Qatar n'avait pas intérêt à s'immiscer dans un tel dossier, l'émir a dit qu'il réfléchirait à notre projet. »

---

1. « Fonds banlieues : Retour sur le voyage au Qatar », blog de Mohammed Hakkou, 3 décembre 2011.

« Notre rencontre fut tellement appréciée que l'émir a alors souhaité que l'on reporte notre retour pour avoir le temps de discuter en profondeur du projet. Ce laps de temps supplémentaire aura aussi servi à rencontrer la famille royale dans le désert. Impressionnant ! Lorsque nous sommes sortis du palais, la route nous a été ouverte, comme pour des chefs d'État ! » écrit Mohammed Hakou. Les festivités se poursuivent : visite de la ferme de l'émir avec le prince Joaan, ou encore « rencontre culturelle et sportive avec la princesse Mayassa, par ailleurs directrice du musée des Arts islamiques ». La délégation de l'Aneld est conquise.

Début décembre 2011, l'ambassadeur Al-Kuwari contacte les membres de l'Aneld : « J'ai une bonne nouvelle à vous annoncer. » Rendez-vous est fixé au Fouquet's, où il transmet à l'Aneld l'accord de l'émir. Après quoi il annonce publiquement la création prochaine d'un fonds qatari doté de 50 millions d'euros pour financer des projets économiques portés par des habitants des banlieues françaises. Précision utile : le financement sera attribué de manière discrétionnaire par l'émirat.

L'information tombe alors que les questions – et inquiétudes – s'accumulent sur les visées réelles de l'émirat : depuis trois ans, le Qatar a multiplié les prises de participation dans les fleurons industriels français, racheté le PSG, annoncé le lancement de deux chaînes sportives... Quel est donc le but que poursuit le Qatar en investissant dans un « fonds banlieues » ?

La campagne présidentielle française bat alors son plein. Toujours en quête d'un coup d'éclat, Marine Le Pen s'engouffre dans la brèche et organise une conférence de presse[1] pour dénoncer l'« influence très forte de pays

---

1. Le 13 janvier 2012.

étrangers qui souhaitent le développement du fondamentalisme musulman », affirmant que les « investissements massifs du Qatar en banlieue le sont à raison de la proportion très importante de musulmans vivant dans les banlieues françaises. C'est donc critiquable, parce qu'on laisse un pays étranger choisir ses investissements en fonction de la religion de telle ou telle partie de la population ». La parole de la présidente du FN porte d'autant plus que le terrain a été préparé par le sommet de l'État lui-même. Surfant sur l'un des thèmes porteurs de sa campagne de 2007, Nicolas Sarkozy a créé, au lendemain de son élection, un ministère « de l'Identité nationale et de l'Immigration », sur une idée soufflée par Patrick Buisson, ancien journaliste de *Minute* et éminence grise du président. Un ministère à l'intitulé pour le moins problématique.

La polémique qui éclate est potentiellement préjudiciable à Sarkozy. Pompier pyromane, il demande à Claude Guéant, son fidèle lieutenant, de calmer le jeu. Et, profitant, le 23 janvier 2012, d'un déplacement dans le quartier du Val-Fourré à Mantes-la-Jolie (Yvelines), où l'accompagne Jeannette Bougrab, secrétaire d'État à la Jeunesse, Guéant – désormais ministre de l'Intérieur – donne verbalement des gages aux uns et aux autres : « Je trouve que l'effort du Qatar, qui est un pays riche, de participer à la résolution de problèmes que rencontrent les communes de banlieue, est un effort salutaire dès lors qu'il n'y a pas d'exigence particulière de toute nature », déclare-t-il, ajoutant que « tous les crédits sont à prendre dès lors qu'ils ne s'accompagnent pas d'exigences particulières[1] ».

---

1. « Guéant salue le fonds d'investissement qatari pour la banlieue », *Libération*, 23 janvier 2012.

« Financer une PME permet de constituer une clientèle et des relais de pouvoir, donc de toucher une majorité de personnes, souligne Alain Chouet. Un dirigeant d'entreprise a une autorité morale sur ses employés, qui passent entre huit et dix heures par jour sur leur lieu de travail. La société civile constitue un terrain propice pour pénétrer les différents milieux. » Malicieux, il ajoute : « Étendre son influence en finançant des entreprises est une très bonne idée. Nous aurions aimé pouvoir le faire. »

Le reflet de nos dirigeants politiques que nous renvoie le miroir qatari révèle ici leur profonde incohérence. En février 2011, Guéant a rejoint la Place Beauvau après quatre années passées au secrétariat général de l'Élysée, où il avait notamment suivi de près le dossier du Qatar et ses investissements en France. L'homme est donc bien au fait des ambitions de l'émirat. Plus que lui encore, Nicolas Sarkozy, très « copain » avec l'émir et HBJ, est loin de méconnaître leur soif de pouvoir. Une quête effrénée qui ne s'embarrasse ni de morale ni d'idéaux. La première qualité des dirigeants qataris est d'être pragmatiques. Tous les moyens leur sont bons. Parmi eux, la religion occupe une place de choix. Au Qatar, État wahhabite s'il en est, les grandes religions ont droit de cité, et les femmes sont libres de porter ou non le voile, de se déplacer en cheveux et bras nus. « Quand le Qatar a autorisé les femmes à conduire, les Saoudiens sont devenus fous », se souvient un ancien diplomate. Pratique moderniste de l'islam ou décision politique ? La religion, non tant pour Dieu que pour le pouvoir ? Ce ne seraient pas les premiers, et certainement pas les derniers à penser et agir de la sorte.

En relation étroite avec le Diwan, l'Élysée n'ignore pas que le Qatar est le plus ardent sponsor des Frères musulmans – dont l'ambition est d'islamiser la société, et donc de la diriger. Et cet engagement s'est encore densifié depuis les printemps arabes, en Tunisie et en Égypte[1] notamment. Il n'ignore pas non plus les fonds versés par l'émirat à différentes mosquées françaises.

La loi française de séparation des Églises et de l'État, votée en 1905, prohibe le financement des lieux de culte par l'État. Le Qatar s'est engouffré dans le sponsoring des mosquées – domaine dans lequel l'Arabie saoudite est bien implantée. Participation au financement de la mosquée Assalam de Nantes, de la mosquée de Mulhouse, de la future grande mosquée de Marseille : le Qatar témoigne d'une prédilection certaine pour les mosquées gérées par l'UOIF. Et, dans la plupart des cas, c'est le Qatar lui-même, à travers son ambassadeur, qui fait les propositions d'investissement. « En fin stratège, les Qataris ont également investi tout un pan du champ associatif luttant contre l'islamophobie. L'émirat tisse ainsi des relations avec le Collectif des musulmans de France dirigé par Nabil Ennasri, le Comité contre l'islamophobie en France ou le Centre culturel Tawhid, à Saint-Denis, où interviennent des intellectuels proches des Frères. On y voit défiler Rached Ghannouchi, fondateur du parti tunisien Ennahda, ou le frère de Tariq Ramadan, Hani, supposé plus radical[2]. »

Au sommet de l'État, la consigne est claire : il faut à tout prix calmer le jeu, préserver les relations ultra-sensibles entretenues avec le Qatar, tout faire pour que l'émirat ne se vexe pas et ne resserre pas les cordons de la bourse. Tâche d'autant plus ardue que la polémique s'inscrit parfaitement dans la stratégie de campagne du

---

1. Jusqu'au renversement du président Mohamed Morsi, le 3 juillet 2013.

2. « Les musulmans dans la mire du Qatar », *Libération*, 27 avril 2013.

président sortant, dans le droit fil de la controverse sur l'Identité nationale.

Le débat se focalise sur le prosélytisme du Qatar dans les banlieues. Certes, il soulève de graves questions. Surtout, il illustre une fois encore la propension des politiques à contourner l'épineuse question sociale en stigmatisant les banlieues, qui ne pourraient compter que sur l'argent du Qatar pour surmonter leurs difficultés.

En public, des politiques affichent leur soutien à l'initiative, d'autres la critiquent violemment. En coulisses, pourtant, certains n'hésitent pas à solliciter l'Aneld. « Sur les plateaux télé, je me faisais littéralement incendier, alors que le cabinet de certains maires me contactait ensuite pour me faire passer des dossiers », affirme Kamel Hamza.

L'analyse « officielle » voudrait en effet que ces territoires soient laissés en marge de la République. « Les représentations ont ainsi imposé l'idée d'une société française divisée entre les exclus, essentiellement les minorités qui vivent en banlieue, et la classe moyenne[1], écrit le géographe Christophe Guilluy. Les banlieues sont devenues les territoires de l'exclusion, tandis que la France pavillonnaire est censée illustrer le mythe de la classe moyenne. Ces représentations suggèrent aussi que nous sommes déjà entrés dans une société communautarisée où des banlieues ethnicisées feraient face à des territoires où se concentreraient les classes moyennes blanches. Cette construction caricaturale permet – c'est l'objectif – d'occulter une question sociale centrale pour les couches populaires, qu'elles habitent en banlieue ou dans la France périurbaine et rurale. Au traditionnel conflit de classes s'est substituée

---

1. In Christophe Guilluy, *Fractures françaises*, François Bourin Éditeur, 2010.

toute une analyse sociétale qui oppose les minorités ethniques à une majorité supposée socialement homogène. » Un prisme qui « conduit à évacuer définitivement la question sociale ».

Les travaux de Christophe Guilluy démystifient cette vision « caricaturale » en démontrant que la relégation concerne l'ensemble de la « France périphérique ». Il met ainsi en perspective le quartier des Hautes-Noues, à Villiers-sur-Marne, et un quartier de la banlieue de Verdun. Le premier bénéficie d'un « programme de réhabilitation qui prévoit une dotation de 12 450 euros par habitant, tandis que le contrat de ville mis en place dans les quartiers de Verdun n'alloue que 11,80 euros par habitant ». Le géographe écrit : « Cet exemple, extrême, n'est certainement pas représentatif de la situation qui prévaut sur l'ensemble du territoire, mais vise *a minima* à démontrer qu'à situation sociale égale, les pouvoirs n'ont pas choisi d'abandonner les ghettos. Au contraire, ces territoires jouissent pleinement d'une forme de discrimination positive. » Et de souligner : « Environ 40 milliards d'euros seront investis d'ici 2013 pour la rénovation urbaine de ces quartiers. » Son analyse des fractures françaises est publiée en octobre 2010, soit un an avant l'affaire du fonds dit des banlieues. Les clichés ont la vie dure...

Comme le démontrent les travaux de Guilluy, le problème ne réside donc pas tant dans les financements qui sont alloués aux territoires de banlieue ni dans la mobilité de leurs habitants – importante, ainsi que l'observe le géographe –, que dans l'instrumentalisation d'un cliché faux, celui du « ghetto », agité à loisir pour mieux éviter les questions de fond : « La banlieue charrie tous les problèmes que les politiques refusent d'aborder, au premier rang desquels l'immigration et notre rapport à l'autre. Tout le monde fuit cette question, instrumentalisée depuis vingt ans », conclut-il[1].

De cet enjeu crucial laissé en jachère par les politiques, l'extrême droite s'est emparée. Résultat : ceux-ci redoutent de s'exprimer, tant ils craignent d'être taxés de « lepénistes ». Il s'agit pourtant d'un sujet majeur, tout comme l'est celui de la laïcité, qui a, rappelons-le, valeur constitutionnelle. Elle scelle notre République. Défendre ce principe relève du seul respect de notre pacte républicain. C'est là que réside la réelle controverse. Depuis plus de trois décennies, ce renoncement fait le succès du Front national[2], qui s'est approprié ces thèmes et pose désormais le cadre du débat. Peu nombreux sont ceux qui osent le lui disputer. À l'hiver 2011, le FN n'a pas manqué d'entrer dans le débat et de se prononcer sur le fonds, objet de polémique. L'émirat et les banlieues sont des leurres magnifiques. Ce qui est loin de constituer ne serait-ce que l'esquisse d'une politique...

Au bout de quelques semaines, le projet « fonds banlieues » est finalement gelé. « Ils ont paniqué, ç'a été une erreur fondamentale, analyse un bon connaisseur du dossier. Ils auraient pu s'associer à des projets déjà existants, comme les Business Angels des cités, soutenu par Claude Bébéar. Mais ils ont voulu faire du show, vendre la marque Qatar. Et, dans les banlieues, certains n'ont pas aimé que l'émirat veuille se faire un coup de pub sur leur dos[3]. »

---

1. Entretien, 14 juin 2014.

2. Lire Philippe Cohen et Pierre Péan, *Le Pen, une histoire française*, Robert Laffont, 2012.

3. « Incertitude sur la relance du projet "banlieues" des Qataris », *Le Monde*, 3 juin 2012.

Questionné pendant la campagne, François Hollande a ménagé la chèvre et le chou. Interrogé sur le fait qu'Américains et Qataris s'intéressaient depuis des mois aux banlieues françaises, le candidat socialiste a répondu : « Ce qui me choque, c'est que les Qataris et les Américains aient découvert qu'il y avait des talents considérables dans nos quartiers, et pas nous[1] » – faisant là allusion aux initiatives analogues déployées par les États-Unis. Une fois président, François Hollande, s'il en redessine les contours et la cible, n'en valide pas moins le projet qatari le plus polémique en France, sans profiter de la controverse qui va alors se réveiller.

La violence de la polémique n'a pas dissuadé le Qatar, qui y voit son intérêt. Outre le vecteur de « bonne image » qu'il constituerait auprès de ses bénéficiaires, le projet contribuerait encore à consolider sa position en France, pays qui est la plateforme de projection de sa puissance. Aussi, le 7 juin 2012, HBJ profite-t-il de sa première rencontre avec le président nouvellement élu pour évoquer le sujet[2]. L'idée est de reconfigurer le fonds. Cibler les PME : voilà la nouvelle piste envisagée lors d'un discret rendez-vous entre l'émir et Arnaud Montebourg, ministre du Redressement productif chargé du dossier. Le président de l'Aneld, qui apprend la réorientation par la presse, dénonce aussitôt un « hold-up, un détournement de fonds par le gouvernement[3] », et annonce le lancement d'une pétition nationale pour que l'argent revienne à la banlieue.

---

1. Déclaration de François Hollande, sur France 3, 4 mars 2012.

2. « Banlieues : le "fonds Qatar" sera abondé par l'État et le privé », *Le Monde*, 25 septembre 2012.

3. « Le Qatar réoriente son fonds banlieues de 50 millions d'euros vers les PME », *Le Monde*, 25 juin 2012.

Le 11 septembre 2012, lors de la deuxième visite d'HBJ à François Hollande, les deux hommes scellent un accord sur le fonds, tandis qu'un autre projet de coopération est envisagé. Son objet : la création d'un nouveau fonds, d'un montant de 10 milliards d'euros, ayant pour but de consolider plus encore les investissements du Qatar au sein des sociétés françaises[1]. Cette fois, il s'agit de contenir les élans de l'Aneld, furieuse qu'on lui ait soustrait son « bébé ». Le ministre du Redressement productif va s'en charger.

Au matin du 20 septembre, l'association demande au cours d'une conférence de presse que le fonds soit alloué à des projets d'entreprises situées en banlieue, et non à des PME ; le soir-même, son président est reçu par Arnaud Montebourg à la demande de l'Élysée. Le ministre lui fait part de la nouvelle configuration : élargi aux zones rurales, le fonds nouvelle version sera financé à parité par Paris et par Doha et ouvert au privé pour un montant de 100 millions d'euros – montant porté depuis à 300 millions. Les entreprises françaises ayant des intérêts économiques et commerciaux au Qatar seront associées à ce fonds, désormais mixte[2]. Pour calmer l'Aneld, on lui annonce qu'elle sera associée à la sélection des projets, avec l'Association des maires de France et l'Association des régions de France.

En élargissant le projet à l'ensemble des territoires déshérités, Hollande a joué finement. Il a évité de s'aliéner le vote des zones périphériques où prospère le Front national. En le confiant à la Caisse des dépôts et consignations, en incluant

---

1. « La lune de miel entre le Qatar et la France continue », *Le Figaro*, 24 septembre 2012.

2. « Le "fonds Qatar" sera abondé par l'État et le privé », *Le Monde*, art. cité.

l'État français et des entreprises parmi les financeurs, il a dégoupillé les accusations. Histoire de bien verrouiller, comparaison est faite... avec le fonds franco-chinois. Et, pour porter l'initiative, la majorité se mobilise. Pierre Moscovici, ministre de l'Économie, Claude Bartolone, président de l'Assemblée nationale, Jérôme Cahuzac, ministre délégué au Budget, et même Laurent Fabius, ministre des Affaires étrangères, défendent le projet.

L'infatigable Marine Le Pen reprend alors sa croisade, fustige une « faute politique majeure » et parle « de cheval de Troie de l'islamisme[1] ». Jean-Luc Mélenchon dénonce, lui, une « espèce d'avatar d'un système monstrueux », de « colonisation par l'argent » : « La présence du Qatar dans les banlieues est l'enfant de la politique pourrie de contraction des dépenses de l'État, de refus de services publics et de l'ouverture des marchés financiers. Le Qatar a commencé à s'installer ici, là-bas, et ainsi de suite. Ça, ça s'appelle une espèce de colonisation[2]. » Comme Julien Dray, vice-président PS du conseil régional d'Île-de-France, Lionnel Luca, député UMP des Alpes-Maritimes, réclame la création d'une commission d'enquête parlementaire sur le sujet. Dans la lettre qu'il envoie à Claude Bartolone, le député mentionne les inquiétudes de l'opinion sur les ambitions réelles de l'émirat et, estimant que cette annonce « n'aurait rien de préoccupant si le Qatar était un État démocratique laïc, ou même un État religieux non prosélyte », il affirme qu'une « commission d'enquête parlementaire s'impose donc pour dissiper ou confirmer les doutes que l'opinion

---

1. Communiqué du 24 septembre 2012.

2. Sur le plateau de l'émission *Questions d'Info*, LCP/France Info/ *Le Monde*/AFP, cité dans « Fonds banlieues : Mélenchon : "Une colonisation par l'argent" », *Le Parisien*, 25 septembre 2012.

peut avoir sur l'intérêt que porte le Qatar à la France[1] ». Les députés UMP Bruno Le Maire et Nathalie Kosciusko-Morizet lui emboîtent le pas, tandis qu'Éric Ciotti, député UMP des Alpes-Maritimes et proche de François Fillon, manifeste son inquiétude. À l'Assemblée nationale et au Sénat, quelques élus, toutes tendances confondues, questionnent Arnaud Montebourg sur la composition, les modalités et le contrôle du fonds. Au gouvernement François Lamy, ministre délégué à la Ville, est l'un des rares à ne pas cacher son scepticisme.

Rares sont les intellectuels à critiquer cette initiative... Bernard-Henri Lévy est l'un de ceux-là : « On dit toujours que l'argent "n'a pas d'odeur", écrit-il. C'est faux. Car l'argent qatarien a la couleur, qu'on le veuille ou non, d'un État qui prive ses citoyens de libertés publiques. Il a la couleur d'un pays où l'on traite les immigrés (Indiens, Pakistanais, Philippins) comme des sous-citoyens, quand ce n'est pas comme des sous-hommes ou des esclaves. Ce n'est pas, comme ont dit certains, un argent "sale". Mais c'est un argent (et c'est presque pire) gagné par des autocrates dans un pays non démocratique dont les banlieues sont des Villiers-le-Bel ou des Trappes à la puissance dix[2]. » Et de préciser : « Le problème, c'est évidemment le soupçon de prosélytisme politico-religieux qu'il est impossible de ne pas nourrir concernant un régime qui ne fait pas mystère, ailleurs, de son soutien aux courants les plus rigoristes de l'islam. »

À ce jour, la commission d'enquête sur l'action du Qatar en France réclamée par Lionnel Luca n'a pas vu le jour.

---

1. « Lionnel Luca demande une commission d'enquête sur l'action du Qatar en France », *Libération*, 25 septembre 2012.

2. « L'argent, le Qatar et la République », blog *La Règle du jeu*, 3 octobre 2012.

Claude Bartolone a estimé que le fonds ne soulève aucune question : « Compte tenu de la proposition nouvelle qui est faite par le gouvernement – un fonds 50 % français et 50 % qatari –, avec une orientation qui n'est plus du tout le ciblage particulier sur les quartiers populaires, [...] il peut y avoir un partenariat mieux compris, mieux ciblé et mieux contrôlable », déclare-t-il dans la *Matinale* de France Inter[1]. Dans leur majorité, les parlementaires ont suivi leur président. Faut-il faire le lien entre cette attitude et l'importance du groupe d'amitié entre Paris et Doha à l'Assemblée nationale ? Cinquante-sept députés en font partie. Des amis utiles quand il s'agit de défendre les intérêts de l'émirat en France. Dans cet exercice, Jean-Christophe Lagarde, élu UDI et ancien président du groupe d'amitié France-Qatar, se distingue tout particulièrement. Ainsi, face aux critiques émises sur le fonds, le député rétorque : « Délire de complot[2] » du FN, et il appelle la France à arrêter « de se faire peur ».

Le 11 octobre 2012, François Hollande annonce lors d'une interview à RFI, TV5monde et France 24, que le fonds sera « créé auprès de la Caisse des dépôts » et que les décisions « seront prises par la France et le Qatar ». Quatre jours plus tard, HBJ, premier ministre du Qatar et investisseur en titre de l'émirat, affirme depuis Doha que le « Qatar n'a pas de grande ambition politique [...] et, quand il investit en France, c'est sans dessein politique. Nous ne cherchons qu'à investir et nous ne faisons rien sans coordination avec la partie française[3] ».

---

1. Émission du 27 septembre 2012.

2. « Fonds de soutien aux banlieues. Des doutes sur l'aide du Qatar », *Ouest-France*, 26 septembre 2012.

3. « Le Qatar assure investir en France sans arrière-pensée politique », AFP, 15 octobre 2012.

Quinze jours plus tard, c'est au tour de Jean-Marc Ayrault de s'exprimer sur le sujet. Questionné par un lecteur du *Parisien*[1] sur le fait que la France puisse se « vendre » au Qatar, le Premier ministre répond : « La France fait aussi des investissements à l'étranger. Dans une économie ouverte, il ne faut pas décourager les investissements étrangers... Je tiens à ce qu'ils se fassent dans la transparence, qu'ils ne mettent pas en cause notre souveraineté et notre indépendance. Il faut être extrêmement vigilant, il y a des contrôles. L'État se protège. » S'agissant précisément du fonds franco-qatari : « Il est modeste : 100 millions d'euros. [...] D'autres fonds existent avec d'autres pays. En revanche, ce que nous refusons, c'est toute utilisation de type communautariste. Ce fonds doit rentrer dans un fonds commun, où la France apportera [...] sa contribution, pour venir en aide à des projets associatifs, projets de développement économique, création d'entreprises, mais sans influence. » S'il reconnaît l'existence d'inquiétudes, notamment sur les risques de communautarisation, le Premier ministre élude, comme la majorité des politiques et des élites, le débat de fond. Il est vrai que, dans la foulée de la confirmation de la création du fonds désormais remanié, l'ambassadeur du Qatar en France s'apprête à annoncer que son pays étudie la possibilité d'investir 10 milliards d'euros dans de grandes entreprises françaises[2]. D'ici à 2022, le richissime émirat prévoit en outre d'investir 156 milliards d'euros pour accueillir dignement le Mondial de foot. Autant de chantiers mirifiques que les entreprises françaises espèrent bien remporter. Changement ou continuité ?

---

1. Le 30 octobre 2012.

2. « Le Qatar veut investir 10 milliards dans des entreprises françaises », *Le Monde*, 6 novembre 2012.

20.

« On continue comme avant »

Pas facile de traiter le dossier qatari après Sarkozy ! François Hollande allait-il chausser les bottes de son prédécesseur ou prendre ses distances avec un pays dont la gouvernance est en totale contradiction avec ses propres valeurs ? Realpolitik ou traitement à l'instar de celui appliqué aux quelques chefs d'État africains soupçonnés de confondre le budget de leur État avec leurs poches ? Le nouveau président est parfaitement conscient de sa faible marge de manœuvre. Moins d'un mois après son entrée en fonctions, il demande à ses conseillers de faire fuiter son choix : l'état de l'économie française le conduit à poursuivre la relation bilatérale, sans le côté bling-bling de l'amitié avec la famille Al-Thani. Il ne veut plus de réseaux occultes ni d'intermédiaires se promenant d'un côté à l'autre : « La relation franco-qatarie sera déterminée en fonction de nos intérêts et des attentes du Qatar. Mais de façon transparente et claire[1]. »

Le 6 mai 2012, 20 heures, François Hollande est donc élu président de la République. À Paris, le pouvoir change de mains. À Doha, le scepticisme l'emporte. Nicolas

---

1. « La nouvelle donne », *Le Monde*, 5 juin 2012.

Sarkozy avait déroulé le tapis rouge à la famille al-Thani ; entre le Qatar et la France, cela a été pendant cinq ans une véritable lune de miel. Il risque d'en aller autrement avec le nouveau président. L'homme qui a fait campagne sur le thème de la présidence « normale » ne risque-t-il pas de « normaliser » les relations entre Paris et Doha ? Quelle va être la position de la nouvelle majorité concernant les intérêts du Qatar ? Sitôt le nom du nouveau chef de l'État annoncé, ses proches subissent les premiers assauts du Qatar. À Doha, le Diwan a fait passer la consigne : il faut organiser au plus vite un rendez-vous avec François Hollande.

Ambassadeur à Paris, Mohamed Jaham al-Kuwari[1] est l'homme de la situation. Ce proche de HBJ, dont il a été le directeur de cabinet entre 1997 et 2001, a fait carrière dans son sillage. Au lendemain du déclenchement de la guerre en Irak, le Qatar voulait un ambassadeur « politique » en France. C'est ainsi qu'un jour le ministre des Affaires étrangères a annoncé la nouvelle à celui qui fut longtemps l'un de ses plus proches collaborateurs.

– Dans deux semaines, vous êtes ambassadeur à Paris, lui déclare le ministre.

– Mais je ne parle pas français ! répond Al-Kuwari.

– Vous apprendrez ! lui intime HBJ.

Le 5 septembre 2003, il présente ses lettres de créance et se lance dans la conquête de la France. Depuis neuf ans qu'il est en poste dans la Ville lumière, il n'a cessé de tisser un vaste réseau auprès des responsables politiques. Évidemment, personnalités du show-biz, capitaines d'industrie, stars des médias et autres membres de l'élite

---

1. Nommé à Paris en 2003, il a été promu ambassadeur à Washington en novembre 2013.

n'ont pas été négligés : cela peut toujours servir. Mais le
cœur de cible, ce sont les politiques. Si la droite est dans
ses petits papiers, le Parti socialiste n'a pas été oublié.
Et pour cause : le parti à la rose est considéré par Al-
Kuwari comme la seule force crédible en cas d'alternance.
L'ambassadeur a rencontré François Hollande dès 2006.
L'homme était encore premier secrétaire rue de Solférino.
« J'ai aussitôt dit au gouvernement [qatari] : il faut mettre
le regard sur ce monsieur ! » s'enorgueillit le diplomate au
lendemain de l'élection de mai 2012[1]. Dans la foulée de ce
rendez-vous, Al-Kuwari a organisé une rencontre entre son
patron, le puissant ministre des Affaires étrangères HBJ,
et le leader socialiste. Les liens n'en sont pas pour autant
étroits. La deuxième entrevue n'a eu lieu que six ans plus
tard, en pleine campagne présidentielle. Cette fois, l'ambassadeur a fait appel à l'un de ses amis, Manuel Valls[2].
Les deux hommes se connaissent bien. En mai 2009, le
représentant du Diwan a invité le maire d'Évry au Forum
de Doha sur la démocratie. En décembre 2011, Valls a
même eu l'honneur de rencontrer l'émir Hamad al-Thani[3].

Ensemble, Valls et Kuwari ont organisé au début
2012 un rendez-vous à Paris entre François Hollande
et HBJ. Le Qatar, Hollande connaît : en juin 2011, le
fonds d'investissement piloté par cheikha Moza, Qatar
Luxury Group, a racheté 85 % du maroquinier français
Le Tanneur... implanté en Corrèze, terre d'élection du
candidat socialiste. Montant du contrat : 23 millions

---

1. « La France, pour nous, c'est l'amour et les investissements »,
Le Nouvel Observateur, 20 juin 2013.

2. Nicolas Beau et Jacques-Marie Bourget, *Le Vilain Petit Qatar*,
op. cit.

3. « Ils ont livré la France au Qatar », *Marianne*, 11 janvier 2013.

d'euros[1]. Le 25 novembre 2011, le conseil régional du Limousin a voté une subvention de 170 000 euros à la PME.

La rencontre entre François Hollande et HBJ a donc lieu en janvier 2012 à Paris[2], loin des regards. C'est que le Qatar est un sujet sulfureux. Il a surgi dans la campagne présidentielle au détour de l'annonce de la création du fonds qatari pour les banlieues françaises. La polémique a été immédiate. Le feu, nourri. Pour le candidat socialiste, il était préférable d'éviter que l'entrevue ait lieu à son QG de campagne, ainsi que à la trop voyante ambassade de l'émirat, située place de l'Étoile. Au cœur de leur discussion : les relations entre la France et l'émirat.

6 mai 2012 : il n'est que 20 heures passées de quelques minutes quand les émissaires de Doha insistent déjà pour être reçus par le nouveau président. Sa garde rapprochée est harcelée de coups de fil pour obtenir un rendez-vous au sommet. Le 16 mai, tandis que le secrétaire général de l'Élysée annonce la composition du gouvernement, le Qatar a de quoi se réjouir : Manuel Valls est nommé ministre de l'Intérieur, un poste-clé. Quelques semaines plus tard, le 4 août 2012, le nouveau patron de la Place Beauvau assistera, au côté de Nasser al-Khelaïfi, président du PSG, au match opposant le club parisien au FC Barcelone, ville dont Valls est originaire. Celui-ci avait préalablement invité l'ambassadeur du Qatar dans sa ville d'Évry[3].

---

1. « On a cherché le Qatar au fin fond de la Corrèze », Rue89, 22 février 2012.

2. « Le Qatar et le PS, les dessous d'une opération séduction », *Paris Match*, 10 octobre 2012.

3. *Ibid.*

Si Valls est particulièrement bien en cour à Doha, le Qatar compte parmi ses relations d'autres têtes connues de l'exécutif. Parmi elles, Najat Vallaud-Belkacem. La désormais ministre des Droits des femmes et porte-parole du gouvernement[1] s'était rendue au Forum de Doha en mai 2008, accompagnant Ségolène Royal. Arnaud Montebourg, nouveau ministre du Redressement productif, a lui aussi eu l'occasion de se rendre à Doha, l'émir avait reçu en personne celui qui était alors candidat à la primaire socialiste. Jean-Yves Le Drian, désormais ministre de la Défense, était également d'un voyage. Quelques années plus tôt, alors qu'il gérait les relations internationales de Ségolène Royal dans le cadre de sa campagne présidentielle en 2007, Le Drian avait mené la délégation socialiste reçue à Doha six semaines avant l'élection. N'oublions pas non plus Laurent Fabius : conseiller pour les affaires internationales de François Hollande pendant la campagne, il a fait le déplacement au Diwan en février 2012 en tant qu'émissaire du candidat et a assuré le prince héritier Tamim – alors troisième personnage de l'émirat – de la « continuité de l'État[2] » en cas d'alternance. Fabius est désormais ministre des Affaires étrangères. En revanche, le Premier ministre est plutôt réservé sur le Qatar ; entre les deux tours de la présidentielle, Jean-Marc Ayrault aurait ainsi lancé : « Je ne suis jamais allé au Qatar, je me méfie[3]. »

Désormais, c'est l'ensemble de l'appareil d'État qui est l'objet du harcèlement qatari. Qu'il s'agisse de proches de Hollande, de Matignon ou des différents ministères, rien

1. Ses attributions seront élargies à la Ville, la Jeunesse et les Sports le 2 avril 2014.

2. « Notre ami l'émir », *Le Monde*, art. cité.

3. *Paris Match*, art. cité.

ni personne n'est épargné. C'est, d'après le président lui-même, du jamais-vu. À Doha, le mot d'ordre est clair : on continue comme avant.

Le 6 juin 2012, l'Airbus personnel de HBJ, un A330, se pose sur le tarmac d'un aéroport parisien. Après une nuit passée au Royal Monceau, propriété de l'émirat, le puissant ministre des Affaires étrangères et homme-clé de QIA franchit le perron de l'Élysée. Il parcourt ce matin-là un chemin qu'il connaît bien pour l'avoir régulièrement fait du temps de Sarkozy, quand il était un habitué du Château. Que va-t-il en être désormais ? Le président lui accorde une heure. L'échange porte sur la « volonté commune de renforcer les relations » et la nécessité pour les deux pays d'« approfondir et intensifier leurs partenariats et leurs coopérations ». Loin du compte rendu officiel, il y a fort à parier qu'un autre thème, fondamental pour le Qatar, a également été abordé au cours de la rencontre : celui du devenir de la convention fiscale qui s'apparente à un accord entre Paris et la famille Al-Thani, ce petit arrangement entre amis facilité naguère par Nicolas Sarkozy.

Au-delà de ces sujets, un troisième enjeu, autrement plus crucial pour le devenir du Proche et du Moyen-Orient, figure à l'ordre du jour : la Syrie, déchirée depuis plus d'un an par la guerre. Une guerre dans laquelle le Qatar, fer de lance de l'opposition à Bachar el-Assad, presse la France de livrer des armes aux rebelles.

L'émir Hamad al-Thani est en effet le premier à avoir appelé à intervenir en Syrie. Il a franchi le pas lors d'une interview accordée le 13 janvier 2012, dans l'émission phare de la chaîne américaine CBS, *60 minutes* :

« Seriez-vous favorable à l'envoi de troupes arabes en Syrie ? lui a demandé Bob Simon.

– Dans une telle situation, pour faire cesser les massacres... Oui, des troupes devraient être envoyées pour stopper les massacres », a répondu l'émir.

Si cette option reste sans suite, le Qatar n'en est pas moins actif. Aux frontières syriennes, des agents qataris proposent de l'argent à ceux qui acceptent de transporter des téléphones satellitaires. Le tarif : 5 000 dollars pour en acheminer jusqu'à Homs. Après quelques voyages, lesdits agents proposent beaucoup plus pour transporter des armes. Le Qatar mise également sur l'attrait mercantile des dignitaires syriens et offre des ponts d'or aux militaires et responsables civils pour qu'ils désertent. Surtout, le Qatar finance et arme la rébellion, d'un commun accord avec l'Arabie saoudite. « Jusqu'en 2010, les deux pays étaient en compétition. Riyad n'acceptait pas que le petit émirat joue dans la cour des grands, se fasse remarquer grâce à sa stratégie mondiale de marketing, et se taille une place, alors qu'historiquement l'Arabie était la puissance dominante de la péninsule arabe, rappelle Mehran Kamrava. L'avènement des printemps arabes en 2010 a tout changé. Redoutant d'être elles aussi renversées, toutes ces monarchies se sont unies pour garantir leur survie. »

Pour soutenir la rébellion syrienne, l'émirat aurait dépensé depuis le début de la guerre près d'un milliard de dollars selon des sources diplomatiques et rebelles. Un montant atteignant 3 milliards de dollars, d'après des sources proches du gouvernement qatari, indique en mai 2013 le *Financial Times* qui relève que la « perception est en train de s'installer chez un nombre croissant de Syriens que le Qatar utilise sa puissance financière pour développer des réseaux de loyauté parmi les rebelles et préparer le terrain à son influence dans une ère post-Assad[1] ». Ces livraisons sont effectuées avec l'assentiment des Occidentaux, mais la « plupart des armes livrées par l'Arabie saoudite et le Qatar pour alimenter les groupes rebelles vont à la ligne dure des jihadistes islamiques, non aux groupes d'opposition les plus laïcs que l'Occident entend renforcer[2] », a souligné quelques mois plus tôt le *New York Times* qui a eu accès à un rapport confidentiel. Comme hier en Libye. Et comme dans le précédent libyen, l'émir Hamad al-Thani était très proche de Bachar el-Assad dont il a orchestré la réconciliation surmédiatisée avec Paris en juillet 2008. La rupture a été consommée en juillet 2011, lorsque Doha a rappelé son ambassadeur.

La Syrie est depuis plusieurs mois en proie à la révolution[3]. Tout a commencé en mars 2011 par une révolte pacifique organisée dans la foulée des soulèvements populaires tunisien et égyptien et des émeutes en Libye. C'est à Deraa, ville moyenne du Sud syrien, proche de la frontière avec la Jordanie, dont la stabilité est à ce titre un « atout stratégique pour le régime », que jaillit l'« étincelle[4] ». Le 6 mars 2011, une vingtaine d'adolescents sont arrêtés. Leur

---

1. « How Qatar seized Control of the Syrian Revolution », *Financial Times*, 17 mai 2013.

2. « Les groupes d'opposition qui reçoivent le plus d'armes létales sont exactement ceux que nous ne voulons pas avoir », a déclaré un responsable américain au *New York Times*. Les États-Unis n'envoient pas directement des armes à l'opposition syrienne, mais fournissent des renseignements et un soutien aux expéditions en Syrie d'armes légères comme fusils et grenades, envois principalement orchestrés par l'Arabie saoudite et le Qatar. Cf. « Jihadists Receiving Most Arms Sent to Syrian Rebels », *The New York Times*, 14 octobre 2012.

3. Lire Jean-Pierre Filiu, *Le Nouveau Moyen-Orient*, Fayard, 2013.

4. *Ibid.*, p. 119.

crime : avoir écrit sur les murs de la ville « Le peuple veut renverser le régime ». Inquiètes, leurs familles rencontrent les autorités municipales mais, « loin d'être rassurées au cours de ces entretiens, [elles] sont humiliées en des termes outrageants. La nouvelle de l'affront se répand comme une traînée de poudre », tandis qu'au même moment des appels à faire du 15 mars 2011 le début de l'« intifada de la liberté » se répandent sur le territoire et dans la diaspora. Le jour dit, une centaine de personnes manifestent à Damas aux cris de « Dieu, la Syrie, la liberté et rien d'autre ! », tandis qu'un rassemblement similaire se forme à Deraa. « Ces chiffres peuvent sembler négligeables, mais ils révèlent le début de l'effritement du "mur de la peur", selon l'expression de Suheir Atassi interrogée ce jour-là par de très nombreux médias étrangers[1] », précise Jean-Pierre Filiu, ancien conseiller de l'ambassade de France à Damas, de 1996 à 1999. Le lendemain, une manifestation silencieuse est organisée sur la place Marjeh, dans la capitale syrienne. Et le surlendemain, à Homs, Banyas, Deir Ezzor, Deraa et Damas, plusieurs milliers de personnes crient leur colère lors de la prière du vendredi. Quatre manifestants sont abattus par les forces de l'ordre à Deraa. Leurs funérailles sont l'occasion de nouveaux affrontements violents. Le vendredi suivant, annoncé comme le « Vendredi de la fierté », est l'occasion de nouvelles manifestations à Hama, Deir Ezzor, Raqqa et Lattaquié. Youssef al-Qaradawi saisit l'occasion pour prendre parti contre le régime syrien[2]. Exaspéré par la condamnation du célèbre prêcheur, Bachar

---

1. Son père, Jamal Atassi, s'était affirmé comme opposant à Hafez el-Assad dès 1973. *In* Jean-Pierre Filiu, *op. cit.*

2. « Qaradawi backs Syrian Revolution », *The Peninsula*, 26 mars 2011.

en appelle à son ami l'émir, qu'il presse d'intervenir. Mais Al-Qaradawi poursuit ses discours enflammés, tandis que Hamad al-Thani dépêche HBJ à Damas d'où il délivre le 2 avril 2011 – d'après les médias d'État syriens – un message de « soutien à la Syrie face aux efforts visant à saper la sécurité et la stabilité du pays[1] ».

En Syrie, c'est l'escalade. Bachar el-Assad mise sur la « polarisation confessionnelle, censée dissuader une protestation pacifique qui, au mépris de l'évidence, est associée au "salafisme", au terrorisme et aux "bandes armées"[2] ». Il réprime dans le sang une contestation non violente. En avril, les États-Unis élèvent la voix. En mai, l'Union européenne impose des sanctions à Bachar el-Assad et à une vingtaine d'autres dignitaires du régime syrien, dont son frère, Maher, qui commande la garde républicaine et la VIe division mécanisée. En juin, l'armée syrienne se déploie aux frontières du pays pour verrouiller le territoire. En juillet, face à la mobilisation qui ne faiblit pas, la répression se durcit encore. On compte au moins 25 morts à Hama dans la nuit du 3 au 4[3], 16 morts à Damas le 15, tandis que Bachar el-Assad lance une « offensive majeure » contre Homs, tuant une cinquantaine de personnes entre

---

1. « How Saudi Arabia and Qatar Became Friends Again », *Foreign Policy*, 21 juillet 2011.

2. *In* Jean-Pierre Filiu, *Le Nouveau Moyen-Orient, op. cit.*

3. « C'est sans doute alors qu'Ibrahim Kachouch (un chanteur de Hama qui anime des meetings politiques à l'air libre en faisant entonner par un public aux anges "Bachar, dégage !", et dont le répertoire s'enrichit vite d'autres refrains iconoclastes qui se répandent depuis Hama dans tout le pays) "disparaît", enlevé par des tortionnaires qui jetteront sa dépouille dans l'Oronte. Les cordes vocales arrachées du chanteur valent châtiment barbare de son audace envers le président. » *Ibid.*

les 16 et 19 juillet. Le 31 juillet, veille du ramadan, l'assaut lancé par l'armée syrienne fait 100 morts à Hama et 19 à Deir Ezzor. « Ce bilan est déjà le plus sanglant depuis le début de la révolution. Il est probablement encore plus lourd : selon le procureur Adnane Bakkour, passé plus tard à la dissidence, 72 personnes sont sommairement exécutées à la prison centrale de Hama le jour même de l'assaut, déplore l'ancien diplomate. Le mois de ramadan s'achève sur un terrible bilan d'au moins 360 civils tués (dont 14 femmes et 25 enfants, ainsi que 28 morts sous la torture). »

Le 3 août, le Conseil de sécurité des Nations unies s'empare du dossier et adopte une déclaration non contraignante condamnant les « violations généralisées des droits de l'homme et l'usage de la force contre les civils par les autorités syriennes », tandis qu'un nouvel assaut des blindés dans Hama fait au moins 45 morts selon un militant qui a réussi à quitter la ville. En octobre, la rébellion se dote d'une organisation : le Conseil national syrien (CNS), qui réunit les principaux courants de l'opposition à Bachar el-Assad. Le 4 octobre, la Russie et la Chine opposent leur veto au Conseil de sécurité de l'ONU à un projet de résolution condamnant la poursuite de la répression et les violations des droits de l'homme par les autorités syriennes.

Au sein de la Ligue arabe, le Qatar joue un rôle-clé. À la tête de la délégation ministérielle de la Ligue, HBJ débarque à Damas le 26 octobre 2011 pour tenter une énième médiation au lendemain d'un nouveau massacre survenu quelques jours plus tôt et qui a fait 27 morts, dont 11 militaires. Le 12 novembre, la Ligue arabe suspend la Syrie. Deux jours plus tard, le roi Abdallah de Jordanie appelle Bachar à démissionner ; c'est le premier chef d'État arabe à s'exprimer ainsi. Le 19 novembre, le président syrien affirme au *Sunday Times* que la répression de la contestation se poursuivra malgré les pressions internationales et que la « Syrie ne cédera pas ». Fin 2011, on parle pour la première fois de « guerre civile » et de « crimes contre l'humanité » commis en Syrie.

« En Syrie, les intimes de Bachar, Hamad et HBJ, se sont soudain retournés contre lui. Al Jazeera, qui était demeurée plutôt prudente, a alors basculé dans le soutien inconditionnel à la révolution, souligne Jean-Pierre Filiu. C'est la chance d'un régime dirigé par une structure compacte et légère à son sommet, mais dépourvu de système politique digne de ce nom, que de pouvoir changer d'orientation du jour au lendemain. Et cela sans états d'âme ni hystérésis bureaucratique, tout en étant relativement épargné par les convulsions qui agitent une région traversée de bouleversements révolutionnaires. »

« Si vous aviez rencontré le même émir il y a deux ans, il faisait l'éloge d'Assad et le considérait comme un ami très cher. Ils avaient des relations familiales, passaient leurs vacances en famille à Damas et parfois à Doha. Il y a là une question importante : que s'est-il donc passé ? » demande en août 2012 Walid Muallem, ministre des Affaires étrangères syrien[1]. Le journaliste Robert Fisk lui raconte alors le déjeuner qu'il a partagé avec l'émir du Qatar, un an plus tôt, en novembre 2011. Hamad était déjà furieux contre Bachar el-Assad qui n'avait pas respecté leur accord visant à autoriser les Frères musulmans à revenir en Syrie, et ne cessait de lui mentir.

---

1. « "We believe that the USA is the major player against Syria and the rest are its instruments" », *The Belfast Telegraph*, 28 août 2012.

« En 2010, l'émir Hamad s'est senti floué par la Syrie, précise Mounir Chafiq. Damas, Ankara et Doha s'étaient mis d'accord pour soutenir la candidature d'Iyad Allaoui[1] aux législatives irakiennes, mais, à la dernière minute, Bachar el-Assad a changé d'avis et soutenu le candidat de l'Iran. Un an après, début 2011, au Liban les ministres du Hezbollah et du mouvement du 8-Mars [membres du gouvernement issu des accords de Doha signés en mai 2008] ont démissionné. L'émir a considéré cette démission comme une trahison de Bachar et de ses alliés. À partir de là, le Qatar a été évincé de la scène libanaise. Après ces deux incidents, mal vécus par l'émir du Qatar, des révoltes se sont développées en Tunisie, en Égypte, en Libye... Le Qatar s'est senti le principal acteur de la région, il a imaginé qu'il pouvait changer la donne en Syrie et y renverser le régime. Mais l'émir a fait une mauvaise analyse de l'origine de ces révoltes. Et il n'a pas pris en compte le soutien de l'Axe de la fermeté (reliant Damas, Moscou et Téhéran)[2]. » La rupture était consommée.

« J'ai dû rencontrer l'émir à Doha en novembre 2011, lorsque la Ligue arabe a lancé son initiative, et nous avons conclu un accord, poursuit Walid Muallem. Pendant que je l'attendais, l'émir, qui terminait un rendez-vous avec le leader du parti tunisien Ennahda, a donné l'ordre de payer 150 millions de dollars à Ennahda pour l'aider dans sa campagne électorale[3]. » Émanant de l'un des principaux propagandistes de Bachar el-Assad, ces affirmations méritent d'être toutefois prises avec prudence.

---

1. Premier ministre par intérim du gouvernement irakien entre mai 2004 et avril 2005.

2. Entretien, 23 avril 2013, avec Pierre Péan.

3. Rached Ghannouchi a aussitôt démenti.

« Si vous acceptez cette initiative, je change l'attitude d'Al Jazeera concernant la Syrie, je dis à Al-Qaradawi de soutenir la réconciliation et je mets des milliards de dollars dans la reconstruction du pays », suggère alors Hamad. En vain.

« L'implication du Qatar en Syrie comme en Libye relève d'un calcul stratégique qui se résume pour l'émirat à se positionner en pointe sur une action très populaire aux yeux de l'ensemble de la région[1] », récapitule Mehran Kamrava, directeur du Centre d'études régionales et internationales de Georgetown au Qatar. Pour cela, Doha prend le leadership au sein de l'opposition à Bachar el-Assad et mobilise par tous les moyens. Doha est ainsi le plus ardent soutien du Conseil national syrien (CNS). Proclamé à Istanbul en octobre 2011, celui-ci réunit les différentes composantes de l'opposition en exil. À ne pas confondre avec la Coalition, un CNS élargi à d'autres composantes « nationalistes », dont le but est de présenter un front uni à la communauté internationale. Cette instance est d'ailleurs considérée comme le seul représentant légitime de l'opposition syrienne, établie dans l'émirat en novembre 2012. Le Diwan a joué un rôle majeur dans sa création et il lui a confié le 13 février 2013 les clés de l'ambassade syrienne à Doha. « Tout est entrepris pour que Doha soit considérée comme la capitale de l'opposition où l'avenir de la Syrie est pensé et préparé », constate un télégramme diplomatique de l'ambassade de France au Qatar[2].

---

1. Entretien, 10 avril 2013.
2. « Le Qatar et la Syrie : histoire d'un désamour. Réflexions sur l'engagement qatarien dans la crise syrienne », 11 octobre 2012, cité par Christian Chesnot et Georges Malbrunot, *Qatar, les secrets du coffre-fort*, op. cit.

En trame de fond, le Qatar joue son influence et, au-delà, son existence face à celle de son rival historique, l'Arabie saoudite. « En Syrie s'affrontent les deux ennemis du Qatar : l'Arabie saoudite et l'Iran, rappelle Alain Chouet. Le Qatar doit faire en sorte que la Syrie ne bascule ni du côté des salafo-jihadistes contrôlés par l'Arabie saoudite, ni du côté des chiites iraniens à travers le pouvoir recouvré des Alaouites. Le Qatar doit être présent pour tenter de contrôler, autant que faire se peut, les évolutions de façon telle que la situation ne bascule pas irrémédiablement du côté saoudien ou du côté iranien. » Et de décrypter : « La guerre en Syrie est aujourd'hui présentée comme un affrontement entre chiites et sunnites. En effet, il y a bien affrontement. L'Arabie saoudite cherche à établir un axe sunnite entre elle et la Turquie. Dirigée par un gouvernement issu des Frères musulmans, la Turquie pourrait, avec ses 74 millions d'habitants, être le bras armé d'une Arabie saoudite qui ne dispose pas de gros moyens militaires. Dans cette perspective, l'Arabie s'oppose à la création d'un axe qui unirait, à travers l'Irak et la Syrie, le Hezbollah et l'Iran. C'est-à-dire un axe sunnite croisant un axe chiite. Cette problématique est bien réelle. » Mais, à la différence de l'Arabie, l'émirat ne croit pas à cet affrontement entre sunnites et chiites. « Le Qatar considère que l'Arabie se fourvoie en mettant en scène, en dramatisant, voire en alimentant un antagonisme religieux qui est au fond largement artificiel, analyse Jean-Pierre Filiu. Cet antagonisme remonte à la mort du Prophète qui n'a pas laissé de testament politique. La toute jeune communauté des musulmans s'en est trouvée profondément divisée. Les chiites ont mis en avant la légitimité de la famille du Prophète tandis que les sunnites ont accepté un chef désigné par consensus. Ces querelles de pouvoir ont pu revêtir une

forme très violente. Néanmoins, tout au long des qua-
torze siècles d'histoire de l'islam, les phases d'affrontement
entre sunnites et chiites ont été relativement limitées. » Le
politique prime sur le religieux. Pour illustrer son analyse,
il souligne d'ailleurs que le « Qatar poursuit ses relations
avec l'Iran ».

Pour Doha, l'enjeu est d'étendre son leadership aux
dirigeants qui gouverneront, demain, la Syrie. Si l'on peut
dire schématiquement que Riyad soutient principalement
les salafistes, tandis que Doha arme et finance notamment
les groupes de combattants affiliés aux Frères musulmans,
les choses sont moins tranchées sur le terrain. Chacun aide
celui que l'autre ne soutient pas. Or, le conflit s'enlisant,
les Syriens se retrouvant totalement livrés à eux-mêmes
face à la machine de guerre d'Assad, le champ de bataille
est en proie à une violente montée aux extrêmes, comme
l'illustre notamment la puissance croissante du front Al-
Nosra. La discipline de ses combattants et leur expertise
en matière d'attentats-suicides leur permettent de s'imposer rapidement au sein de la rébellion[1]. Apparue en
janvier 2012, Al-Nosva est inscrit par Washington sur la
liste des organisations terroristes en décembre 2012. Ce
front, le chef d'Al-Qaïda, Ayman al-Zawahiri, affirmera en
novembre 2013 qu'il devient la « branche » d'Al-Qaïda en
Syrie. Un front que le Qatar financerait en partie, d'après
des preuves que détiendrait Bagdad[2].

Face à cette montée aux extrêmes, les Occidentaux
redoutent que le précédent libyen ne se reproduise et exigent

---

1. « La mosaïque rebelle, des groupes aux intérêts parfois opposés »,
Le Monde, 17 septembre 2013.

2. *In* Christian Chesnot et Georges Malbrunot, *Qatar, les secrets
du coffre-fort, op. cit.*

des garanties sur les armes fournies afin qu'elles ne tombent pas entre les mains de groupes jihadistes. Or les « Qataris considèrent que les destinataires importent peu ; ce qui compte, c'est de faire tomber Bachar », affirme un ancien haut fonctionnaire américain[1].

Revenons à la première rencontre officielle entre Hollande et HBJ, le 7 juin 2012. Au sortir de leur entretien, les deux hommes « condamnent la poursuite de la répression sanglante en Syrie ». Leur position est ferme. Mais rien d'autre que des mots n'est alors avancé par Paris. Ce qui est loin de satisfaire Doha, qui attend de la France qu'elle livre des armes aux insurgés.

Le sujet resurgit en pleine torpeur estivale. Nicolas Sarkozy s'exprime publiquement le 7 août 2012. Quel sujet lui semble si important que l'ex-président rompe le silence auquel il s'est astreint depuis son départ de l'Élysée, trois mois plus tôt ? Un dossier sur lequel son ami, le Qatar, est aux avant-postes. Un dossier, il est vrai, d'une extrême gravité : la Syrie. Sarkozy vient de s'entretenir pendant quarante minutes avec Abdel Basset Sayda, président du Conseil national syrien. Un échange conclu par la diffusion d'un communiqué commun : « Ils ont constaté la complète convergence de leurs analyses sur la gravité de la crise syrienne et sur la nécessité d'une action rapide de la communauté internationale pour éviter des massacres », précise ce texte qui ajoute que les deux hommes « sont convenus qu'il y a de grandes similitudes avec la crise libyenne ». Le communiqué survient quelques jours après une indiscrétion : Nicolas Sarkozy aurait critiqué la position de Hollande – qui n'aurait pas encore

---

1. « How Qatar Seized Control of The Syrian Revolution », *Financial Times*, art. cité.

pris la « dimension du poste » – concernant la Syrie : « On m'a critiqué sur la Libye, mais moi, au moins, j'ai agi. Il faut être plus ferme contre le régime de Damas, beaucoup plus ferme[1] ! »

Hollande se demande-t-il si Sarkozy agit en service commandé ? Le Qatar cherche-t-il à faire pression par son entremise sur le nouveau président, espérant que la France renoue avec le comportement qui était le sien du temps de la présidence sarkozyenne ? Ce serait tout bénéfice pour l'émirat.

Montant au créneau pour défendre leur héraut, les sarkozystes et l'UMP s'insurgent : il est question du rang de la France dans le monde ! tonnent-ils. Une pression supplémentaire exercée sur Hollande pour qu'il accepte de vendre au Qatar des armes que ce dernier compte livrer aux généraux syriens qui ont fait défection ? Doha le lui a d'ailleurs directement demandé pendant l'été. Hollande a refusé.

Le Qatar n'abandonne pas. Le 22 août 2012, le chef de l'État reçoit l'émir Hamad al-Thani à l'Élysée. C'est la première fois que les deux hommes se rencontrent. Au menu, à nouveau la Syrie. « Le président de la République a souligné qu'il ne peut y avoir de solution politique sans le départ de Bachar el-Assad », avant d'affirmer que la France et le Qatar « ont décidé de coordonner leurs efforts afin qu'une transition politique ait lieu en Syrie de manière ordonnée et dans les plus brefs délais ». Mais ces efforts ne porteront pas sur les armes. Du moins pas pour le moment. C'est ce dont discutent alors Jean-Yves Le Drian, ministre de la Défense, et son homologue qatari, reçu parallèlement à la rencontre de l'Élysée. « La France, précise au *Monde* l'entourage du

---

1. « Nicolas Sarkozy à l'heure d'été », *Le Parisien*, 29 juillet 2012. Propos démentis par son attachée de presse.

ministre, ne s'apprête pas pour autant à suivre le Qatar dans sa politique de financement des achats d'armes par la rébellion syrienne. Paris s'en tient à des livraisons d'équipements militaires "non létaux", par exemple des appareils de vision et de communications cryptées, en phase avec l'approche suivie par les États-Unis et le Royaume-Uni. Les discussions avec les Qataris semblent s'être centrées sur la préparation du "jour d'après", c'est-à-dire d'après la chute du président syrien Bachar al-Assad. "Les Qataris ont des renseignements, ils les livrent à l'Armée syrienne libre et connaissent ses besoins", indique-t-on de source française[1]. »

Nouvelle réunion au sommet le 11 septembre, toujours à l'Élysée, mais cette fois avec HBJ. « Ils ont évoqué la situation en Syrie et envisagé les prochaines initiatives au sein du groupe des Amis du peuple syrien, ainsi que dans la perspective de la prochaine Assemblée générale des Nations unies qui aura lieu à New York à la fin de septembre », précise le communiqué de l'Élysée. Hollande confirme sa position lors de l'interview qu'il accorde à France 24, TV5 Monde et RFI le 11 octobre 2012 : « Le Qatar soutient l'opposition à Bachar el-Assad après avoir été, dans l'histoire récente, un de ses soutiens. [...]. Il veut favoriser l'opposition, nous aussi. Nous disons donc qu'il faut fédérer l'opposition et préparer l'après Bachar el-Assad. Cette transition doit être une transition vers la démocratie, pas vers le chaos. » Et de préciser : « Le Qatar a sa place, il peut aider, soutenir, et nous le faisons en bonne intelligence. Mais, pour nous, il n'est pas question de fournir des armes à des rebelles dont nous ne saurions rien des intentions. »

---

1. « La France coordonne avec le Qatar son aide à la rébellion syrienne », *Le Monde*, 23 août 2012.

Pourtant, François Hollande, lors d'une rencontre avec HBJ à l'automne 2012, aurait confirmé les « opérations clandestines engagées entre les services français et qatariens en appui à l'opposition syrienne » : « Paris a déstocké des centaines de pièces. Soucieux de pouvoir écouter les conversations des rebelles, les techniciens français ont reconfiguré les appareils radio réclamés par nos amis qatariens. Tout cela a bien sûr coûté de l'argent : environ 14 millions d'euros selon un membre de l'état-major. Peu importe : il s'agit d'aider les combattants de la liberté syriens. Problème : lorsque la marchandise a été prête, les Qatariens n'ont pas voulu régler la facture[1]. »

La famille Al-Thani aura obtenu trois rencontres officielles en l'espace de trois mois : en ce premier automne de la présidence de François Hollande, le Qatar peut s'enorgueillir d'être le pays qui a été reçu le plus de fois à l'Élysée depuis le début du quinquennat. La crainte d'une rupture avec la politique du « tout-Qatar » menée par Sarkozy s'est-elle diluée dans les méandres de la Realpolitik et, surtout, dans le marasme lié à la crise financière ? Est-elle révélatrice du trouble du nouveau président face au dossier qatari ? Comment le gérer ? Surtout, que contient-il ? Jusqu'où s'étendent les prébendes accordées par son prédécesseur à la famille Al-Thani ?

---

1. In Christian Chesnot et Georges Malbrunot, *Qatar, les secrets du coffre-fort, op. cit.*

21.

Guerre au Mali : l'explosion des contradictions

Le 15 janvier 2013, quatre jours après l'engagement militaire de la France au Nord-Mali, le Qatar lâche Paris : « Je ne pense pas que la force règlera le problème », déclare HBJ en suggérant de nouer le dialogue. Le 11, François Hollande a prononcé une déclaration solennelle pour annoncer que la France entre en guerre contre les bandes armées qui se sont emparées du nord du pays. Celles-là mêmes qui commettent des exactions en se réclamant de la charia et dont certaines détiennent des otages français.

Le Diwan est, pourtant, un allié de l'Élysée, et l'intervention française est loin d'être précipitée. Cela fait plusieurs années déjà que des groupes armés étendent leur influence au Sahel, depuis la Mauritanie jusqu'au Soudan en passant par le Mali, le Niger et le Tchad, et qui englobe une partie du Nigeria. La région est désormais devenue l'épicentre de tous les trafics, et le Mali, une étape stratégique sur les routes de la cocaïne. « Ces routes étaient contrôlées par un certain nombre de bandes criminelles, essentiellement algériennes, connues sous le nom d'Al-Qaïda au Maghreb islamique, AQMI, retrace

Alain Chouet. On les dit jihadistes le jour et Marlboro la nuit. Elles vivent beaucoup plus de trafic – cigarettes, drogues, otages – que d'activité politique. » Et d'ajouter : « Le Mali était une excellente plaque tournante pour tous les trafics entre le golfe de Guinée et le Maghreb, puis, de là, vers l'Europe. » Pauvreté, corruption endémique, porosité des frontières et augmentation croissante de la demande européenne de stupéfiants ont fait de la région le passage obligé des grands cartels, notamment sud-américains. Dans les marges de ces flux criminels prospèrent les organisations terroristes, au premier rang desquelles AQMI.

En 2005, AQMI désignait déjà Paris comme son principal ennemi. Mais ce n'est qu'en 2008 que la région est devenue une « priorité » pour les services français[1]. Un premier plan d'action – nom de code : « Requin » – est élaboré un an plus tard. Preuve que le risque est réel : plusieurs tentatives d'infiltration en territoire français ont lieu en provenance du Sahel. Entre 2009 et 2013, cinq attentats sont ainsi déjoués en France même, tandis qu'une quinzaine d'affaires directement liées au Sahel sont confiées aux juges antiterroristes. Dès 2011, AQMI menace de commettre des attentats en France. Nicolas Sarkozy comprend alors qu'esquisser des scénarios ne suffit plus, qu'il est temps de passer à l'action. Benoît Puga, son chef d'état-major particulier, le presse d'agir ; mais le président refuse de multiplier les terrains d'intervention alors que la France est déjà engagée contre Kadhafi.

La guerre terminée en Libye, le pays n'est plus qu'un agrégat de territoires morcelés sous l'emprise de bandes

---

1. Lire Isabelle Lasserre et Thierry Oberlé, *Notre guerre secrète au Mali*, Fayard, 2013.

armées, où prospèrent trafiquants et terroristes, tandis que le pays exsangue s'enfonce dans la violence et le chaos. Et les va-t-en-guerre d'hier ? Ils ont passé leur chemin, abandonnant les populations à leur triste sort. Le résultat est là : la Libye est dans un état catastrophique. « Une partie de la population, notamment la communauté tou-bou et les Noirs libyens, font l'objet de campagnes de lynchage ciblées », alerte Samuel Laurent[1]. Ce consultant envoyé en Libye par des investisseurs asiatiques au début de l'année 2012 a rapporté de son voyage un témoignage accablant[2]. L'État n'existe presque plus, il s'est délité, et le peu qu'il en reste n'exerce plus qu'une très relative auto-rité. À preuve : une milice composée d'anciens rebelles a réussi à enlever, en toute impunité, le Premier ministre Ali Zeidan, coupable à leurs yeux d'avoir autorisé la cap-ture d'un responsable d'Al-Qaïda sur le sol national[3]. Le pays n'est plus qu'une juxtaposition de territoires que se disputent les différentes brigades. Le sud de la Libye, immense part du désert saharien, est devenu l'épicentre de tous les trafics. Cette vaste zone de non-droit sert de refuge aux terroristes-trafiquants. Les bastions jihadistes y prospèrent.

« Ici, le Qatar est en terrain connu ! Pratiquement tous les hommes politiques du pays entretiennent des liens privilégiés avec l'émir et son entourage. Même chose pour les brigades depuis la guerre contre Kadhafi. Aujourd'hui, Doha utilise son influence pour garantir la tranquillité des jihadistes à l'intérieur de la Libye »,

---

1. Entretien, 28 mai 2013.

2. Samuel Laurent, *Sahelistan*, Le Seuil, 2013.

3. Kidnappé par un commando armé d'anciens rebelles le 10 octobre 2013, il a été libéré quelques heures plus tard.

affirme le responsable du renseignement de la brigade Al-Toubaoui d'Oubari[1].

Enrôlés par Kadhafi, les Touareg qui ont combattu en Libye se sont repliés sur leurs terres au nord du Niger et du Mali, emportant dans leur fuite les armes dont ils disposaient. Au Mali, les premières rumeurs de soulèvement des Hommes bleus circulent dès l'été 2011. Réunis au sein du Mouvement national de libération de l'Azawad (MNLA), ils veulent conquérir leur autonomie et leur territoire, l'Azawad. Située au nord du pays, la région comprend les villes de Gao, Kidal et Tombouctou. En janvier 2012, les groupes rebelles lancent une offensive militaire pour prendre le contrôle du Nord-Mali. AQMI, le MNLA, le Mouvement pour l'unicité et le jihad en Afrique de l'Ouest (Mujao) et Ansar Dine gagnent du terrain et conquièrent progressivement le nord du pays. Les perspectives sont des plus pessimistes : si le Mali tombait, il deviendrait un État terroriste au cœur de l'Afrique de l'Ouest, aux portes du Maghreb et donc de l'Europe. Inenvisageable.

La région constitue une priorité pour les services français qui insistent notamment sur la présence, dans cet Afghanistan en devenir, d'un proche allié de la France. Début 2012, d'après *Le Canard enchaîné* qui relaie ces inquiétudes dès le 28 mars, plusieurs notes de la DGSE alertent l'Élysée : « Les activités internationales du Qatar ne se sont pas limitées à aider financièrement les révolutions en Tunisie, en Égypte ou en Libye », mais s'étendent aux « fournitures d'armes aux révoltés syriens », au « financement des Chebab, les insurgés islamistes somaliens », au « financement des groupes islamistes érythréens qui s'infiltrent en

---

1. In Samuel Laurent, *Sahelistan, op. cit.*

Éthiopie », et encore, au « financement, toujours *via* des ONG "sympathisantes", des rebelles qui parcourent le Sahel ou le Nigeria[1] ».

Le Sahel est en passe de devenir un nouveau sanctuaire jihadiste. Mais à l'Élysée, rien ne bouge. Sarkozy ne veut pas mettre en danger la vie des otages. Ceux-ci sont au nombre de six : Pierre Legrand, Marc Ferret, Daniel Larribe et Thierry Dol sont entre les mains d'AQMI depuis leur enlèvement le 16 septembre 2010 sur le site d'Areva à Arlit, au Niger[2] ; Philippe Verdon[3] et Serge Lazarevic[4] ont été kidnappés plus d'un an plus tard, le 24 novembre 2011, à Hombari, au nord-est du Mali. Et en France, on est en pleine campagne présidentielle.

Le 22 mars 2012, l'État malien, – ou du moins ce qui en tient lieu – chancelle avec le renversement du président Amadou Toumani Touré. Accusé de ne pas se montrer assez ferme, il a été victime d'un putsch. En avril, Ansar Dine, AQMI et le Mujao renforcent leur contrôle sur les régions de Kidal, Tombouctou et Gao, dans le nord du pays.

Malgré leurs différences, ces groupes ne sont pas déconnectés les uns des autres. Il est à redouter qu'« une segmentation opérationnelle – au moins ponctuelle – finisse par s'établir des côtes de Mauritanie jusqu'à la Corne de l'Afrique. Des jonctions ponctuelles entre Sahraouis, activistes marocains et Aqmistes ont déjà eu lieu et peuvent

---

1. « Le Qatar investit aussi chez les islamistes », *Le Canard enchaîné*, 28 mars 2012.

2. Ils seront libérés le 29 octobre 2013.

3. Son corps sera découvert en juillet 2013 dans le nord du Mali. AQMI avait annoncé son exécution le 19 mars 2013.

4. Il était toujours détenu en juillet 2014.

se reproduire. Les alliances entre AQMI et le MNLA ont connu diverses évolutions, donnant naissance à d'autres surgeons tels Ansar Dine et le Mujao. D'autres articulations opérationnelles entre AQMI et Boko Haram sont actives, de même qu'entre les activistes nigérians et les Chebab somaliens », décrira une étude réalisée entre mars et octobre 2013 par l'Institut de relations internationales et stratégiques (Iris) pour le compte de l'état-major de la Marine nationale. Elle alerte : « On ne peut exclure des jonctions ponctuelles entre ces différents mouvements, d'autant que leurs sanctuaires du Sud libyen constituent de véritables plateformes de formation, d'entraînement et de projection criminelle. »

15 mai 2012 : Sarkozy quitte l'Élysée, Hollande s'y installe. Deux jours plus tard, Jean-Yves Le Drian, ministre de la Défense, est briefé sur le Mali : « Si nous ne nous battons pas aujourd'hui au Sahel, nous devrons nous battre demain à Marseille », lui déclare un haut responsable militaire[1]. Le Drian « n'ignore rien de l'implication de notre ami du Qatar », selon la formule d'un officier d'état-major, dans la « capture » du Nord-Mali par plusieurs mouvements jihadistes, écrit *Le Canard enchaîné* quelques jours plus tard[2]. « Selon les renseignements recueillis par la direction du Renseignement militaire (DRM), les insurgés touareg du MNLA (indépendantistes et laïcs), les mouvements Ansar Dine, AQMI et Mujao ont reçu une aide en dollars du Qatar. » Et d'ajouter : « Ces divers groupes sont désormais présents dans plusieurs agglomérations aux frontières

---

1. *Ibid.*, p. 27.

2. « "Notre ami du Qatar" finance les islamistes du Mali », *Le Canard enchaîné*, 6 juin 2012.

du Niger, du Burkina Faso et de l'Algérie. » Ces révélations provoquent la fureur de l'ambassadeur du Qatar à Paris, qui s'en plaint aussitôt auprès des plus hautes autorités françaises.

En juin 2012, depuis son bureau basé au Niger, le Croissant-Rouge qatari envoie des émissaires au Nord-Mali. Motif officiel : évaluer les besoins[1]. La tradition veut qu'avant toute chose une organisation labellisée Croix-Rouge ou Croissant-Rouge se coordonne avec l'antenne locale. Pas cette fois. « Tous les témoignages que j'ai recueillis, notamment auprès de la direction de la Croix-Rouge malienne et du Comité international de la Croix-Rouge (CICR), confirment qu'au printemps 2012 le Croissant-Rouge qatari est entré de manière illégale au Mali, sans visa, rapporte Marc de Miramon, journaliste à *L'Humanité Dimanche,* qui s'est rendu sur place en janvier 2013. Des humanitaires présents à Gao m'ont expliqué que le Croissant-Rouge qatari est arrivé, physiquement escorté par les hommes du Mujao, que l'organisation distribuaient des vivres et des médicaments avec eux. À ma connaissance, ce sont les seuls à avoir bénéficié d'une telle protection. Les associations humanitaires présentes sur le terrain avaient le sentiment que le Croissant-Rouge qatari était sous la protection du Mujao, et l'ont interprété comme une tentative de les légitimer politiquement[2]. »

« Ma responsabilité en tant que président du Croissant-Rouge qatari est de venir en aide aux plus vulnérables, me déclare Mohammed al-Maadheed, président

---

1. « Le Croissant-Rouge du Qatar à l'œuvre au Nord-Mali », jeuneafrique.com, 26 juin 2012.
2. Interview, 10 juin 2013.

de l'organisation quand il me reçoit à Doha[1]. Notre rôle est d'être présents sur les zones de conflit, là où d'autres ne peuvent aller. C'est là que l'aide est la plus nécessaire. » Il précise : « Pour accomplir notre mission, nous devons parler à toutes les parties. Quand quelqu'un contrôle les armes, la région, vous devez lui parler. » Et d'ajouter : « Est-ce que vous les jugez ? Bien sûr, mais c'est là que la neutralité intervient. C'est une nécessité pratique, pas un jugement moral. Nous voulons alléger les souffrances dans ces zones dévastées. »

Le Croissant-Rouge qatari tient-il ses instructions du Diwan ? « Nous sommes un organisme indépendant, m'assure son président. Comme toute organisation, nous devons entretenir de bonnes relations avec notre gouvernement dans le cadre de la diplomatie humanitaire. Il m'est néanmoins arrivé de refuser certaines demandes. Ainsi, lors de l'invasion de l'Irak en 2003, j'ai refusé que nous utilisions les moyens de transport américains pour porter assistance. Nous aurions alors été perçus comme soutenant Washington... Nous faisons les choses à notre façon. Car la chose la plus importante pour nous réside dans la perception de notre neutralité. »

Une indépendance de façade, d'après Abdel Rahman Ghandour. Ancien conseiller politique auprès du représentant spécial du secrétaire général des Nations unies pour la région des Grands Lacs, il a passé trois ans au sein de la Croix-Rouge internationale et libanaise, avant de devenir chef de mission de Médecins sans frontières au Soudan, à Abu Dhabi et en Iran : « Comme la Croix-Rouge, les sociétés du Croissant-Rouge ne sont pas des associations privées, mais des sociétés nationales

---

1. Interview, 9 avril 2013, avec Pierre Péan.

qui dépendent de l'État dont elles sont des auxiliaires »,
écrit-il[1], précisant qu'elles sont toutes membres de la
fédération éponyme. « Si elles se doivent en principe de
rester indépendantes afin de défendre les sept grands
principes du mouvement international (humanité, impar-
tialité, neutralité, indépendance, volontariat, unité, universalité), ce sont en réalité de véritables institutions étatiques, tant elles sont rattachées politiquement au pouvoir
dans le monde musulman. »

« Le Croissant-Rouge qatari s'est installé à l'hôpital de
Gao – qui était l'un des QG du Mujao – et a distribué des
salaires mirobolants au personnel de l'hôpital, constate Marc
de Miramon. Tout cela m'a été confirmé par le responsable
local du Croissant-Rouge qatari en janvier 2013. Il m'a dit :
"Ces pauvres gens étaient mal rémunérés, on a donc décidé
de bien les payer." » Pratiques en totale contradiction avec
les usages de la Croix-Rouge et des Croissant-Rouge, dont
la neutralité et la discrétion leur permettent de maintenir un
lien de confiance avec les autorités et d'accéder à toutes les
zones de conflits. « Un humanitaire de la Croix-Rouge basé
à Bamako a reconnu devant moi que le comportement du
Croissant-Rouge qatari a été tout simplement inacceptable.
Par conséquent, le CICR lui a demandé de cesser ses activités », précise le journaliste.

Pour sauvegarder les apparences, le Diwan invite les
responsables de la Croix-Rouge malienne à Doha et les
convainc de signer un accord conférant un semblant de
légalité à l'opération. Et, le 2 août, le Qatar annonce
tambour battant l'envoi d'une aide humanitaire d'un montant d'1,35 million d'euros au Nord-Mali, tandis que le

---

1. *In* Abdel Rahman Ghandour, *Jihad humanitaire, enquête sur les
ONG islamiques*, Flammarion, 2002.

Croissant-Rouge qatari annonce la signature d'un accord avec la Croix-Rouge malienne pour acheminer ensemble de l'aide humanitaire[1]. « Cet accord contenait des clauses rédigées en arabe. Certains membres de la Croix-Rouge malienne m'ont fait comprendre qu'on leur avait plus ou moins forcé la main », décrypte le journaliste.

Outre le Croissant-Rouge qatari, une autre organisation basée à Doha est présente au Mali : Qatar Charity. « Nos premières actions au Mali remontent à 2007, détaille son directeur du développement international, Mohamed Ali al-Ghamdi[2]. Le Mali est un pays très pauvre qui a d'importants besoins en matière de nutrition, de logement, d'eau. Nos programmes y sont en pleine expansion... Le renversement du régime [en mars 2012] n'a pas influencé nos actions. Nous ne suivons aucun agenda politique. Pourquoi serions-nous affectés par des changements d'ordre politique ? Nous essayons de combler les besoins du peuple. Nous sommes plus proches de lui que des gouvernements ; lui ne change pas ! » Créée dans les années 1980, l'association caritative n'a été officiellement enregistrée qu'en 1992. En 2012, d'après un document interne, ses revenus s'élèvent à 159 millions de dollars, dont 73 millions provenant de fonds institutionnels. L'origine des autres fonds n'est pas précisée. Nous pouvons néanmoins supposer qu'une partie de cette manne procède de la *zakat*, c'est-à-dire de l'aumône religieuse qui constitue le troisième des cinq commandements de l'islam, après la profession de foi et la prière. La *zakat* qui, sans que les pieux donateurs soient toujours informés de la destination effective de leurs dons, constitue aussi l'une des sources de financement des organisations terroristes isla-

---

1. « Le Qatar offre de l'aide humanitaire », Reuters, 2 août 2012.
2. Interview, 10 avril 2013, avec Pierre Péan.

mistes. C'est ainsi que le nom de la Qatar Charity a surgi au détour d'une enquête menée aux États-Unis par Patrick J. Fitzgerald, ancien procureur du nord de l'Illinois. Ses investigations l'ont conduit à un dénommé Enaam Arnaout, ancien cadre de plusieurs associations caritatives, soupçonné d'être en lien avec Al-Qaïda. Parmi les différentes preuves présentées par le procureur devant la cour, un témoignage accable, en marge, l'organisation qatarie : « Aux alentours de 1993, Ben Laden a informé un cadre d'Al-Qaïda que l'orga-nisation utilisait plusieurs œuvres de charité pour financer ses opérations, parmi lesquelles Al Birr, la Ligue islamique mondiale et Qatar Charitable Society, dirigée par le docteur Abdallah Mohamed Youssef. » Dans son rapport, Fitzgerald précise : « En 1995, après l'échec de la tentative d'assassinat du président égyptien Hosni Moubarak lors d'un voyage en Éthiopie, Ben Laden s'est plaint auprès des membres d'Al-Qaïda : les fonds de Qatar Charitable Society avaient été utilisés dans l'opération. Il redoutait que la capacité d'Al-Qaïda d'utiliser des organismes de bienfaisance pour financer de telles opérations ne soit par conséquent com-promise[1]. » Difficile d'en savoir plus, le procureur et son adjoint de l'époque refusant d'évoquer l'affaire.

« Ce nom ne me dit rien », déclare pour sa part le directeur international du développement de l'organisa-tion à propos de celui qui, à l'époque, dirigeait Qatar Charity. Il confirme néanmoins que les deux dénomina-tions – Qatar Charitable Society et Qatar Charity – sont bien synonymes et désignent la même organisation. « Nous avons un problème, dans le monde arabe, concernant les

1. Government's Evidentiary Proffer Supporting the Admissibility of Co-Conspirator Statements, United States v. Enaam Arnaout, No. 02-CR-892 (N.D. Ill. filed Jan. 6, 2003).

noms. Il me faut le patronyme de la famille pour pouvoir vous répondre... mais ce nom – Mohammed Abdullah Youssef – ne me dit rien. » Et de conclure : « S'il a fait partie de notre organisation, c'était avant mon arrivée. »

L'organisation qatarie a-t-elle volontairement contribué, si elle ne les a pas couverts, à certains transferts financiers destinés au terrorisme ? A-t-elle au contraire été instrumentalisée par certains de ses membres ? Les cas sont nombreux d'ONG islamiques ayant abrité, parfois sans le savoir, des individus utilisant cette couverture à des fins terroristes.

« Nous sommes d'un grand professionnalisme, poursuit Mohamed Ali al-Ghamdi. Ce qui s'est passé dans le monde au cours des années 1990 a fait naître quelques soupçons infondés envers un grand nombre d'organismes... Nous sommes loin de ces accusations et de ces pratiques. Qatar Charity a fait ses preuves. Ainsi qu'en témoigne notre expansion, nous avons gagné la confiance des pays où nous sommes présents, nous y sommes respectés et tous nos efforts sont appréciés. » En effet, la liste est longue des pays dans lesquels l'association est présente. Parmi eux, notamment, l'Allemagne, l'Espagne, la Belgique, la France, mais aussi la Mauritanie, le Soudan, la Tunisie ou encore le Niger et le Mali.

Correspondant au Sahel notamment pour *Libération* et *Sud-Ouest*, Lemine Ould M'Salem couvre la région depuis plusieurs années. Il est passé par Tombouctou, occupé par les islamistes armés d'AQMI, alliés à Ansar Dine. Sur l'une des vidéos qu'il me montre au cours de l'été 2013, je découvre Oumar Ould Hamaha, alias « Barbe rouge », le chef d'état-major général du Mujao, qui confirme l'arrivée des Qataris dans le Nord-Mali occupé par les groupes jihadistes. Leur objectif : instaurer un

État islamique régenté par la charia. Fumer une ciga-
rette, écouter de la musique, ne pas respecter les prières
quotidiennes, tous ces comportements considérés comme
contraires à la loi islamique y sont désormais sévèrement
punis. Au Nord-Mali se succèdent les passages à tabac,
flagellations, arrestations arbitraires, voire exécutions. « Le
30 juillet [2012], à Aguelhoc, devant 200 personnes, les
autorités islamistes ont lapidé à mort pour adultère, un
homme marié et une femme avec laquelle il n'était pas
marié, d'après les informations disponibles. Elles ont également châtié des femmes qui n'avaient pas respecté leur
code vestimentaire – lequel exige que les femmes se cou-
vrent la tête, revêtent des jupes longues et s'abstiennent de
porter bijoux ou parfum – ou qui avaient eu des contacts
avec des hommes qui n'étaient pas des membres de leur
famille », précise Human Rights Watch[1].

« Une situation extrêmement dangereuse est en train
de s'installer dans le nord du Mali, alerte *Le Monde* dans
un éditorial, le 2 août. Ce drame dépasse la tragédie des
populations de la région, poussées à l'exode par la brutalité
des nouveaux maîtres des lieux. Il déstabilise les pays du
Sahel à propos desquels des diplomates évoquent déjà un
"Afghanistan de l'Afrique de l'Ouest"; selon le président
du Niger, le groupe radical Boko Haram, du Nigeria, est
désormais aussi présent dans le nord du Mali. »

Boko Haram, un groupe qui serait en liaison... avec
Doha ! C'est ce que nous murmure un haut responsable du
ministère de la Défense alors que nous cherchons des informations sur les agissements du Qatar au Mali. « Le Qatar
finance Boko Haram ! » Créée en 2002, la dénomination

---

1. Document de Human Rights Watch/Mali : « Les groupes armés
islamistes sèment la peur dans le Nord », Rue89, 25 septembre 2012.

du groupe est explicite : en langue haoussa, elle signifie
« L'éducation occidentale est un péché ». Son but : instaurer un État islamique dans le nord du Nigeria. En
juillet 2009, le mouvement répond par la violence à une
vague d'arrestations visant ses membres. L'armée intervient. Bilan des affrontements : 800 morts en une semaine.
Le leader de Boko Haram, Mohammed Yusuf, est arrêté
et tué. L'organisation plonge dans la clandestinité et se
lance dans une violente insurrection qui ensanglante le
Nigeria. Depuis, le groupe terroriste multiplie les attaques
à la bombe, les attentats-suicides et les enlèvements. Le
19 février 2013, il kidnappe les trois adultes et les quatre
enfants de la famille française Moulin-Fournier, qu'il
relâchera deux mois plus tard. Le 13 novembre suivant,
le prêtre français Georges Vandenbeusch est à son tour
enlevé. Il recouvrera la liberté le 31 décembre 2013. Un
mois plus tôt, le 13 novembre, Washington ajoutait Boko
Haram et sa branche dissidente Ansaru à sa liste des « organisations terroristes étrangères ».

Alors que l'Afrique de l'Ouest réfléchit au déploiement
d'une force africaine dans la région – déploiement auquel
la France a promis d'apporter son appui « logistique » –,
Paris est directement menacé par les terroristes. Dans un
message publié le 19 septembre 2012 sur le site mauritanien Sahara Medias, AQMI accuse la France d'avoir eu
l'« outrecuidance d'appeler à envahir le pays des musulmans maliens ». Il menace : « Cette folle initiative n'aura
pas seulement pour conséquence la mort des otages,
mais noiera la France entière dans les marécages de
l'Azawad (Nord-Mali), ce qui aura comme conséquence,
pour elle et pour son peuple, davantage de malheurs et
de drames. »

Qui se trouve derrière ces groupes qui tiennent entre leurs mains la vie de Français retenus en otages ? Qui les soutient ? Qui les finance ? Bénéficient-ils de protections étatiques ?

Les questions redoublent sur les agissements du Qatar dans la région. Le 9 octobre 2012, lors d'une conférence de presse tenue avec le secrétaire général des Nations unies Ban Ki-moon, François Hollande évoque les « financements humanitaires du Qatar qui pouvaient tomber aux mains des groupes terroristes[1] ». Interviewé par France 24, TV5 Monde et RFI, le président français témoigne deux jours plus tard du trouble existant, tant en Syrie qu'au Mali, sur les actions humanitaires de l'émirat : « J'ai demandé au Qatar, qui mène des œuvres humanitaires dans un certain nombre de pays, dont le Mali, de faire attention. Vous pensez parfois être dans l'humanitaire et vous pouvez, sans que vous en soyez pour autant responsable, vous retrouver à financer des initiatives qui peuvent être au bénéfice des terroristes. Les autorités qataries m'ont dit être extrêmement vigilantes, et je veux les croire. Je suis dans une position où je ne laisse rien passer. »

« Depuis trois mois, la DGSE multiplie les notes alarmistes, avec, on le suppose, l'espoir de convaincre le président d'*exiger que le Qatar consacre ses dollars pétroliers à de meilleures causes,* comme ironise un membre de l'état-major des armées, souligne *Le Canard enchaîné* dans son édition du 17 octobre 2012. La Direction centrale du renseignement intérieur, qui surveille les mouvements terroristes au Sahel, a elle aussi alimenté l'Élysée en rapports inquiets. Selon les notes de la DGSE, les islamistes

---

1. Cité dans « Vrai-faux démenti de la DGSE », *Le Canard enchaîné,* 28 novembre 2012.

d'AQMI, d'Ansar Dine et du Mujao, qui exercent leurs talents au Nord-Mali, ne sont pas les seuls bénéficiaires de la générosité du Qatar. »

« Les services secrets français ont assuré le gouvernement que le Qatar n'avait pas envoyé des agents sous couverture humanitaire auprès des jihadistes qui contrôlent le nord du Mali », écrit le 25 octobre Georges Malbrunot. Ce dernier précise : « "Nous avons demandé aux autorités françaises de nous fournir des preuves", nous a indiqué un officiel qatarien, démentant l'envoi d'agents dans une zone où la communauté internationale affiche sa détermination à stopper la progression des jihadistes au Sahel[1]. » Un « vrai-faux » démenti de la part de la DGSE, estimera pour sa part le palmipède[2]...

Quelques jours plus tôt, le 21 octobre 2012, le président malien par intérim était, à Doha, l'invité de l'émir Hamad al-Thani. « Dioncounda Traoré voulait ainsi faire comprendre à l'émir du Qatar qu'il valait mieux être au côté d'un État plutôt qu'avec des groupes armés, si du moins c'étaient des intérêts économiques ou géopolitiques qui poussaient le Qatar à tisser des liens avec les groupes armés », décrypte un membre de la coalition pour le Mali[3]. D'après ces déclarations, l'émir aurait affirmé n'avoir fourni aucun soutien aux groupes terroristes et dit que son pays ne pouvait être d'aucune aide dans la résolution de la crise. En revanche, une contribution

---

1. « Présence d'agents du Qatar au Nord-Mali/la DGSE dément », *L'Orient indiscret*, blog de Georges Malbrunot hébergé par lefigaro.fr, 25 octobre 2012.

2. « Vrai-faux démenti de la DGSE », *Le Canard enchaîné*, art. cité.

3. « Mission en demi-teinte pour Dioncounda Traoré au Qatar », *Jeune Afrique*, 26 octobre 2012.

exceptionnelle serait versée par le Qatar au Mali... une fois la crise résolue !

Malgré les démentis du Diwan, les soupçons persistent. De retour au Nord-Mali, le Croissant-Rouge qatari attire la suspicion. « Ça ne se passe pas de façon très orthodoxe, avec eux », déclarent à RFI des interlocuteurs installés à Bamako[1]. « Ils plantent un drapeau dans des endroits stratégiques, ce qui pourrait être déterminant lors d'une intervention militaire : l'hôpital de Gao, par exemple, est sous contrôle du Mujao et est le seul centre médical de référence dans le nord-est du pays », analysent d'autres sources de Radio France International à qui un élu local de Ménaka a confirmé la proximité des Qataris avec le Mujao : « Quand j'ai demandé au Croissant-Rouge qatari d'intervenir sur un projet humanitaire, on m'a répondu que ce n'était pas possible, car le Mujao n'était pas présent à Ménaka. »

Le 21 novembre 2012, Paris déplore un nouveau kidnapping : Gilberto Rodriguez Leal vient d'être enlevé dans l'ouest du pays par le Mujao[2]. Un otage français qui s'ajoute à ceux retenus par les groupes armés au Nord-Mali. Ils sont « vivants », annonce le ministre de la Défense Jean-Yves Le Drian, le 17 décembre, signalant que les tentatives de les libérer sont « pour l'instant » restées vaines :

---

1. « La présence du Qatar au nord du Mali : les doutes persistent », RFI, 2 novembre 2012.

2. Le 22 avril 2014, le Mujao annoncera à l'AFP la mort de Gilberto Rodriguez Leal. « Il est mort parce que la France est notre ennemie. [...] Au nom d'Allah, il est mort. » « Il y a tout lieu de penser que notre compatriote est décédé depuis plusieurs semaines du fait des conditions de sa détention », déclarera François Hollande.

« Il y a un otage de plus, donc il faut aussi enrayer ce processus et faire en sorte que tout cela se décline de la meilleure manière. » Quarante-huit heures ne se sont pas écoulées que Paris déplore un nouvel enlèvement. Le 19 décembre, le kidnapping de François Collomp[1] dans le nord du Nigeria est revendiqué par Ansaru, branche dissidente de Boko Haram.

Le 10 janvier 2013, la ville de Konna passe sous la coupe des islamistes qui menacent désormais le sud du pays et Bamako. Le lendemain, l'armée française se déploie au Nord-Mali. « D'ores et déjà, grâce au courage de nos soldats, un coup d'arrêt a été porté et de lourdes pertes ont été infligées à nos adversaires, annonce le président de la République alors qu'il informe le pays du déclenchement des opérations militaires. Mais notre mission n'est pas achevée. Je rappelle qu'elle consiste à préparer le déploiement d'une force d'intervention africaine pour permettre au Mali de recouvrer son intégrité territoriale, conformément aux résolutions du Conseil de sécurité. » Il ajoute gravement : « Je tiens à rendre hommage à nos armées. L'un de nos pilotes est mort dès les premières heures de l'affrontement. Je salue sa mémoire. »

Quatre jours plus tard, HBJ condamne à mots feutrés la démarche française. Une condamnation qui, loin d'apaiser les soupçons, les attise.

« Qui arme et finance ces groupes d'islamistes radicaux ? On dit le trafic, mais peut-être aussi…, demande dès le lendemain, 16 janvier 2013, le journaliste Jean-Michel Aphatie au ministre de la Défense, invité de la *Matinale* de RTL.

– C'est un peu de tout, répond Jean-Yves Le Drian. C'est un mélange de trafics. Trafic de drogue, bien

---

1. Il recouvrera la liberté le 16 novembre 2013.

évidemment – les chemins de la drogue passent par le Sahel. Trafic d'armes – les trafics d'armes passent par le Sahel, y compris les armes de Libye. C'est le marché noir des armes, d'une certaine manière, avec aussi l'argent des otages, de cet argent récupéré par le passé par toute une série de transactions qui avaient été faites...

– Des États ? questionne Aphatie.

– ... et c'est aussi les armes de Libye. C'est aussi les armes laissées par les Maliens... poursuit Le Drian.

– Des États ? Quelquefois l'Arabie saoudite, le Qatar ? relance le journaliste.

– Je ne peux pas vous dire, répond le ministre.

– Ou des groupes à l'intérieur de ces pays qui pourraient financer ces combattants ?

– Peut-être des groupes, concède Le Drian.

– Vous le savez, vous ne pouvez pas le dire. La diplomatie vous empêche de le dire ?

– Non. Je n'ai pas de preuves », réplique le ministre.

La question resurgit plus tard dans la journée lors du débat organisé au Sénat sur l'intervention militaire française. « Qui finance certains groupes en action au Mali, si ce n'est le Qatar ? Doit-on se voiler la face ? » demande instamment la sénatrice communiste Michelle Demessine. « En ce qui concerne les financements, veillons à ne pas prononcer d'accusations à la légère, lui répond Laurent Fabius. Nos services ont conduit des actions afin de déterminer l'origine de ces financements. Certaines accusations ont été portées, dont nous n'avons absolument aucune confirmation. C'est un paramètre auquel il faut être attentif. »

La vigilance s'impose donc pour le ministre qui n'infirme ni ne confirme les soupçons, mais tente plutôt de centrer le débat : « Pour autant, certains faits sont prouvés, malheureusement ! Drogues, armes, otages, tous ces trafics rapportent des dizaines de millions d'euros. Dans nombre des groupes dont nous parlons, on confond banditisme, terrorisme et affirmation religieuse. » Certes. Mais si l'un des principaux alliés de la France dans le Golfe soutient effectivement ces « groupes » que la France combat par les armes, cela ne devrait-il pas nous conduire à nous interroger sérieusement sur le bien-fondé de cette alliance diplomatique ?

Deux jours après que HBJ a condamné l'intervention militaire française, c'est au tour de Youssef al-Qaradawi de donner de la voix. Le 17 janvier 2013, le prédicateur star de l'émirat menace Paris : « La précipitation de la France à déclencher la guerre avant d'avoir épuisé tous les moyens de parvenir à une solution pacifique et à la réconciliation nationale, aura des conséquences dangereuses. » Dans les jours qui suivent, les pays dirigés par les Frères musulmans – que soutient notoirement Doha – embrayent. Le 21 janvier, le président égyptien Mohamed Morsi déclare « n'accepter en aucun cas l'intervention militaire au Mali », tandis que son homologue tunisien Moncef Marzouki affirme six jours plus tard qu'il est « impératif de mettre fin à cette opération ».

« Enregistré sur DVD et cassettes audio, les prêches [de Youssef al-Qaradawi] constituent autant d'appels à s'en prendre aux intérêts français à l'étranger ou sur le territoire national, analyse le journaliste Richard Labévière. Si la menace est "gérée" en métropole, la sécurisation des nombreuses infrastructures (entreprises, sites touristiques, lycées ou ambassades) s'avère autrement plus complexe. Leur vulnérabilité renvoie à la problématique asymétrique traditionnelle – rapport du faible au fort – des différents *modus operandi* terroristes : tout reste possible, en tous temps et tous lieux[1]. »

La condamnation par Doha de l'intervention militaire française est-elle évoquée par Pierre Sellal, secrétaire général du Quai d'Orsay et n° 2 du ministère, le 24 janvier ? Ce jour-là, il convie à déjeuner des universitaires, des fonctionnaires de Bercy, des hommes d'affaires et des diplomates parmi lesquels Mohamed Jaham al-Kuwari, ambassadeur du Qatar à Paris. Au menu : « L'attitude à adopter à l'égard du Qatar et la volonté de calmer le jeu », comme le rapporte l'un des invités, dans un contexte où la « participation du Qatar dans certaines grandes sociétés françaises est la bienvenue[2] », précise un autre. Contrecarrer le « Qatar bashing » plutôt que tirer les choses au clair avec l'émirat. Ce qui, dans l'idéal d'une relation diplomatique équilibrée, serait pourtant impérieux.

« Le Qatar ne s'ingère pas dans les affaires du Mali et ne soutient aucune partie contre une autre, déclare HBJ lors d'une conférence de presse organisée à Doha le 29 janvier. Le Qatar a apporté une assistance humanitaire au Mali, l'année dernière, avec l'aide du Comité international de la Croix-Rouge, et nous avons été accusés de distribuer des armes. Ce sont de fausses allégations, et notre mission n'a été qu'humanitaire[3]. »

Vraiment ? Le lendemain, *Le Canard enchaîné*, relayant les affirmations des services allemands et de militaires

---

1. « Retour d'expérience. Opération Serval : les menaces d'après... », espritcorsaire.com, 19 février 2013.

2. « Réunion secrète sur le Qatar au Quai », *Le Canard enchaîné*, 30 janvier 2013.

3. « Le Qatar confirme... sans le vouloir », *L'Humanité*, 31 janvier 2013.

français, lâche une nouvelle bombe[1] : « Deux avions gros-porteurs, en mission pour le Croissant-Rouge qatari, ont quitté précipitamment l'aéroport de Gao alors que les troupes militaires françaises se dirigeaient vers cette ville du Nord-Mali[2]. » « Ils étaient censés ne plus intervenir pour le moment[3] », précise un membre du CICR – confirmant en creux l'intervention. Malgré la teneur de l'information, rares sont ses relais médiatiques. « L'affaire des deux avions de transport C-130 du Qatar pose la question centrale et récurrente du financement du terrorisme islamiste, de ses filières de recrutement et des camps d'entraînement, insiste Richard Labévière[4] qui rappelle l'âpre bataille que se livrent Riyad et Doha pour le leadership de l'islam radical sunnite. Cette problématique ne génère pas seulement des interrogations quant au positionnement diplomatique par rapport aux monarchies pétrolières, mais aussi celle du traitement complexe de l'enchevêtrement rhizomatique de leurs pla-cements financiers débouchant sur toutes sortes d'"aide humanitaire". » Et de souligner que la « prise en compte de cet enjeu capital requiert un minimum de courage poli-tique ». Le journaliste, qui fut l'un des premiers à enquêter sur les réseaux de l'islamisme radical[5], sait de quoi il parle.

« Il faut une clarification politique de la part du Qatar, qui a toujours nié participer à quelque financement de

---

1. Également publiée par le journal allemand *Die Welt* le 27 jan-vier 2013.

2. « Avions du Qatar en fuite », *Le Canard enchaîné*, 30 janvier 2013.

3. *L'Humanité*, art. cité.

4. « Retour d'expérience. Opération Serval : les menaces d'après… », espritcorsaire.com, art. cité.

5. Richard Labévière, *Les Dollars de la terreur : les États-Unis et les islamistes*, Grasset, 1999.

groupe terroriste que ce soit et qui devrait avoir, sur le plan diplomatique, une attitude beaucoup plus ferme vis-à-vis de ces groupes qui menacent la sécurité du Sahel », s'insurge le premier secrétaire du PS sur les ondes de Radio J, le 3 février. Harlem Désir revient sur les « déclarations politiques d'un certain nombre de responsables qataris mettant en cause l'intervention de la France » au Mali, et tranche : « Cette attitude n'est pas coopérative, cela constitue une forme d'indulgence à l'égard des groupes terroristes qui occupaient le nord Mali, et qui n'est pas normale de la part du Qatar. »

Le lendemain, Laurent Fabius est l'invité de la *Matinale* de France Inter :

« Le premier secrétaire du PS, demande une clarification politique du Qatar à l'égard des troupes terroristes. Avez-vous un doute, Laurent Fabius, sur le rôle du Qatar dans cette région ? lui demande le journaliste.

– Non, répond le ministre des Affaires étrangères. Nous avons demandé aux autorités qataries quelle était leur attitude. Elles ont répondu très clairement qu'il n'était pas question pour elles de soutenir les extrémistes.

– Elles ont par ailleurs critiqué l'intervention française, rappelle le journaliste.

– Non, il y a eu une phrase du Premier ministre du Qatar, mais qui ensuite n'a pas été renouvelée. Je m'étais entretenu avec lui au téléphone et je lui avais expliqué les raisons pour lesquelles nous étions là-bas. Il m'a dit : "Je comprends très bien." Depuis, il n'y a plus eu de telles prises de position. D'autre part, nous avons demandé à nos services de faire le point, et je dois dire très objectivement que les réponses que nous avons eues ne vont pas du tout dans le sens des accusations contre le Qatar. »

Cinq jours plus tard, Jean-Yves Le Drian s'envole à destination de Doha pour une visite expresse de vingt-quatre heures. Reçu par le prince héritier Tamim al-Thani, il lui remet un message de François Hollande destiné à l'émir. Son objet, d'après l'agence officielle qatarie QNA : « les relations bilatérales et les questions d'intérêt commun ».

Pour sa part, le ministère de la Défense insiste : le Qatar est un « client privilégié de la France » dans le domaine de l'armement, soulignant que depuis 2007 les « prises de commandes se sont élevées à 450 millions d'euros pour 200 millions d'euros de matériels livrés ». Circulez, il n'y a rien à voir !

Au Parlement, les représentants du peuple n'obtiennent pas plus de précisions. Le 20 février, Daniel Reiner, sénateur socialiste et vice-président de la commission de la Défense du Sénat, s'exprime devant la commission sur les relations entre le Qatar et certains mouvements islamistes, notamment au Nord-Mali. Le sénateur rentre tout juste de l'émirat où il s'est rendu avec Xavier Pintat, sénateur UMP, pour rédiger un rapport destiné à l'assemblée parlementaire de l'OTAN. « Nous avons interrogé les représentants du Qatar [...] et tous nos interlocuteurs ont démenti l'idée que leur pays financerait des mouvements terroristes, explique-t-il. En revanche, ils ont admis que, parmi les différentes organisations non gouvernementales qataries qui recueillent des dons, certaines d'entres elles viennent en aide aux populations musulmanes, y compris dans les zones contrôlées par des mouvements islamistes comme c'était par exemple le cas du nord du Mali [avant l'intervention française]. » Ces représentants ont précisé : « Il est possible qu'une partie de cette aide destinée aux populations civiles ait été détournée par ces mouvements terroristes. Il faut savoir que les Qataris sont très pieux et qu'ils considèrent comme de leur devoir d'aider les populations musulmanes touchées par la pauvreté[1]. »

Au même moment, à l'Assemblée nationale, le directeur de la DGSE est entendu par la commission de la Défense.

« Que pouvez-vous nous dire des flux financiers en direction des organisations [terroristes], pour lesquels sont cités l'Arabie saoudite et le Qatar ? demandent les députés qui l'interrogent également sur... l'émirat et le sport !

– Le Qatar est un sujet de politique étrangère », élude Érard Corbin de Mangoux[2].

Fermez le ban.

« Le financement du terrorisme et du jihadisme au Sahel est une question récurrente », me dit François Loncle. Membre de la commission des Affaires étrangères de l'Assemblée, il suit le délicat dossier de la sécurité au Sahel. « Nos questions restent souvent sans réponse. Pourtant, nos services de renseignement sont expérimentés en matière de lutte contre le terrorisme ! Pour avoir enquêté sur le Sahel, je sais que le financement des groupes terroristes provient essentiellement des rançons. C'est pourquoi nous avons pris position contre leur paiement. Ces groupes sont également alimentés par des trafics qui se développent dans la région, et aussi par des organisations dépendant plus ou moins de certains États. À ce sujet, nous n'avons pas d'informations certifiées. Aussi est-ce une investigation qu'il convient de poursuivre. Il ne s'agit pas pour autant

---

1. « Les aveux les plus doux du Qatar », *Le Canard enchaîné*, 27 février 2013

2. « Le "Pôle emploi" djihadiste inquiète Hollande », *Le Canard enchaîné*, 3 avril 2013.

d'accuser les Qataris, mais d'être vigilant et d'enquêter pour connaître toute la vérité. »

« Au début de la crise malienne, le Qatar a dit prôner la solution politique. Nous en avons parlé avec le gouvernement français à plusieurs reprises. Il nous a dit que l'émirat n'avait rien à voir avec la situation au Mali. Si vous avez des preuves, mettez-les sur la table ! » s'emporte Mohamed Jaham al-Kuwari. Et de répéter : « Le Qatar n'a rien à voir avec le Mali[1]. »

Ce n'est pas le constat que tire l'étude réalisée par l'Iris entre mars et octobre 2013. Validé par le ministre de la Défense et transmis à la haute hiérarchie militaire française, ce rapport souligne que Doha et Riyad soutiennent bien les groupes jihadistes contre lesquels l'armée française se bat au Nord-Mali : « Avec l'appui financier et logistique des monarchies wahhabites [essentiellement le Qatar et l'Arabie saoudite] se sont ainsi formés des sanctuaires constituant autant de bases arrière des groupes salafistes armés engagés au Mali, dans d'autres pays du Sahel ainsi qu'en Syrie ».

Une démarche qui s'inscrit dans la logique du combat pour le leadership religieux que se livrent Riyad et Doha, combat qui s'est transporté sur de nouveaux espaces à l'occasion des printemps arabes. Un combat qui, indirectement, menace les intérêts de la France. Mais Paris préfère minimiser, pour ne pas dire ignorer.

---

1. Interview, 10 juin 2013.

22.

Dirigeants et footballeurs
aux pieds de l'émir

Le miroir qatari est décidément impitoyable pour les élites du football français. Alléchées par l'odeur de l'argent, elles attisent la violente rivalité opposant Canal + et BeIN Sports – au risque de mettre hors jeu la chaîne cryptée – au lieu de repenser le modèle de financement des clubs français.

Bien mal en point, ces derniers rencontrent les plus grandes difficultés à équilibrer leurs comptes. Leur principale ressource : les droits télévisés, qui représentent 54 % de leur budget – situation atypique, cette proportion tombant à 37 % en moyenne chez les autres clubs européens. « Pour enrayer la trop forte dépendance des clubs aux droits télé, il faudrait diversifier leurs recettes en misant davantage sur les autres sources de revenus : la billetterie, les produits dérivés, le sponsoring », alerte l'économiste du sport Bastien Drut. Mais, plutôt que de remédier au mal, la Ligue de football professionnelle (LFP) a privilégié un placebo d'urgence : attiser la concurrence féroce opposant Canal + et BeIN Sports de sorte à augmenter le montant des droits. Objectif atteint : le 4 avril 2014, elle a ainsi vendu les droits de diffusion des matchs de la Ligue 1 et de la Ligue 2 (saison

2016-2020) pour un montant de 746,5 millions d'euros par an. Du jamais vu en France ! Moins, cependant, que ce qu'en attendait la LFP. « C'est un demi-succès, lâche en marge de l'annonce Bernard Caïazzo, son vice-président. Nous ne sommes pas loin des 750 millions d'euros, mais on n'y est pas », laissant entendre par là que le prix escompté par Frédéric Thiriez, président de la LFP, n'a pas été tout à fait atteint.

Au terme de l'âpre bataille, Canal + remporte les droits de diffusion des « trois plus belles affiches » de la Ligue 1. Sa concurrente BeIN Sports acquiert pour sa part les droits de matchs de seconde importance. Contre toute attente, Canal +, qui redoutait de ne pas faire financièrement le poids face à sa concurrente qatarie, sauve donc sa mise. Il va lui falloir pour cela acquitter quelque 540 millions d'euros par an. « Les écarts [entre les offres] ont été assez sensibles pour que la décision soit facile à prendre », a précisé le président de la LFP en conférence de presse. Des écarts qui, selon les premières informations se compteraient en dizaines de millions d'euros. « On pensait que BeIN irait à la confrontation, et cela n'a pas été le cas, déplore Bernard Caïazzo. On avait espéré que les enchères monteraient jusqu'à 850, voire 900 millions. On pensait qu'on allait gagner, et, au final, on ne fait que match nul[1]. » La flambée spéculative tant espérée n'a pas eu lieu. BeIN Sports n'a, semble-t-il, pas surenchéri. Pourquoi ? Le Qatar aurait-il choisi cette fois de se montrer financièrement raisonnable ? L'émirat aurait-il, vu la violence des échanges avec Canal +, décidé de ne pas entacher davantage encore son image alors que plusieurs procédures judiciaires sont en cours ? Les appels à l'aide de Canal +

---

1. « Le pactole ? Quel pactole ? », *France Football*, 8 avril 2014.

auraient-ils finalement été entendus au sommet de l'État ? Nos dirigeants sont-ils intervenus auprès du Qatar pour qu'il tempère ses ardeurs ?

Menacée par l'ascension de BeIN Sports, Canal + a souligné, dans une note blanche adressée au gouvernement à l'automne 2013, la confusion des genres régnant à la tête de sa rivale, groupe dont le président, Nasser al-Khelaïfi, n'est autre que... le président du PSG ! Un trouble mélange des genres inscrit dans la genèse même de la chaîne. Alors qu'il intervenait pour faciliter le rachat du PSG par le Qatar[1], Nicolas Sarkozy aurait soufflé à ses acheteurs de lancer Al Jazeera Sport en France – laquelle sera baptisée BeIN Sports. Le président avait-il alors conscience de la situation qui serait ainsi créée ? Avocat de formation, il semble peu probable que cette potentialité lui ait échappé.

Propriétaire du PSG, l'émirat détient la chaîne qui achète et diffuse (certains) des matchs de la Ligue 1, tandis que le club est membre de droit de la Ligue française de football (LFP) : un cumul qui s'apparenterait au conflit d'intérêts. La chaîne cryptée en appelle au gouvernement pour qu'il fasse adopter « un décret en Conseil d'État » afin d'« interdire à un diffuseur qui présente des liens avec un club de Ligue 1 de participer à un appel à candidatures organisé par la LFP ». Son argument : « Le Qatar est présent aux trois niveaux-clés de la négociation des droits de la Ligue 1 : il est le principal vendeur ; il est l'un des principaux acheteurs ; il peut exercer une influence déterminante sur le commercialisateur. »

---

1. Lors du déjeuner organisé à l'Élysée le 23 novembre 2010, moyennant le soutien supposé de Michel Platini à leur candidature : voir chapitre 15, p. 220 et suivantes.

Un homme incarne cette confusion : Nasser al-Khelaïfi. Il est, comme on l'a vu, l'homme de confiance de Tamim, alors chargé de mettre en œuvre les grandes ambitions de l'émirat dans le domaine du sport, dont la France est en passe de devenir la vitrine. Outre la présidence du fonds qatari dédié aux investissements sportifs – Qatar Sports Investments (QSI) –, outre la direction d'Al Jazeera Sport, il est président du PSG, patron de BeIN Sports – et, depuis décembre 2013, ministre hors cadre du gouvernement qatari. Or les clubs sont propriétaires des droits de diffusion des matchs organisés par la LFP.

Nasser al-Khelaïfi entre en scène dès le rachat du PSG par le Qatar en 2011. Dans l'optique du lancement annoncé pour l'été 2012, le patron de BeIN Sports fait alors son marché. Son objectif : faire de la chaîne qatarie « la » chaîne du sport en général et du foot en particulier. Lancée en juin, elle n'est que la première du nom. Son rôle : servir de tête de pont à l'empire. Depuis, la marque Al Jazeera Sport a été repensée et rebaptisée BeIN Sports Monde, groupe désormais présent dans une vingtaine de pays, dont le Canada, l'Indonésie, Hong Kong ou encore les États-Unis. Preuve, si besoin était, du rôle qui lui est donné : servir de levier médiatique à la diplomatie du sport pratiquée par l'émirat et, à l'instar du PSG, crédibiliser le Qatar comme nouveau pays du ballon rond d'ici le Mondial 2022. Pour mener à bien cette ambition, Doha, qui en est propriétaire, n'est pas regardante : « Le Qatar cherche à être présent à tous les niveaux – détention de clubs et de chaînes télé dédiées au sport, organisation d'événements, etc. – à travers une stratégie d'intégration verticale. C'est une forme de marketing d'État », décrypte Frédéric Bolotny, consultant en économie et marketing du sport. En juin 2011, lors de l'attribution des droits de retransmission des matchs français par la LFP pour la saison 2012-2016, la chaîne, qui n'existe encore que sur le papier, met la main sur le lot 5 et acquiert les droits de diffusion de deux matchs de Ligue 1 par semaine (un le vendredi soir, l'autre le dimanche à 14 heures), moyennant une enveloppe de 90 millions d'euros. Le détenteur de la diffusion du championnat français depuis vingt-sept ans, Canal +, obtient pour sa part les lots 1 à 4 (qui comprennent un match le samedi à 17 heures et un autre le dimanche à 20 h 45) pour 420 millions d'euros. Voilà où en sont les deux concurrents au printemps 2011. Trois lots n'ont pas encore trouvé preneur, dont celui, crucial, qui comprend l'ensemble des rencontres de la Ligue 1, le lot 6, dit « 100 % Ligue 1 ». Nous y reviendrons.

La bataille ne fait donc que commencer. Le second round porte sur les droits de la Ligue des champions pour la saison 2012-2015. En doublant la mise et en alignant 61 millions d'euros par an en décembre 2011, BeIN Sports remporte quatre des cinq lots – soit la diffusion en direct de 133 rencontres par an, ainsi que les avant-matchs et résumés des autres rencontres –, lots qui faisaient jusqu'alors les grandes heures du foot sur Canal +, la chaîne cryptée déboursant 31 millions d'euros par an pour ces mêmes droits. Elle ne dispose plus désormais « que » de 13 affiches de premier choix – les plus « belles », sur lesquelles BeIN Sports n'a pas enchéri –, ainsi que celle de la finale jusqu'alors diffusée par TF1. Le tout acquis pour un montant de 50 millions d'euros.

Le patron de la chaîne cryptée, Bertrand Méheut, réagit aussitôt. Questionné en marge d'un colloque, le 13 décembre 2011, il critique publiquement l'arrivée d'Al Jazeera sur le marché des droits du football, affirmant que l'émergence de cet acteur « économiquement irrationnel »

est une « mauvaise nouvelle », et qu'« en réalité » l'objectif de la chaîne qatarie est « avant tout le rayonnement
culturel du Qatar[1] ». Propos qu'explicite Cyril Linette,
son directeur des sports, dans *Le Monde* du 15 décembre.
Reprenant la comparaison faite par Méheut qui inscrit la
démarche de BeIN Sports dans « celles de grands groupes
étrangers visant l'industrie française », Linette insiste sur
« le rôle déterminant [de Canal +] dans le financement
du sport, mais aussi du cinéma français », et précise dans
L'Équipe : « On subit une attaque d'une agressivité et
d'une violence absolument inouïes, c'est une forme d'im-
périalisme qui semble presque surnaturelle. » La veille, la
société des auteurs-réalisateurs-producteurs – dont sont
membres notamment Michel Hazanavicius, Costa-Gavras
ou encore Philippe Lioret – a insisté sur la « réelle per-
plexité », voire la « profonde inquiétude », dans laquelle se
trouvent plongés « le cinéma français et la création audio-
visuelle dans son ensemble ». Et de souligner : « Il existait
jusqu'à aujourd'hui un écosystème pertinent sur lequel
reposait l'alliance subtile du cinéma et du football. » « Le
job d'Al Jazira, c'est d'assurer le rayonnement culturel du
Qatar. Rien d'autre. Et c'est bien inquiétant[2]... », lâche
Rodolphe Belmer, numéro 2 de la chaîne cryptée, alors
que s'annonce le dernier round.

Il porte sur le lot numéro 6, dit « 100 % Ligue 1 », qui
n'a pas encore été attribué. La chaîne Orange Sports s'est
bien portée candidate, mais son offre, d'un montant de
10 millions d'euros, est bien en deçà des espérances de la

1. « Pour Canal +, Al-Jazira est un acteur "économiquement irrationnel" », *Le Monde*, 13 décembre 2011.

2. « Al-Jazira rebat les cartes du paysage audiovisuel français »,
Le Journal du Dimanche, 11 décembre 2011.

LFP qui en demande 90 millions. Canal + et BeIN Sports sont toutes deux sur les rangs et font une offre similaire d'un montant d'environ 240 millions d'euros pour quatre ans. La proposition de la chaîne cryptée comporte une partie indexée sur le chiffre d'affaires, tandis que celle de la chaîne qatarie promet le versement de 80 millions les deux premières années, et 40 millions ensuite – « une avance de trésorerie déguisée mais appréciable pour certains clubs au bord de l'asphyxie[1] ».

La réunion décisive a lieu dans les bureaux du cabinet anglo-saxon Clifford Chance, situés place Vendôme, le 23 janvier 2012. Les deux concurrents défendent leurs couleurs devant le comité de pilotage. Participent Frédéric Thiriez, président de la LFP, Jean-Michel Aulas, président de l'Olympique lyonnais, Bernard Caïazzo, président de l'AS Saint-Étienne, Jean-Pierre Louvel, président du club havrais, Olivier Sadran, président du Toulouse Football Club, et Michel Seydoux, président du LOSC lillois – on retiendra leurs noms. À l'issue des discussions, la Ligue décide d'entrer en négociation exclusive avec BeIN Sports qui se voit ainsi attribuer le lot 6.

« Lors de l'appel d'offres pour la diffusion de la Ligue 1 sur la période 2012-2016, le montant des droits auraient certainement baissé sans la présence de BeIN Sports. Or, ces droits sont vitaux pour les clubs : ils constituent l'essentiel de leurs revenus, m'explique Bastien Drut. Canal + voulait faire baisser le montant des droits, BeIN Sports a permis d'enrayer le processus et de maintenir le budget des clubs de Ligue 1, financés en partie par la vente des droits de diffusion des matchs. »

---

1. « Canal + *vs* BeIN Sports : pourquoi tant de haine ? », *France Football*, 25 mars 2014.

BeIN Sports a réussi son coup. Pour son lancement en juin 2012, elle peut se targuer de diffuser l'essentiel de la Ligue 1 et de la Ligue des champions, l'intégralité du championnat espagnol (dont le fameux Clasico Real-Barça), la moitié des championnats allemand et italien, ainsi que tous les matchs de l'Euro 2012. Si le football constitue son produit d'appel, elle diffuse en tout seize sports parmi lesquels le championnat américain de basket (NBA), la Ligue des champions en handball, le rugby à XIII, la NFL (Superbowl)...

En sus de présider le PSG et BeIN Sports, Nasser al-Khelaïfi se taille rapidement une place au cœur du pouvoir footballistique. En septembre 2012, il entre au comité exécutif du syndicat des clubs professionnels, l'UCPF. Il est annoncé comme candidat au conseil d'administration de la LFP. Avant d'y renoncer. Pourquoi ? « Les services juridiques de l'UCPF ont étudié ce cas de figure et conclu qu'il y avait bien, en l'espèce, un conflit d'intérêts », révèle alors un président de club[1]. Un conflit que minore Jean-Michel Aulas, patron de l'OL : « Dans l'absolu, il est vrai que la place de Nasser au conseil de la Ligue aurait pu interpeller. Mais je trouve dommage, d'un autre côté, que l'on se prive de son expérience et de son ouverture internationale. »

De son côté, Canal + ferraille sec. Tout au long de l'hiver 2012-2013, la chaîne cryptée cherche à persuader les parlementaires de voter une loi réservant à la télévision numérique terrestre des événements sportifs d'importance nationale, événements dont il s'agirait de dresser la liste afin de permettre au plus grand nombre

---

1. « PSG. Nasser al-Khelaïfi évite le conflit d'intérêts », leparisien.fr, 13 septembre 2012.

de téléspectateurs de les suivre gratuitement. « Le fait est que Canal + est diffusé sur la TNT, ainsi que ses deux chaînes D8 et D17. Mais pas BeIN Sports, son nouveau rival... Car la loi interdit à un opérateur extra-européen de posséder plus de 20 % du capital d'une chaîne de la TNT[1]. »

Jean-François Lamour, ancien ministre des Sports entre 2002 et 2007 et député (UMP) de Paris, dénonce la démarche : « Si tel était le cas, ce serait une option un peu bizarre. La qualité de l'offre repose sur la rareté. En faisant ça, Canal + s'affaiblirait elle-même. En outre, je ne vois pas comment on pourrait imposer cela au niveau national, puisque tout se joue maintenant au niveau européen. Je doute également de la réaction du marché professionnel, notamment de la Ligue professionnelle de football (LFP) et la Ligue de rugby (LNR)[2]. »

En juin 2013, BeIN Sports fête son premier anniversaire. Elle détient désormais deux canaux de diffusion et s'enorgueillit de compter près de 1,5 million d'abonnés qui acquittent chacun un abonnement mensuel de 11 euros, et sans engagement, contre près de 40 euros pour les abonnés de Canal +. Peu importe que l'estimation de ses pertes annuelles cumulées soit en constante augmentation. Évaluées en février 2012 à 580 millions d'euros d'ici à 2016 par les analystes de la banque Natixis, leur montant a été révisé à la hausse, sept mois plus tard, pour atteindre, d'après les mêmes estimations de Natixis, 1,4 milliard d'euros. L'expertise

---

1. « Le Parlement pourrait compliquer la vie de BeIN Sports », *Les Échos*, 12 mars 2013.

2. « La bataille entre Canal + et BeIN Sports pourrait s'inviter au Parlement », BFM TV, 13 mars 2013.

conclut que « BeIN Sports ne sera jamais rentable[1] ». La chaîne qatarie aurait bel et bien perdu entre 200 et 300 millions d'euros la première année d'après Canal +. Face à des rivaux tenus de limiter leurs pertes, la concurrence semble plus que faussée. C'est ce qu'estime la chaîne cryptée qui porte plainte le 10 juillet 2013 devant le tribunal de commerce de Nanterre pour concurrence déloyale, considérant que BeIN Sports, financée à fonds perdus par le Qatar, n'obéit pas aux mêmes règles que les autres acteurs du secteur.

« Nous savions que Canal + ferait ce genre de procès, réplique au *Figaro* Yousef al-Obaidly, directeur général de la chaîne sportive qatarie. Ils l'ont déjà fait contre TPS et contre Orange, car ils veulent préserver leur position monopolistique sur la télévision payante. Canal + proclame que nous ne dépendons que des poches profondes de notre actionnaire. Mais nous pouvons prouver devant la justice que tout ce que nous faisons en termes de coût d'acquisition et de recrutement d'abonnés est totalement justifié. Nous démontrerons que nous avons une approche raisonnable de l'activité[2]. »

« Une approche raisonnable de l'activité » : allez dire ça à Air France, confronté à la féroce concurrence qatarie ! La compagnie aérienne tricolore rencontre les plus grandes peines face aux appétits – et à la force de frappe financière – des compagnies du Golfe. L'une d'elles se distingue par ses méthodes : Qatar Airways, qui, au printemps

---

1. « La campagne de Canal + contre la chaîne qatarie BeIN Sports s'intensifie », *Le Monde*, 11 juillet 2013.

2. « BeIN Sports riposte aux attaques de Canal+ », *Le Figaro*, 23 octobre 2013.

2013, a décidé de passer à la manière forte pour parvenir à ses fins. La compagnie qatarie dispose de 21 vols par semaine desservant Paris et Nice, mais en veut trois de plus. Une demande rejetée par la Direction générale de l'aviation civile qui cherche notamment à protéger Air France, confrontée à de sévères difficultés et s'apprêtant à mettre en place un vaste plan de restructuration. « Si l'on accorde des vols supplémentaires à Qatar Airways, il faudra en accorder ensuite à Emirates [Dubaï] et Etihad [Abu Dhabi]. C'est suicidaire pour Air France », confie alors un proche du dossier[1]. Peu importe à l'émirat qui, furieux, en appelle au sommet de l'État. Pour l'occasion, HBJ s'est fendu d'une lettre à Jean-Marc Ayrault. Dans la missive adressée à Matignon en avril 2013, le Premier ministre qatari, qui détient alors une partie du capital de Qatar Airways[2], rappelle aimablement à son homologue le rôle de sa compagnie dans les commandes d'Airbus, et les emplois qu'elles génèrent en France. Sous-entendu : à défaut de vols supplémentaires, Qatar Airways privilégiera désormais Boeing pour élargir sa flotte. La menace est claire. Du chantage ? Pensez-vous : le PDG de la compagnie nationale qatarie Akbar al-Baker déclare justement négocier avec EADS pour 10 à 15 A330, et précise que la commande devrait être passée quelques semaines plus tard au salon du Bourget. Une annonce opportune qui survient au moment même où *La Tribune* s'apprête à sortir l'affaire de chantage.

À cette époque, François Hollande prépare son premier voyage à Doha. Il est prévu que le sujet sera évoqué lors

---

1. « Doha fait pression sur Paris pour obtenir plus de vols pour Qatar Airways », *La Tribune*, 7 mai 2013.

2. HBJ a revendu ses parts en mai 2014.

de sa visite. Et dit que la France serait prête à céder aux exigences qataries… en échange de bien maigres contre-parties. Le Qatar obtiendrait ses vols supplémentaires s'il consentait à l'une des filiales d'Air France des contrats de maintenance sur une partie de sa flotte. « Ceci, du montant équivalent de l'impact pour Air France de la hausse de fréquences de Qatar Airways, estimé à quelques millions d'euros[1]. » Entre-temps, Qatar Airways a fermé son escale niçoise et assure désormais trois vols par jour entre Paris et Doha. Mais, contre toute attente, le sujet des contreparties n'est pas abordé lors de la visite du chef de l'État à Doha. Les pressions exercées par le Qatar resteront sans suite.

Quid du côté d'EADS ? Si le constructeur a rempli son bon de commande lors du salon du Bourget de juin 2013, Qatar Airways ne l'y a pas aidé. La compagnie qatarie n'a commandé aucun appareil malgré l'annonce opportune d'une commande imminente quand l'affaire de chantage a fuité !

Revenons au football. En coulisses, les présidents de club qui ont privilégié l'offre qatarie au détriment de celle de Canal + concernant le lot « 100 % Ligue 1 », en janvier 2012, peuvent se frotter les mains. Le mercato 2013 est pour eux un très bon cru : ils comptent désormais dans leurs équipes des joueurs issus du PSG qui défendent leurs couleurs dans des conditions financières plus qu'intéressantes.

À la tête de l'AS Saint-Étienne, Bernard Caïazzo a de quoi se réjouir. Pour la saison 2012-2013, il a pu compter

---

1. « Hollande au Qatar : Le plan pour accorder plus de vols à Qatar Airways sans nuire à Air France », *La Tribune*, 22 juin 2013.

sur le talent de Mathieu Bodmer, prêté pendant six mois par le PSG, de janvier à juillet 2013, sans option d'achat, et pour lequel le club ne prend en charge qu'un tiers du salaire !

Un an plus tard, le 12 février 2014, Roland Romeyer, président du directoire de l'AS Saint-Étienne, annoncera que son club vient de refuser l'offre de l'émirat d'entrer au capital. « J'ai encore eu hier une proposition des Qataris, expliquera-t-il sur France Bleu Saint-Étienne. Ils nous proposent de prendre une part dans notre capital. Ce n'est pas notre façon de voir. [...] Il ne faut pas confondre Saint-Étienne et Paris. Si les Qataris ont acheté le PSG, c'est pour différentes raisons, pas uniquement sportives. Il ne faut donc pas comparer cet achat avec Saint-Étienne qui est la 14e ville de France et qui est en difficulté du point de vue économique. »

Comme Caïazzo, le président du LOSC lillois Michel Seydoux n'est pas en reste. Déficitaire de plusieurs dizaines de millions d'euros[1], son club empoche 15 millions d'euros pour le transfert, le 17 juillet 2013, de Lucas Digne... au PSG. Un prix considéré comme largement surévalué par de nombreux observateurs. Ainsi, pour Daniel Riolo qui s'exprime sur RMC, le « PSG a surpayé Digne : 15 millions pour un joueur pas certain

---

1. Quand il présente ses comptes devant la LFP en décembre 2013, le patron du LOSC « prévoit notamment un résultat d'exploitation déficitaire de 46 millions d'euros, hors transferts. En intégrant l'achat et la vente de joueurs – Digne et Thauvin en tête –, le Losc espère ramener ce déficit à 20 millions le 30 juin suivant. Pour atteindre cet objectif, le club devra céder d'ici là un ou plusieurs éléments pour 10 millions ». Cf. « Les finances de Lille sont dans le rouge », *Le Parisien*, 20 décembre 2013.

d'être titulaire. Le LOSC se frotte les mains, la dette est effacée ! ». Et le chroniqueur de relever sur son blog[1] que « Paris se retrouve à présent avec un effectif surchargé. Laurent Blanc va devoir réduire le groupe à environ 20 joueurs. Au-delà, c'est ingérable ». Résultat : Digne passera les premières semaines de la saison 2013-2014 à compter les passes décisives depuis le banc de touche du PSG.

Le président du Toulouse Football Club, Olivier Sadran, a lui aussi de quoi être content. Il accueille désormais Clément Chantôme, un international du PSG convoité par différents clubs, dont l'Olympique lyonnais et des clubs anglais. Au lieu de cela, le joueur atterrit au TFC, club qui a fini en dixième position de la Ligue 1 pour la saison 2012-2013 avec un prêt sans option d'achat. Explication : le discours de l'entraîneur toulousain Alain Casanova aurait satisfait ses envies de grand club. C'est à Toulouse que Chantôme joue donc la saison 2013-2014 où une partie non négligeable de son salaire serait – comme Bodmer à l'AS Saint-Étienne – payé par... le PSG !

Avant lui, le jeune milieu de terrain Adrien Rabiot, considéré notamment par Robert Pirès comme l'espoir du foot français et courtisé par plusieurs grands clubs européens de la Premier League et la Bundesliga, a rejoint lui aussi le Toulouse Football Club en janvier 2013, avant de revenir au PSG en août. Une bonne affaire pour Olivier Sadran qui a alors une autre raison de se réjouir : en tant que PDG de la société Newrest spécialisée dans le catering aérien, il se félicite, le 4 septembre 2013, de l'accord signé au Qatar par son entreprise avec la société Oryx, spécialisée dans l'industrie du gaz : « Après Oman

---

1. Daniel Riolo : rmcsport.bfmtv/dream-team/daniel-riolo

et l'Arabie saoudite, ce *joint venture* nous ouvre de larges perspectives de développement sur l'ensemble de nos métiers dans cette région dynamique et prometteuse, grâce à de nombreux projets dans le domaine de l'Oil & Gas, de la construction et de l'inflight[1]. »

Jean-Michel Aulas, patron de l'Olympique lyonnais, peut lui aussi être ravi de la générosité qatarie. L'attaquant argentin Lisandro Lopez a été vendu le 8 août 2013 à Al-Gharafa – club qatari présidé par Hamad bin Thamer al-Thani, par ailleurs président d'Al Jazeera – à la demande du joueur et contre l'avis de l'entraîneur pour 7,2 millions d'euros.

Quelques mois plus tard, lors de l'assemblée générale annuelle des actionnaires du club lyonnais, en décembre 2013, le patron de l'OL annonce qu'il discute avec le Qatar du *naming* du stade en construction qui accueillera notamment plusieurs des matchs de l'Euro 2016 organisé en France. Si les discussions aboutissent, l'émirat achètera le nom dudit stade pour un nombre d'années à déterminer. Le montant promet d'être faramineux. Le *naming* du stade d'Arsenal a ainsi été vendu pour 147 millions d'euros pour une durée de quinze ans.

Tous ces clubs sont dirigés par des membres du comité de pilotage de la LFP, ceux-là mêmes qui ont accordé à BeIN Sports le lot « 100 % Ligue 1 ». Un deal a-t-il été négocié ? À défaut, la possibilité, pour l'un des candidats aux appels d'offres sur les droits de diffusion des matchs, de prêter voire d'acheter des joueurs aux autres clubs ne lui offre-t-elle pas un avantage considérable sur son concurrent Canal +, dénué de cette faculté ?

---

1. « Newrest Gulf au Qatar », 4 septembre 2013, sur le site internet de Newrest.

« Si le Qatar n'était pas venu acquérir des droits télévisés en France, il n'y avait plus de Ligue 1 », déclare Frédéric Thiriez, président de la LFP, le 16 septembre 2013, sur le plateau d'Eurosport. Thiriez est le principal partisan de la présence des Qataris sur le marché des droits de diffusion. À l'en croire, l'émirat serait le sauveur du foot français ! Rien ne saurait donc lui être reproché. Ainsi Thiriez refuse-t-il de dialoguer avec les supporteurs de la Ligue 2 et condamne-t-il leur attitude envers BeIN Sports. Leur crime ? Ils ont eu le tort de demander que la diffusion (et donc la tenue) des matchs de Ligue 2 aient lieu à nouveau le samedi, comme c'était le cas jusqu'à la saison 2012-2013. « Ce week-end, des banderoles […] et des slogans hostiles à BeIN Sports ont été relevés dans de nombreuses enceintes », ce qui est, « compte tenu des accords passés avec BeIN Sports un phénomène « totalement intolérable », écrit-il dans une lettre datée du 6 août 2013, destinée aux membres du conseil d'administration de la LFP et aux présidents de clubs de L1 et de L2[1]. Thiriez menace de sanctions disciplinaires les clubs, toutes ligues confondues, qui accepteraient que soient arborées dans leur stade de telles banderolles. Rappelant qu'« au-delà de la perte financière liée au changement d'horaire intervenu la saison dernière, nous avons surtout montré à notre diffuseur notre incapacité à tenir des engagements de façon respectueuse », il insiste : « Un nouvel épisode de contestation serait donc particulièrement préjudiciable à nos relations commerciales », et demande aux présidents de club de montrer la « plus grande fermeté » afin d'exclure ces banderoles des stades. Il menace même : « Faute de quoi la commission de discipline appréciera

---

1. « Le sens du dialogue selon Thiriez », SoFoot.com, 21 août 2013.

les suites qu'il conviendra de réserver aux infractions constatées. »

Le président de la LFP serait-il à ce point fasciné par le Qatar qu'il ferait sienne sa conception du dialogue – à savoir aucun ?

« Pourquoi ne pas mettre, une bonne fois pour toutes, tous les acteurs autour de la table afin de trouver une programmation qui permette de tenir compte des contraintes de chacun ? Pourquoi ne répondre aux revendications des fans que par la sanction [de leurs clubs, en l'occurrence], au lieu d'essayer de dialoguer avec eux ? », questionne *SoFoot*. Cela irait-il contre les intérêts de BeIN Sports ? Et, quand bien même, revient-il au président de la LFP de défendre les intérêts d'un groupe audiovisuel au détriment du dialogue avec les supporteurs ?

« Heureusement que le Qatar est arrivé ! » a déclaré Frédéric Thiriez. Sa religion est faite, et dans la rude bataille que se livrent les diffuseurs, son camp ne fait aucun doute : la « campagne d'opinion [lancée par Canal +] confine à l'escroquerie intellectuelle[1] ». Sont-ce là les propos d'un président chargé de représenter le football professionnel ? Quelques années plus tôt, quand Canal + se séparait du PSG, il avait pourtant considéré que le fait d'être à la fois diffuseur des matchs et propriétaire d'un club constituait une « spécificité française », et que la vente du club parisien par Canal +, alors « diffuseur exclusif de la Ligue 1 », avait pour avantage d'« éviter les soupçons de possible conflit d'intérêts ». La situation actuelle de BeIN Sports est-elle si différente ?

---

1. Frédéric Thiriez, *Le foot mérite mieux que ça*, Le Cherche-Midi, 2013.

La tension entre les deux chaînes monte d'un cran lors d'un déjeuner organisé en automne 2013 entre Nasser al-Khelaïfi et Bertrand Meheut, président de Canal+. Face à son concurrent, le patron de BeIN Sports est déterminé. « Il lui a dit que les choses étaient allées trop loin dans le rejet et le dénigrement et que BeIN n'avait pas l'intention de se laisser faire ni de renoncer[1]. »

« On a changé de registre », souffle un proche du dossier. « Lorsqu'il y a eu la guerre à mort avec TPS, se souvient l'un des protagonistes de cette bataille rangée au milieu des années 2000, chacune des deux parties savait ce que l'autre pouvait mettre sur la table, et les deux savaient qu'elles ne pourraient pas faire n'importe quoi au niveau financier. Mais là, personne ne sait jusqu'où peuvent aller BeIN et le Qatar[2]... »

Les organisations professionnelles y ont bien vu leur intérêt. En décembre 2013, Canal + négocie avec la Ligue nationale de rugby (LNR) pour les saisons 2014-2018 du Top 14. Pour les conserver, la chaîne cryptée est prête à doubler la mise et à débourser 66 millions d'euros par an, quand soudain le contenu des négociations fuitent. La LNR rompt aussitôt les discussions. Le lendemain, elle annonce remettre les droits sur le marché, moyennant un prix de réserve de... 66 millions d'euros. BeIN Sports sait alors comment se positionner. La réplique de Canal+ ne se fait pas attendre. Considérant que la LNR a utilisé le montant qu'elle proposait pour établir son prix plancher, la chaîne cryptée menace de poursuivre la ligue pour négociation déloyale. Menace qu'elle met à exécution le 20 décembre.

---

1. « Canal + *vs* BeIN Sports : pourquoi tant de haine ? », *France Football*, art. cité.

2. *Ibid.*

Un nouveau foyer d'incendie se déclare quinze jours plus tard. Le 7 janvier 2014, le contenu de la note blanche de Canal + adressée au gouvernement est révélée[1]. Séance tenante, Frédéric Thiriez entre en scène et prend à parti les présidents des clubs français. Dans une lettre à eux destinée, le patron de la LFP fustige le comportement de Canal + et une affaire qu'il juge « consternante ». Face à la polémique, le gouvernement annonce par la voix de Valérie Fourneyron, ministre des Sports, qu'il ne sera pas donné suite à la note blanche.

Mais la bataille n'est pas terminée, loin de là, d'autant plus qu'elle a débordé sur le rugby. Le 10 janvier, la LNR annonce l'interruption de l'appel d'offres portant sur les droits du Top 14, estimant que la procédure est trop affectée par les actions judiciaires « totalement infondées » lancées par la chaîne cryptée. La réaction de BeIN Sports, qui s'était positionnée, ne se fait pas attendre. Le lendemain, la chaîne qatarie menace sa concurrente : « Canal + fait tout pour protéger sa position monopolistique, déclare Yousef al-Obaidly. Elle attaque en justice l'appel d'offres du rugby et envoie aux autorités une note blanche pour empêcher BeIN Sports d'accéder à la Ligue 1. S'il le faut, BeIN Sports ira devant les autorités françaises de la concurrence pour demander que les conditions d'une juste compétition soient respectées[2]. » Mais l'appel d'offres sur le Top 14 n'a finalement pas lieu. Le 14 janvier, la LNR annonce que les cinq prochaines saisons (soit une de plus que celles initialement négociées) sont attribuées à

---

1. « Canal + veut priver les Qataris des droits de la Ligue 1 », *Les Échos*, 7 janvier 2014.

2. « Rugby : BeIN Sports menace Canal + de saisir l'autorité de la concurrence », *Le Figaro*, 11 janvier 2014.

Canal + pour un montant total de... 355 millions d'euros. D'un montant initial de 32 millions d'euros par an, le « prix » de la saison est donc passé à 71 millions d'euros annuels ! La menace d'une mise en concurrence a fonctionné. Les prix ont grimpé. Mais l'image de la LNR n'en sort pas grandie.

Entre Canal + et BeIN Sports, la tension est à son comble. Un homme l'attise encore : Frédéric Thiriez. Le 20 janvier, tandis qu'il présente ses vœux aux salariés de la Ligue du football français, il annonce qu'il compte lancer « au plus vite » la compétition pour l'attribution des droits sur les matchs des saisons 2016-2020. Avancer, donc, de plus d'un an le calendrier des négociations : elles auraient dû avoir lieu au plus tôt lors du premier semestre 2015. Mais Thiriez de glisser : « Les changements à la tête du groupe Vivendi [qui possède Canal +] nous offrent une bonne fenêtre de tir en ce début d'année 2014[1]. » Comme Vincent Bolloré monte en puissance dans le groupe Vivendi qui vient de racheter les 20 % précédemment détenus par Lagardère dans la chaîne cryptée, Canal + aura bien autre chose à faire que de se positionner dans l'urgence pour conserver son produit phare. Canal + précise aussitôt par courrier au président de la LFP combien l'initiative lui serait préjudiciable. En vain.

Le 6 mars, Thiriez lance donc la compétition pour l'attribution des droits sur les matchs des saisons 2016-2020. « Il y a des clubs locomotives qui tirent le championnat vers le haut. Le PSG et Monaco, évidemment », déclare le président de la LFP, qui ajoute poliment à la liste « Lille,

---

1. « Droits télévisés du foot : la Ligue relance la guerre entre Canal + et BeIN Sports », leparisien.fr, 21 janvier 2014.

Saint-Étienne, Marseille et Lyon ». Il évoque la volonté d'accroître la « visibilité financière » des clubs, qui « ont des difficultés dans la conjoncture actuelle, avec la crise économique, la baisse du marché des transferts, le poids des charges sociales, la suppression du DIC [droit à l'image collective], à quoi s'ajoute malheureusement la taxe à 75 % qui va nous coûter 45 millions d'euros par an pendant deux ans ». L'idée : profiter de la guerre sauvage entre Canal + et BeIN Sports pour faire grimper les enchères au-delà des 607 millions d'euros qu'avait rapportés l'attribution des matchs 2012-2016 – contre 668 millions pour la saison 2008-2012. En comparaison, le montant des droits atteint 750 millions en Espagne, 960 millions en Italie... et 1,7 milliard en Angleterre ! Les candidats ont un mois pour fourbir leurs armes.

Plusieurs « détails » pimentent l'affaire. La chaîne cryptée vient de surpayer les droits du rugby et se prépare notamment à devoir se battre sur un nouveau front : les séries et le cinéma, avec l'arrivée en France du géant américain de la vidéo en ligne, Netflix, débarquement annoncé pour l'automne 2014. Qui plus est, quelques jours plus tôt, le 20 février, BeIN Sports a mis la main sur les droits du Mondial de handball 2015 – qui aura lieu... au Qatar – et 2017 – organisé en France. Certes, l'avancement de la vente des droits de la Ligue 1 et de la Ligue 2 permettra aux clubs concernés d'avoir une « meilleure visibilité sur leurs recettes », et donc de « mieux gérer leur finances », argue Thiriez. C'est surtout, pour la Ligue, le moyen de tirer le plus grand profit financier de la guerre – présentée comme une lutte à mort – entre Canal + et BeIN Sports, quelles qu'en soient les possibles conséquences. La LFP est sûre de gagner à tous les coups. En revanche, la chaîne cryptée joue sa peau. Et sa disparition du marché des droits de diffusion marquerait l'avènement d'un seul et unique diffuseur, BeIN Sports, situation hautement périlleuse.

Hasard du calendrier : quatre jours après la mise sur le marché des droits du foot pour 2016-2020, Canal+ et BeIN Sports ont rendez-vous… au tribunal de commerce de Nanterre. L'audience fait suite à la plainte déposée pendant l'été 2013 par la chaîne cryptée. Le 10 mars, devant le tribunal, elle évalue son préjudice à 293 millions d'euros : 262 millions au titre des abonnements « perdus », 31 millions au titre du « préjudice d'image ». BeIN Sports contre-attaque et demande 66 millions d'euros de dommages-intérêts[1].

Les plaidoiries résonnent encore dans le palais de justice quand BeIN Sports marque un point supplémentaire. Le 11 mars, la chaîne qatarie met la main sur les droits du handball français dont Canal + était le diffuseur « historique » – parmi les autres exclusivités dont elle se prévalait, à savoir une partie de la Liga et de la Ligue Europa, mais aussi Wimbledon, la NBA, l'Euroligue de basket, ou encore la Ligue de diamant d'athlétisme. Montant de l'acquisition : 4 millions d'euros par saison pour cinq ans.

Juste le temps de reprendre son souffle, et BeIN Sports annonce deux jours plus tard qu'elle diffusera l'intégralité des matchs du Mondial de football 2014 organisé au Brésil[2]. TF1 lui en a revendu les droits, tout en se réservant les « 28 plus belles affiches ». Montant du deal :

---

1. « Canal + réclame 293 millions d'euros à BeIN Sports », BFM Business, 11 mars 2014.

2. Ce sont en tout près de 900 000 nouveaux abonnés que la chaîne qatarie pourrait gagner à cette occasion, d'après une étude réalisée par Kantar Sport et révélée par *L'Équipe* le 30 juin 2014.

50 millions d'euros. Le coup est rude pour Canal +, « la » chaîne du foot.

Plus que trois semaines avant le dépôt des offres pour les saisons 2016-2020 de la Ligue 1 et de la Ligue 2. Frédéric Thiriez jette de l'huile sur le feu : « Le management de Canal + devrait adopter une attitude positive et offensive au lieu de se montrer procédurier, déclare-t-il le 14 mars dans *Le Figaro*. Ce n'est pas bon pour les intérêts à long terme de Canal + ni pour son image, alors que le football lui a tant apporté et que la chaîne peut se renforcer en faisant une offre canon sur son principal levier d'abonnement[1]. » Le président de Canal + ne voit pas les choses de la même manière : « Le timing [du lancement de l'appel d'offres] n'est pas acceptable. La Ligue de football nous a vendu des droits pour quatre ans, jusqu'en juin 2016. Nous souhaitons pouvoir en bénéficier sereinement », répond Bertrand Méheut dans les mêmes colonnes[2]. Le 17 mars, il saisit le tribunal de grande instance de Paris et demande en référé la suspension de la procédure d'appel d'offres. « Ces actions sont l'illustration du comportement habituel de Canal + qui multiplie les procédures judiciaires depuis plusieurs années contre tous les acteurs de l'audiovisuel ou du marché des droits sportifs[3] », réplique Thiriez dans un courrier adressé aux présidents de club et aux membres du conseil d'administration de la LFP. Le même jour, BeIN Sports met à exécution la menace formulée quelques semaines plus tôt concernant l'attribution des droits du

---

1. « Frédéric Thiriez : Canal + doit faire une offre canon sur les droits du football », *Le Figaro*, 14 mars 2014.

2. « Ligue 1 : Canal + conteste l'appel d'offres », *Le Figaro*, 18 mars 2014.

3. « Thiriez répond à Canal + », L'Equipe.fr, 18 mars 2014.

rugby à Canal + et saisit l'Autorité de la concurrence. Quarante-huit heures plus tard, le président de la LFP se fend d'une nouvelle missive à l'attention cette fois du gouvernement et des parlementaires : les recours judiciaires déposés par Canal + « ont pour seul but d'empêcher l'émergence d'une concurrence saine sur le marché de la télévision payante et de rétablir le monopole de Canal + au détriment du consommateur comme des détenteurs de droits[1] ».

La décision du tribunal tombe le 28 mars. La demande de la chaîne cryptée de suspendre la procédure d'appel d'offres est rejetée. Il ne reste plus que quelques jours aux prétendants pour finaliser leur proposition, alors même que les appels d'offres pour la Ligue des champions et l'Europa League sont imminents. « Nous étions sûrs de notre bon droit ! Le processus va pouvoir se dérouler comme prévu, dans des conditions de concurrence loyales et transparentes pour l'ensemble des candidats. Que le meilleur gagne ! », se réjouit Thiriez.

Canal + refuse de déposer les armes et fait appel de la décision du tribunal. L'audience a lieu le 31 mars, soit quarante-huit heures avant que les candidats intéressés par les matchs de la saison 2016-2020 déposent leurs offres à la LFP. L'étau se resserre sur la chaîne cryptée. Selon une note réalisée par la banque Natixis, les droits de la Ligue 1 pourraient augmenter de 25 % pour atteindre 760 millions. C'est « quitte ou double » pour Canal +, prévient Natixis. La Ligue 1 générant la moitié des abonnements de la chaîne cryptée, « il est probable que la chaîne ne les perdrait pas totalement en cas d'abandon de la L1, mais l'impact serait très conséquent ».

---

1. « Thiriez charge Canal + », L'Equipe.fr, 21 mars 2014.

« Arrêtons la paranoïa : personne ne veut la mort de Canal +. Ce serait d'ailleurs un coup dur pour la LFP de perdre un partenaire historique d'une telle qualité », a déclaré Thiriez quelques semaines plus tôt. Et de tacler : « Cela fait longtemps que le cinéma n'est plus un moteur d'abonnements[1]. » Propos pour le moins dénigrant à l'endroit de l'industrie cinématographique. « Il pense que seul le championnat de foot intéresse les abonnés. Depuis le début des années 1980, la chaîne repose sur deux piliers : le cinéma et le sport. Les deux sont liés[2] », dénonce, le 1er avril, à la veille de la remise des appels d'offres Alain Terzian, président de l'Union des producteurs de films, qui est le mieux placé pour savoir que la chaîne est le premier financeur du cinéma français – 12,5 % de son chiffre d'affaires. Terzian attaque : « Les dirigeants de la LFP ne doivent pas être obnubilés uniquement par le fait de faire monter les enchères au seul profit du monde du football... Ce n'est pas BeIN Sports qui finance le cinéma », insiste le producteur qui lance un cri d'alarme : « L'avenir du cinéma français se joue sur un terrain de football ! Si, dans un contexte de surenchère, le football devient inaccessible pour les grands groupes hexagonaux qui financent l'exception culturelle, c'est tout le système qui s'effondrera ! »

Le soir même de sa déclaration tombe la décision de la cour d'appel : la chaîne cryptée est déboutée.

Le lendemain, les candidats à l'attribution des droits de diffusion des matchs pour la saison 2016-2020 déposent

---

1. « Frédéric Thiriez : Canal + doit faire une offre canon sur les droits du football », *Le Figaro*, art. cité.

2. « Alain Terzian : L'avenir du cinéma se joue sur un terrain de foot ! », *Le Figaro*, 1er avril 2014.

leurs offres qualitatives. Sont en lice Canal + et BeIN Sports, ainsi qu'Eurosport, Orange et le groupe L'Équipe. Le vendredi 4 avril, les résultats sont annoncés : les enchères ont atteint les 746,5 millions d'euros. Une somme en hausse de 20 %, qui ne permet pourtant pas au football français de panser ses plaies financières. « Ce résultat sécurise les clubs pour les six prochaines années, d'autant que l'Euro 2016, organisé en France, va leur permettre de diversifier leurs ressources grâce à de nouveaux stades destinés à devenir de véritables centres de profit. L'écueil de la dépendance des clubs aux droits télé est donc levé jusqu'à 2020, mais n'est pas résolu pour autant, analyse Frédéric Bolotny. Le vrai problème du foot français, c'est de retrouver une compétitivité européenne. »

Contre toute attente, Canal + élargit son offre en mettant la main sur les « trois plus belles affiches de chaque journée » de la Ligue 1, tandis que BeIN Sports remporte le reste. « S'il n'y avait qu'un seul diffuseur, ce serait très dangereux pour les clubs », souligne Bolotny qui insiste sur les effets vertueux de la concurrence – à savoir maintenir les droits au-dessus d'un certain montant – et précise que « BeIN Sports – qui commercialise les droits de diffusion de la Ligue 1 à l'international, assurant ainsi aux clubs un minimum garanti de 35 millions d'euros par an – demeure, avec Canal +, le principal bailleur de fonds du foot français ».

Plus de peur que de mal, donc, pour Canal +. Mais la chaîne a-t-elle vraiment gagné ? N'est-ce pas plutôt BeIN Sports qui a décidé de perdre cette manche-là ? La question se pose. La chaîne qatarie n'a pas surenchéri. Ce faisant, elle a fragilisé la ligne de défense de Canal +. Quelques semaines plus tard, le 28 mai, elle annonce dans un communiqué que Nasser al-Khelaïfi quitte ses fonctions de président de la chaîne. Signe de la reconnais-sance implicite de la situation, celle du conflit d'intérêts dénoncé par la chaîne cryptée quelques mois plus tôt ? Signe de la crainte que le tribunal de commerce n'utilise le cumul des fonctions de son PDG pour enfoncer BeIN Sports ? Le 18 juin, le groupe qatari peut se féliciter du sacrifice qu'elle a consenti. Le tribunal de commerce de Nanterre rend son jugement, suite à la plainte déposée par Canal + un an plus tôt. Considérant qu'il n'y a pas de concurrence déloyale, que BeIN Sports n'est « pas en position dominante sur le marché » et que Canal + dis-pose elle aussi de moyens très importants, elle déboute la chaîne cryptée.

Des consignes ont-elles été transmises depuis Doha pour calmer le jeu, ne serait-ce que dans l'attente du verdict ? Paris a-t-il fait passer des messages ? C'est ce que laisse entendre la confidence de Bernard Caïazzo, vice-président de la LFP, au sortir de l'annonce des résultats, le 4 avril 2014 : « Est-ce qu'il y a eu des pressions gouvernemen-tales ? On peut se poser la question[1]. »

---

1. « Bernard Caïazzo : "Un demi-succès, on espérait plus" », Eurosport.fr, 4 avril 2014.

23.

Soupçons de corruption
dans le rachat du Printemps

Soupçon de fraude fiscale, d'évasion, d'abus de confiance, de blanchiment d'argent sale et de corruption : tel est le contexte de l'acquisition de l'enseigne Le Printemps par le fonds personnel de l'émir Hamad al-Thani, sur laquelle enquête la justice. Si ces soupçons se transformaient en faits avérés, l'affaire deviendrait emblématique des méthodes employées par l'émirat. Mais, quand bien même les présomptions resteraient ce qu'elles sont, l'extrême opacité qui a entouré les négociations a révélé le recours à des sociétés-écrans abritées dans des paradis fiscaux. En vue de l'acquisition du Printemps, une structure *ad hoc* a en effet été spécialement créée au Luxembourg – le grand-duché n'arrive-t-il pas au deuxième rang des paradis fiscaux dans le classement réalisé en novembre 2013 par l'ONG Tax Justice Network ?

Quand l'émir décide de se porter acquéreur, il pose une condition : que son identité soit masquée. En témoigne l'une des clauses de la lettre d'intention précisant les bases de la cession. Elle stipule que l'« identité [de l'acheteur effectif] ne sera exclusivement révélée, et ce à titre strictement confidentiel, qu'aux avocats français du groupe

Borletti[1] ». Pourquoi autant de précautions ? Pour dissi-
muler les commissions exorbitantes versées en marge de la
vente ? Signée en juin 2013 pour un montant de 1,750 milliard d'euros, celle-ci aurait généré 600 millions d'euros
de commissions pour le groupe Borletti, l'un des anciens
actionnaires du Printemps, une prime de 22 millions pour
Paolo De Cesare, PDG de l'enseigne, une commission de
40 millions pour Nicolas Chassard, intermédiaire, sans
compter le prêt intragroupe de 400 millions, les reprises
de dettes du magasin...

Tout a commencé en septembre 2012. Chargé des investissements de l'émirat en France, Guy Delbès propose le
Printemps à QIA qui décline la proposition. Le principal
actionnaire de l'enseigne – le fonds RREEF[2], qui détient
70 % du Printemps et dont la sortie du capital est prévue
pour 2014 – doit en effet revendre ses parts, projet que
confirme la presse cet automne 2012. Les 30 % restants
sont détenus par le groupe Borletti qui dispose d'un droit
de préemption sur les actions de RREEF. QIA a dit non,
mais cela ne veut pas dire que les Qataris ne soient pas
intéressés. La « femme de l'ombre » qui réalise de nombreuses acquisitions pour l'émir Hamad al-Thani pense
que cette opportunité peut être saisie, la cheikha Moza
étant désireuse de se faire un nom dans le luxe. Cette
femme, Chadia Clot, convainc l'émir. Il est vrai que la

---

1. Lettre d'intention datée du 21 décembre 2012, adressée par
le cabinet Baker & McKenzie, qui représente les intérêts de French
Properties Management, filiale du fonds Mayapan BV, à Jean-Marie
Stoffel, l'avocat luxembourgeois de Borletti Group Finance et de
Borletti Group Management (actionnaires du Printemps). *In* « Prin-
temps : au bonheur du grand capital », Mediapart, 11 février 2013.

2. Fonds d'investissement géré par la Deutsche Bank.

promesse est belle : la rentabilité de l'enseigne pourrait atteindre les 12 % si le Printemps devenait une galerie commerciale de luxe, et c'est sans compter la valeur des murs, très élevée. Une fois obtenu le feu vert, Chadia Clot lance les négociations sous la supervision d'un dénommé Victor Nazeem Agha, conseiller de l'émir[1]. La consigne : faire vite. Le deal : racheter l'intégralité du Printemps.

Mandaté pour gérer le Printemps, Borletti Group Management décide justement de franchir un cap supplémentaire dans le repositionnement de l'enseigne dans le luxe et la clientèle internationale. Un business plan – nom de code : « Palermo » – est élaboré le 21 novembre 2012, comprenant un volet spécifique dédié au Printemps Haussmann – baptisé « Arthur 3[2] » – et finalisé le 5 décembre. Sa teneur : réorganisation des magasins parisiens destinés à devenir le navire amiral du luxe à la française, et augmentation des concessions accordées aux marques[3] au détriment des emplois directs dans les magasins. Dans ce nouveau schéma, les concessions recruteront des personnels sur la base d'un statut précaire, échappant aux conventions collectives des grands magasins.

Sandrine Mazetier, députée socialiste et vice-présidente de l'Assemblée nationale, qui suit de près le dossier, déplore

---

1. « Printemps : La femme de l'ombre qui a piloté, le rachat du Printemps », *Le Nouvel Observateur*, 27 juin 2013.

2. « Printemps : le plan social qui se cache derrière le rachat par le Qatar », Mediapart, 24 avril 2013.

3. Dans le cadre des concessions, le Printemps – comme de nombreuses autres enseignes – loue un espace déterminé à une marque en échange d'une redevance. Ce système concerne 72 % des personnes travaillant au Printemps à la fin de l'année 2013. En d'autres termes, près de trois vendeurs sur quatre ne sont pas des salariés du groupe, mais de marques extérieures.

la déstructuration de ce secteur d'activité : « Étant donné l'extrême fragmentation du travail, la généralisation du système de concession est inquiétante. Dans le rapport de forces économique, plus le secteur d'activité est déstructuré, moindre est la marge de manœuvre dont disposent les syndicats pour défendre les droits des travailleurs concernés. »

Au Printemps Haussmann, la perspective d'augmenter encore davantage le nombre de concessions, à travers la réorganisation des magasins et la fermeture de certains rayons, pourrait déboucher sur la suppression de 225 emplois au minimum. Pourtant, aucun plan social n'est évoqué dans le document « Arthur 3 ». Ce ne serait pas là une première pour Borletti qui a licencié dans le groupe 1 306 personnes en cinq ans sans que ne soit mis en œuvre un seul plan d'accompagnement[1] ! Mais de cela rien ne filtre pendant les négociations. Au sein de l'enseigne, aucun salarié, aucun représentant syndical n'en est informé.

Alors que circulent les noms de plusieurs repreneurs potentiels – celui des Galeries Lafayette, qui avaient déjà tenté de racheter le Printemps en 2006, celui du groupe chinois Wanda, et ceux de fonds qataris –, les trois représentants de RREEF, pourtant actionnaire du groupe à hauteur de 70 %, quittent le conseil de supervision du Printemps. Leur démission survient alors que se profile la vente du groupe. Mais cela n'a pas l'air d'inquiéter Borletti qui poursuit ses négociations et organise une réunion au sommet, le 11 décembre 2012, pour mandater un intermédiaire. Lui, c'est Nicolas Chassard[2], représentant de

---

1. Hormis la fermeture du magasin de Poitiers, qui comptait 50 salariés.

2. « Printemps : les millions de commissions promis par le Qatar », Mediapart, 3 avril 2013. « Interrogé par Mediapart, Nicolas Chassard

Saint Honoré Capital Partners, société spécialisée dans les transactions d'immeubles et de fonds de commerce. Selon les termes du projet de sa lettre d'engagement confidentielle, Chassard doit conseiller le groupe Borletti et lui présenter la société Mayapan BV – qui n'est autre que le fonds personnel de l'émir Hamad al-Thani – « et/ou » la société French Properties Management – filiale française de Mayapan, qui réalise pour l'émir de nombreuses acquisitions. La direction de French Properties Management échoit à Chadia Clot. Depuis sa discussion avec l'émir, c'est elle qui a amorcé les négociations sous la supervision de Victor Nazeem Agha.

En quoi consiste donc l'intervention de Nicolas Chassard, mandaté pour mettre en relation deux intervenants qui sont déjà en contact dans le dossier ? Se limite-t-elle à les « présenter », comme le précise le projet – ils sont pourtant en contact étroit depuis plusieurs années ? Quel est le but réel **de sa** mission ? Elle doit être plus complexe que ne le laisse entrevoir l'accord, vu les émoluments promis à Saint Honoré Capital Partners, représentée par Chassard : 25 millions d'euros si le Printemps est vendu pour une somme égale ou inférieure à 1,6 milliard ; près de 40 millions si la vente est conclue pour un montant supérieur ! Un tel tarif correspond généralement aux honoraires versés aux grands banques d'affaires qui ont travaillé pendant des mois sur un dossier de fusion-acquisition. Autre anomalie : en sus d'être rémunéré par Borletti,

---

a semblé tomber des nues. French Properties ? Le groupe Borletti ? Le Printemps ? Il n'en avait jamais entendu parler. Tout lui était inconnu. La dirigeante de French Properties, Chadia Clot, admet connaître Nicolas Chassard, mais se refuse à tout commentaire sur leurs relations ou son rôle dans Le Printemps. »

Saint Honoré Capital Partners le serait également par... French Properties ! Ne serait-ce pas l'indice d'un conflit d'intérêts ?

Dix jours plus tard, le deal est topé. Le 21 décembre 2012, le groupe Borletti signe un accord de négociations exclusives avec French Properties pour la vente du Printemps[1], qui comprend la structure dédiée à l'exploitation (Printemps SAS) et celle détenant les murs (Printemps Immobilier). Depuis 2009, Printemps SAS verse un loyer à Printemps Immobilier – lequel s'est élevé à 40 millions d'euros pour la seule année 2012[2]. Les deux sociétés appartiennent à Printemps Holding France, elle-même détenue en totalité par Printemps Holding Luxembourg. Le Luxembourg où seront versés les commissions et le produit de la vente dont les termes sont convenus entre le groupe Borletti et French Properties le 21 décembre 2012. Le prix de cession est fixé à 1,6 milliard d'euros. Telle que prévue, elle sera assortie de deux avantages considérables pour Borletti : d'une part, il se voit promettre une mission de « superviseur » – sur une durée de sept ans –, pour mettre en œuvre le « business plan », mission pour laquelle il recevra une rémunération totale évaluée à 100 millions ; d'autre part, au terme de cette période, il se verra attribuer une « prime de motivation » pouvant atteindre, d'après estimation, les 500 millions d'euros,

---

1. Lettre d'intention datée du 21 décembre 2012, Mediapart, 11 février 2013.

2. Entre le 1er avril 2012 et le 31 mars 2013, le loyer s'est élevé à 100 millions d'euros, auxquels il faut ajouter les charges locatives d'un montant de 13 millions, tandis que les frais de siège, qui sont refacturés sur les magasins, ont atteint 85 millions d'euros. Pour 2014, les seuls loyers devraient s'élever à 120 millions d'euros.

payée cash. Que les Italiens soient tranquilles : en cas de litige ou de rupture à l'initiative de l'acheteur, l'intégralité de la somme sera versée de manière anticipée – un excellent deal pour Borletti ! Outre la plus-value générée par la vente, celui-ci toucherait donc près de 600 millions d'euros ! Quand bien même ses conseils seraient des plus avisés, cette rémunération – qui équivaut à un salaire quotidien de 30 000 euros sur cinquante ans[1] ! – est on ne peut plus extravagante. Ne serait-ce pas plutôt, pour l'émir Hamad al-Thani, le prix de la garantie d'éliminer toute concurrence et d'emporter le Printemps au détriment des autres acheteurs potentiels ?

Encore faut-il finaliser la vente. D'ici là, plusieurs étapes doivent être franchies[2]. Le groupe Borletti, qui a avancé seul sans l'actionnaire majoritaire, RREEF, a conçu un plan d'action. Première étape, se faire refinancer par French Properties pour racheter les 70 % que détient RREEF en faisant jouer son droit de préemption. RREEF a déjà annoncé sa sortie programmée du capital. En revanche, Borletti ne se présente pas comme vendeur de ses parts, mais, dans les faits, évoque un « investisseur potentiel » intervenant *via* le Crédit suisse – dont le Qatar est, à travers QIA, l'actionnaire de référence. Pour lui simplifier la tâche, la banque helvète fait parvenir à Borletti la lettre à adresser à RREEF, lettre dans laquelle le Crédit suisse précise que son client, « investisseur potentiel du groupe Borletti, est de première ordre et est très bien connu de [la] banque ». Borletti n'a plus qu'à ajouter son en-tête, la date de l'offre et le montant sur le courrier !

---

1. « Le casse du siècle ? », tract UGICT-CGT Printemps, 5 mars 2013.

2. Elles sont listées dans un document classé « confidentiel » daté du 31 janvier 2013.

Une fois cette première étape franchie, il est prévu qu'une société agissant pour French Properties acquerra les parts des autres actionnaires minoritaires, à savoir le groupe Allianz, les frères Picard, le groupe Naouri et Dassault. Le groupe Borletti s'est engagé à préserver l'anonymat de l'acquéreur final. Divine Investments SA, société-écran détenue par Mayapan BV – qui détient également French Properties – est fondée pour l'occasion. Sa création est effective le 14 février 2013, avec un capital social de 31 000 euros. Dernière étape, Borletti lui revendra la totalité de ses parts dans le groupe Le Printemps.

Pour être mené à bien, ce montage requiert la plus grande confidentialité. Mais l'existence des négociations secrètes entre Borletti et le Qatar, ainsi que les termes de l'accord signé au Luxembourg sont révélés par Mediapart[1] le 11 février 2013. Au Printemps, c'est la stupeur. Les salariés et leurs représentants syndicaux, qui ont accepté un durcissement de leurs conditions de travail pour perpétuer l'enseigne, découvrent l'avenir que leur préparent leurs dirigeants et la menace qu'il représente pour le groupe et leurs emplois. Sombre perspective !

Salarié du groupe depuis 1970, Bernard Demarcq a vu le Printemps basculer du giron familial à l'actionnariat sauvage. Représentant syndical depuis 1976, il est désigné porte-parole de l'intersyndicale au sein de laquelle se mobilisent les représentants du personnel[2]. « Un lanceur d'alerte a aussitôt pris contact avec nous. Il nous a confirmé l'authenticité des documents et dévoilé la mise

---

1. « Printemps : au bonheur du grand capital », Mediapart, art. cité.
2. Elle réunit UGICT-CGT, la CGT, la CFDT et la SAPP.

en place du système », me raconte-t-il[1]. Pour en savoir plus, il demande aussitôt une réunion du comité central d'entreprise[2]. Au sein de l'intersyndicale, l'UGICT-CGT déclare sa préférence pour une offre alternative : celle des Galeries Lafayette.

Le patron des Galeries, Philippe Houzé, propose en effet aux investisseurs qataris déjà en lice de s'associer à lui pour racheter le Printemps. Le deal : les Qataris contrôleraient les actifs immobiliers tandis que l'exploitation relèverait des Galeries Lafayette. « Une fois obtenu le classement du boulevard Haussmann en zone touristique permettant l'ouverture des magasins le dimanche, cet ensemble dédié au commerce permettrait de créer 1 000 emplois payés double, sur la base du volontariat », déclare-t-il, ajoutant : « Nous sommes un groupe familial français ; depuis des décennies, le réinventeur de ce métier et le revivificateur des centres-villes[3]. » Il présente son approche « patriotique » et vante un « projet industriel pour la France » contre un « projet financier ».

Quoique conscients qu'un tel rapprochement menacerait plusieurs centaines d'emplois, les salariés du Printemps prennent néanmoins fait et cause pour son offre. « Il n'y a pas de solution idéale. J'ai rencontré Philippe Houzé qui m'a convaincu, dit Bernard Demarcq. La stratégie qu'il propose permet de conserver le Printemps sous pavillon français. Surtout, elle est claire concernant notamment l'avenir du magasin et de ses emplois. Nous n'avons pas la même clientèle. Le Printemps mise sur le luxe, notre

---

1. Entretien, 3 janvier 2014.

2. Instance représentant les salariés dans une entreprise comptant plusieurs établissements.

3. « Printemps : Le plan des Galeries Lafayette pour racheter le Printemps », *Le Figaro*, 22 février 2013.

clientèle est majoritairement étrangère. Si les étrangers, et notamment les Chinois, ne viennent plus, le chiffre d'affaires chute. Contrairement à nous, la clientèle des Galeries Lafayette est une clientèle mode, avec une large part de clients français. »

L'offre que Philippe Houzé dit avoir déposée, d'un montant de 1,8 milliard d'euros, est bien plus élevée que celle des Qataris. Ce qu'il ignore, c'est que Borletti s'est engagé à ne pas négocier, à ne pas même discuter avec aucun acquéreur potentiel.

Pour les Qataris, sitôt le secret éventé, il s'agit d'éteindre l'incendie. « Une source proche du dossier » assure que les investisseurs qataris veulent « préserver la situation des salariés du Printemps », qu'« ils ont pour objectif de faire rayonner le Printemps comme symbole du goût et du style français, et de le maintenir à son plus haut niveau dans la continuité du business plan défini[1] ». D'autres personnes insinuent qu'un rapprochement des deux enseignes du boulevard Haussmann pourrait être considéré par l'Autorité de la concurrence comme une situation de quasi-monopole, et serait donc voué à l'échec.

Bien que le projet de cession du Printemps soit désormais sur la place publique, que les conditions pour le moins opaques du deal sont progressivement mises au jour, les représentants syndicaux ont le plus grand mal à obtenir des informations sur leur devenir et la vente en cours. « Nous n'avons obtenu aucune information sur la véritable identité de l'acquéreur, le montage financier, le bien-fondé des commissions négociées, précise Bernard Demarcq. Le groupe Borletti et Paolo De Cesare, PDG du

---

1. « Printemps : le Qatar veut rassurer les salariés français », *Le Figaro*, 23 février 2013.

Printemps, ne nous ont donné aucune garantie sur l'emploi et la pérennité des magasins de province. » Il fulmine : « Nous avons tout appris par la presse ! »

À travers le comité central d'entreprise qui les représente, les salariés doivent pourtant donner leur avis sur la vente du Printemps aux Qataris. Cet avis est nécessaire pour permettre au groupe Borletti de finaliser la cession. Pour tenter d'y parvenir, Borletti demande aux syndicats de ne pas se montrer trop regardants. Des pressions sont exercées. « Ils ont tenté de nous diviser, relate Bernard Demarcq. Il a été annoncé aux organisations syndicales des mesures salariales, précise ainsi un tract de l'intersyndicale[1]. Collectivement, 2,7 % pour tous et 0,3 % au mérite, [ainsi que] une prime non définie. Assortis d'un chantage inacceptable, parce que illégal, et assimilable à un système de corruption qui commence à devenir patent dans cette entreprise. Ce chantage consiste à rendre effective cette proposition... si les élus laissent se dérouler tranquillement la cession selon un calendrier ultrarapide, afin que tout soit acté pour juillet. » « Ils nous ont même parlé oralement d'une prime de cession de 5 000 à 6 000 euros », lâche le leader de l'intersyndicale[2]. Celle-ci fait corps et, le 21 mai, saisit le procureur de la République, François Molins. Parallèlement, Bernard Demarcq remet une copie du dossier au fisc, au ministre du Redressement productif, Arnaud Montebourg, et à sa collègue de la Justice,

1. « Vente du printemps : les mensonges et les dissimulations, aussi gros que les commissions », tract de l'intersyndicale CGT, CFDT, UGICT-CGT et SAPP, 30 avril 2013.

2. « Cession du printemps : Borletti veut passer en force. C'est à la justice et au fisc de parler ! », tract de l'intersyndicale CGT, CFDT, UGICT-CGT et SAPP, 13 juin 2013.

Christine Taubira – laquelle transmet aussitôt à la direction des Affaires criminelles et des grâces.

Début mai, les actionnaires minoritaires du Printemps font fuiter leur mécontentement dans la presse. Exclus du deal, ils ont eux aussi découvert les conditions de la cession et ses très avantageuses conditions pour Borletti – qui, on l'a vu, prolongera sa présence au sein du Printemps en tant que superviseur… pour un montant estimé à 600 millions d'euros ; Paolo De Cesare, PDG de l'enseigne depuis 2007, toucherait pour sa part un bonus de 22 millions d'euros[1]. « Certains soupçonnent le président Borletti d'avoir bénéficié des largesses qataries, ce qui expliquerait peut-être son empressement à vendre, dans la plus grande opacité, le Printemps aux fonds qataris pour un montant de 1,6 milliard d'euros, alors que les Galeries Lafayette en proposaient autour de 1,8 milliard. "C'est lui qui a signé l'accord du 21 décembre sans même en référer aux autres actionnaires", s'étonne un cadre du groupe[2]. » Message transmis.

Après des demandes réitérées et plusieurs réunions en pure perte, les représentants syndicaux se procurent les informations concernant le montage financier et ses conséquences pour l'entreprise. Mais ils ne sont pas au bout de leur surprise. Contrairement aux affirmations du groupe Borletti, tout ce dont la presse a fait mention leur est confirmé noir sur blanc. Mais, pour couronner le tout, ils réalisent qu'ils vont devoir une fois encore se « racheter eux-mêmes ». En 2006, déjà, lors du précédent rachat, RREEF et le groupe Borletti avaient financé l'acquisition par un LBO – *leveraged*

---

1. « Le PDG du Printemps loge son bonus à Singapour », Mediapart, 10 avril 2013.

2. « Printemps : Comment le Qatar a racheté le Printemps », *Le Nouvel Observateur*, 4 mai 2013.

buy-out – dont le principe est simple : l'achat est financé par endettement de la structure. Les acquéreurs avaient alors acheté le groupe à Pinault pour 1,075 milliard d'euros, RREEF apportant 120 millions d'euros, le groupe Borletti et les autres actionnaires minoritaires ayant mis 30 millions au pot, soit 150 millions en tout et pour tout. Restait à trouver 925 millions d'euros. Qui s'en est chargé ? Le Printemps lui-même ! Généreux, ses nouveaux actionnaires lui ont prêté 200 millions d'euros – au taux de... 6,375 % ! Le reliquat a été financé par un prêt souscrit par le Printemps lui-même. Cet emprunt lui coûte chaque année 50 millions d'euros d'intérêts. Entre 2007 et 2013, le Printemps a ainsi versé 265,5 millions d'euros d'intérêts en remboursement du prêt souscrit pour financer son propre « rachat » ! Il a par ailleurs dû emprunter 292 millions pour faire peau neuve. Et, pour pallier la rentabilité du secteur, vendre les murs de plusieurs magasins de province – comme à Marseille, Strasbourg, ou Lille –, pour lesquels il doit désormais acquitter un loyer ! Certes, le Printemps a réalisé des bénéfices dès 2011, mais les 490 millions d'euros issus des cessions immobilières réalisées entre 2007 et 2013 n'ont pas suffi à amortir ses dettes qui s'élèvent à 705,6 millions d'euros[1]. Bienvenue dans le fabuleux monde du néolibéralisme !

La poursuite effrénée du profit a déshumanisé l'entreprise, qui n'est plus qu'un moyen de cracher de plus en plus de bénéfices et détruit l'âme que ses dirigeants et ses travailleurs y ont mis. D'une extrême perversité, le mécanisme des LBO fait fureur en France. Chaque année, 300

---

1. Au 5 mars 2013, l'endettement restant est de 573 millions d'euros pour le prêt d'acquisition, et de 132,6 millions à rembourser dans le cadre du prêt actionnaire. « Le casse du siècle ? », tract cité UGICT-CGT Printemps.

entreprises françaises sont victimes de cette forme de spéculation agressive[1]. Si les groupes financiers se félicitent d'une aussi astucieuse trouvaille, le tissu économico-industriel s'en trouve, lui, irrémédiablement fragilisé. Pendant sa campagne, François Hollande promettait la fin des LBO ; il semblerait que ce point ne soit plus à l'ordre du jour...

Le groupe Borletti affirme que la vente ne coûtera rien au Printemps ? Faux ! réalisent les salariés à la fin mai. Ils ont enfin obtenu quelques informations sur le montage financier et ses conséquences sur la marche générale de l'entreprise. Surtout, ils découvrent que la Qatar National Bank SAQ sera désormais le créancier du groupe, dont tous les emprunts en cours seront rassemblés entre les mains de l'institution qatarie. Sans se départir de son sourire, Bernard Demarcq fulmine : « Nous ne sommes informés de rien et on nous annonce que le Qatar va nous faire un prêt de 600 millions à 8 % ! En fait, c'est comme si le Printemps et ses salariés payaient la commission de Borletti !... »

Quelques semaines plus tôt, un émissaire de Chadia Clot leur avait pourtant affirmé : « Les Qataris veulent simplement investir dans un groupe prestigieux, symbole du luxe à la française », tout en leur assurant qu'« il n'y aurait pas de menace sur l'emploi ; on effacera la dette[2] ». Les promesses n'engagent que ceux qui y croient... Une fois encore, les syndicats refusent à l'unanimité de se prononcer sur la cession et demandent la poursuite de la procédure de consultation.

---

1. « LBO : Capital transmission », conférence LBO organisée par *Les Échos*, 28 mai 2013.

2. « Printemps : La femme de l'ombre qui a piloté le rachat du Printemps », *Le Nouvel Observateur*, art. cité.

Parmi les salariés, l'inquiétude se mue en souffrance. Une expertise effectuée par le cabinet 3E Conseil à la demande du Comité d'hygiène et de sécurité des conditions de travail (CHSCT), réalisée en avril et mai 2013 au siège du Printemps, souligne une « situation de risque psychosociale préoccupante » et précise qu'« un quart des salariés disent aujourd'hui avoir le sentiment d'être à bout ». « Certaines des personnes que nous avons rencontrées ont fait allusion à la vente en cours à propos de laquelle leurs dirigeants ne leur délivrent aucune information, précise Julie Ramillon, du cabinet 3E. Les seules informations dont ils disposent sont celles divulguées par la presse, et elles ne sont pas rassurantes. Ce rachat est un important facteur de déstabilisation. Plus d'une personne sur deux se trouve dans une situation préoccupante, prédisposée à des atteintes à la santé en lien direct avec le travail. C'est deux fois plus que la moyenne nationale[1]. »

13 juin 2013, grand-duché du Luxembourg : loin du tumulte parisien, l'accord de vente du Printemps est signé, cession encore soumise à l'obtention du feu vert de l'Autorité de la concurrence. Montant estimé : 1,750 milliard d'euros, auquel s'ajoutent les commissions et le prêt intragroupe de 400 millions d'euros, sans oublier les reprises de dettes. « En tout, cela représente 3 milliards que nos actionnaires qataris débourseront alors qu'ils auraient pu s'en rendre acquéreurs à bien moindre coût », reconnaîtra l'intersyndicale dans l'un de ses tracts.

Au lendemain de la signature, Paolo De Spirt, l'un des responsables du groupe Borletti, se félicite de la signature

---

1. Entretien, 13 février 2014.

et précise dans un mail estampillé « hautement confidentiel » que l'objectif est de dénouer l'ensemble d'ici la fin du
mois de juillet. Il s'enorgueillit que, « concernant le passif
de RREEF, nous [le groupe Borletti] sommes parvenus
à ne lui verser aucune compensation alors que nous lui
avions proposé 3 millions d'euros ». Surtout, ajoute-t-il, les
« salariés du groupe n'ont pas été informés de la signature
de l'accord de vente et ne le seront seulement qu'après
l'avis de l'Autorité de la concurrence. Pour cette raison,
je vous demande de traiter avec la plus grande attention
et la plus haute confidentialité les informations contenues
dans ce mail[1] ».

Trois jours plus tard, le 17 juin, le projet de cession est
soumis pour avis à l'Autorité de la concurrence, tenue de
se prononcer dans un délai de vingt-cinq jours. Ce n'est
qu'une fois son accord obtenu que la vente pourra être
finalisée.

Loin d'imaginer que le piège se referme, le 19 juin, les
représentants des salariés du Printemps saisissent en référé
le tribunal de grand instance de Paris pour entrave à la
procédure de consultation. L'objectif : relancer la procédure et suspendre le projet de cession. Le lendemain,
quelle n'est pas leur surprise de découvrir dans la presse
l'identité de l'investisseur qui se cache derrière l'acheteur :
la cheikha Moza, qui compte ainsi réaliser son rêve de se
faire un nom dans le luxe[2].

Au parquet de Paris, le dossier du Printemps est ouvert.
Le 28 juin, estimant que les soupçons de fraude fiscale,

---

1. « Printemps : Le Qatar passe outre la justice et rachète le Printemps », Mediapart, 1er août 2013.
2. « Petites combines et grandes ambitions au Printemps », *Challenges*, 20 juin 2013.

d'abus de confiance, de blanchiment d'argent sale et de corruption privée, dénoncés par l'intersyndicale, sont sérieux, le procureur de la République ouvre une enquête préliminaire, confiée à la brigade financière. Mais cette procédure est encore confidentielle.

Le 22 juillet, l'Autorité de la concurrence approuve la vente. Quelques jours plus tôt, le syndicaliste a rencontré la députée Sandrine Mazetier, qui compte dans sa circonscription un des magasins du Printemps, celui situé place de la Nation. « Je travaillais alors sur le projet de loi relatif à la lutte contre la fraude fiscale et la grande délinquance économique et financière avec Yann Galut [député socialiste]. Sur ce sujet, nos moyens d'investigation sont asymptotiques au zéro », se désole-t-elle. Sitôt informée par Demarcq, le 30 juillet, elle interpelle le ministre de l'Économie et des Finances sur l'opacité et les lourds soupçons de fraude fiscale, évasion de capitaux, blanchiment, risques de corruption et de conflit d'intérêts entourant la cession du Printemps[1]. Le dossier est également entre les mains du fisc. Par l'intermédiaire de trois de ses ministres, le gouvernement est alerté et la justice est saisie. Mais rien n'enraye l'inéluctable processus. Le 31 juillet, la vente est bouclée.

« Pendant que tous se sont servis, les primes d'intéressement et de participation des salariés ont été réduites de 75 %. À Lille, ils ont touché... 46 euros ! Et les primes de rendement objectif des cadres ont baissé de 40 % », soupire Bernard Demarcq. Rien que pour le siège, plus d'un tiers d'entre les personnels ne parvient pas à faire face à ses difficultés financières.

---

1. Printemps : Question écrite n° 34346 par Sandrine Mazetier, Assemblée nationale, 30 juillet 2013.

Hamad peut se féliciter de cette nouvelle acquisition qui comble les ambitions de son épouse préférée. Le jour même du bouclage de la vente, le Qatar fait son entrée au conseil de supervision du Printemps. La présidence échoit désormais à Chadia Clot. À ses côtés, le Qatari Victor Nazeem Redha Aga. Aucun des deux n'a fait le déplacement, contrairement à Gilles de Boissieu, Paolo De Spirt et l'avocat représentant le groupe Borletti, désormais chargé de conseiller l'enseigne.

Les salariés du Printemps, eux, sont abandonnés à leur sort. S'appuyant sur le fait que le groupe Borletti leur a dissimulé l'un des principaux éléments de la vente – le plan Arthur 3 qui, prévoyant de transformer les magasins parisiens en magasins de luxe, implique d'importantes répercussions sur l'emploi et les conditions de travail –, ils espèrent encore que la justice tranchera en faveur de la reprise de la procédure de consultation, suspendant ainsi la mise en œuvre du processus de cession. Sauf que la vente a, entre-temps, été finalisée. Ils souhaitent pouvoir faire valoir leurs droits devant le tribunal. En vain ! Le coup de grâce tombe le 8 août 2013 : sans même prendre la peine d'évoquer l'opacité de la vente ni les soupçons qui l'entourent, le tribunal de grande instance de Paris considère qu'en l'espèce les salariés ont bien été informés, même s'ils ne connaissaient ni l'identité de l'acquéreur ni les modalités de la cession. Il déclare qu'« il appartiendra [à l'acquéreur] de consulter le comité central d'entreprise lorsque le projet [de réorganisation] aura fait l'objet de toutes les études nécessaires et que son principe sera arrêté ». Il condamne le comité central d'entreprise à verser la somme de 2 500 euros à la société du Printemps SAS, au groupe Borletti ainsi qu'à la société luxembourgeoise qui dissimule les intérêts de l'ancien émir du Qatar,

Divine Investissements. Aux termes de ce premier jugement, l'intersyndicale a non seulement tort, mais elle est, de surcroît, coupable d'avoir agi !

Sonnés, les salariés refusent de rendre les armes et interjettent appel. Pour financer les frais, le comité central d'entreprise n'a d'autre choix que de faire cotiser les salariés. Le 10 mars 2014, la cour d'appel de Paris leur donne raison. Constatant que « la procédure d'information-consultation sur les conséquences du projet de changement de contrôle du groupe Printemps n'[a] pas [été] régulière », elle ordonne sa reprise et suspend les effets de la vente des actions de Borletti à Divine Investments, suspension qu'elle assortit d'une astreinte de 10 000 euros par jour de retard. Elle condamne également le groupe italien et l'acquéreur qatari à verser chacun 8 000 euros au comité central d'entreprise au titre des frais de procédure qu'il a engagés.

Le rachat du Printemps pourrait être loin de se révéler une bonne affaire pour les Qataris. Lors du conseil de supervision du 31 janvier 2014, les représentants de French Properties Management découvrent en effet l'envers du décor. Bernard Demarcq leur a annoncé des chiffres en baisse, leur a expliqué le recul des ventes et les a informés que cela fait deux ans qu'il alerte à ce propos la direction. « Ce ne sont certainement pas les résultats que vous a promis Borletti ! leur ai-je dit, déclare-t-il. Borletti et Paolo De Cesare vous ont laissé un bel héritage de contentieux social. La direction n'a notamment jamais voulu reconnaître le travail de nuit [allusion aux "nocturnes" organisées par l'enseigne au-delà de 21 heures], vous risquez d'en payer les arriérés, ce qui pourrait représenter plusieurs millions d'euros. »

Le Printemps, lui, n'en finit pas de devoir racheter sa dette. Une perspective qui tiendrait presque du mirage.

Pour 2014, les comptes s'annoncent difficiles, avec des loyers en augmentation de 22 % (représentant une charge financière estimée à 120 millions), auxquels s'ajoutent les frais de siège, imputables sur tous les magasins à hauteur de 90 millions d'euros, et les charges locatives. Les recettes escomptées seront-elles suffisantes ?

Depuis l'annonce du rachat par les Qataris, la clientèle intérieure délaisse l'enseigne parisienne. De leur côté, les Galeries Lafayette voient leur fréquentation augmenter. Pour garantir ses profits, le Qatar vendra-t-il les magasins de province qui se trouvent, d'après les syndicats, dans des situations très délicates ? Pour ce qui est de la trésorerie, que les salariés ne s'inquiètent pas : leur nouveau propriétaire a tout prévu. Tous les prêts sont désormais rassemblés au sein d'une seule institution bancaire. Il a ainsi sollicité à cette fin la succursale parisienne de la Qatar National Bank qui a également consenti une ouverture de crédit réutilisable – autrement dit un crédit revolving – de 150 millions d'euros[1].

Présomption de fraude fiscale, d'abus de confiance, de blanchiment et de corruption, perspective de licenciements massifs et précarisation accrue des personnels conservés : le rachat du Printemps par le Qatar soulève de nombreuses questions. La justice enquête sur les conditions de la cession. Une question domine : à quoi ont correspondu réellement les faramineuses commissions versées par l'ancien émir Hamad al-Thani en marge de son acquisition ? Quels services ont-elles vraiment rémunérés ?

---

1. Le précédent crédit identique (revolving) était de 75 millions d'euros, moyennant un taux d'intérêt variable avoisinant les 4 %.

24.

La France sacrifie ses principes
pour être agréable à l'émir

Il est impressionnant de voir combien les principes sacralisés les larmes aux yeux et la main sur le cœur sont vidés de leur sens lorsqu'il s'agit du Qatar... Prenons la laïcité. Elle a valeur constitutionnelle. Notre loi fondamentale proclame ainsi, dans son article premier, que la « France est une République indivisible, laïque, démocratique et sociale. Elle assure l'égalité devant la loi de tous les citoyens sans distinction d'origine, de race ou de religion. Elle respecte toutes les croyances ». À la fin de l'été 2013, le ministre de l'Éducation nationale annonce qu'une charte rappelant ces grands principes sera affichée dans les 55 000 établissements scolaires publics d'ici la fin septembre. À l'Élysée, François Hollande prépare le grand discours qu'il a prévu de prononcer sur le sujet d'ici la fin de l'année. Quand Vincent Peillon inaugure la charte dans une école, il proclame solennellement que la laïcité n'est pas un « combat pour opposer les uns et les autres, mais un combat contre ceux qui veulent opposer les uns et les autres[1] ».

---

1. « La charte sur la laïcité remporte une large adhésion politique », *Le Monde*, 9 septembre 2013.

Il faut croire néanmoins que cela ne s'applique pas aux écoles françaises au Qatar. Dans ce pays où la religion a valeur de pilier de l'ordre social, la laïcité est un concept obscur – c'est d'ailleurs le cas dans la plupart des pays de la région. Au lieu de l'expliquer aux autorités, quitte à heurter leur sensibilité, la France a préféré sacrifier ce principe fondamental et ceux qui la défendaient. En l'espace de deux ans, la Mission laïque française a ainsi été contrainte de se retirer du lycée qu'elle gérait à Doha, tandis que deux proviseurs ont été exfiltrés en urgence, le premier pour « non-conformité des programmes avec la législation locale » – en creux : l'islam, le second pour « attitude antimusulmane ».

Tout commence en 2007. « Nicolas Sarkozy et l'émir ont sollicité la Mission laïque française (MLF) pour créer un lycée français à Doha. Nous avions quatre mois ! », se souvient Yves Aubin de La Messuzière. Depuis 2009, il préside cette association de droit privé reconnue d'utilité publique[1]. Centenaire, celle-ci dispense l'enseignement français dans 125 établissements à travers le monde[2]. La mission au Qatar représente un beau challenge pour cet ancien fonctionnaire du Quai d'Orsay qui me reçoit dans son bureau où voisinent livres et souvenirs collectés au fil de ses différents postes d'ambassadeur à N'Djamena, Bagdad ou encore Tunis. La défense des valeurs républicaines lui est chevillée au corps. Pourtant, dans le combat qu'il s'apprête à me narrer, il s'est retrouvé seul, lâché

---

1. Depuis 1907.

2. Ils sont homologués par l'Éducation nationale qui dispose d'un représentant au sein du conseil d'administration de la MLF, tout comme le ministre des Affaires étrangères et l'Agence pour l'enseignement français à l'étranger.

par le corps dont il est pourtant membre depuis plusieurs dizaines d'années : la diplomatie française.

« Le lycée Voltaire est né d'une volonté politique partagée entre le président Nicolas Sarkozy et l'émir Hamad al-Thani. L'émir du Qatar est francophile. Certains de ses enfants sont francophones, ils ont fait une partie de leurs études en France. L'émir avait le souci de pouvoir créer un établissement principalement ouvert aux Qataris. On connaît le tropisme de Nicolas Sarkozy à l'égard du Qatar... Ce lycée était un des éléments de la relation[1]. »

En janvier 2008, le chef de l'État profite de son premier voyage officiel dans l'émirat pour inaugurer, au côté de Tamim, le lycée Voltaire. Les cours ouvrent au fur et à mesure : maternelle, primaire, puis collège. Au début, tout se passe bien, mais, progressivement, les choses basculent. Des parents se plaignent que, dans un manuel d'arabe, un ourson soit prénommé Matthieu comme l'apôtre, qu'un autre livre présente, parmi ses illustrations, un tableau dans lequel une femme a l'épaule dénudée et arbore un décolleté, ou encore qu'une méthode d'apprentissage de la lecture mette en scène un petit cochon. La conseillère d'éducation est même convoquée un jour par la police et menacée d'expulsion. Son crime : avoir accusé de mensonge devant des tiers un enfant de 8 ans[2] – comportement impardonnable. Dans ce pays wahhabite, l'émir et la cheikha Moza cherchent à instaurer un certain modernisme. L'idée de Hamad : faire grandir ensemble des enfants de religion, de pays et de culture différents. Mais il est bien trop « progressiste » pour la société qatarie, ultraconservatrice,

---

1. Interview, 15 février 2013.

2. « OPA qatarie sur le lycée Voltaire », *Le Nouvel Observateur*, 3 janvier 2013.

d'autant plus qu'au sein du lycée les familles égyptiennes sont en grand nombre et poussent, elles, à la censure.

Cependant, au-delà de l'attitude de certains parents, le président du conseil d'administration du lycée, le docteur Ali bin Fetais al-Marri commence lui aussi à exercer des pressions. Al-Marri n'est pas n'importe qui. Directeur du département des lois au Diwan, membre et rapporteur de la commission sur la Constitution, directeur du comité chargé de la conclusion des contrats et accords internationaux impliquant le Qatar, scrutateur en chef de toutes les poursuites nationales et internationales impliquant le Qatar, membre du comité franco-qatari et américano-qatari pour la coopération militaire, président du comité préparant la création et définissant les compétences du futur ministère public, ou encore président du comité élaborant la création du Conseil supérieur de la magistrature qatari, du Conseil suprême de la justice, et rédacteur de la loi sur l'indépendance du pouvoir judiciaire, Al-Marri est un homme tout-puissant. Procureur général de l'État du Qatar – équivalent de notre garde des Sceaux –, il est le quatrième personnage de l'État et dirige, parallèlement à ses multiples fonctions, le conseil d'administration du lycée Voltaire.

Francophone et francophile, il a fait ses études de droit à la Sorbonne et aime la France, qui le lui rend bien. En 2008, il a été décoré par Nicolas Sarkozy du grade de chevalier de la Légion d'honneur et promu, en janvier 2009, par Xavier Darcos, ministre de l'Éducation nationale, officier dans l'ordre des Palmes académiques. Parmi ses amis : Alain Juppé, Dominique de Villepin ou encore Rachida Dati. En 2008, la garde des Sceaux « faisait plusieurs allers-retours par mois à Doha, exigeant à chaque fois que l'ambassadeur de France l'accueille à sa descente d'avion, même à 2 heures du matin. La coopération judiciaire entre les deux pays et le projet d'ouverture d'une École nationale de la magistrature à Doha, sur le modèle français, sont sans aucun doute des dossiers qui méritaient un investissement personnel de la ministre, mais peut-être pas à ce point. À plusieurs reprises, Rachida Dati a fait le voyage en famille avec son père et ses sœurs. L'une d'elles a d'ailleurs été embauchée au ministère de la Justice du Qatar[1] ».

Venu dans l'émirat pour mettre en place un Centre de défense de la liberté d'information[2], Robert Ménard raconte qu'il a été reçu, à plusieurs reprises, par Al-Marri, « curieux de discuter des évolutions possibles de son pays en matière de la liberté de la presse », tout en prenant soin de préciser qu'« il faudrait du temps pour voir évoluer les mentalités au Qatar ». Un doux euphémisme.

Au lycée Voltaire, un manuel d'histoire-géographie pour classe de 5ᵉ cristallise les passions. Dans l'une de ses parties, il retrace l'histoire des religions et du fait religieux, au programme. Homologué par l'Éducation nationale, il est étudié dans les collèges de France, dans les établissements

---

1. Robert Ménard, Thierry Steiner, *Mirages et cheikhs en blanc, op. cit.*

2. Il en a démissionné le 23 juin 2009, expliquant dans un communiqué que « certains responsables qataris n'ont jamais voulu d'un centre indépendant, libre de s'exprimer en dehors de toute considération politique ou diplomatique, libre de critiquer le Qatar lui-même : or, comment être crédible si l'on passe sous silence les problèmes dans le pays qui vous accueille ? ». Il cible notamment le président de son conseil d'administration, cheikh Hamad bin Thamer al-Thani, qui n'est autre que le président du conseil d'administration d'Al Jazeera. Et accuse : « Ces personnes n'ont jamais accepté l'idée de notre indépendance et de notre liberté de parole. Elles n'ont eu de cesse de nous mettre des bâtons dans les roues, et, ce faisant, de s'opposer aux engagements pris. »

gérés par l'Agence pour l'enseignement en France et à l'étranger (AEFE[1]), ainsi que dans les 125 établissements de la MLF un peu partout dans le monde. « Ce manuel est utilisé dans les lycées français d'Abu Dhabi, de Dubaï, du Koweït, de Bahreïn et d'Arabie saoudite sans qu'il y ait jamais eu le moindre problème, insiste le président de la Mission laïque. Certaines images – comme la photographie de la façade d'une cathédrale – ont pu choquer, mais c'est la première fois que nous sommes confrontés à la censure », fustige-t-il. En cause : le deuxième chapitre du manuel qui porte sur l'histoire de l'Église au Moyen Âge. Le passage suscite les foudres de certaines familles. En novembre 2010, Al-Marri, le procureur et président du conseil d'administration du lycée, convoque le proviseur Jean-Pierre Brosse, lui annonce que ce chapitre leur vaut une plainte au Conseil suprême de l'éducation et l'informe qu'il encourt une peine de dix ans d'emprisonnement.

« Al-Marri a aussitôt demandé le retrait pur et simple du manuel, me raconte Jean-Pierre Brosse, proviseur du lycée Voltaire entre 2007 et 2011. Cette plainte, comme toutes les autres, était anonyme. Une manière d'encourager la délation. Le Qatar n'était pas prêt pour ce type d'établissement, créé dans un but purement politique. Le lycée Voltaire a ouvert une brèche, ce qui a profondément déplu à la société qatarie. "Nous laissons nos enfants aux écoles étrangères qui les exposent au péché !" : voilà ce

1. Agence dont dépendent les lycées français à l'étranger. Elle est placée sous la tutelle du ministère des Affaires étrangères. L'enseignement prodigué dans ces établissements homologués est conforme aux exigences, programmes, objectifs pédagogiques et règles d'organisation du système éducatif français.

que disaient les imams pendant la prière du vendredi... Les crispations étaient très fortes. Al-Marri l'a bien senti. Il a cherché un compromis, mais, à travers l'établissement, il souhaitait surtout se faire valoir auprès de l'émir. À mon arrivée, Al-Marri m'avait dit, faisant mine de plaisanter : vous êtes ici chez vous, mais n'oubliez jamais que vous êtes chez moi. Je vous donne les clés du lycée ; je détiens celles des prisons[1]. »

« "Un enfant qatari ne doit pas avoir conscience avant sa majorité qu'il existe une autre religion que l'islam sous peine de le voir... se détourner de sa religion !" Voici la réflexion que nous a faite le procureur », soupire Yves Aubin de La Messuzière. Al-Marri se veut pourtant un admirateur des Lumières à la française et avait lui-même suggéré que le lycée porte le nom de Voltaire – Voltaire dont l'épitaphe dit ceci : « Il combattit les athées et les fanatiques. Il inspira la tolérance, il réclama les droits de l'homme contre la servitude de la féodalité. Poète, historien, philosophe, il agrandit l'esprit humain, et lui apprit à être libre. »

Une nouvelle plainte est déposée quelques jours plus tard, visant cette fois les manuels d'arabe. « Le procureur m'a adressé une lettre exigeant le retrait de notre manuel d'arabe au motif qu'il était d'inspiration catholique – je le cite », précise Yves Aubin de La Messuzière. Ancien professeur d'arabe, il se procure le manuel en question et constate qu'il ne contient rien de tel. « C'était un prétexte pour imposer un livre entremêlant enseignement de l'arabe et de la religion », constate-t-il. Un ouvrage qui s'ouvre... sur un verset du Coran ! Un comble, pour la Mission laïque qui « a pour but la diffusion à travers le monde de

---

1. Entretien, 14 avril 2014.

la langue et de la culture françaises, en particulier par un enseignement à caractère laïc et interculturel » !

« Tout était sujet à pression. La photographie du portail d'une cathédrale, la Marianne dénudée du tableau *La Liberté guidant le peuple* de Delacroix, la dénomination "vacances de Noël" – *Christmas holidays* –, la venue d'un Père Noël, l'étude de la production viticole française... Le procureur a décidé d'instaurer un comité de censure au sein de l'établissement, comité dont la direction a été confiée à un membre très influent de la Qatar Foundation que préside la cheikha Moza. Un comité chargé de vérifier nos manuels, et, le cas échéant, de biffer au feutre noir les documents censurés », déplore Jean-Pierre Brosse. Gilles Bonnaud, alors ambassadeur de France, et la Mission laïque informent aussitôt Al-Marri qu'un tel comité est inenvisageable et précisent que la mesure remettrait en cause l'homologation, voire l'existence, du lycée Voltaire. Le comité de censure tient néanmoins une première réunion – ce sera la seule – et décide notamment de caviarder les « images de nudité dans le livre d'art et dans les autres livres », ainsi que les « images de porcs », et de contrôler les « images de l'ensemble de tous les livres de la bibliothèque du lycée ».

« Je sollicite d'urgence le département pour définir une ligne de conduite à adopter sur ce problème qui risque de devenir extrêmement politique », dit l'ambassadeur dans un télégramme diplomatique. « Je lui en suis très reconnaissant », me confie l'ancien proviseur en juillet qui, excédé, finit par démissionner à l'été 2011.

« Quand j'achète une Mercedes, je veux le logo. » Voilà ce que lui avait répondu Al-Marri quand Jean-Pierre Brosse lui avait suggéré de renoncer à l'homologation pour écarter certains aspects des programmes susceptibles de heurter la sensibilité des Qataris. Formule lapidaire qui témoigne de l'intérêt réel du lycée Voltaire pour Doha ? Une renommée – celle de la Mission laïque, connue à travers le monde et emblématique de l'éducation à la française – que le Qatar compte vider de sa substance pour la mettre au service de ses propres ambitions, à savoir s'imposer comme le point d'ancrage de la francophonie dans le monde arabe ?

L'émirat a en effet pour objectif de rejoindre la prestigieuse Organisation internationale de la francophonie. Créée en 1970, l'OIF a « pour mission de donner corps à une solidarité active entre les 77 États et gouvernements qui la composent (57 membres et 20 observateurs). Une communauté de destin consciente des liens et du potentiel qui procèdent du partage d'une langue, le français, et de valeurs universelles » : la démocratie, le respect des droits de l'homme ou encore la diversité culturelle. Alors que les pressions augmentent au lycée Voltaire, le secrétaire général de la Francophonie délègue à Doha, en mars 2012, à l'invitation des plus hautes autorités qataries, Clément Duhaime, son administrateur, et Ousmane Paye, son conseiller spécial. Leur objectif : examiner les pistes d'une éventuelle coopération entre le Qatar et l'OIF. Parmi les personnalités que rencontrent les deux émissaires, l'émir Hamad al-Thani... et le procureur général du Qatar. Ont-ils évoqué les pressions exercées sur la Mission laïque française ?

Alors que le Qatar actionne ses réseaux pour rejoindre l'Organisation internationale de la francophonie, les choses ne cessent d'empirer au lycée Voltaire. La Mission laïque faisant de la résistance aux pressions, Al-Marri s'attaque à ses comptes et lance un audit – dont aucun élément écrit ne sera communiqué à la Mission. Se fondant sur ce document, Al-Marri accuse l'institution de détourner des fonds

vers le Kurdistan et surtout l'Afghanistan. Son argument :
un million d'euros provenant de l'Agence française pour
le développement et destiné aux opérations de la Mission
laïque à Kaboul a transité par l'agence comptable régionale de Doha qui l'a reversé ensuite aux établissements
bénéficiaires. « Notre trésorerie est mutualisée, ce qui nous
permet de donner provisoirement des facilités de trésorerie aux établissements qui en ont besoin, m'explique Yves
Aubin de La Messuzière. C'est d'ailleurs grâce à ce système
que le lycée Voltaire a fonctionné pendant les deux premières années. Il en va de même pour nos établissements
au Kurdistan ». Al-Marri ne peut l'ignorer. Le lycée de
Doha héberge l'agence comptable régionale qui gère également d'autres établissements de l'institution à Bahreïn
et en Arabie saoudite. Peu importe : dans l'entourage du
procureur, on parle de « sorties d'argent dans des conditions
aberrantes », de « cash envoyé dans des sacs de sport ou par
Western Union » vers l'Afghanistan et le Kurdistan où la
MLF gère d'autres lycées[1].

Excédé par le comportement du procureur qatari, Yves
Aubin de La Messuzière tente de mobiliser ses réseaux.
Il sollicite ainsi Michèle Alliot-Marie qui connaît bien
Al-Marri. L'ancienne ministre intervient auprès de lui
– sans succès. Le président de la MLF en appelle égale-
ment au gouvernement.

En France, une enquête préliminaire est ouverte par le
parquet de Paris à la suite de la plainte déposée par le nouveau proviseur du lycée Voltaire[2] – l'affaire sera classée en

---

1. « Lycée Voltaire de Doha, la querelle franco-qatarie », *Le Monde*,
5 janvier 2013.

2. L'ouverture de cette enquête fait suite à la saisine du procureur
en vertu de l'article 40 du Code de procédure pénale qui oblige tout

août 2013 et la Mission laïque innocentée des accusations infamantes portées contre elle. Le 26 juin 2012, Al-Marri met fin au mandat de gestion administratif et financier de la Mission laïque française. Que fait notre représentation diplomatique à Doha ? « L'ambassadeur actuellement en poste à Doha depuis septembre 2011 n'est pas arabisant, me confie une source proche de l'affaire. Il ne connaît pas le Qatar. Il semble ne pas tant chercher à défendre les valeurs de la République qu'à faire avancer sa carrière. » Pour la Mission laïque, c'en est trop ! Face à ce coup de force qui vient s'ajouter à la censure et aux multiples tentatives du Qatar de bafouer les principes qu'elle défend, l'institution, qui refuse de servir d'alibi, décide de plier bagage et d'exclure l'établissement de son réseau. La décision prend effet au 1ᵉʳ janvier 2013. La dernière fois qu'elle fut contrainte de quitter un pays remonte à la crise de Suez, en 1956...

L'affaire est aussi emblématique que révélatrice. Elle touche à un domaine extrêmement sensible, celui de l'éducation des enfants. Jusqu'à présent, la Mission laïque s'attachait, au sein du lycée Voltaire, à leur dispenser un enseignement reposant sur les valeurs républicaines, à les prédisposer au libre arbitre et à la tolérance. Centenaire, l'institution représentait une garantie pédagogique pour les familles qui avaient inscrit leurs enfants au lycée Voltaire pour cette raison même. Qu'en sera-t-il désormais ? Comme le souligne Jean-François Croustillière, ancien contre-amiral des forces armées, désormais consultant, « il semble légitime de s'interroger sur cette attitude qui paraît vouloir s'approprier des outils éducatifs respectant

---

fonctionnaire ayant, dans l'exercice de ses fonctions, connaissance d'un crime ou d'un délit, de le dénoncer.

les valeurs laïques de la République pour les transformer en des instruments de normalisation religieuse[1] ».

Pourtant, rares sont ceux qui se mobilisent. « Le devoir de tout ambassadeur consiste pourtant à protéger les intérêts français dont la Mission laïque fait partie », rappelle Yves Aubin de La Messuzière, blessé. Il poursuit : « Le ministère des Affaires étrangères aurait pu nous témoigner sa confiance sans pour autant prendre parti. Dans cette affaire, la protection de la diplomatie française nous a fait défaut. Ce comportement a porté atteinte à la réputation de notre institution et à ses dirigeants : on donnait l'impression qu'ils avaient organisé un système de détournement de fonds. » Seul le ministère de l'Éducation nationale a pris sa défense. « Vincent Peillon s'est beaucoup impliqué. Il a essayé de trouver une solution pour la gestion de cet établissement à travers un accord intergouvernemental, et diligenté une mission de l'inspection générale du ministère de l'Éducation nationale. » Peine perdue : le procureur général du Qatar, qui ne prend même pas la peine de réunir le conseil d'administration du lycée, qu'il préside, refuse tout dialogue.

Alors que la Mission laïque se retire de l'établissement, l'inquiétude grandit au sein du personnel. Ses membres doivent signer une nouvelle convention d'expatriation conclue pour une durée d'un an maximum avec prise d'effet au 1er septembre 2012 ; ils sont aussi tenus de fournir copie de leur carte d'identité qatarie et de leur passeport pour les autorisations de sortie du territoire, alors même que certaines sont toujours valides. L'*exit*

---

1. Jean-François Coustillière, « Qatar : chance ou menace pour les intérêts français ? », in *Confluences Méditerranée*, n° 84, janvier 2013.

permit, sésame obligatoire pour pouvoir quitter le Qatar, sera-t-il utilisé contre eux[1] ?

Pendant ce temps, on l'a vu, le Qatar mobilise ses réseaux pour rejoindre l'Organisation internationale de la francophonie. Le 10 octobre 2012, l'ambassadeur du Qatar en France, Mohamed Jaham al-Kuwari, insiste dans une tribune sur la « volonté du Qatar d'aider à la sauve-garde et à l'expansion de la langue française », après avoir indiqué que le « Qatar ne néglige pas d'investir dans le "capital humain", ayant la conviction que la qualité des institutions éducatives est la seule garantie pour les géné-rations futures[2] ». L'objectif de Doha est clair : ouvrir des écoles enseignant le français dans le Golfe, le Maghreb et en Afrique subsaharienne[3]...

Tout va se jouer lors du nouveau sommet de la Francophonie qui doit se tenir à Kinshasa le 13 octobre. « Quelques jours avant, Abdou Diouf, secrétaire général de l'OIF[4], expliquait que le Qatar comptait entrer directement comme membre de plein droit. Il précisait que cela ne fonctionnerait pas en raison notamment de l'opposition de nombreux pays qui constituent le cœur de l'Organisation », rapporte une source diplomatique. Le processus d'adhé-sion comprend en effet plusieurs étapes. La candidature est préalablement soumise aux « sherpas », puis aux ministres

---

1. Voir chapitre 26.

2. « Entre France et Qatar, des bénéfices mutuels », *Le Monde*, 10 octobre 2012.

3. « Les ambitions francophones du Qatar inquiètent », *Le Monde*, 5 janvier 2013.

4. Ancien président de la République du Sénégal, il a été élu secré-taire général de la Francophonie au sommet de Beyrouth en 2002. Son mandat a depuis été renouvelé.

des Affaires étrangères ou de la Francophonie, avant d'être présentée aux chefs d'État des pays membres. Si elle est acceptée, l'adhésion se fait ensuite en deux temps : le pays candidat rejoint l'Organisation comme membre observateur, puis, après un certain délai, il est reconnu comme membre de plein droit. Pas le Qatar : « Il a brûlé toutes les étapes. Sa candidature a été directement présentée au niveau des chefs d'État. Ils ont été pris par surprise. Il leur était difficile, vu les circonstances, de dire non. Il s'est agi d'un lobbying extrêmement efficace, probablement lié à des promesses de projets formulées auprès des pays africains qui ont soutenu le Qatar », insiste la même source. Le 13 octobre 2012, l'émirat se réjouit de son entrée comme membre à part entière de l'Organisation internationale de la francophonie. Il fait désormais parti du sérail et accède ainsi à une communauté regroupant près de 220 millions d'âmes, réparties dans plus de 75 pays et territoires à travers le monde !

Cette « entrée par effraction » suscite aussitôt la polémique et un certain malaise. Bien qu'il se targue de disposer d'une radio francophone – Oryx –, de la présence de plusieurs lycées français et d'une communauté française forte de plus de 3 000 nationaux expatriés, le Qatar n'est pas francophone. Surtout, « certains participants se sont inquiétés de l'ambition de ce pays de développer davantage son influence en Afrique de l'Ouest musulmane, et notamment de sa propension à financer des écoles religieuses prenant parfois la place d'écoles en langue française[1] ».

« L'adhésion d'un pays repose sur un certain nombre de critères et sur des engagements précis en faveur de la promotion et la défense de la langue française, se

---

1. « Francophonie : L'entrée du Qatar comme membre associé fait polémique », Le Monde.fr, 13 octobre 2012.

justifie Clément Duhaime, administrateur de l'OIF. Elle suppose également le partage de nos valeurs communes que sont la paix, la démocratie, le respect des droits de l'homme. La candidature du Qatar a été examinée, tant sur le fond que sur la forme, selon ces principes. [...] N'oublions pas que nous comptons parmi nos membres des pays riches, mais également des pays en développement[1], tente de convaincre l'administrateur de l'OIF. Si nous pouvons les accompagner pour améliorer la qualité de l'éducation dans leur pays, la Francophonie aura prouvé son utilité[2]. »

Certes, mais de quelle éducation est-il question ? Un enseignement expurgé de toute référence aux autres religions, pour ne pas éloigner les enfants musulmans de l'islam ? Un enseignement qui mêle apprentissage de la langue arabe et du Coran ?

---

1. « Clément Duhaime : Le Qatar a montré des "signes tangibles d'engagement vis-à-vis de la francophonie" », *Euractiv*, 29 octobre 2012 : euractiv.fr/general/clement-duhaime-le-qatar-montre-interview-515721

2. Encore faut-il que les cotisations soient effectivement acquittées, ce qui n'est pas le cas du Qatar, comme le montre l'état des versements établi par l'OIF fin 2013. L'émirat n'a ainsi pas pris la peine de « s'acquitter de ses contributions obligatoires à l'Organisation internationale de la francophonie (OIF), ni lors de son adhésion en 2012 ni ultérieurement ». La raison : il conteste la méthode de calcul qui repose sur la richesse nationale des États membres, et demande à ce que ses contributions soient révisées à la baisse. Leur montant : 600 000 euros. Rien qui puisse mettre sérieusement en péril les finances du petit émirat ! Tout juste s'est-il contenté, « à titre de contribution volontaire, de verser 200 000 euros pour l'organisation du forum de la langue française de Québec, en juillet 2012, et moitié moins pour les Jeux de la Francophonie, début septembre » : « OIF : Le Qatar ne paie pas ses contributions à la Francophonie », *Le Monde*, 23 décembre 2013.

À Paris, des élus interpellent le gouvernement tandis que, le 1er novembre 2012, la presse se fait l'écho de l'affaire du lycée Voltaire, de la censure exercée par Al-Marri sur les programmes et de l'éviction de la Mission laïque[1]. Le lendemain, c'est au tour du litige financier opposant l'émirat à l'institution d'être mis sur la place publique[2]. À Doha, Franck Choinard, le proviseur du lycée Voltaire est renvoyé par le procureur général Al-Marri, qui lui donne dix jours pour quitter le pays.

Entre Franck Choinard et le Qatar, l'idylle des débuts a tourné court. Officiellement sanctionné pour « non-conformité des programmes avec la législation locale », le proviseur détaché de l'Éducation nationale a été l'objet de rumeurs de pédophilie, accusations qu'il réfute. La preuve invoquée ? Sur une photo, il tient un élève sur un chameau à la fête de l'école[3] ! « Une accusation bâtie de toutes pièces par les Qataris, comme l'affaire des faux détournements de fonds au lycée Voltaire », témoigne un proche du dossier. Dans un édito, le Syndicat général de l'Éducation nationale s'alarme et prône l'« urgence d'une réflexion d'envergure de la France sur ses réseaux d'enseignement. Si l'on consent aux entreprises privées le droit d'investir en Chine en dépit de la corruption et des atteintes aux droits de l'homme, on peut croire que le domaine de l'enseignement ne peut

---

1. « Quand le Qatar se mêle du programme des lycées français », *Le Nouvel Observateur*, 1er novembre 2012.

2. « La Mission laïque française priée de quitter le Qatar », *Le Figaro*, 2 novembre 2012.

3. Il dit à ses amis que l'entourage du procureur ne lui a pas pardonné d'avoir refusé de licencier (une mesure injuste, selon lui) deux personnes du lycée. Cf. « OPA qatarie sur le lycée Voltaire », *Le Nouvel Observateur*, 3 janvier 2013.

être envisagé à l'aune de la seule concurrence internationale. Car quand même, Voltaire... c'est bien le siècle des Lumières, non ? ».

Au palais du Luxembourg, deux sénateurs des Français de l'étranger s'emparent de la question. Le 29 novembre, Louis Duvernois (UMP) interpelle le ministre des Affaires étrangères, Laurent Fabius, tandis que Claudine Lepage (PS) questionne la ministre déléguée auprès de celui-ci, chargée de la Francophonie, Yamina Benguigui. Quel est l'engagement véritable du Qatar dans la francophonie en matière politique, éducative et culturelle ? Le Qatar n'entend-il pas financer d'autres établissements scolaires du type du lycée Voltaire dans le Golfe et sur le continent africain ? La France ne doit-elle pas rester vigilante vis-à-vis de tous ceux qui aspirent, même en toute bonne foi, à diffuser sa culture et ses valeurs ?

À l'Assemblée nationale, le député Alain Marsaud (UMP) monte lui aussi au créneau et demande au gouvernement, le 11 décembre, « de lui faire part de sa position concernant l'emprise des dirigeants qataris sur l'enseignement français dans ces pays et sur le modèle d'éducation de notre République ». Il s'interroge : « Ne faudrait-il pas agir au plus vite pour rétablir la situation au lycée Voltaire et défendre nos valeurs qui, face aux différentes stratégies d'investissement de l'État du Qatar, en France ou ailleurs, se voient menacée ? »

Les questions que soulèvent ces élus sont essentielles. Loin d'être à la hauteur des enjeux, les réponses des deux membres du gouvernement témoignent pour le moins d'un sens aigu de l'euphémisme. Le lycée Voltaire ? « Il a dû surmonter un certain nombre de difficultés. » Mais que tous se rassurent : « Aujourd'hui, la liberté d'enseignement est pleinement rétablie. » Quant au « désaccord » sur la

UNE FRANCE SOUS INFLUENCE

« gestion de l'établissement par la MLF », « il a conduit au départ de la MLF ». À écouter le gouvernement, ce départ – phénomène rarissime – de l'institution centenaire n'a rien à voir avec la censure, les pressions incessantes ou l'immixtion du quatrième personnage de l'émirat dans les programmes et la vie de l'établissement. À écouter le gouvernement, la Mission laïque serait presque coupable ! Et demain ? « Les autorités françaises et qataries travaillent actuellement à la mise en place d'une nouvelle gouvernance », étant précisé que les autorités de Doha « ont souligné qu'elles adhéraient à des valeurs de la francophonie telles que la liberté d'expression et le respect de la diversité culturelle ».

Rappelons que Yamina Benguigui s'est vue honorée du prix Doha Capitale culturelle arabe par l'ambassadeur du Qatar à Paris, Mohamed Jaham al-Kuwari, le 5 octobre 2010. Quant à Laurent Fabius, son silence est autrement ambivalent. Le ministre des Affaires étrangères n'est-il pas l'un des rares à blâmer le Qatar quand celui-ci condamne à mort le poète Mohamed al-Ajami, à l'automne 2012 ? L'insolent a été reconnu coupable d'incitation au renversement du régime et d'outrage à l'émir. Son crime : avoir composé une ode au Printemps arabe, en 2011, texte rendant hommage à la révolution tunisienne et exprimant l'espoir que le changement touche d'autres pays arabes. « Nous sommes tous la Tunisie face à une élite répressive », déclarait-il dans son *Poème du jasmin*. « S'en prendre à des poètes, ce n'est évidemment ni ce que souhaite ni ce qu'admet la démocratie française », déclare, le 9 décembre 2012, au Grand Jury RTL-*Le Figaro*-LCI, le chef de la diplomatie française, affirmant en avoir parlé avec les autorités qataries. « J'en parle et quand j'en parle, j'espère être entendu », souligne-t-il, ajoutant que la coopération économique entre la France et le Qatar « ne [l]'a jamais conduit à mettre [sa] langue dans [sa] poche sur les droits de l'homme ».

Quand la peine du poète est réduite à quinze ans de prison et confirmée par la Cour suprême du Qatar en octobre 2013, ce n'est plus le ministre en exercice, mais son porte-parole qui « appelle les autorités qatariennes à un geste de clémence », rappelant l'« attachement de la France à la liberté d'opinion et d'expression ainsi qu'au droit à un procès juste et équitable ».

« S'agissant de la contestation par les autorités qataries des manuels scolaires utilisés dans le lycée, c'est une affaire qui est derrière nous. Elle a surgi peu de temps après l'ouverture du lycée, alors que ce projet d'éducation internationale, tout à fait nouveau au Qatar, se mettait en place, minore le Quai d'Orsay. Les programmes de l'Éducation nationale sont appliqués au lycée Voltaire comme dans tous les établissements étrangers que nous homologuons. Les manuels ne font l'objet d'aucune contestation, comme l'a vérifié une mission d'inspection qui s'est rendue sur place », m'affirme-t-on au printemps 2014.

Le Qatar peut désormais s'enorgueillir du logo « Organisation internationale de la francophonie », tandis que le lycée Voltaire, devenu une coquille vide, affiche toujours à son fronton : « Lycée franco-qatarien », alors que, depuis le 1er janvier 2013, il est en réalité un établissement privé qatari à 100 %. Pour protéger sa devise – « deux cultures, trois langues » –, la Mission laïque a dû déposer sa marque afin d'éviter que le Qatar ne se l'approprie. Pourtant, malgré la censure pratiquée par le procureur général du Qatar, malgré sa vision pour le moins contraire aux principes qui sous-tendent l'enseignement à la française, malgré les profondes divergences qui ont conduit au départ de la Mission laïque française,

Paris continue d'accompagner le développement de l'établissement. Ainsi, un accord est signé le 30 mai 2013 entre Pierre Sellal, secrétaire général du Quai d'Orsay, et Al-Marri, toujours procureur général du Qatar, président du conseil d'administration du lycée. Ce document précise que le « lycée franco-qatarien Voltaire de Doha, projet original, contribuera au rayonnement de la francophonie au Qatar, membre associé de l'Organisation internationale de la francophonie, et dans la région du Golfe ». Un désaveu cuisant pour la Mission laïque française ! Si des doutes subsistaient, ils sont désormais balayés : le lycée Voltaire semble promis à devenir, à terme, l'école-pilote du Qatar qui se rêve en pôle d'enseignement francophone dans le monde arabe.

Tandis que le lycée Voltaire bascule sous l'autorité exclusive du procureur général du Qatar, l'autre lycée français de Doha, le lycée Bonaparte, connaît ses premiers troubles. Créé dans les années 1970, cet établissement est placé sous l'autorité directe du Quai d'Orsay. Depuis septembre 2010, il est dirigé par Hafid Adnani, agrégé de mathématiques et arabophone, auparavant proviseur adjoint au lycée Racine à Paris. Quand il arrive à Doha, le nouveau proviseur travaille d'arrache-pied : il entend élever le niveau du lycée, développer l'offre culturelle, profiter de la venue de nombreuses personnalités à Doha pour organiser des conférences. Ses élèves ont ainsi pu rencontrer Georges Haddad, ancien président de l'université Paris-I Sorbonne, l'écrivain et journaliste Slimane Zeghidour, ou encore le photographe Reza.

Tout se passe pour le mieux jusqu'à ce jour de novembre 2012 où une jeune fille égyptienne se présente voilée à l'entrée du lycée. Le voile est pourtant interdit au lycée Bonaparte, établissement de droit français où s'applique la loi du 15 mars 2004 prohibant le port de signes religieux ostentatoires à l'école. Une loi qui, jusqu'à cet événement, n'avait jamais été remise en cause par aucune famille. « Le frère de l'émir actuel, Michaal – six enfants scolarisés à Bonaparte –, avait même appelé pour demander si ses filles, à l'adolescence, pourraient venir avec un hijab. Adnani avait expliqué les principes de la laïcité à la française au prince qui les avait acceptés en disant simplement qu'il choisirait alors un autre établissement[1]. »

Sitôt informé de l'affaire, le proviseur envoie la jeune fille à l'étude et convoque ses parents. Soutenu par l'Agence pour l'enseignement français à l'étranger (AEFE), il informe aussitôt l'ambassade de France à Doha qui lui demande d'observer un *statu quo* en attendant les consignes diplomatiques. Dans l'attente, la jeune fille passe ses journées à l'étude. Son père porte plainte. Furieuses, les autorités qataries préviennent le proviseur : si elle n'est pas réintégrée, le pays menace de fermer l'établissement. Convoqué par le procureur, Hafid Adnani tente de s'expliquer. À plusieurs reprises, le magistrat de liaison français qui l'accompagne conteste les propos du procureur, jugé partial. L'affaire de la jeune fille voilée remonte jusqu'au ministère des Affaires étrangères à Paris. Que recommande alors le Quai d'Orsay ? D'accepter la jeune fille voilée en attendant qu'« une solution soit trouvée » !

L'affaire resurgit quelques mois plus tard. Doutant des compétences de sa nouvelle directrice administrative et financière, Hafid Adnani profite de sa venue en France, à l'été 2013, pour contacter le service interacadémique des examens et concours. Ce dernier lui confirme l'absence de

---

1. « Les tribulations d'un proviseur français au Qatar », *Le Nouvel Observateur*, 31 octobre 2013.

diplôme de sa directrice. Il alerte son autorité de tutelle, l'AEFE, qui lui suggère une suspension administrative. Le 25 août, de retour à Doha, le proviseur suspend donc l'intéressée de ses fonctions. Le lendemain soir, la police qatarie lui téléphone pour le convoquer au poste. Ne comprenant pas ce qui se passe, le proviseur informe l'ambassade. Le lendemain, il se présente aux autorités, accompagné d'un gendarme délégué par le corps diplomatique. Ce n'est qu'une fois arrivé au poste – et encore, parce qu'il lit l'arabe – qu'il découvre le motif de sa présence : « harcèlement », « musulmane », déchiffre-t-il sur le document posé sur la table devant le policier qui lui fait face. La jeune femme qu'il vient de suspendre l'accuse d'« attitude antimusulmane », évoquant, en parallèle à son cas, les « affaires » de voile préalablement survenues au lycée Bonaparte[1]. Au Qatar, une telle accusation a valeur d'atteinte à la sûreté de l'État. L'affaire est grave. Hafid Adnani le sait. Il a d'ailleurs toujours pris soin, sur ces questions très sensibles, de se conformer à l'avis de l'AEFE et de suivre les consignes du Quai d'Orsay.

L'interrogatoire dure trois heures. « Quelle est votre religion ? Votre pratique religieuse ? », s'entend-il demander par un jeune policier qui, comme pour la plupart des Qataris, ne conçoit pas qu'on vive sans religion, *a fortiori* sans l'islam. Hafid Adnani tente de lui expliquer qu'il n'a pas de pratique religieuse. Il est placé aux arrêts. Le gendarme qui l'accompagne est affolé. Le corps diplomatique, absent. Le proviseur se retrouve enfermé avec des

---

1. Outre l'affaire de la jeune fille égyptienne qui s'était présentée voilée en novembre 2012 est évoqué le remplacement d'une jeune femme employée par un prestataire extérieur, laquelle s'était présentée voilée en mars 2013.

dizaines d'invisibles, ces Pakistanais, Indiens ou Bangladis qui érigent le nouveau Doha au péril de leur santé, voire de leur vie. Après dix heures éprouvantes passées aux côtés de ses compagnons d'infortune, il est conduit au département de la Justice sur lequel règne le procureur général Al-Marri. Grâce à l'intervention des services de l'ambassade, le proviseur obtient le droit de rentrer chez lui pour la nuit, à condition de revenir se présenter le lendemain. Ce qu'il fait. Pendant quatre heures, un procureur lui explique qu'il est l'objet d'une plainte pour atteinte à la religion musulmane, et le questionne à nouveau sur sa pratique religieuse. Hafid Adnani se présente comme non pratiquant. Il insiste sur le fait qu'en France la religion ne fait pas partie de l'identité administrative, que la laïcité a un sens, et qu'il est ici à Doha à titre de représentant de la France. Le proviseur est finalement relâché. « Faites attention, s'il y a le moindre problème, on rouvrira le dossier », lui glisse le procureur. Une épée de Damoclès pèse désormais sur lui. Menace inacceptable pour le proviseur qui en informe aussitôt l'ambassade. Quelques jours plus tard, l'ambassadeur, de retour à Doha, le convoque. « Je ne peux plus assurer votre sécurité », lui annonce le diplomate. « La diplomatie française n'a même pas discuté avec les Qataris », soupire un proche du dossier. Selon le ministère des Affaires étrangères, « Hafid Adnani n'a pas été renvoyé à Paris. Suite à un différend avec un agent du lycée, et pour éviter que les choses ne s'enveniment, le proviseur du lycée Bonaparte a accepté un autre poste. » Officiellement, il s'agit donc d'une solution de compromis. Cela sous-entend en fait que Hafid Adnani a fait montre d'un comportement répréhensible. « Les éléments de langage sont très importants. Pour le Quai d'Orsay, c'est une manière de se dédouaner en cas de problème », décrypte une source diplomatique. Le proviseur a été exfiltré en urgence.

C'est le « premier cas aussi expéditif » qu'observe Philippe Vincent, du syndicat français des chefs d'établissement. « Il y a déjà eu des retours en France pour des maladies ; ou, au Niger, parce que le chef d'établissement avait été vitriolé[1]. »

À Paris, tout le monde se renvoie la balle, de l'Élysée au Quai d'Orsay qui précise que l'affaire n'a pas été mentionnée lors des deux entretiens qu'a eus François Hollande avec les autorités qataries, en septembre[2]. L'émirat est certes l'un de nos partenaires économiques, son territoire a beau regorger de chantiers autrement plus importants que sa petite superficie et susciter d'autant plus la convoitise de nos industriels. Rien de cela ne justifie pour autant un tel mutisme ni une telle dérobade.

---

1. « Le voile au centre de l'affaire du proviseur exfiltré du Qatar », *Le Figaro étudiants*, 16 octobre 2013.

2. « Le proviseur du lycée français exfiltré en urgence », Mediapart, 11 octobre 2013.

25.

Hollande à Doha :
« Lever les malentendus »

22 juin 2013 : François Hollande débarque sur le tarmac de Doha. Il effectue son premier voyage officiel dans l'émirat où il ne s'est encore jamais rendu. Au pied de l'avion présidentiel, le comité d'accueil est on ne peut plus réduit : un ministre. Ni l'émir Hamad al-Thani, ni même son fils Tamim, héritier du royaume, n'ont fait le déplacement. Signe du rafraîchissement des relations entre Paris et Doha dont les indices vont s'accumuler au fil du séjour qatari. Snobé : voilà ce que va être le président de la République française tout au long de sa visite officielle.

« Normalisation sans distanciation », avait-on pourtant précisé dans l'entourage du président après que Mohamed Jaham al-Kuwari, l'ambassadeur de France au Qatar, eut annoncé, en marge du Forum de Doha, le 22 mai, la venue imminente du chef de l'État. « Malgré ses réserves à l'encontre du Qatar, Hollande a dû écouter le lobby des grands patrons. Dans cette affaire, il s'agit moins de cœur que de raison », déclare alors au *Monde* un connaisseur de l'axe Paris-Doha[1]. « Le

---

1. « François Hollande veut désamorcer les polémiques avec Doha », *Le Monde*, 22 juin 2013.

Qatar est peut-être un ami de Sarkozy, mais surtout un ami de la France », contrebalance un diplomate français, conseiller du chef de l'État, à l'AFP. La venue du président doit « permettre de montrer qu'il y a une relation à la fois solide, valable et prometteuse avec le Qatar », mais « cela exige de la confiance, de la transparence et aussi de la clarté[1] ». Une fuite savamment organisée alors que l'avion s'apprête à atterrir. L'émir Hamad al-Thani et HBJ ont tout fait pour que les relations avec Paris conservent la chaude promiscuité qui a prévalu sous le quinquennat de Nicolas Sarkozy. Ils en sont pour leurs frais. Entre promesses de contrats et perspectives d'investissements d'un côté, de l'autre affrontement critique (sur la guerre française au Mali) et épineux dossiers (polémique sur les « fonds banlieues », politique d'investissements tous azimuts, éviction de la Mission laïque française du lycée Voltaire), Hollande a tranché : au milieu.

Si les dirigeants qataris peuvent s'enorgueillir d'avoir été reçus à trois reprises durant les quatre premiers mois du quinquennat, l'émirat n'est plus, loin s'en faut, le pivot de la diplomatie française dans la région. Le président français a pris ses distances. Avant d'honorer le Qatar de sa présence aux prémices de l'été 2013, il s'est préalablement rendu en Arabie saoudite, le 4 novembre 2012, afin de développer des « relations personnelles et de confiance » avec le roi Abdallah. L'escale, organisée après une visite au Liban et avant le sommet Europe-Asie qui se tient au Laos, a été brève, mais il s'est agi d'un premier rendez-vous « avant tout politique », a confié le président à bord de l'avion qui le menait à Jeddah. Il n'a passé que quelques heures seulement sur place ; assez, néanmoins, pour acter le

---

1. « Hollande au Qatar : 24 heures pour clarifier les relations », AFP, 22 juin 2013.

redéploiement de la diplomatie française dans la région. Au sortir de son entretien de deux heures avec le monarque, Hollande s'est félicité d'« une grande convergence de vues avec le roi sur les dossiers syrien et libanais » – dossiers sur lesquels le Qatar, de son côté, se veut en pointe. Et il a précisé lors de la conférence de presse : « Avec le roi Abdallah, nous avons mis en garde tous ceux qui aimeraient déstabiliser le pays », soulignant en outre la très grande proximité de leurs positions sur le nucléaire iranien. François Hollande est ensuite allé aux Émirats arabes unis, le 15 janvier 2013, et a pris la parole lors du sommet mondial organisé à Dubaï sur les énergies renouvelables, préférant participer à cette conférence plutôt qu'à celle sur le climat qui s'était tenue à Doha en novembre 2012.

Jean-Yves Le Drian, ministre de la Défense, a joué les éclaireurs quelques mois avant la visite officielle à Dubaï. « Mon objectif était de rétablir la confiance », déclara-t-il[1] à son retour des émirats, en octobre 2012, soulignant que « depuis dix-huit mois » il y avait eu un « effilochage » des relations entre les deux pays. Les Émirats, nouveau Qatar ? « Notre idée n'est pas de choisir un pays pivot, mais de renforcer nos relations avec tous les pays importants de la région », assura-t-on dans l'entourage du chef de l'État lors du déplacement du président français à Dubaï. « Le Qatar a été très visible durant le précédent quinquennat. Il n'est pas question de s'en désintéresser, mais nous avons besoin aujourd'hui d'en faire un peu plus avec les Émirats que par le passé[2]. »

---

1. « Dégradation des relations avec les Émirats arabes unis, selon Le Drian », *Le Monde*, 24 octobre 2012.

2. « Hollande veut renforcer la coopération avec les Émirats », *Le Monde*, 14 janvier 2013.

Quand il en vient enfin à faire son troisième voyage dans la région, Doha est sa destination. « Il y a eu un certain nombre de polémiques à la fois sur la présence du Qatar en France et sur sa politique étrangère. Le but de la visite du président de la République est de ramener un peu de sérénité dans tout cela », précise-t-on dans l'entourage présidentiel où l'on ne se prive pas de critiquer en filigrane les relations trop étroites de Nicolas Sarkozy avec l'émirat[1].

Des relations qui ne se sont pas distendues depuis que l'ex-président a quitté le pouvoir. En effet, ce dernier semble désormais chercher à se reconvertir dans les affaires. Désireux de créer un fonds d'investissements basé à Londres, il sait pouvoir compter sur ses amis qataris : 250 millions d'euros, soit le quart de la mise de départ, voilà ce que le Qatar était prêt à investir dans le fonds piloté par l'ancien locataire de l'Élysée. QIA a même formalisé son engagement potentiel dans une lettre d'intention adressée à Sarkozy. Lequel aurait, pour son implication et celle de son équipe, reçu une rémunération estimée à plus de 3 millions d'euros par an[2]. Éventé, le projet n'a finalement pas vu le jour. Cela n'a pas pour autant sonné le glas des relations teintées « business » entre les dirigeants qataris et l'ancien président. À preuve, le 10 juin 2013, soit douze jours avant la venue de Hollande, Sarkozy est encore à Doha. Il effectue son quatrième séjour dans l'émirat depuis son départ de l'Élysée. Venu officiellement en « voyage privé », il a déjeuné avec l'émir Hamad al-Thani et son fils Tamim[3]. Au menu : le projet d'acqui-

---

1. « Hollande au Qatar : 24 heures pour clarifier les relations », art. cité.

2. « Nicolas Sarkozy's road from the Elysée to private equity », *Financial Times*, 28 mars 2013.

3. « Le Qatar, centre du monde », *Le Canard enchaîné*, 19 juin 2013.

sition de Maroc Télécom, l'un des principaux fournisseurs africains présent au Maroc, au Burkina Faso, au Gabon, en Mauritanie et au Mali, sur lequel lorgne l'émirat. Un dossier à propos duquel Sarkozy – a-t-il alors remis sa robe d'avocat ? – a été approché dès l'hiver précédent[1]. Et pour cause : son aide peut s'avérer décisive. Il entretient de très bonnes relations avec Mohammed VI, qui lui a ouvert ses palais à plusieurs reprises lors de visites officielles ou privées. Les Qataris comptent sur l'ex-président français pour convaincre le souverain marocain de leur céder le tiers du capital. Sarkozy est également très proche de l'actionnaire majoritaire, à savoir Vivendi, que dirige alors Jean-René Fourtou. L'industriel a participé à sa campagne malheureuse de 2012. À travers Vivendi, Fourtou a la main sur 53 % du capital de l'opérateur marocain – participation valorisée à 5,5 milliards d'euros. Fin février 2013, le qatari QTel – dont l'État contrôle 68 % – s'estimait bien placé pour racheter la part de Vivendi. C'est finalement son concurrent émirati Etisalat qui remporte la mise après que QTel a retiré son offre, le 14 juin 2013. Est-ce de cela dont ont discuté Sarkozy, l'émir Hamad al-Thani et son fils Tamim quand ils ont déjeuné ensemble à Doha quelques jours plus tôt ?

Par un hasard plutôt comique, l'ancien président est arrivé en jet privé à Doha... le même jour que les émissaires de François Hollande venus préparer le séjour du chef de l'État. Tous sont descendus à la même adresse, le Four Seasons. « Il a fallu toute la finesse diplomatique de notre ambassadeur au Qatar pour que les deux groupes ne se croisent pas dans l'enceinte de l'hôtel[2]... »

---

1. « Sarkozy, émissaire de QTel pour Maroc Télécom », *Maghreb Confidentiel*, 05 février 2013.

2. « Le Qatar, centre du monde », art. cité.

« Confiance, réciprocité et transparence » : tels sont les maîtres mots de François Hollande quand il arrive à Doha. En langage peu diplomatique : la France a besoin de votre argent, mais à ses propres conditions. Une noble ambition qui ne semble pas prévaloir, toutefois, à propos des dossiers sensibles.

Ainsi, alors qu'il inaugure le nouveau site du lycée Voltaire, aucune allusion n'est faite aux affres traversées par la Mission laïque. Bien au contraire. « Le lycée dispose d'un statut juridique solide, ce qui n'est jamais simple entre deux pays, et de règles claires de gouvernance », déclare le président devant la communauté française de Doha le 22 juin. Et d'ajouter : « Vous avez fait un bon choix en appelant le lycée "Voltaire", parce que Voltaire est un philosophe des Lumières, un philosophe de la liberté, un philosophe de la justice et un philosophe qui a beaucoup imprégné les esprits. »

Yves Aubin de La Messuzière n'est pas du voyage. Quelques semaines plus tard, il rappellera dans un courrier destiné à François Hollande les malheurs de l'établissement et de la Mission infligés par l'émirat. La réponse du chef de l'État est datée du 28 août : « Je considère que la Mission laïque française est l'une des associations qui contribue avec constance et efficacité au rayonnement international de notre langue, de notre culture et de nos valeurs républicaines, notamment dans le monde arabe en transition et dans les pays émergents », écrit le président. Pourquoi n'y a-t-il pas songé au lendemain de son élection ? « La Mission laïque est un partenaire essentiel de l'État qui apprécie tout particulièrement sa capacité à agir dans des contextes politiques difficiles, ajoute-t-il. J'attache la plus grande importance à ce que le partenariat de l'État avec la Mission laïque française soit renforcé. » À l'avenir, l'institution centenaire pourra-t-elle désormais compter sur la diplomatie française lorsque des pressions seront exercées sur elle ?

Les craintes du président de la Mission laïque se vérifient. Le 28 janvier 2014, un accord de partenariat entre la France et le Qatar est signé à Doha en présence d'Hélène Conway-Mouret, ministre déléguée aux Français de l'étranger. L'accord porte sur le lycée Voltaire, suite et fin : « Il y a trois questions qui sont importantes pour les Qataris et les Arabes qui fréquentent [le lycée] ; ce sont l'enseignement de la charia, de la langue arabe et la séparation entre garçons et filles à partir d'un certain âge, déclare à l'AFP Ali bin Fetais al-Marri, procureur général du Qatar et président du conseil d'administration du lycée. Nos amis français se sont montrés compréhensifs, car l'essentiel pour nous est d'avoir des Qataris francophones attachés à leur langue et à leur religion », se félicite-t-il.

La nouvelle sitôt connue, la rumeur enfle : l'accord signé par Paris instaurerait l'enseignement de la religion musulmane et la non-mixité dans les classes du lycée. Le porte-parole de Hélène Conway-Mouret tente aussitôt de calmer la polémique. Le journaliste de l'AFP « n'aurait pas compris[1] » : la mixité ne concernerait que les classes de lycée – qui ne sont pas encore ouvertes à Voltaire – et l'enseignement de la charia ne s'appliquerait qu'aux élèves qataris. « Dans la Constitution qatarie, l'enseignement religieux est obligatoire, explique la ministre[2]. Ces cours ne sont pas obligatoires pour les enfants français. Ils ne font pas partie du programme d'enseignement et sont dispensés en dehors des heures de classe. »

---

1. « Un lycée Voltaire version charia ! », Télégrammes d'Orient, blog de Martine Gozlan hébergé sur le site de *Marianne*, 30 janvier 2014.
2. Entretien, 26 juin 2014.

L'ancienne ministre déléguée chargée des Français de l'étranger, qui a rejoint son fauteuil de sénatrice en avril 2014, insiste par ailleurs sur le fait que « dans tous les établissements français à l'étranger, la langue locale est enseignée en plus de la langue française, et, souvent, de l'anglais. En Chine, par exemple, nous enseignons le chinois. Il est donc normal que l'arabe soit enseigné au Qatar d'autant que l'on croit beaucoup au trilinguisme. S'agissant de la mixité, nous ne séparons pas les garçons et les filles, c'est un principe ». Elle ajoute : « Nous nous adaptons aux normes et valeurs locales, au Qatar comme partout ailleurs, mais nous serons très vigilants à ce que l'enseignement prodigué au sein du lycée Voltaire soit conforme à nos principes de laïcité, précise la sénatrice représentant les Français établis hors de France. Comme dans tout contrat, chaque partie est libre de rompre si elle estime que son partenaire ne tient pas ses engagements. »

Il n'est en effet question, dans l'accord – par ailleurs conforme aux accords de partenariat habituellement signés par l'AEFE avec de nombreux autres établissements –, ni d'enseignement de la religion ni de mixité. Les principes de laïcité ne sont pas malmenés dans le texte. Le problème, en revanche, résidera dans l'interprétation qu'en fera Al-Marri. « Ce lycée a été créé pour favoriser le pluralisme culturel et la rencontre des civilisations. L'émir s'est demandé pourquoi les citoyens qataris n'y allaient pas, et on lui a répondu que c'était à cause de l'absence d'enseignement de la loi musulmane [charia], de l'arabe et de l'histoire du Qatar[1] », écrit le journal *Al-Arab*, citant le représentant qatari, tandis que le quotidien *Al-Raya*

---

1. « Polémique autour du lycée Voltaire », courrierinternational. com, 29 janvier 2014.

reprend les propos du procureur général dans les mêmes termes que l'AFP. Vu le contexte – et les précédents –, quelles garanties pour la France qu'un retour en arrière ne sera pas mis en œuvre ?

Lors de la visite officielle de François Hollande à Doha, les 22 et 23 juin 2013, un autre dossier délicat est sur la table, qu'il faut terminer de déminer : le fonds d'investissement connu sous la dénomination «fonds banlieues». À Doha la reconfiguration esquissée quelques mois plus tôt est entérinée. «Nous avons créé avec la Caisse des dépôts et le fonds d'investissement du Qatar, Qatar Holding [filiale de QIA], un fonds nouveau qui a vocation à soutenir et à financer les PME françaises dans une démarche fondée sur la confiance et la transparence», annonce le président le 23 juin. L'accord est signé, le fonds abondé à parité par la France et le Qatar. Sa mise initiale : 300 millions d'euros. Ce fonds rejoint d'autres fonds similaires placés sous la supervision de la Caisse des dépôts à travers une structure d'investissement créée pour l'occasion, CDC International Capital. La France a en effet décidé de «draguer» tous les fonds souverains pour collecter des liquidités afin de redensifier son tissu économico-industriel. Dans son collimateur : les 6 000 milliards de dollars détenus par les fonds souverains dans le monde. En plus du fonds franco-qatari, la Caisse des dépôts participe à un fonds franco-émirati avec le fonds Mubadala et à un fonds franco-russe avec le Russian Direct Investment Fund. Ces trois partenariats distincts représentent un montant total de près d'un milliard d'euros. Le fonds franco-qatari, baptisé «Future French Champions», sera placé sous la direction d'un Français, Marc Auberger ; il est censé être opérationnel à compter de janvier 2014 et en capacité d'investir dès la fin mars. En l'occurrence, le Qatar n'est dans une position ni spécifique ni privilégiée.

En arrière-plan de la visite officielle de François Hollande, un autre dossier délicat envenime les relations entre Paris et Doha : le Mali. Officiellement, les critiques du Qatar n'auraient tenu qu'à l'incompréhension de la démarche française ; Paris l'aurait alors explicitée auprès de son partenaire et cette démarche aurait, depuis, gagné le soutien implicite de son allié. À défaut, il s'agirait d'un déni de l'existence même de ces critiques, comme si les passer sous silence impliquait qu'elles n'eussent pas été formulées. « Le Qatar a fait partie de ces pays amis qui ont compris le sens de l'initiative que j'ai prise à un moment où le Mali était agressé par des terroristes », déclare François Hollande, prenant soin de ne pas froisser le Diwan. Et de souligner que l'initiative française n'a pas été que militaire : « Aujourd'hui, grâce à l'appui de tous, grâce aussi au courage des soldats français et des soldats africains, une solution politique a été trouvée au-delà de la solution militaire. Un accord a été signé entre tous les protagonistes, et accepté, pour que les élections puissent se tenir sur l'ensemble du territoire du Mali à la fin du mois de juillet[1]. [...] Voilà ce que nous avons à faire : utiliser nos complémentarités, nos diplomaties pour agir dans le même esprit, la paix, la stabilité et le respect des peuples. J'évoquerai avec l'émir Hamad, dès ce soir, nos excellentes relations bilatérales. »

Loin des discours officiels, un proche du président précise depuis Paris que le dossier a bel et bien été déminé :

---

1. En mai 2014, l'opération « Serval » est prolongée « de quelques semaines » en raison de la poursuite des violences au Mali.

« La question [de la collusion entre l'émirat et les jihadistes sahéliens] a été posée, et les choses ont été clarifiées dans le sens de l'arrêt d'une relation qui pouvait être interprétée et exploitée de mauvaise manière[1]. » Des propos qui, loin de Doha, n'en confirment pas moins le double jeu de l'émirat.

En façade, donc, tout va pour le mieux. C'est qu'il s'agit de préserver la susceptibilité d'un allié au jeu trouble mais aux poches profondes. Premier enjeu : les ventes d'armes et le Rafale – l'avion de combat fabriqué par Dassault qui, décidément, ne trouve pas preneur à l'international, malgré l'engagement du gouvernement sur ce dossier. Si la France maintient son rang parmi les cinq premiers exportateurs d'armement[2], le Qatar reste un débouché à ne pas négliger. Entre 2008 et 2012, l'émirat a ainsi obtenu 750 autorisations d'exportation de matériels de guerre pour un montant total de près d'un milliard d'euros. Il est notre quatrième client au Proche et Moyen-Orient. Un bon client : « La France fournit à peu près les trois quarts de l'équipement militaire du Qatar. Le Rafale représente pour l'émirat une opportunité. Il faut maintenant laisser les négociations se poursuivre », conclut Hollande.

Là comme ailleurs, le président joue les équilibristes : « Nous ne refusons pas les investissements des Qataris en France, mais nous disons qu'il y a des conditions à respecter, des domaines à faire prévaloir, des règles aussi à

---

1. « François Hollande veut désamorcer les polémiques avec Doha », *Le Monde*, 22 juin 2013.

2. D'après le rapport au Parlement du ministère de la Défense rendu public le 22 juillet 2013 par la Délégation à l'information et à la communication de la Défense.

faire comprendre, et nous en avons la volonté aussi sur le plan politique », affirme-t-il devant la communauté française, le 22 juin. « Il y a ce que les entreprises françaises doivent faire au Qatar, et il y a aussi les investissements du Qatar en France, qui sont les bienvenus », précise-t-il le lendemain devant le Forum économique franco-qatari. Mais « ils doivent couvrir tous les domaines de la croissance française : l'industrie, les services, mais également l'immobilier, sachant que c'est sur l'industrie et sur les services que nous voulons donner aujourd'hui la priorité ». Bref, Paris compte bien avoir son mot à dire dans l'orientation de la manne providentielle.

« Tout doit être clair, tout doit être simple dans les relations entre la France et le Qatar... Il peut y avoir des relations excellentes et qui, parce qu'elles sont excellentes, sont normales. Elles sont normalement excellentes, mais pas excellemment normales ! Vous remarquerez la nuance ! » va jusqu'à plaisanter le président dans sa déclaration à la presse.

Mais les Qataris ne semblent pas vraiment goûter son humour. Encore moins la nouvelle tonalité que Paris souhaite imprimer à ses relations avec Doha. Chaque étape de la visite présidentielle a ainsi été, pour le Diwan, l'occasion de marquer ses distances. Le soir de son arrivée, la durée du dîner privé de François Hollande et de sa compagne au palais de Wajba avec l'émir et sa deuxième épouse est des plus réduites. Le lendemain, lors de la cérémonie officielle d'accueil au palais Diwan, c'est au tour des membres du gouvernement français d'être battus froid. Tandis que Jean-Yves Le Drian, ministre de la Défense, Laurent Fabius, ministre des Affaires étrangères, Manuel Valls, ministre de l'Intérieur, Frédéric Cuvillier, ministre des Transports, et Nicole Bricq, ministre du

Commerce extérieur, attendent d'être présentés, l'émir passe son chemin après avoir salué... Jack Lang, ancien ministre de la Culture, certes, mais avant tout grand ami de l'émirat et président de l'Institut du monde arabe.

« Je le vois toujours dans un bon restaurant quand je suis à Paris, précise en anglais l'émir Hamad.

– Dans quel restaurant ? s'enquiert aussitôt François Hollande.

– Dans un très bon restaurant », pouffe son hôte[1].

Et plus tard dans l'après-midi, la visite du musée d'Art islamique que dirige la cheikha Mayassa, patronne de la Qatar Museum Authority et francophone avertie, se déroule en l'absence de cette dernière[2].

25 juin 2013 : le président français n'est pas rentré de Doha depuis deux jours qu'il adresse un communiqué à l'émirat. Il formule « ses souhaits les plus sincères de succès » au nouvel émir du Qatar. La rumeur bruissait en fait depuis des mois : bousculant la tradition selon laquelle, dans l'émirat, le pouvoir se prend plus qu'il ne se donne, Hamad al-Thani vient de transmettre le flambeau à Tamim. Cela fait dix ans que Hamad préparait son fils à lui succéder. L'information a été révélée la veille... par Al-Jazeera. « Le temps est venu de tourner une nouvelle page dans l'histoire de notre nation où une nouvelle génération s'avance », déclare Hamad le lendemain.

L'émir a réussi son pari : sous son règne, la « terre oubliée des dieux » s'est propulsée hors de l'orbite saoudienne et est désormais un acteur qui compte. En

---

1. « Hollande au Qatar : rupture de style et continuité économique », *Le Monde*, 24 juin 2013.

2. « France-Qatar : refroidissement durant la visite de François Hollande », blog lefigaro.fr/malbrunot, 3 juillet 2013.

renonçant volontairement au pouvoir et en le transmet-
tant à son fils qui devient, à 33 ans, le plus jeune gouvernant de la région, Hamad quitte la scène sur un dernier coup d'éclat unanimement salué comme une preuve
supplémentaire de son grand sens politique. Comme un
dernier « tacle » aux autres monarques de la région, au
premier rang desquels le rival saoudien : le roi Abdallah,
âgé de 88 ans. Bel exemple de *storytelling* ! Hamad quitte
le pouvoir avec une image de pseudo-monarque éclairé
qui éclipse presque les excès de la diplomatie qatarie.
Celle-ci a accumulé trop de critiques et de suspicions, sa
conduite s'est plus apparentée à la conduite du cow-boy
solitaire qu'à celle du gentleman avisé. Entre son ardent
soutien aux Frères musulmans, son ingérence dans les
mouvements issus des « Printemps arabes », son engagement auprès des islamistes en Libye ou encore son interventionnisme en Syrie, Doha semble jusqu'ici être allé
trop loin. « Le Qatar va [désormais] se comporter comme
les autres pays arabes et non plus faire cavalier seul,
allant même au-delà de ce que ses parrains américains
souhaitent, comme sur la Syrie », anticipe un diplomate
européen. « Obama l'avait clairement reproché à l'émir
en le recevant au printemps, ajoute un diplomate arabe.
La rencontre ne s'était pas bien passée[1]. » Quarante-huit
heures avant l'abdication, John Kerry, le secrétaire d'État
américain, était de passage à Doha.

« Nous ne prenons pas d'instructions et ce comportement indépendant est un fait établi, annonce dans une
courte allocution télévisée, au lendemain de son accession au pouvoir, le nouvel émir. Nous sommes un État

---

1. « Avec cheikh Tamim, le Qatar entre dans une nouvelle ère »,
Le Figaro, 26 juin 2013.

cohérent, pas un parti politique, et nous cherchons donc à conserver des relations avec tous les États et gouvernements... Nous respectons tous les courants politiques influents et actifs dans la région, mais nous ne sommes affiliés à aucune tendance contre une autre. »

Le changement, c'est donc maintenant ? Pas sûr... « Nous suivons la même politique, mais c'est peut-être notre approche qui a changé », résumera, le 4 décembre 2013, devant le Royal Institute of International Affairs, à Londres, Khalid bin Mohammad al-Attiyah, le nouveau diplomate en chef de l'émirat. Il ne faudra pas une semaine à Tamim, le nouvel émir, pour faire place nette. Au lendemain de son accession au pouvoir, il nomme un nouveau Premier ministre. Quelques jours plus tard, il dépossède de son poste de vice-président de QIA HBJ, avec qui il entretient des relations exécrables.

26.

Les politiques français ne vont tout de même pas gâcher leur relation pour quelques violations des droits de l'homme !

La rencontre n'était pas inscrite au programme officiel de la visite de François Hollande à Doha. C'était pourtant la plus importante de toutes en ce qu'elle concerne le dossier le plus délicat et, surtout, le plus grave. Son enjeu : la liberté de quatre ressortissants français bloqués dans l'émirat contre leur gré.

Attirés par la promesse de contrats florissants ou de salaires mirifiques, 3 726 Français sont installés au Qatar[1]. Ceux que j'y ai rencontrés en sont pour la plupart pleinement satisfaits. Conditions financières imbattables et cadre de vie agréable : leur vie y est douce, quoiqu'un peu monotone. Tout se passe pour le mieux tant que leur « répondant » qatari ne témoigne d'aucune exigence particulière. À défaut, le paradis se mue en purgatoire, pour ne pas dire en enfer, comme certains en font l'amère expérience.

---

1. Nombre de Français résidents immatriculés au 31 janvier 2014. Au 31 mars 2013, ils étaient 3 379.

Parmi eux, les chefs d'entreprise Jean-Pierre Marongiu et Nasser al-Awartany. Le premier est arrivé en 2005 à Doha où il a fondé une société dans laquelle il a investi en tout 2 350 000 euros. Le second a participé en 2009 à l'achat d'un immeuble à hauteur de 400 000 euros et créé une société de design. Tous deux ont un associé qatari, majoritaire dans le capital de leur entreprise, comme l'exige la loi locale. Si le sponsor de Marongiu détient 51 % de la société, il n'y a placé aucun fonds, l'entrepreneur français est seul à investir.

À l'été 2007, Stéphane Morello, entraîneur de foot, et Zahir Belounis, footballeur, sont eux aussi venus s'installer à Doha. Eux sont salariés. Leur sponsor n'est donc pas leur associé, mais leur employeur. Morello, qui entraîne l'équipe de football d'Al-Shahanya, a pour sponsor le Comité national olympique qatari que préside alors… Tamim. Pour le convaincre d'accepter le poste, les dirigeants du club et du Comité olympique lui ont proposé de nombreux avantages financiers, parmi lesquels cinq billets d'avion, allers et retours annuels vers la France, la mise à disposition d'un logement, la prise en charge des frais de scolarité de ses enfants et les frais du déménagement. Belounis, lui, est sponsorisé par le club militaire sportif qui l'a recruté, le Military Sport Association… dépendant du ministère de la Défense. À sa tête, le général Hamad bin Ali al-Attiyah, chef d'état-major des armées et ministre de la Défense du Qatar.

En 2013, tous quatre sont depuis des mois, voire des années, bloqués dans l'émirat. Il leur est impossible de sortir du pays et de revenir en France. Quel crime ont-ils commis ? Ils ont l'outrecuidance de résister au chantage. Salarié ou investisseur, l'étranger, on l'a dit, dépend du bon vouloir de son sponsor qatari[1]. Et malheur à lui si, confronté à un

---

1. Voir chapitre 14, p. 197.

personnage peu scrupuleux, il ne s'y soumet pas. L'arme du sponsor : l'*exit permit* ou permis de sortie, le fameux sésame nécessaire aux étrangers pour pouvoir quitter le pays, qu'il s'agisse de partir en vacances, de visiter les siens ou de rentrer définitivement chez soi[1]. L'accord du sponsor est nécessaire. Sans lui, les étrangers ne peuvent quitter le territoire. Si le sponsor est injoignable, à l'étranger ou tout simplement trop occupé pour apposer sa signature au bas du document convoité, ils n'ont aucun recours. Sinon d'attendre. Et d'espérer. Contrainte parmi d'autres pour ceux qui n'ont pas encore eu à se plaindre de leur sponsor ; moyen de rétorsion, pour ne pas dire de chantage, pour ceux qui se retrouvent aujourd'hui retenus au Qatar contre leur gré.

Ce système « constitue une violation du droit à la liberté de mouvement et facilite les atteintes aux droits du travail. Dans certains cas, il est utilisé pour soumettre les employés au travail forcé », décrypte Amnesty International[2]. L'existence de cette contrainte fait du système qatari le plus sévère de toute la région[3]. « Les démarches qui devraient permettre aux travailleurs de quitter le pays dans le cas où leur employeur ne peut délivrer de permis de sortie ou refuse de le faire sont obscures, complexes et longues, relève l'association. Des membres du gouvernement qatarien ont reconnu publiquement que le régime de

---

1. En France, un mineur n'a plus besoin d'autorisation de sortie du territoire depuis le 1er janvier 2013. Seuls son passeport ou sa carte nationale d'identité lui sont nécessaires pour sortir du pays.

2. « Traitez-nous comme des êtres humains – les travailleurs migrants au Qatar », Amnesty International, rapport cité.

3. Avec l'Arabie saoudite qui soumet elle aussi les travailleurs étrangers à l'obtention d'un visa de sortie délivré par leur sponsor.

délivrance des permis de sortie du territoire était insoutenable. » HBJ n'a-t-il pas lui même déclaré en 2007 : « On peut difficilement conserver le régime de délivrance des permis de sortie sous sa forme actuelle... Il est assimilé à de l'esclavage. Il ne peut pas rester sous cette forme » ?

Esclavage : le mot est lâché. Et par celui qui est alors le deuxième personnage de l'État ! Pourtant, si la Commission qatarie des droits humains a pris acte des mauvaises pratiques de sponsors bafouant sans raison le droit des employés à obtenir des permis de sortie pour quitter le pays, rien n'a changé depuis. Lors de l'adoption de la dernière loi sur le « parrainage » en 2009, le régime a été conservé à l'identique. Et les Qataris disposent toujours de ce moyen de pression sur les étrangers qu'ils utilisent parfois pour parvenir à leurs fins.

L'entraîneur Stéphane Morello en a rapidement fait l'expérience. Ses problèmes débutent un an après son arrivée, quand son club met brutalement fin à son contrat en juillet 2008. Aucun salaire ne lui est plus versé jusqu'à ce qu'il commence à entraîner l'équipe d'un autre club, fin octobre. Son sponsor, lui, ne change pas. C'est toujours le Comité olympique qatari. À compter du 31 décembre 2008, il ne reçoit à nouveau plus aucun salaire et apprend, le 7 janvier 2009, que son club change d'entraîneur. Morello n'est plus payé alors que son second contrat court pourtant jusqu'à fin mai. Et il se voit refuser son *exit permit* sans raison aucune. Toutes les démarches qu'il entreprend auprès de son sponsor restent sans suite. Le Comité refuse de lui verser la rémunération prévue pour son travail et s'oppose à ce qu'il change de sponsor. Situation kafkaïenne !

En juin 2010, changement de braquet. Le Comité olympique l'informe qu'il peut changer de sponsor et sortir du pays... s'il acquitte 80 000 euros, correspondant aux frais du logement qu'il occupe, lequel, d'après son contrat de travail, est pourtant gracieusement mis à sa disposition ! Excédé, Morello, qui n'est plus payé depuis un an et demi et ne peut, à cause de son sponsor, trouver un emploi, démissionne et porte plainte en août contre le Comité national olympique du Qatar. Dans les semaines qui suivent, les pressions se succèdent pour le faire se désister. L'entraîneur maintient sa plainte. Il a confiance en la justice qatarie. Celle-ci le déboutera pourtant à deux reprises et refusera de statuer sur l'objet de fond, à savoir l'impossibilité qui lui est faite de sortir du pays ou d'obtenir un changement de sponsor.

Zahir Belounis, lui, a pleinement profité de ses trois premières saisons de footballeur. En mai 2011, le club dont il est capitaine gagne la Ligue 2 et accède à l'équivalent local de la Ligue 1. Cette progression devait lui valoir une prime de 40 000 euros. Elle ne lui sera jamais versée. À l'été, son sponsor – le Military Club Sport, qui a entre-temps été rebaptisé Al-Jaish et que préside désormais officiellement le général Hamad bin Ali al-Attiyah, chef d'état-major des armées – l'informe qu'il va être prêté à un club de deuxième division tout en continuant d'être payé par son club d'origine. Le joueur ne touche plus, néanmoins, que 25 % de son salaire. L'été 2012, soit un an plus tard, il est à nouveau prêté à un troisième club, le temps de jouer la Coupe du cheikh al-Jassim. En septembre 2012, son club d'origine l'informe que l'on ne fera plus appel à ses services. On lui conseille toutefois de participer aux activités de l'équipe des militaires... qui s'entraîne à quatre heures du matin ! Pour faire simple, il est placardisé. Le joueur informe aussitôt l'ambassade. « Affaire privée », lui répond-on. En octobre, le footballeur décide de prendre un avocat qatari afin de négocier avec son employeur, qui n'est autre que le ministère de la Défense et semblait pourtant pleinement satisfait de son travail. Le joueur français n'avait-il pas été complaisamment naturalisé pour porter les couleurs du Qatar lors de la sélection du Mondial militaire au Brésil, en juillet 2011 ? Les discussions se prolongent. En février 2013, Belounis change d'avocat et porte plainte contre son employeur, réclamant notamment vingt-sept mois d'arriérés. Que n'a-t-il pas fait !... Son club, qui ne lui versait que 25 % du salaire dû, cesse tout paiement. Belounis demande alors à pouvoir quitter le Qatar. Il est aussitôt informé que, s'il ne retire pas sa plainte, il ne sortira jamais de l'émirat. « À compter de ce moment, l'affaire commence à devenir sérieuse. La consule de France à Doha s'empare de mon dossier et m'accompagne à tous les rendez-vous. Son soutien est sans faille[1] », me raconte-t-il de sa voix brisée par les épreuves. Elle tente bien d'intercéder en sa faveur – sans succès. S'il veut quitter le Qatar, Belounis doit retirer sa plainte, renoncer aux salaires, primes et défraiements – soit un montant total de près de 280 000 euros – et accepter de payer 4 000 euros de loyer mensuel alors que son employeur était tenu par contrat de lui fournir un logement.

Pour ce qui concerne Nasser al-Awartany, ce ne sont pas ses salaires qui sont menacés, mais ses investissements. Pour faire face aux besoins de trésorerie de sa société, il propose de revendre sa part dans l'immeuble. Mais son associé qatari ne voit pas les choses ainsi. En février 2013, ce dernier – avec qui il s'était pourtant lié d'amitié, à la suite de leur rencontre en Espagne sept ans plus tôt, quand l'homme était diplomate du Qatar à Madrid – met sur la table sa signature au bas de l'*exit permit* en échange de

---

1. Entretien, 23 avril 2014.

la quote-part de son partenaire français dans l'immeuble acquis en 2009. Concomitamment, Al-Awartany découvre que l'acte de propriété de l'immeuble en question a été mis au seul nom de son sponsor. Il tente de résoudre ce problème à l'amiable. À cela s'ajoute le non-versement de ses vingt-quatre mois de salaire à Al-Awartany en violation des dispositions du contrat de travail signé avec son sponsor et associé. Sans succès. En avril 2013, il se tourne vers l'ambassade de France à Doha... qui se déclare incompétente. Affaire privée, estime à nouveau le corps diplomatique. Nasser al-Awartany décide alors de solliciter la justice qatarie.

La situation de Jean-Pierre Marongiu est autrement plus complexe. « En 2011, mon mari a accordé une interview à l'émission *Capital*, dans laquelle il critiquait le Qatar et affirmait que c'est un pays esclavagiste, me raconte Isabelle Marongiu. Les problèmes ont commencé le lendemain de la diffusion[1]. » Le frère de l'associé de Marongiu lui fait savoir qu'il compte s'approprier ses parts dans la société, et ce gracieusement. Les choses sont claires : si le Français refuse, il peut renoncer à tout espoir de quitter jamais le pays. Et qu'il n'essaie pas de récupérer son investissement, cela serait considéré comme du vol ! Pour preuve de sa détermination, le frère de son sponsor aurait, selon Marongiu, retiré 400 000 euros du compte bancaire de la société et placé celle-ci en liquidation, histoire de s'assurer que son associé français se soumette. Mais ladite société a des encours. Et dix chèques reviennent impayés. Résultat : Marongiu risque jusqu'à trente ans de prison, sans compter le remboursement des dettes de la société qu'il a créée avec son sponsor. L'entrepreneur français affirme que son associé

---

1. Entretien du 29 avril 2014.

qatari l'a spolié. La justice qatarie va-t-elle tirer l'affaire au clair ? Si, en France, une instruction judiciaire permet de remonter l'historique des comptes bancaires, rien de tel au Qatar ! « Mon mari a demandé à la banque de lui fournir les relevés de comptes », me raconte Isabelle Marongiu. Bloquée au Qatar pendant deux mois, elle parvient à quitter l'émirat en septembre 2012. Elle se bat ensuite depuis la France pour venir en aide à son mari : « Le banquier [qatari] a refusé de lui donner le moindre document. "Il n'est pas dans l'intention de votre sponsor et associé de vous communiquer le moindre papier", s'est vu répondre mon mari. Il a été arrêté deux jours plus tard. »

Toutes ces victimes se sont tournées vers l'ambassade de France à Doha. La consule de France, Muriel Poireault, a tenté d'intervenir auprès des autorités qataries pour dénouer ces affaires, en vain. « Elle a passé des nuits sur leur dossier pour les sortir de là. Elle a fait un travail extraordinaire ! » me confient plusieurs sources ayant eu à les connaître. Impossible d'en dire autant, semble-t-il, concernant son supérieur qui fait pourtant mine d'être familier des victimes quand François Hollande, en visite officielle à Doha, rencontre, le 23 juin 2013, trois d'entre elles.

Quelques semaines plus tôt, le chef de l'État avait reçu une lettre de Stéphane Morello lui expliquant la situation dramatique qui était la sienne. Réponse y fut faite, d'usage. Lors de l'entrevue, alors que les « otages économiques » expliquent au président le piège dans lequel ils se trouvent, l'ambassadeur de France Jean-François Peaucelle prend ensuite la parole et laisse entendre que Stéphane Morello serait sous le coup d'un *travel ban*, c'est-à-dire d'une interdiction de sortie du territoire. Et il plaide en faveur de Doha : la situation est délicate, sous-entend-il, il faut ménager la susceptibilité des Qataris.

« Oui, il faut faire de la diplomatie ! » le tance François Hollande sur un ton sans équivoque. Conformément à la convention de Vienne régissant les relations diplomatiques, il revient à tout ambassadeur de protéger les intérêts de son pays et ses ressortissants. Le président renvoie le diplomate à la mission que la République lui a confiée : trouver une issue à cette situation inacceptable. À ses côtés, Laurent Fabius, ministre des Affaires étrangères, déclare aux « otages » français que « cela fait partie des choses dont nous devons parler ce soir », lors du dîner prévu entre le président et l'émir Hamad. « Il semblait peu concerné », se souvient Belounis. Également présent, Manuel Valls se montre plus offensif. Bien qu'étant proche de l'émirat, le ministre de l'Intérieur est scandalisé par la situation qu'il découvre et décide de « donner un coup de main ».

« Nous étions sûrs que notre cauchemar était sur le point de prendre fin », tonne Zahir Belounis qui se demande encore pourquoi le chef de l'État ne les a pas emmenés avec lui, comme des réfugiés à l'ambassade de France, quand il a quitté Doha. Les Français ne sont pas les seuls étrangers concernés par ces refus de délivrance d'*exit permits*. Contrairement à Paris, Washington, comme d'autres capitales confrontées à une telle situation, procède différemment : Hillary Clinton est allée chercher elle-même l'un de ses ressortissants, bloqué depuis deux ans dans l'émirat.

Un mois plus tard, le 20 juillet, Jean-Pierre Marongiu n'y tient plus. Désespéré, il tente de fuir cette prison à ciel ouvert. En kayak ! Parvenu à Bahreïn, il demande l'assistance consulaire française. Sur ordre de l'ambassade de France, le consul, qui lui avait déconseillé de venir, considérant qu'il était « entré illégalement sur le territoire en s'étant échappé tout aussi illégalement du Qatar[1] », le remet aux autorités bahreïnies qui le remettent elles-mêmes aux gardes-côtes qataris. Une pratique couverte par le Quai d'Orsay : le ministère rappelle en effet que « tout auteur d'une infraction dans un pays étranger ne peut être aidé à se soustraire à la justice de ce pays par une ambassade ».

« Les autorités françaises de Bahreïn l'ont tout simplement livré au Qatar », s'irrite son avocat lillois, Frank Berton. Privation de liberté. Chantage. Séquestration. Il n'a pas de mots assez durs pour dénoncer la situation dans laquelle se trouvent ces Français. « L'étranger est une valeur marchande qui, une fois consommée, est jetée », s'indigne-t-il[2]. Le 25 juillet 2013, il s'engage dans la défense de ses compatriotes. « Des chefs d'entreprise investissent, des salariés donnent leur force de travail. Et quand on n'en veut plus, on les abandonne ! » martèle-t-il. Il s'attelle au dossier et se trouve aussitôt confronté à des enjeux colossaux : « Dans ces différentes affaires, comme dans la quasi-totalité des dossiers analogues, les sponsors qui procèdent au chantage sont très souvent membres de la famille Al-Thani », souligne-t-il. Le cas de Stéphane Morello est à ce titre tristement exemplaire. Son sponsor, Tamim, n'est autre – depuis l'abdication de son père Hamad, le 25 juin 2013 – que l'émir du Qatar. « Morello est en conflit avec l'émir ! Ce n'est pas rien, quand on connaît le pouvoir souverain poussé jusqu'à son paroxysme dans ce genre de contrée », constate l'avocat.

Pour l'anecdote, Morello est désormais sous contrat avec l'Agence pour l'enseignement français à l'étranger

---

1. « La diplomatie française mise en cause », *Le Parisien*, 24 août 2013.
2. Interview, 4 novembre 2013.

(AEFE). Fonctionnaire de l'État français, il exerce au lycée Bonaparte depuis septembre 2010. Faisant la classe aux élèves de CM2, il a ainsi enseigné les droits de l'homme... à deux des enfants de Michaal, frère aîné de Tamim ! Cela prêterait à sourire si les membres de la famille Al-Thani, souveraine d'un pays dont les habitants sont les plus riches au monde[1], n'exerçaient un chantage financier contre ceux qu'ils emploient. Elle peut retenir des Français contre leur gré sans qu'ils aient commis aucun crime.

Interrogé par la suite, le Quai d'Orsay se retranche derrière la « souveraineté de l'État du Qatar » et argumente ainsi : les Français bloqués dans l'émirat « faisaient [alors] l'objet de plaintes devant la justice », « des contentieux judiciaires étaient en cours ».

Que vaut devant un tribunal qatari la parole d'un étranger, tout Français qu'il soit, face à celle d'un membre de la famille royale ? Pour Nasser al-Awartany, la réponse est limpide : « Mansour bin Jassem al-Thani [son sponsor] est protégé par la justice. Et malgré les promesses de Hollande, rien ne bouge », déplore-t-il en août 2013[2]. Malgré la promesse d'aller au bout, quel que soit l'adversaire, les avocats qataris se défilent. Trop sensible ! Dans l'émirat, le serment universel d'aide et d'assistance semble être à géométrie variable, comme le déplore Frank Berton.

Les jours passent et rien ne change. Six semaines après la visite du président, Stéphane Morello écrit à Laurent

---

1. Le PIB par habitant s'élevait à 104 756 dollars en 2012, selon le FMI.

2. « Les autres cas », *Le Parisien*, 24 août 2013.

Fabius et à Manuel Valls. Il leur fait part de ses doutes quant à mobilisation de l'ambassade dans son affaire, souligne qu'il n'a fait connaissance avec l'ambassadeur que lors de la venue du chef de l'État, et insiste sur sa situation désespérée, lui qui est bloqué au Qatar depuis cinq ans. Il écrit également au conseiller diplomatique du Président. Pour leur part, les épouses des Français retenus au Qatar en appellent publiquement aux autorités françaises. L'affaire sort dans la presse[1]. Le 8 septembre, quinze jours après, Jean-Pierre Marongiu est placé en détention pour chèques sans provisions. Il entame une grève de la faim le 1er octobre. Il se dit innocent, mais se placé devant l'impossibilité de se défendre. Il peut certes se prévaloir d'un avocat – qatari –, mais il ne dispose d'aucun interprète, or il ne parle pas arabe. « C'est un combat en soi d'essayer ne serait-ce que d'avoir une assistance juridique et judiciaire pour nos ressortissants », déclare son avocat français, déplorant que son client ne puisse défendre ses droits sur place.

Au palais du Luxembourg, le 3 octobre 2013, les sénateurs Dominique Bailly (PS) et Joëlle Garriaud-Maylam (UMP) interpellent le ministre en charge des Français de l'étranger et demande au gouvernement ce qu'il envisage de faire pour résoudre le cas de ces quatre ressortissants français et permettre leur retour en France. De son côté, Frank Berton menace de porter plainte au pénal contre les membres de la famille Al-Thani qui se livrent à un odieux chantage. Soudain, la feuille de mission du Quai d'Orsay change : « L'ambassadeur de France à Doha – que j'ai rencontré – a manifestement reçu des ordres différents de ceux qui lui avaient été précédemment donnés, analyse

---

1. *Le Parisien* consacre sa une à ces affaires le 24 août 2013.

Frank Berton. Parce que la situation se complique. Parce que les relations bilatérales deviennent de plus en plus difficiles à gérer. Parce qu'on prend finalement connaissance de l'atteinte aux droits de l'homme dans ce pays. Et qu'on ne peut pas laisser nos ressortissants dans une telle situation. »

Septembre 2013. Zahir Belounis obtient un premier rendez-vous au cabinet du Premier ministre, en présence du premier conseiller de l'ambassade et de la consule de France.

Stéphane Morello se rend lui aussi au cabinet du Premier ministre, également accompagné de la représentation diplomatique française. La fin de l'enfer ? À la veille d'un second rendez-vous, en octobre, Morello est invité à signer une reconnaissance de dette de 226 560 euros (1 132 560 rials qataris) au titre du logement mis à sa disposition depuis 2008 (son contrat stipulait que ce logement lui était gracieusement fourni par son employeur). En sus, il doit s'engager à payer 1 200 euros (6 000 rials qataris) d'amende, faute d'avoir renouvelé son permis de résidence dans les délais impartis. Et attester que son contrat avec le Comité olympique a pris fin en août 2008. Pour faire simple, il doit renoncer à tout ce que lui doit son sponsor et à ne pas le poursuivre en justice.

L'ambassade s'est chargée de traduire le document, de le transmettre et d'organiser le rendez-vous. Bon gré, mal gré, elle s'en tient à la ligne qatarie. Selon certains, accepter ce chantage, c'est se faire la courroie de transmission du gouvernement qatari. S'il signe ce document, l'entraîneur renonce à ce qui lui est dû et avalise le comportement outrageant de son sponsor. Mais, sans ce renoncement, pas de sortie du Qatar.

Le rendez-vous officiel est prévu le 21 octobre. La veille, Morello s'entretient avec l'ambassadeur, Jean-Christophe Peaucelle. L'entraîneur refuse de signer le document, prenant ainsi le risque de ne jamais recouvrer sa liberté. Ce qu'il souhaite, c'est que la France reconnaisse le chantage dont il est victime.

– Dois-je ou non signer ? demande Morello à plusieurs reprises au diplomate.

– Je ne peux pas vous dire de le faire, c'est votre décision, lui aurait répondu celui-ci.

– Justement, en tant qu'ambassadeur, vous défendez mes intérêts. Est-il dans mon intérêt de signer ces documents ? redemande l'entraîneur.

– Si vous ne le faites pas, vous vous exposez à des mesures de la part des Qataris, lui aurait rétorqué l'ambassadeur.

N'en pouvant plus, Morello signe le document le 21 octobre. « Je pense que nous sommes, dans certains cas, proches d'une solution[1] », déclare l'ambassadeur de France au quotidien qatari *Gulf Times* le 26 octobre : « Il y a beaucoup de bonne volonté de la part des autorités qataries et de l'ambassade de France pour trouver une issue. Personne ne souhaite en faire un problème entre la France et le Qatar, car ce n'en est pas un. Ce sont des problèmes opposant certains citoyens français et leur sponsor et employeur. » L'ambassadeur revient également sur l'expulsion des deux proviseurs français, des événements qu'il qualifie de « mineurs », dont l'importance ne doit pas être « surestimée », et précise que, « en France, nous avons une expression pour cela : un caillou dans la chaussure. Ces événements ne sont même pas des cailloux dans la chaussure ». Les personnes concernées ont apprécié.

---

1. « Resolution of disputes involving French citizens 'close', says envoy », *The Gulf Times*, 26 octobre 2013.

Le 31 octobre 2013, après quatre ans et demi de combat, Stéphane Morello obtient son *exit permit*. « L'employeur de monsieur Morello est l'émir actuel. Le frère de l'émir est l'employeur de monsieur Belounis. Ce sont eux qui décident. C'est le pays où règne le plus grand esclavagisme moderne au monde ; c'est là une réalité. Mais l'argent ou la puissance de l'argent ne [doit pas autoriser] à nuire ou à confisquer les droits de l'homme. Le vrai combat est là ! », déclare son avocat dans un reportage diffusé au 20 heures de TF1... déclenchant la fureur des autorités qataries qui menacent de le poursuivre en justice. En parlant d'esclavagisme moderne, l'avocat n'a pourtant fait que reprendre le terme employé par l'une des plus hautes autorités du pays, l'ancien Premier ministre HBJ.

Au Palais-Bourbon, les députés Hervé Féron (PS) et Nicolas Dhuicq (UMP) s'inquiètent du nombre de Français concernés et demandent des comptes à Laurent Fabius. Abandonnés par leur pays, sacrifiés au profit d'enjeux financiers : voilà ce que ressentent ces Français, otages économiques du miracle qatari. « Je ne crois plus en rien. Mon temps est compté. On m'a tout pris : ma famille, ma société, mon patrimoine, ma liberté. Je vais probablement mourir en prison, seul et abandonné par mon pays, crie Jean-Pierre Marongiu depuis la geôle où il est enfermé, dans un message audio enregistré début novembre par sa femme Isabelle à l'intention du président de la République. Au nom des miens, au nom de mon innocence, je vous implore d'intervenir ! Le droit d'ingérence humanitaire faisait partie de votre programme, j'en appelle aujourd'hui à votre humanité », poursuit-il. « Mon mari était en grève de la faim depuis quarante-trois jours quand il a fait un arrêt cardiaque, me dit son épouse. La veille, l'ambassade m'appelait pour prendre de ses nouvelles, alors que je suis en

France et eux, à Doha ! » En France, Frank Berton cherche à susciter l'intérêt du Président. « Je ne vous demande évidemment pas de porter atteinte à la souveraineté [du Qatar, ni] à l'indépendance de la Justice qatarie, mais je me permets simplement d'attirer votre attention sur la situation dramatique de Jean-Pierre Marongiu, qui, si vous n'intervenez pas, va conduire à un drame humain, qui altérera de façon sérieuse les relations entre nos deux pays », écrit-il dans une lettre datée du 14 novembre 2013. « S'il devait décéder en détention au Qatar en raison d'une escroquerie dont il a été la victime de la part de son "sponsor", qui se trouve [...] être un membre de la famille royale, je crains que la situation ne s'envenime de manière irréversible. ».

Quelques jours plus tard, le footballeur Zahir Belounis, qui avait rencontré le président lors de sa visite officielle à Doha en juin 2013, se tourne, lui, vers... Zinedine Zidane et Pep Guardiola[1], qui ont tous deux défendu la candidature du Qatar au Mondial 2022[2] : « Vous avez été de grands footballeurs, mais vous êtes aussi de grands hommes, alors je fais appel à votre aura pour intervenir ou essayer d'intervenir afin que les choses se débloquent, supplie-t-il dans sa lettre[3]. Je vis un cauchemar depuis des mois à cause du *kafala system*. Ce système me tue à petit

---

1. Ancien footballeur espagnol émérite, il est désormais l'entraîneur du Bayern Munich depuis juillet 2013, après quatre saisons passées au FC Barcelone.

2. D'après le journal australien *Herald Tribune*, Zidane aurait touché 15 millions de dollars pour son soutien. Information que nous n'avons pas pu vérifier. Cité dans « Et pour quelques millions de plus », Eurosport.fr, 3 décembre 2010.

3. « Lettre de Belounis à Zidane et Guardiola », *France Football*, 14 novembre 2013.

feu et plein d'autres risquent de vivre la même chose. J'ai l'occasion d'en parler parce que je suis en plein dedans, donc je saisis cette occasion pour exiger un changement pour un monde meilleur... », écrit-il, ajoutant : « Je vous demande d'utiliser votre influence comme ambassadeurs du football pour parler de ce qui m'arrive et qui arrive à beaucoup de jeunes hommes, ici, au Qatar. Les gens sont tenus loin de leur pays à cause de ce système de visa de sortie. [...] Vous savez ce que c'est que d'avoir des enfants. Imaginez ce que je vis tous les jours dans une maison à moitié vide – lorsqu'ils m'ont promis de me donner mon visa de sortie, j'ai vendu mes meubles –, et quand j'affronte le regard de mes filles, je me sens honteux, j'éprouve du dégoût à mon propre égard, de devoir leur infliger ces conditions. Je vous parle comme à des pères de famille et aussi comme à d'anciens footballeurs, et je vous demande, s'il vous plaît, de parler et de faire tout ce que vous pouvez pour m'aider à rentrer chez moi. » Il avait également sollicité des responsables de la Fifa qui se sont défilés au motif que la « justice qatarie était déjà saisie du dossier[1] ».

« Pourquoi tu as fait ça ? », lui demandent aussitôt des Qataris. Face à ces menaces voilées, Belounis prend peur pour sa famille. Il presse son épouse de quitter le pays avec leurs deux enfants. Et il se voit opposer un refus ferme.

« Le droit international proscrivant toute ingérence dans le fonctionnement de la justice d'un État étranger souverain, les autorités françaises ne peuvent intervenir dans la situation pénale de notre compatriote, pas plus que nous ne tolérerions des interventions similaires auprès de nos juridictions nationales, déclare Hélène Conway-Mouret,

---

1. « Belounis : "Pas le Qatar que j'attaque" », *L'Équipe*, 1er décembre 2013.

ministre déléguée auprès du ministre des Affaires étrangères chargée des Français de l'étranger, devant le Sénat, le 20 novembre 2013. Cependant, conformément aux dispositions de la convention de Vienne du 24 avril 1963 sur les relations consulaires, les services consulaires de l'ambassade de France à Doha lui délivrent la protection consulaire. À ce titre, lorsqu'il le souhaite, il reçoit des visites en détention de nos représentants qui s'assurent de son état de santé et assistent par ailleurs aux audiences judiciaires le concernant... Toute allégation de sa part concernant son état de santé est aussitôt relayée auprès des autorités qataries compétentes... L'ambassade s'assure également que notre compatriote dispose toujours d'un avocat sur place pour le défendre lors des différentes audiences en justice[1]. »

Bloqué au Qatar depuis juin 2012, Zahir Belounis obtient enfin son précieux sésame le 27 novembre 2013. Pour cela, il a dû signer une lettre de licenciement datée de février 2013, alors que son contrat courait jusqu'au 30 juin 2015. Et renoncer notamment aux salaires qui lui étaient dus. « Je ne voulais pas signer, mais c'était le seul moyen de quitter enfin ce pays, soupire-t-il, brisé par tant de souffrances et d'injustices. J'en veux surtout à mon pays. Ce cauchemar s'est éternisé, il a brisé ma carrière de footballeur et violemment éprouvé ma famille. Aujourd'hui, tout est à reconstruire. »

Telle est la situation que découvre le sénateur socialiste Jean-Yves Leconte, vice-président de l'Assemblée des Français de l'étranger, quand il se rend à Doha en

---

1. Réponse de Hélène Conway-Mouret, publiée dans le *Journal officiel*, Sénat, 20 novembre 2013, p. 11577, à la suite de la question orale sans débat n° 0582S posée par Dominique Bailly.

novembre 2013. Quelques mois plus tôt, il a fustigé la convention fiscale signée entre la France et le Qatar[1]. Sénateur des Français de l'étranger, il a décidé de voir par lui-même cette réalité dont la presse commence à se faire l'écho. « J'ai vu la manière dont répondait le Quai d'Orsay, j'ai décidé d'aller voir sur place. Cela fait partie de mes fonctions, explique-t-il. Le Qatar, dont la population est composée en grande majorité d'étrangers, n'a aucune identité stable. C'est un pays fragile : imaginez la France avec 800 millions d'étrangers ! Certes, il a choisi de s'ouvrir sur le monde, mais les différences existant entre la manière dont nous accueillons leurs investissements dans l'Hexagone et l'insécurité juridique qui prévaut dans ce pays, s'agissant des investissements français et surtout du sort de nos compatriotes dans l'émirat, ne sont pas tolérables. Au Qatar, nos ressortissants ne disposent pas des droits civils qui leur permettraient de se défendre face à la justice[2] » insiste le sénateur, qui a rendu visite, en prison, à Jean-Pierre Marongiu.

De retour en France, Belounis porte plainte, le 13 décembre 2013, auprès du procureur de la République de Paris, pour « conditions de travail contraires à la dignité de la personne, faux, escroquerie et extorsion de fonds aggravée ». Le président du conseil d'administration de son club sponsor, Hamad bin Ali al-Attiyah, chef d'état-major des armées et ministre de la Défense du Qatar, est directement visé par la plainte. « Il est régulièrement en contact avec les autorités françaises, notamment pour les achats d'armes. Le ministre français de la Défense l'a rencontré à plusieurs reprises, et je m'étonne que

1. Voir chapitre 12.
2. Entretien, 13 janvier 2014.

la situation de Zahir Belounis n'ait pas été débloquée plus vite », s'élève Frank Berton, au micro de RTL, qui demande à la justice d'interroger le ministre qatari[1]. Une autre plainte pénale est déposée le même jour, celle-ci au nom de Nasser al-Awartany, contre son sponsor pour « abus de confiance, tentative d'extorsion de fonds aggravée, escroquerie et conditions de travail contraires à la dignité de la personne ». Ce troisième Français obtient son permis de sortie le 31 décembre et rentre aussitôt en France. Jusqu'au bout, ses nerfs ont été mis à rude épreuve : « Au moment de décoller, une petite croix rouge est apparue à côté de mon nom alors qu'elle n'y était pas le matin même. Je n'avais plus les moyens de partir. J'ai dû rappeler l'ambassade, qui ne comprenait pas[2]. » Il aura pu finalement quitter ce purgatoire sans découvrir ce qui s'est réellement passé.

« Il n'aura pas fallu trois mois à la justice pour s'emparer du dossier, se félicite Me Berton[3]. Le 12 février 2014, une information judiciaire pour "extorsion de fonds, tentative d'extorsion de fonds, faux, usage de faux et conditions de travail contraires à la dignité humaine" a été ouverte à la suite des plaintes déposées en décembre. La justice a été rapide ! » Et l'avocat de m'annoncer qu'une plainte pour recel d'escroquerie, conditions de travail contraires à la dignité de la personne et tentative d'extorsion aggravée a été déposée le 23 avril 2014, au nom de Stéphane Morello, plainte visant le Comité national olympique du

---

1. « Affaire Belounis : une plainte déposée contre le ministre de la Défense du Qatar », RTL, 13 décembre 2013.

2. « Nasser, ex-"otage économique" au Qatar : « Je suis écœuré par le système », *Nord Littoral*, 3 janvier 2013.

3. Entretien, 23 avril 2014.

Qatar, et, indirectement, l'émir en titre, Tamim al-Thani, ancien président de ce comité.

Alors qu'à Paris un juge d'instruction parisien débute son enquête, Jean-Pierre Marongiu, lui, est toujours emprisonné à Doha sans pouvoir défendre ses droits. En janvier 2014, il a été condamné pour chèques impayés par la justice qatarie. « Il n'a eu de cesse de se plaindre de devoir se rendre aux audiences sans interprète, et, à la fin du procès, il n'avait plus d'avocat qatari, se navre Frank Berton. Nous aurions pu faire jouer la convention de Strasbourg, en vertu de laquelle il aurait pu rentrer en France purger sa peine – dont nous ignorons d'ailleurs le quantum ! –, mais le Qatar n'a pas signé cette convention internationale. Jean-Pierre Marongiu souhaitait déposer un recours en grâce auprès de l'émir du Qatar. J'ai considéré que c'était prématuré. Que se passera-t-il, demain, s'il est gracié, alors qu'il doit encore être jugé pour l'affaire du kayak ? » Depuis, Marongiu a changé d'avocat. Son épouse Isabelle, accompagnée du sénateur (UMP) Alain Marsaud, a déposé un recours en grâce auprès de l'ambassadeur du Qatar à Paris en février 2014. Pendant plusieurs semaines, elle a enregistré ses conversations téléphoniques avec son mari. Une quinzaine d'heures dont est tiré le livre-témoignage du captif[1]. Ses proches dénoncent : la diplomatie française l'a lâché. Le ministère des Affaires étrangères affirme pour sa part qu'il remplit sa mission.

Une défense *a minima* ? « Il aura fallu que six mois s'écoulent entre la visite de François Hollande et la libération de Stéphane Morello, Zahir Belounis et Nasser

---

1. Jean-Pierre Marongiu, *Qaptif, un Français otage du Qatar*, Les nouveaux auteurs, mai 2014.

al-Awartany. Une *libération*, car c'est bien de cela qu'il s'agit ! », fustige le sénateur Jean-Yves Leconte qui sollicite régulièrement le Quai d'Orsay pour que l'État vienne en aide à Jean-Pierre Marongiu.

À Doha, Jean-Christophe Peaucelle, nommé en 2011, fait ses valises. Le diplomate souhaitait rester un an de plus à ce poste. Une demande de prolongation classique, généralement accordée. Pas cette fois. La décision du Quai sonne comme un désaveu. Et pour cause. L'ambassadeur, dont c'était la première mission à un tel niveau, s'apprête à rentrer à Paris. Comme le veut l'usage, la nomination de son successeur est soumise à l'agrément de l'émir du Qatar. Il y a fort à parier que le futur ambassadeur ne devrait pas déplaire au Diwan. Lui, c'est Éric Chevallier. Il a été membre du cabinet de Bernard Kouchner au ministère de la Santé puis aux Affaires étrangères, avant d'être nommé ambassadeur de France à Damas au printemps 2009. Depuis la fermeture de la représentation française en Syrie, en mars 2012, le diplomate est l'interlocuteur des rebelles syriens pour le ministère des Affaires étrangères. Un dossier qui l'amène à être en contact régulier avec... Doha.

ÉPILOGUE

L'émirat fait miroir. Il nous révèle une France sous influence. On y lit avec une certaine limpidité le fonctionnement de nos élites ; souvent, elles n'hésitent pas à aller à rebours des intérêts de notre pays, délaissent les principes qui devraient être les leurs, perdent de vue toute dimension stratégique, se rangent facilement aux intérêts de l'autre partie, cèdent à ses exigences et se rendent sans combattre – ou si peu. La relation franco-qatarie est à cet égard emblématique.

Au miroir de l'émirat, on distingue l'image que se font de la France certains de nos dirigeants : une vieille nation, encore quelque peu « attractive », certes, mais dont il faut tirer le plus rapidement possible ce qui peut l'être avant que tout le patrimoine exploitable ou cessible ait disparu. Une sorte de dernier inventaire avant liquidation. Comme si les serviteurs de l'appareil d'État étaient dans l'incapacité de penser la France dans la mondialisation, de concevoir qu'elle y ait une place et un rôle à tenir. Comme s'ils n'étaient plus bons qu'à vendre le pays à la découpe. Certes, la dette publique et les déficits budgétaires ne cessent de croître, tandis que les inégalités se creusent ; la France a un besoin réel et vital de liquidités, mais ce n'est pas en bradant les instruments de sa puissance que le manque de trésorerie sera résolu de manière pérenne.

Au miroir qatari, certains des serviteurs de l'État, tant politiques qu'industriels et économiques, apparaissent comme dépassés. Naïfs, face aux largesses financières de l'émirat, ils semblent avoir perdu tout sens critique, comme si la visée mercantile constituait désormais l'alpha et l'oméga de leur action. Ils semblent ne plus savoir gouverner à long terme, définir une vision, défendre nos intérêts. Pour se procurer l'expéditif remède pécuniaire, ils se sont parfois prêtés à un dangereux jeu de dupes : tandis que la France grappille la menue monnaie de l'émirat, celui-ci joue de son carnet de chèques pour élargir son patrimoine et s'acheter une influence considérable. Dans une quasi-impunité.

« Lune de miel » : l'expression s'est imposée pour qualifier la relation franco-qatarie entre 2007 et 2012. Au sortir du quinquennat de Nicolas Sarkozy, la relation bilatérale était telle. Cinq années de politique aux intérêts toujours plus intriqués. Sans qu'ils soient toujours communs, loin de là, et sans que la France y trouve toujours son compte. Le président du « pouvoir d'achat » s'en est-il rendu compte ? Il a incité ses amis qataris à dépenser tant et plus en France. Et souvent malmené l'intérêt général au profit de l'assouvissement des désirs qataris. Les Al-Thani ont eu chez nous carte blanche. Et les contreparties que Paris a offertes à leurs dépenses – pas si somptuaires que cela – ont été très onéreuses pour la collectivité. Nos dirigeants ont instrumentalisé l'appareil d'État afin de satisfaire des intérêts étrangers. Et l'image du pays, pour une part ravalée, s'en est, de fait, trouvée dégradée, à l'inverse de l'effet prétendument recherché.

Élu à la magistrature suprême en mai 2012, François Hollande a voulu mettre un terme à cette folie, rééquilibrer la relation bilatérale, restaurer de la distance et du bon sens. Mais quelque chose résiste. En témoigne, à l'automne 2013, la discrétion qui entoure la cérémonie donnée en l'honneur du départ de l'ambassadeur du Qatar en France : il se voit remettre par le président de la République en personne les insignes de commandeur de la Légion d'honneur. La rencontre n'est pas inscrite à l'agenda officiel, à la date du 17 octobre. Ce jour-là, le planning ne compte que deux événements : un premier entretien avec Jean-Michel Baylet, sénateur du Tarn-et-Garonne et président du Parti radical de gauche, un second avec François Lamy, ministre délégué chargé de la Ville. Aucune mention de Mohamed Jaham al-Kuwari, en partance pour Washington après dix ans de bons et loyaux services à Paris.

Le diplomate collectionne les témoignages de reconnaissance. Le 10 septembre 2007, au lendemain de la libération par Kadhafi des infirmières bulgares et du médecin palestinien, Nicolas Sarkozy le fit chevalier de la Légion d'honneur, avant de le promouvoir officier un an plus tard. La reconnaissance de la République fait donc preuve de continuité, mais pourquoi en catimini ? La Légion d'honneur récompense les services rendus à la Nation française par des personnalités civiles et militaires, mais a aussi pour rôle de soutenir et accompagner la politique étrangère de la France. Rien ne justifie en la circonstance la discrétion élyséenne. Si ce n'est la sensibilité du sujet ?

Un an plus tôt, des députés réclamaient un débat public sur la nature réelle des investissements du Qatar en France et sur les ambitions qu'il y poursuit. Voilà qui aurait permis d'apaiser les inquiétudes, de solder les funestes excès

passés, d'envisager une relation mesurée, enfin dépassion-
née. Mais la commission d'enquête parlementaire réclamée
n'a pas vu le jour. Pourquoi ? Par crainte de déplaire à
l'émirat ou, pis encore, de voir révélées certaines compro-
missions ?

« La France m'a ouvert les portes de l'amitié, elle a été
une source d'inspiration pour moi et pour le Qatar dont
elle est devenue le partenaire privilégié. Ensemble nous
avons accompli de grandes réalisations, noué des liens
diplomatiques et politiques harmonieux et immuables. »
Dans son discours d'adieu, Al-Kuwari ne s'en tient pas à
la doctrine de la « lune de miel ». L'homme n'est pas dupe.
Il le dit : il y a ceux qui aiment son pays et ceux qui aiment
l'argent dont il dispose. Il a bien conscience de certains
comportements paradoxaux, oscillant entre inquiétude et
mépris. « La France m'a fasciné », s'enhardit le diplomate
devant ses invités.

Ils sont nombreux ceux qui, par cette soirée plu-
vieuse, se pressent autour de lui : la ministre déléguée à
la Francophonie, Yamima Benguigui, l'ancien secrétaire
général de l'Élysée, Claude Guéant, les anciens ministres
et porte-flingues de Nicolas Sarkozy, Nadine Morano et
Frédéric Lefebvre – désormais député (UMP) des Français
d'Amérique du Nord –, l'ancien ministre de la Culture et
président en exercice de l'Institut du monde arabe, Jack
Lang, les députés Malek Boutih (PS) et Maurice Leroy
(UDI) – qui préside le groupe parlementaire d'amitié
France-Qatar –, l'ancienne candidate socialiste à l'élection présidentielle 2007, alors vice-présidente de la Banque
publique d'investissement, Ségolène Royal, les anciens
ministres Dominique de Villepin, Hubert Védrine, Michèle
Alliot-Marie, Élisabeth Guigou et Renaud Donnedieu de
Vabres, mais aussi le président de la Caisse des dépôts et

consignations, ami proche de François Hollande, Jean-Pierre Jouyet[1], ou encore le directeur de l'Iris, Pascal Boniface. La présence la plus remarquée est celle du ministre de l'Intérieur, Manuel Valls, dont l'entrée a suscité de nombreux murmures dans l'assistance. « Je tenais à être présent pour vous témoigner toute l'amitié que nous vous portons », lui répond Manuel Valls, prenant la parole après l'ambassadeur pour saluer son action. « Vous avez développé un réseau inégalable en France », ajoute-t-il. Ce qui est peu dire.

La France, ce « jardin des délices », selon son expression, que le diplomate quitte avec un brin d'amertume, comme il le dit : « Dans les médias, le Qatar est critiqué » ; or l'émirat, affirme-t-il, « admire et respecte » la démocratie française. « Le Qatar n'est pas irréprochable », concède-t-il, tout en regrettant les « accusations infondées » dont son pays fait d'après lui l'objet. « La vérité, renchérit-il, c'est que le Qatar n'est motivé que par la bienveillance et la volonté de progrès. » Son discours est parfaitement calibré pour l'occasion. Il semble même sincère : qui, dans l'assemblée, en mettrait en cause les termes ? La réalité qatarie est pourtant bien éloignée de la rive gauche de la Seine... Tout comme la réalité française dans sa globalité.

L'influence de la France a décliné, certes, mais elle n'est pas nulle. À force de ne plus croire en sa puissance et en sa souveraineté, nos élites pourraient bien voir se réaliser cette mauvaise prophétie : celle qui les a conduits, sous le quinquennat de Nicolas Sarkozy, à mettre entre les mains du Qatar une part non négligeable de l'influence géopolitique de leur pays.

Le Diwan, lui, mesure à sa juste valeur le poids qui est le nôtre sur l'échiquier international. À preuve : c'est à Paris

---

1. Il sera nommé secrétaire général de l'Élysée le 9 avril 2014.

que l'émir Tamim accomplit son premier voyage officiel en Occident en juin 2014, un an jour pour jour après la venue de François Hollande à Doha. Il a bien conscience de la nécessité de choyer son allié de choix. Ce d'autant plus que la stratégie d'influence qatarie connaît de nombreux revers dans les mondes arabo-musulmans. La tonitruante diplomatie menée par son père Hamad et son cousin HBJ, partis du pouvoir, lui vaut de profondes inimitiés. Pour Tamim, l'état de grâce n'aura pas duré plus de huit jours : le 3 juillet 2013, le président égyptien Mohamed Morsi, issu des rangs des Frères musulmans ardemment parrainés par Doha, était renversé. L'islam politique, dont le Diwan s'est fait le héraut, perdait sa principale icône, celle qui devait impulser une nouvelle dynamique dans la région. Au Caire, le pouvoir passe bientôt aux mains du général Al-Sissi, soutenu par l'Arabie saoudite. Cinq jours plus tard, Ahmad Assi Jarba, candidat des Saoudiens, prend la tête de la Coalition nationale syrienne en lutte contre Bachar el-Assad. Riyad reprend la main dans la région, entend endiguer l'essor de la confrérie et contraindre Doha, son bras financier, à rompre avec son interventionnisme et ses ingérences politiques. Entre les Saoud et les Al-Thani, le ton n'a cessé de monter. À tel point que le 23 novembre 2013, lors d'une réunion du Conseil de coopération du Golfe, le monarque saoudien enjoignait le jeune émir qatari de cesser de soutenir « des individus ou des groupes menaçant la sécurité et la stabilité, [et] des médias hostiles », allusion implicite aux Frères musulmans et à Al Jazeera. En vain. Multipliant les déclarations bellicistes au début de l'année 2014, Youssef al-Qaradawi s'en prenait violemment à l'Arabie saoudite pour son soutien au nouveau pouvoir égyptien et aux Émirats arabes unis, alors en campagne contre les Frères musulmans. La crise a éclaté le 5 mars, quand les Émirats, l'Arabie saoudite et Bahreïn ont rappelé leurs ambassadeurs à Doha. Quarante-huit heures plus tard, Riyad inscrivait la Confrérie sur sa liste des organisations terroristes. À Doha, Al-Qaradawi est alors privé des moyens de son influence. « Pour raisons personnelles », affirme-t-il, démentant les rumeurs qui annoncent son départ de l'émirat, tandis que le ministre des Affaires étrangères qatari claironnait que la « crise [était désormais] finie ». Bref, plus encore que d'ordinaire, il importe au Diwan de reconsolider l'amitié avec la France, qui a pris ses distances avec lui à la suite des excès de sa politique d'influence : soutien aux Frères musulmans pendant les « printemps arabes », soutien aux jihadistes au Mali, en Libye ou encore en Syrie...

Hollande a mis fin à la relation fusionnelle avec le Qatar, il a resserré les liens avec l'Arabie saoudite, les Émirats arabes unis et les pays du Maghreb, et jeté les bases d'une diplomatie rééquilibrée. « Le Qatar est un ami loyal de la France, et cette relation va au-delà des alternances politiques et des personnalités à la tête de nos deux pays, souligne le président en prélude au dîner d'État organisé à l'Élysée en l'honneur du jeune souverain qatari le 23 juin 2014. Et je souhaite que nos relations puissent se poursuivre dans la confiance, mais dans la transparence, et donc dans la franchise. » Le mot est lâché : fin de la duplicité ?

Pas tout à fait. La France attend beaucoup de cette visite. Au niveau diplomatique, bien sûr : l'Irak et la Syrie sont alors au bord du précipice jihadiste, l'État islamique en Irak et au Levant découpe des pans entiers de territoire, menaçant la stabilité de toute la région. Mais aussi au niveau économique, la signature de nouveaux contrats commerciaux et d'armement étant attendue. Avant le dîner d'État, Alstom, Systra et Vinci ont signé des accords avec l'émirat pour un montant de 2 milliards d'euros. Dans la liste des potentielles emplettes qataries, l'armement figure en première place. Le Diwan veut équiper son armée de l'air de 72 appareils de combat. Paris espère lui vendre 36 Rafale. « Le Qatar a toujours fait les choix, pour son armée, de la technologie française », souligne le président lors de son toast, ajoutant : « Je sais que vous avez la plus grande attention et la plus grande bienveillance par rapport aux matériels que nous vous proposons dans tous les domaines, et notamment aéronautique. » Conclure la vente tant espérée ? Dassault n'est encore jamais parvenu à vendre son Rafale à l'export... Paris peut encore attendre. Pas Washington. Trois semaines plus tard, les États-Unis s'enorgueilliront de la signature d'un contrat de vente de matériel militaire à l'émirat pour un montant estimé à 11 milliards de dollars. « Un bon signe[1] » pour Boeing qui rivalise avec Dassault – et le britannique BAE Systems – pour vendre ses avions de chasse, se félicite un haut responsable du Pentagone.

« La France est, selon les méthodes de calcul, la première ou la seconde destination des investissements qataris dans le monde », se félicite Laurent Fabius, au lendemain du dîner d'État, tandis qu'il accueille, dans les salons du Quai d'Orsay, un forum économique franco-qatari. Le ministre insiste : « Vos investissements en France sont les bienvenus. Nous souhaitons qu'ils augmentent et se diversifient, en particulier vers les PME. C'est pour cela que nous avons créé un fonds d'investissement commun entre la Caisse des dépôts et Qatar Holding, destiné à

---

1. « Le Qatar va acheter des missiles Patriot pour 11 milliards de dollars », *AFP*, 15 juillet 2014.

prendre des participations dans des PME. » Rien ne pouvait plus satisfaire l'émirat qui, par la voix de son ministre de l'Économie et du Commerce, Ahmed bin Jassim bin Mohamed al-Thani, lui répond en écho : « En Europe, la France est le second pays [après la Grande-Bretagne] dans lequel le Qatar investit en termes de volume. Les investissements qataris dans l'Hexagone s'élèvent à 25 milliards de dollars, et à 5 milliards pour les investissements privés. Nos investissements devraient encore augmenter de manière considérable. Doha a bien compris que la France a pour principale priorité sa réindustrialisation, la revivification de son tissu économique et entrepreneurial. Et le ministre qatari d'évoquer à son tour cette « nouvelle ère du partenariat [fondé] sur la transparence et la confiance ». Il semblerait que le message lancé un an auparavant par François Hollande lors de sa visite à Doha ait été entendu par le Diwan. Officiellement du moins.

« La France est une nation engagée dans le monde, avait rappelé le président lors de son discours d'investiture. Par son histoire, par sa culture, par ses valeurs d'humanisme, d'universalité, de liberté, elle y occupe une place singulière. La Déclaration des droits de l'homme et du citoyen a fait le tour du monde. Nous devons en être les dépositaires et nous situer aux côtés de toutes les forces démocratiques du monde qui se recommandent de ses principes. » N'est-il pas temps, enfin, de faire retentir cette voix française, originale et singulière ? Certains serviteurs de l'État s'y emploient. Tous, loin de là, ne sabordent pas de gaîté de cœur l'appareil, mais tentent, à leur niveau, de restaurer l'équilibre, de faire prévaloir les principes qui sous-tendent notre République, de défendre la vision d'une France dont le poids compte et la voix porte. Preuve que tous n'ont pas abdiqué, ne sont pas prêts à souscrire à la courte vision de ceux qui se plaisent à envisager la France comme inféodée aux diktats du néolibéralisme, dépassée par la mondialisation, contrainte de renoncer à ce qu'elle est : une puissance dotée d'un indéniable savoir-faire nucléaire et technologique, d'une industrie reconnue et convoitée, un pays qui, certes, rencontre de sévères difficultés, mais dont l'avenir n'est pas irrémédiablement gagé. De par ses atouts, de par son rôle au sein du Conseil de sécurité des Nations unies, la France dispose d'un réel pouvoir, ses leviers d'influence lui confèrent un poids notable dans les relations diplomatiques, ils lui permettent de peser sur les rapports de forces et de contribuer ainsi à amorcer son redressement. Encore s'agit-il, pour nos dirigeants, de jouer subtilement de ces atouts, de cesser de réduire la politique à sa seule dimension économique et financière, de l'élargir en lui assignant un cap visionnaire. Il serait temps, enfin, de penser et d'agir à long terme, et de renouer avec la grande politique.

REMERCIEMENTS

La confection de cet ouvrage a nécessité des dizaines et des dizaines d'entretiens. Notre reconnaissance va avant tout à celles et ceux qui nous ont accordé leur confiance et ont accepté, de manière officielle ou anonyme, de nous donner leur témoignage.

Nous tenons aussi à remercier toute l'équipe de la série documentaire *Qatar*, en particulier Christophe Bouquet qui l'a réalisée avec Clarisse Feletin, ainsi que tous les techniciens qui lui ont donné corps, Christophe Nick et Yami 2 qui l'ont produite, France 5 qui l'a diffusée, Jean-Robert Viallet, réalisateur de *Manipulations, une histoire française*, l'équipe des films et celle du webdocumentaire.

Nos remerciements vont également à nos familles et amis pour leur soutien indéfectible, sans lequel rien de tout cela n'aurait pu exister.

Table des matières

Composition et mise en pages
Nord Compo à Villeneuve-d'Ascq

Impression réalisée par
CPI BRODARD ET TAUPIN
La Flèche

pour le compte des Éditions Fayard
en septembre 2014

**PAPIER À BASE DE
FIBRES CERTIFIÉES**

Fayard s'engage pour
l'environnement en réduisant
l'empreinte carbone de ses livres.
Celle de cet exemplaire est de :
1,300 kg éq. CO_2
Rendez-vous sur
www.fayard-durable.fr

Dépôt légal : septembre 2014
N° d'impression : 3002888
36-57-4429-1/01
Imprimé en France